Nijlschaduwen

Edward
Whittemore

Nijlschaduwen

VERTAALD DOOR
ROB VAN MOPPES

UITGEVERIJ LUITINGH

1 0. 09. 2007

De vertaler ontving voor deze vertaling een werkbeurs
van de Stichting Fonds voor de Letteren

Oorspronkelijke titel: *Nile Shadows*
Omslagontwerp: Pete Teboskins
Omslagfotografie: Corbis
Foto auteur: Musa Farhi

ISBN 978 90 245 4877 4
NUR 305/302

www.boekenwereld.com

Inhoud

Foto door Musa Farhi

Voorwoord

Edward Whittemore (1933 – 1995)

Zo'n twintig jaar na het einde van de oorlog met Japan meerde in de haven van Brooklyn een vrachtschip af met aan boord de grootste collectie Japanse pornografie die ooit in een westers taalgebied bijeen was gebracht. De eigenaar van de collectie, een reusachtige, dikke, grijnzende man die Geraty heette, overhandigde de douanebeambten een paspoort waaruit bleek dat hij een in Amerika geboren en getogen balling van rond de vijfenzestig was, die vier decennia tevoren de Verenigde Staten had verlaten. Zo begint *Quin's Shanghai Circus*; het boek eindigt met een beschrijving van de grootste begrafenisstoet in Azië sinds de dertiende eeuw.

We schrijven 1974. De auteur is Edward Whittemore, een eenenveertig jaar oude, voormalige geheim agent. Hij en ik studeerden in de jaren vijftig aan de Universiteit van Yale, maar waren toen ieder ons weegs gegaan, hij naar de CIA en ik naar een loopbaan in de boekenuitgeverij in de stad New York. Vanzelfsprekend was ik blij dat mijn oude studiemaatje zich met zijn roman had gewend tot uitgeverij Holt, Rinehart & Winston, waar ik hoofdredacteur was van de afdeling Bedrijfskunde. Mijn blijdschap was nog groter toen de overwegend positieve recensies binnen begonnen te druppelen, met als klap op de vuurpijl Jerome Charyn die in *The New York Times Book Review* schreef: 'Quin is een volslagen krankzinnig boek vol mysteriën, waarheden, onwaarheden, autisten, necrofielen, tovenaars, dwergen, circusdirecteuren en geheim agenten... een wonderbaarlijke herschrijving van de geschiedenis van de twintigste eeuw.'

In de vijftien daaropvolgende jaren schreef Whittemore nog vier tomeloos fantasierijke romans, zijn *Jeruzalem Kwartet: Sinaï Tapijt, Jeruzalem Poker, Nijlschaduwen* en *Jericho Mozaïek.* Recensenten en critici vergeleken zijn werk met de romans van Carlos Fuentes, Thomas Pynchon en Kurt Vonnegut. *Publishers Weekly* noemde hem 'onze grootste onbekende romancier'. Jim Hougan, recensent voor *Harper's Magazine*, beschreef Whittemore als 'een van de laatste en beste argumenten tegen televisie... hij is een zeldzaam begaafde auteur... In de setting zullen liefhebbers van spionageromans zich vast en zeker thuis voelen, maar toch wordt die volledig getransformeerd door het absurde gevoel voor humor van de schrijver, zijn voorliefde voor mystiek en zijn multidimensionale kijk op tijd en geschiedenis.'

Edward Whittemore stierf in de zomer van 1995 op tweeënzestigjarige leeftijd aan prostaatkanker en was toen weinig bekender dan in het begin van de jaren zeventig, toen hij zijn korte, verbluffende carrière als schrijver begon. Van zijn romans zijn nooit meer dan 5000 exemplaren in gebonden editie verkocht en slechts drie daarvan waren korte tijd in de goedkopere pocketuitvoering verkrijgbaar. Maar het *Jeruzalem Kwartet* werd uitgegeven in Groot-Brittannië en in Duitsland waar Whittemore op het omslag werd omschreven als de 'Amerikaanse meesterverteller'. De omslag van de Poolse editie van *Quin's Shanghai Circus* werd gesierd met een schitterend voorbeeld van Japanse erotica.

Whittemore slaagde in juni 1951 voor het eindexamen aan Deering High School in Portland, Maine en schreef zich dat najaar in op Yale, een lid van Lichting 1955. Een studiegenoot op Yale, de romancier Ric Frede, betitelde de studenten uit de jaren vijftig als 'leden van de Stille Generatie'. De jaren vijftig waren ook de 'Eisenhower-jaren', die behaaglijke periode tussen de Tweede Wereldoorlog en het radicalisme en de studentenonlusten van de jaren zestig. De universiteiten in het noordoosten van de Verenigde Staten werden nog steeds gedomineerd door oud-leerlingen van de voorbereidingsscholen in New England. Als zonen van de gegoede klasse aan de oostkust stonden zij dichter bij de Princeton University van F. Scott Fitzgerald en de Harvard University van John P. Marquand dan bij de werelden van Jack Kerouac en Allen Ginsberg. Zij waren 'heren' en sportlieden, maar niet per definitie grote geesten. Na, vaak met matige cijfers, aan Yale of een van de andere universiteiten te zijn afgestudeerd, vonden zij hun weg naar Wall Street of Washington; werden zij advocaat, arts of journalist. Ze vermaakten hun families en vrienden zowel op de speelvelden van Yale als bij Mory's. Ze beheerden *The Yale Daily News*, WYBC (de radiozender van de universiteit), *The Yale Record* (het humoristische tijdschrift), *The Yale Banner* (het jaarboek), en zongen in diverse muziekformaties. Ze waren doorgaans lid van een van de disputen en werden 'geronseld' door een van de zes geheime laatstejaarsgenootschappen.

Naar de toenmalige maatstaven van Yale was Whittemore een groot succes, een schooljochie dat het had 'gemaakt'. Innemend, aantrekkelijk en slank trad hij met een geamuseerde glimlach op zijn lippen de wereld tegemoet. Achteloos droeg hij het uniform dat toentertijd 'in' was: een tweedjasje met visgraadmotief, bij voorkeur met slijtstukken op de ellebogen, een streepjesdas, een kaki broek en afgetrapte witte juchtleren schoenen. Kortom, hij was 'cool'. Op sportief gebied presteerde hij weinig, maar hij was wel lid van Zeta Psi, een dispuut dat bestond uit stevig drinkende, maatschappelijk goed gepositioneerde studenten. Aan het einde van zijn propedeusejaar werd hij opgenomen in Scroll & Key, een van de geheime genootschappen op Yale.

Maar wat hem werkelijk onderscheidde, was het feit dat hij in 1955 hoofdredacteur was van *The Yale News*, in een tijd dat de samenstellers en hoofdredacteuren daarvan even populair waren als de aanvoerders van het footballteam en de knapste koppen van de klas. Na de oorlog en in de jaren vijftig bracht *The Yale News* prominente schrijvers/journalisten voort als William F. Buckley, James Claude Thomson, Richard Valeriani, David McCullough, Roger Stone, M. Stanton Evans, Henry S.F. Cooper, Calvin Trillin, Gerald Jonas, Harold Gulliver, Scott Sullivan en Robert Semple. Zij zouden hun stempel drukken op *The New York Times, The New Yorker, Time, Newsweek, The National Review, Harper's* en de televisiemaatschappijen en zij zouden heel wat prachtige boeken schrijven.

Ik ontmoette Ted in de lente van ons eerste jaar op Yale. We probeerden allebei in de redactie van *The News* te komen en, zoals zo vaak gebeurde tussen hen die meedogenloos moesten wedijveren om een plaatsje binnen *The News* te veroveren, bleven wij tot aan het einde van onze studietijd bevriend. Velen van ons bij *The News* gingen er voetstoots van uit dat Ted zou afstevenen op Wall Street en Brown Brothers Harriman, een investeringsmaatschappij waar oudgedienden van Scroll & Key meer dan welkom waren en waar Teds oudere broer later emplooi vond. Of op z'n minst zou hij zich begeven op de journalistieke snelweg ergens in het *Time-Life* imperium dat was opgericht door Henry Luce, een vroegere *News*-coryfee.

Maar we hadden het mis. Whittemore werd, nadat zijn diensttijd bij het marinierscorps in Japan erop zat, aldaar benaderd door de CIA. Hij kreeg een spoedcursus Japans en werkte ruim tien jaar voor de geheime dienst in het Verre Oosten, Europa en het Midden-Oosten.

In die jaren keerde Whittemore af en toe terug naar New York. 'Wat doe je voor de kost?' vroeg een van ons dan. Een poosje runde hij een krant in Griekenland. Vervolgens waren er de schoenenfabriek in Italië en een soort denktank in Jeruzalem. Hij werkte zelfs korte tijd bij de narcoticabrigade in New York, toen John Lindsay daar burgemeester was. Later deden geruchten de ronde dat hij een 'drankprobleem' had en drugs gebruikte.

Hij is tweemaal getrouwd en weer gescheiden in de periode dat hij marinier was en voor de CIA werkte. Hij en zijn eerste vrouw kregen twee dochters, maar bij het opstellen van de scheidingsakte werd bepaald dat hem geen bezoekrecht werd verleend. En dan waren er nog de vrouwen met wie hij na zijn tweede scheiding samenleefde. En dat waren er heel wat; ze leken allemaal over een bijzonder talent te beschikken – schilderessen, fotografes, beeldhouwsters en danseressen, maar nooit schrijfsters.

En er waren nog andere geruchten. Hij had de CIA vaarwel gezegd, hij woonde op Kreta, hij was platzak, hij was bezig aan een boek. En toen werd het stil. Het was duidelijk dat de 'veelbelovende' student geen lauweren van roem en eer had geoogst.

Pas in 1972 of 1973 hoorde ik weer iets van Ted. Hij was voor een bezoekje terug in New York. Op het eerste gezicht leek hij de goeie ouwe Ted. Hij was een tikje verfomfaaid, maar de gevatheid, de humor en de jongensachtige charme waren nog volop aanwezig. Toch leek hij bedachtzamer, diepzinniger, en hij was met Carol, een vrouw die hij had leren kennen tijdens zijn verblijf op Kreta en met wie hij leek samen te leven. Hij was ook terughoudender. En hij had een manuscript voor een roman bij zich dat hij me wilde laten lezen. Ik vond het een schitterende roman, vol fabelachtige en exotische personages, boordevol leven, geschiedenis en de geheimen van de Oriënt. De roman die later *Quin's Shanghai Circus* zou gaan heten, zag nog drie herziene versies voor wij hem in 1974 publiceerden. Het verhaal speelt in Japan en China voor en tijdens de Tweede Wereldoorlog. De twee eerste versies begonnen zelfs in de South Bronx in de jaren twintig en gingen over drie jonge Ierse broers Quin. Tegen de tijd dat de roman uitkwam, was er nog maar één Quin over en waren de tachtig aan de Bronx gewijde pagina's geslonken tot enkele alinea's.

Zoals ik al eerder vermeldde, oogstte *Quin* meer succes bij de recensenten dan in de boekwinkel. Degenen die het boek lazen waren dolenthousiast, ook al waren dat er bij lange na niet genoeg. Maar Whittemore liet zich niet uit het veld slaan. Nog geen twee jaar later verscheen hij opnieuw bij mij op kantoor met een zelfs nog ambitieuzere roman, *Sinaï Tapijt*, het eerste deel van zijn *Jeruzalem Kwartet*. Het verhaal speelt in Palestina, in het midden van de negentiende eeuw, toen het Britse Imperium op het toppunt van zijn macht was. Tot de meest buitenissige hoofdpersonen behoren een lange Engelse aristocraat, de grootste zwaardvechter, botanist en ontdekkingsreiziger van het victoriaanse Engeland; een fanatieke trappistenmonnik die de oorspronkelijke Sinaï-bijbel vond, waarin 'elke religieuze waarheid die ooit door iemand is aangehangen wordt weersproken'; en een Ierse extremist die vermomd als non naar Palestina was gevlucht. Mijn favoriet was (en is nog steeds) de drieduizend jaar eerder geboren Hadji Haroen, een ongrijpbare dwaler door de geschiedenis – nu een antiquair, gehuld in een verschoten gele mantel, met op zijn hoofd een roestige kruisvaardershelm, die zich nog steeds kwijt van zijn taak als verdediger van de Heilige Stad. In de loop der eeuwen heeft hij verschillende incarnaties gehad: als steenhouwer van gevleugelde leeuwen tijdens de Assyrische bezetting, als uitbater van een dag en nacht geopende kruidenierswinkel onder de Grieken, als ober tijdens het bewind van de Romeinen, en als leverancier van hasj en geiten aan de Turken. Alvorens ik in 1977 voor het eerst naar Israël reisde, gaf Whittemore, die toen in New York was om te schrijven, me de adressen van diverse mensen in Jeruzalem. Een van hen heette Mohammed en hij was de eigenaar van een antiekgalerie. Toen ik hem eindelijk in de Oude Stad had opgespoord, trof ik een merkwaardige man die als hij een verschoten gele mantel en een roestige helm had gedragen, het evenbeeld van Hadji Haroen zou zijn geweest.

Het was duidelijk dat Ted in Jeruzalem een totaal nieuw leven was begonnen. De direct daaraan voorafgaande tijd in het begin van de jaren zeventig op Kreta, waar hij van een karig pensioentje had moeten rondkomen, had hij achter zich gelaten. Hij deelde toen een huis met vrienden in Chania, de op een na grootste stad op Kreta. In haar lange geschiedenis was de stad bezet geweest door de Romeinen en veroverd door de Arabieren, Byzantijnen en Venetianen alvorens zij, in de zeventiende eeuw, werd ingelijfd bij het Ottomaanse Rijk. Nu was het een bloeiende Griekse gemeente. Athene zonder het Parthenon, maar met een nog rijkere geschiedenis. Met andere woorden, een volmaakte plek voor een voormalig geheim agent om de balans op te maken, te onderzoeken waar het in de geschiedenis om gaat en te heroverwegen wat hij als student op Yale had geleerd.

Toen hij in de jaren zestig in Japan verbleef, had Whittemore twee tot op heden ongepubliceerde romans geschreven; de eerste ging over het Japanse spel Go, de tweede over een jonge Amerikaanse emigrant die in Tokio woont. Op Kreta zette hij zich weer behoedzaam, aarzelend aan het schrijven, experimenteerde hij met toon, stijl en onderwerpkeuze en maakte hij gebruik van zijn ervaringen binnen de CIA bij de totstandkoming van het verbluffende, rauwe epos *Quin's Shanghai Circus*. Tegen de tijd dat hij begon aan het *Jeruzalem Kwartet* was hij zelfverzekerder en ontpopte hij zich als waarachtig schrijver. Hij had een onderwerp gevonden dat hem de rest van zijn leven zou bezighouden: Jeruzalem en de wereld van Christenen, Arabieren en Joden; van geloof en levensovertuiging; van mystiek en religieus (en politiek) fanatisme; van de negentiende eeuw; van Europees imperialisme, van twintigste-eeuwse oorlogen en terrorisme. Maar toch bovenal van Jeruzalem, de Stad op de Heuvel, de Heilige Stad. De romans wemelden nog steeds van de meest buitenissige personages, de humor was nog steeds vaak grotesk en macaber, en aan geweld was geen gebrek. Maar er was ook sprake van een nieuw begrip van de raadselen des levens.

De nieuwe roman, die uiteindelijk in 1979 werd gepubliceerd, was *Jeruzalem Poker*, het tweede deel van het *Jeruzalem Kwartet*. Er wordt een pokermarathon in beschreven die op een van de laatste dagen van december 1921 begint, als drie mannen aan tafel plaatsnemen om een spelletje te doen. De inzet is niet minder dan de Heilige Stad zelve. En waar zou een spel om de heerschappij over Jeruzalem beter kunnen worden gespeeld dan in de antiekwinkel van Hadji Haroen? Eigenlijk vestigde Ted zich pas permanent (daarmee bedoel ik 'permanent' naar zíjn maatstaven) in Jeruzalem toen het *Jeruzalem Kwartet* al in een vrij vergevorderd stadium was. Zijn kennis van Jeruzalem was gebaseerd op wat hij uit boeken had opgestoken, maar later dwaalde hij eindeloos door de drukke, bedrijvige straten en wijken van de Oude Stad. Kooplieden van allerlei slag, slagers, leerlooiers, glasblazers, juweliers, zilversmeden en zelfs ijzerhandelaren spraken bijna alle bekende talen en kleedden zich in de levendige en exotische gewaden van het Midden-Oosten. Toen we ons een weg baanden door een smalle steeg in het Arabische Kwartier heb ik ooit eens tegen Ted gezegd dat ik het gevoel had dat we elk moment Sindbad de Zeeman tegen het lijf konden lopen.

De volgende keer dat ik een bezoek bracht aan Jeruzalem woonde Ted samen met Helen, een Amerikaanse schilderes, in een ruim appartement in een groot, negentiende-eeuws stenen gebouw in de omgeving van de Ethiopische Kerk. Het appartement keek uit op een binnenplaats vol bloemen en citroenbomen. Boven een van de muren tekende zich een cisterciënzer klooster af en om de hoek bevond zich een synagoge vol orthodoxe rabbijnse studenten die vierentwintig uur per dag baden, of zo leek het mij tenminste. En op de binnenplaats stonden de Ethiopische monniken in stilte te lezen. Op een ochtend werd ik om zes uur wakker in mijn zonovergoten kamer en hoorde ik de cisterciënzer nonnen a capella zingen. Ze klonken als nachtegalen en even dacht ik dat ik in de hemel was.

Na een middagdutje togen we gewoonlijk naar de Oude Stad en raakten uiteindelijk altijd weer verzeild in hetzelfde café, een pretentieuze naam voor wat weinig meer was dan een theetuin in de openlucht waar hete thee en koffiebroodjes werden geserveerd. De uitbater zat uren achtereen aan een van de tafeltjes met een friemelkettinkje te spelen en te praten met vrienden, een voortdurend wisselend gezelschap van plaatselijke kooplieden, geldwisselaars, studenten en een paar tamelijk ongure types. Ze leken allemaal een oppervlakkige vriendschap te onderhouden met Ted, die evenveel, zo niet meer, van de Oude Stad af wist als haar inwoners.

In 1981 woonde Whittemore een groot deel van het jaar in de flat vlak bij de Ethiopische Kerk, maar in de daaropvolgende jaren huurde hij ook een reeks kamers in New York, een flat aan Lexington Avenue, een studio aan Third Avenue. En hij was voortdurend aan het schrijven. Eerder dat jaar had ik Holt verlaten en was in dienst getreden bij een andere uitgeverij, en Judy Karasik nam het redactiewerk aan Whittemores nieuwe roman, *Nijlschaduwen*, over. Ze heeft het nawoord bij dit boek geschreven, een rede die ze eigenlijk op Whittemores begrafenis had moeten afsteken maar daar was ze toen niet toe in staat.

Nijlschaduwen speelt zich af in 1942 in Egypte, waar Rommels machtige Afrikakorps Egypte onder de voet dreigt te lopen en de macht over het gehele Midden-Oosten dreigt te grijpen. Een groepje personages – sommige bekend, andere nieuw – heeft het lot van de wereld in handen. Helemaal aan het begin van de roman wordt Stern, een idealistische visionair uit *Sinaï Tapijt* die zich een halve eeuw later ontpopt als wapenhandelaar, gedood door een granaat die door de voordeur van een clandestiene kroeg naar binnen wordt gegooid. Geweld en mystiek domineren Whittemores romans. Elders had hij gruwelijk uitbundig de 'verkrachting' van Nanking en de plundering van Smyrna in 1922 beschreven, toen de Turken tienduizenden mannen, vrouwen en kinderen afslachtten. Een recensent van *Publishers Weekly* schreef: 'Een van de meest complexe en ambitieuze spionageromans die ooit zijn geschreven.' En een recensent van *The Nation* schreef: 'Whittemore is een bedrieglijk lucide stilist. Als zijn syntaxis even wanordelijk was geweest als bij Pynchon of even demonstratief verheven als bij Nabokov of Fuentes, hadden zijn nagenoeg veronachtzaamde romans wellicht de aandacht gekregen die ze verdienden.'

Maar de verkopen bleven ver achter bij de lovende kritieken. In de lente van 1985 legde Ted de laatste hand aan de roman *Jericho Mozaïek*, het vierde deel van het *Jeruzalem Kwartet*. Ik bracht een bezoek aan Israël voor de tweejaarlijkse Internationale Boekenbeurs van Jeruzalem. Na afloop stelde Ted voor samen naar Jericho te rijden, naar de oase ten zuidoosten van Jeruzalem van waaruit in bijbelse tijden de meeste karavanen vertrokken naar de Morgenlanden, Klein-Azië en Afrika. Onderweg brachten we een bezoek aan verschillende Grieks-orthodoxe kloosters in de woestijn van Judea. Omdat ze waren uitgehouwen in massieve rotsen, op de bodem van afgelegen ravijnen die alleen via smalle paden bereikbaar waren, moesten we de auto op de weg achterlaten en omlaag klauteren langs hellingen die geschikter waren voor berggeiten dan voor een romancier en een New Yorkse redacteur. Maar toen we eenmaal de bodem hadden bereikt, bleken de monniken uitzonderlijk gastvrij. Whittemore was een vaste bezoeker en de monniken leken verheugd over zijn komst.

Na een rondleiding langs de rotsachtige kamers, die niet veel meer dan veredelde grotten waren, en na het drinken van weerzinwekkende retsina (de monniken dronken het zelf niet) vervolgden we onze weg naar Jericho en naar een typisch middagmaal dat bestond uit gedroogde vijgen, een soort brooddeeg, meloen en hete geurige thee. Vervolgens reden we door naar de Negev. In de loop der jaren had Ted kennisgemaakt met de plaatselijke bedoeïenen en we werden in diverse kampementen verwelkomd als oude vrienden. We brachten een nacht door in een Israëlisch meteorologisch centrum/woestijnhotelletje in de nabijheid van een Nabateïsche ruïne. Overal leken zich antennes en elektrische sensoren te bevinden en zoals we destijds zeiden, konden grijze mannetjes in Londen, Washington, Moskou en Peking waarschijnlijk elke zwaluwenscheet in de woestijn horen. Achteraf bezien vraag ik me wel af of Ted zich toen werkelijk van de CIA had losgemaakt. Bracht hij, in het onderhavige geval, een bezoek aan zijn 'spionnenmeester' en gebruikte hij mij als zijn 'dekmantel'?

Enkele maanden later zond Ted me een ansicht waarop hij er bij me op aandrong een plekje op de nieuwe fondslijst te reserveren voor zijn volgende roman. De kaart was een prent van een Byzantijns mozaïek van 'De boom des levens', dat Ted en ik op de stenen vloer van een ruïne in Jericho hadden gezien. Ik liet de kaart zien aan de artdirector van Norton, waar ik toentertijd hoofdredacteur was. Hij was het met me eens dat de afbeelding zich uitstekend leende voor een boekomslag. Het enige dat we nog nodig hadden was een manuscript.

Jericho Mozaïek bereikte ons nog voordat het jaar om was en bleek een passende afronding van Whittemores fantastische *Jeruzalem Kwartet*. Naar mijn mening is *Jericho Mozaïek* de spannendste en origineelste spionageroman ooit geschreven. Het verhaal is gebaseerd op gebeurtenissen die daadwerkelijk hebben plaatsgevonden tijdens de Zesdaagse Oorlog, en Whittemore bewijst zijn alomvattende kennis van het spionagemetier en zijn beoefenaren, zijn hartstochtelijke liefde voor het Midden-Oosten, zijn toewijding aan de Heilige Stad en zijn inzet voor vrede en een betere verstandhouding tussen Arabieren, Joden en Christenen. De roman en de auteur stellen dat we religieuze, filosofische en politieke meningsverschillen kunnen overwinnen als we bereid zijn ons in te zetten voor werkelijk begrip van alle mensen en ideeën.

Deze humanistische boodschap ligt ingebed in een waar gebeurd verhaal dat betrekking heeft op Eli Cohen, een Syrische Jood die zijn leven offerde (hij slaagde erin de Mossad de Syrische krijgsplannen en kaarten in handen te spelen die nodig waren voor de verdediging van de Golanhoogten) om te zorgen dat Israël zich staande zou kunnen houden. In de roman vertelt Whittemore het verhaal van Halim (voor wie Eli Cohen onmiskenbaar model heeft gestaan), een Syrische zakenman die uit Buenos Aires terugkeert naar zijn vaderland om de Arabische Revolutie te ondersteunen. Halim ontpopt zich als een onverbloemd verdediger van de Palestijnse rechten, hij is het geweten van de Arabische Zaak, 'de onkreukbare'. Maar Halim is een Jood, een agent voor de Mossad; zijn codenaam luidt 'de Koerier', zijn opdracht is te penetreren in het zenit van de Syrische militaire macht. De roman is tegelijkertijd een diepgaande reflectie op het wezen van het geloof, waarbij een Arabische heiligman, een christelijke mysticus en een voormalig agent van de Britse geheime dienst gezeten in een tuin in Jericho de relatie tussen geloof en humaniteit in al haar facetten onder de loep nemen.

Er verschenen minder recensies van *Jericho Mozaïek* en er werden nog minder exemplaren van verkocht dan van de eerdere delen. Arabieren en Joden waren verwikkeld in een bloedige confrontatie op de West Bank, elke dag verschenen er in de kranten en tijdschriften en op televisie choquerende beelden en zo mogelijk nog gruwelijkere verslagen. Het was geen gunstig klimaat voor romanciers die eeuwige waarden verdedigden, hoe prachtig ze ook konden schrijven. Eén recensent echter riep Whittemores *Jeruzalem Kwartet* uit tot 'de beste metafoor voor het spionagebedrijf in de hedendaagse Amerikaanse fictie'.

Kort na de publicatie van *Jericho Mozaïek* verliet Whittemore Jeruzalem, het Ethiopische kwartier en de Amerikaanse schilderes. Hij was terug in New York, waar hij die winter samenwoonde met Ann, een vrouw die hij jaren eerder had leren kennen, toen zij en haar echtgenoot omgingen met Ted en zijn eerste vrouw. In de zomermaanden nam hij zijn intrek in het grote, witte, victoriaanse familiebuiten in Dorset, Vermont. Voor de ramen bevonden zich groene luiken en het vierduizend vierkante meter beslaande gazon voor het huis werd omzoomd door reusachtige, statige altijdgroene loofbomen. Het huis telde zo'n twintig kamers die naar een grillig New England victoriaans ontwerp waren ingedeeld en het meubilair dateerde uit de tijd van zijn grootouders, zo niet van zijn overgrootouders. Teds broers en zusters hadden inmiddels eigen huizen en dus was Ted doorgaans de enige bewoner. Het huis was niet berekend op de winter en kon alleen van mei tot oktober worden bewoond. Maar voor Ted was het een toevluchtsoord waar hij zich kon terugtrekken om te schrijven.

In het voorjaar van 1987 werd ik literair agent en Ted werd een van mijn auteurs. De Amerikaanse uitgeverijbranche werd langzamerhand overgenomen door multinationals met filialen in Duitsland en Engeland. Die bleken zich meer te bekommeren om winstcijfers dan om literatuur en ik had de indruk dat ik meer voor schrijvers kon doen door hun belangen te behartigen bij een tiental uitgevers dan door me tot één uitgeverij te beperken.

In het najaar bezocht ik Ted regelmatig in Dorset. 'Het loofseizoen', eind september, begin oktober, is een heel bijzondere tijd in New England: frisse, wolkeloze dagen, heerlijk koele, door maanlicht overgoten nachten. Overdag wandelden we door de wouden en over de velden van zuidelijk Vermont, en na het diner zaten we op robuuste, groene Adirondack-stoelen, met een glas in de hand te roken. Eigenlijk was ik de enige die (doorgaans cognac) dronk, want Ted was jaren tevoren gestopt (zijn 'hebbelijkheid' had dusdanige vormen aangenomen dat hij zich had aangemeld bij de Anonieme Alcoholisten); terwijl wij spraken rookte ik een sigaartje of twee en Ted rookte nooit meer dan één onheilspellend uitziende 'cheroot'. Behaaglijk geïnstalleerd op het gazon vlak bij de Unitariërskerk waar zijn overgrootvader dominee was geweest, met uitzicht op het dorpsplein en de Dorset Inn, spraken wij over boeken en het schrijversvak, over familie en vrienden. Teds familie moet hem als 'het zwarte schaap' hebben gezien, de Yale-student die in dienst was getreden van de CIA, die, zogenaamd opgebrand, via Kreta, Jeruzalem en New York, als dolend schrijver naar huis was teruggekeerd en wiens boeken werden overladen met geestdriftige recensies die resulteerden in veel minder geestdriftige verkoopcijfers. Maar zijn familieleden en zijn 'vrouwen' steunden hem en bleven in hem geloven.

Het was tijdens die vroege najaarsdagen dat ik ontdekte dat zijn overgrootvader van moederskant een presbyteriaanse dominee was die, in de jaren zestig van de negentiende eeuw, vanuit New York met de boot de Hudson was afgevaren tot aan Troy en vervolgens met de trein en met paard en wagen naar Vermont was doorgereisd. In de bibliotheek van het witte, grillige, victoriaanse huis in Dorset bevonden zich planken vol met verschoten, in leer gebonden, driestuiverromannetjes, die zijn overgrootmoeder had geschreven voor winkelmeisjes om hun te leren hoe ze zichzelf konden verbeteren, zich moesten kleden en hoe ze een gepaste echtgenoot aan de haak konden slaan. Ik nam aan dat ze de Danielle Steel van haar tijd was en dat het bescheiden familiekapitaal te danken was aan haar literaire inspanningen en niet aan de gulheid van de kerkgemeente.

We praatten over de nieuwe roman. Die zou *Sister Sally and Billy the Kid* gaan heten en het zou Teds eerste Amerikaanse roman worden. Hij ging over een Italiaan van in de twintig in het Chicago van de 'Roaring Twenties'. Zijn oudere broer, een gangster, had hem geholpen bij de aankoop van een bloemenwinkeltje. Maar de oudere broer wordt bij een vuurgevecht gedood en Billy moet naar de westkust vluchten, waar hij een gebedsgenezeres ontmoet die sterk doet denken aan Aimee Semple McPherson. De échte McPherson verdween in 1926 een hele maand spoorloos en beweerde toen ze boven water kwam, dat ze was ontvoerd. Rond het stenen huis waarin Billy en zijn gebedsgenezeres hun maand van liefde doorbrengen (het is van begin af aan duidelijk dat de idylle beperkt dient te blijven tot één maand) ligt een ommuurde tuin vol citroenbomen en zangvogels. Hoewel het huis in het zuiden van Californië staat, vertoont het een sterke gelijkenis met een van de tuinen in het Ethiopisch Kwartier in Jeruzalem, met een synagoge aan de ene en een cisterciënzer klooster aan de andere kant.

Toen kreeg ik, vroeg in de lente van 1995, een telefoontje van Ted. Of hij die ochtend op kantoor mocht langskomen? Ik nam aan dat hij het langverwachte manuscript kwam inleveren. Na *Jericho Mozaïek* waren twee eerdere opzetjes op niets uitgelopen. In plaats daarvan kwam Ted me vertellen dat hij stervende was. Of ik zijn literaire nalatenschap zou willen beheren? Een jaar of wat eerder had men prostaatkanker bij Ted geconstateerd. De ziekte was in een te ver gevorderd stadium om nog operabel te zijn. Zijn dokter had hem hormoonpreparaten en andere medicijnen voorgeschreven en de kanker was tijdelijk bedwongen. Maar nu was die weer voortgewoekerd. Nog geen halfjaar later was hij dood. Dat waren gruwelijke maanden voor hem. Hoe dan ook, tijdens die laatste weken en dagen, waarin hij beurtelings bij en buiten bewustzijn was, werd hij verzorgd door 'zijn vrouwen', van wie er een, Carol, na een scheiding van bijna twintig jaar in zijn leven was teruggekeerd.

In augustus van dat jaar vond een sobere rouwplechtigheid plaats in de Unitariërskerk in Dorset. Nadien was er een receptie op het grote gazon tegenover het familiehuis. Daar kwamen de afzonderlijke delen van Teds wereld, wellicht voor de eerste keer, bijeen. Zijn familieleden waren er, zijn twee zusters en twee broers en hun echtgenoten, nichten en neven met aanhang (maar niet Teds exen en de twee dochters die naar New York waren gevlogen om afscheid te nemen van de vader die ze nauwelijks hadden gekend); de buren waren er, vrienden van Yale en een paar collega's uit de jaren dat Lindsay de scepter zwaaide over New York. Waren er ook 'spionnen' aanwezig? Dat valt moeilijk te zeggen, maar wel waren er acht 'geheim agenten' van een ander soort, oud-leden van het Scroll & Key dispuut van 1955. Ann en Carol, die Ted tijdens die laatste, bittere dagen beurtelings en met vereende krachten hadden verzorgd, waren uiteraard ook aanwezig.

Jeruzalem en Dorset. De wondermooie Heilige Stad op de rotsachtige klippen die uitkijkt over de verdorde grijsbruine woestijn. Een stad getekend door duizenden jaren geschiedenis, roerige twisten tussen grootmachten en drie van de meest volhardende, vruchtbare religies die God de mensheid heeft geschonken. En de zomergroene vallei in Vermont (in de winter bedekt met een laag sneeuw en in het voorjaar een modderig dal), waar Dorset gebed ligt tussen twee uitlopers van de zacht glooiende Green Mountains. Ooit was het een bakermat van de Amerikaanse Revolutie en de Amerikaanse democratie, en later een bloeiende agrarische en ambachtelijke gemeenschap en sinds het begin van de twintigste eeuw leek het alsof daar de tijd stil was blijven staan. Het ene oord was het onderwerp van Whittemores dromen en boeken; het andere de vredige thuishaven waar hij de laatste twintig zomers van zijn leven droomde en schreef.

Ted was eindelijk teruggekeerd naar New England. Het was een lange reis geweest – Portland, New Haven, Japan, Italië, New York, Jeruzalem, Griekenland, Kreta, Jeruzalem, New York en nu Dorset. Onderweg had hij vele vrienden en metgezellen. Hij was geen bijzonder goede echtgenoot of vader en had velen teleurgesteld. Maar uiteindelijk had hij zijn stem gevonden, zijn romans geschreven en zijn hart verpand aan Jeruzalem. Ik hoop dat Teds laatste gedachten op zijn sterfbed bij zijn Heilige Stad waren. In zekere zin leek hij sprekend op Hadji Haroen, de steenhouwer die zich ontpopte tot middeleeuwse ridder en later tot antiekhandelaar. Want Whittemore was de eeuwig dolende ridder die 'het helemaal maakte' op de universiteit van Yale, in de jaren vijftig en 'het spoor bijster raakte' in de CIA, in de jaren zestig, en zich vervolgens ontwikkelde tot een begaafd romancier met de stem van een mysticus. De stem van een mysticus die zich het beste uit het Jodendom, het Christendom en de islam eigen had gemaakt. Zijn overgrootvader, de dominee, en zijn overgrootmoeder, de schrijfster, zouden beiden even trots op hem zijn geweest. Moge hij in vrede rusten in Dorset, Vermont.

Tom Wallace
New York City, 2002

Nijlschaduwen

De onwaarschijnlijke kunst van Edward Whittemore

Wat te denken van een boek als *Nijlschaduwen* of van een auteur als Edward Whittemore? Ongeacht hoe uitgesproken onbevooroordeeld we ook denken dat onze literaire voorkeur is, er zijn toch altijd werken die onze inwendige criticus bij eerste kennismaking een onbehaaglijk gevoel verschaffen. *Ja, maar is het de moeite waard?* blijft hij met onvermoeibare hardnekkigheid vragen, terwijl de rest van ons die vraag beantwoordt door gretig de ene bladzijde na de andere om te slaan. Zoals veel auteurs die deel uitmaken van die grote en onfortuinlijke kaste der 'onterecht veronachtzaamden' gaat Whittemore gebukt onder het feit dat hij een beschamend goed schrijver is. En tot overmaat van ramp is het ook nog eens nagenoeg onmogelijk hem een etiket op te plakken. Recensenten hebben hem vergeleken met uiteenlopende auteurs als Pynchon en Nabokov, Greene en Calvino, Fuentes en Vonnegut, om er vervolgens haastig aan toe te voegen dat hij, uiteraard, over een geheel eigen stijl beschikt. Toen ik Whittemore las, heb ik daar zelf nog wat namen aan toegevoegd – een sprankje Hesse hier, meende ik, een vleugje Robertson Davies daar, maar toch zonder dat je hem schatplichtig aan een van hen kon noemen. Elke nieuwe lezer zal daar onvermijdelijk meer namen aan toevoegen.

Wat maakt *Nijlschaduwen*, en de overige boeken van Whittemore, dan toch zo oneindig veelzijdig? Zijn het eenvoudigweg flodderige kolossen waarin men alles kan stoppen wat men wil? In zekere zin is dat het geval maar ik bedoel het niet negatief als ik zeg dat Whittemore waarschijnlijk een van de flodderigste schrijvers van onze tijd is – zijn boeken zijn voorbeelden van de hoogste ambitie die tevens de ondergang vormde van meer dan één literaire grootheid: een volledige verklaring van alles. Niets minder dan een allesomvattende theorie van de menselijke geschiedenis is Whittemores streven, en het is kenmerkend voor zijn temperament dat hij zich van begin af aan realiseert dat zo'n ideaal gedoemd is te mislukken en er toch aan begint. *Nijlschaduwen* is gesitueerd in het angstige Caïro van 1942, dat de komst van Rommel en zijn pantserdivisies afwacht die oprukken uit de woestijn. Het verre gedender van artillerie en pantservoertuigen is het gedender van de geschiedenis zelf, die Whittemores personages in hun wanhopige pogingen een nederlaag te vermijden, zwaar bedrukt. Maar wat doen deze personages evenwel wanneer zij staan blootgesteld aan een dergelijke druk? Ze praten, dat doen ze, ze praten en praten en *praten*. Elk gesprek leidt weer tot iets anders en opeens wordt er een nieuw personage geïntroduceerd – een voetnoot zeker, een literaire accessoire, niet meer – maar nee, plotseling begint hij voor onze ogen te groeien, verwerft hij zich een aangrijpende achtergrond die zich over vele bladzijden uitstrekt, terwijl wij denken: Schiet op! Doe iets! De vijand is in aantocht!

Soms gaat er iets uitgesproken pervers uit van deze onwil om de handen uit de mouwen te steken. Als Joe O'Sullivan, de held van deze roman, kennismaakt met de mysterieuze Achmed, die vast en zeker informatie zou kunnen geven over de man die hij moet opsporen en onderzoeken, lezen wij het volgende:

Nu dan, jij komt dus uit Amerika, is het niet?

Ja, mompelde Joe, en zijn ogen dwaalden als in een trance de kamer door.

Nu dan, is dat geen merkwaardig toeval? De wereld is echt heel klein. Het geval wil dat ik ooit eens een volledige editie van de verzamelde brieven van George Washington cadeau heb gekregen, alles bij elkaar meer dan dertig delen, en die leverden beslist heel wat fascinerend leesmateriaal op.

Is het werkelijk?

Wis en waarachtig. Laat eens zien. Wist jij bij voorbeeld dat Washingtons valse gebit gemaakt was van nijlpaardentanden? Hij gebruikte ook gebitten gemaakt van walrustanden en olifantenivoor en zelfs koeientanden, maar aan het nijlpaard gaf hij de voorkeur. Hij beweerde dat die het beste beten en kauwden. Met nijlpaard, zei hij, is zelfs het nuttigen van pinda's en gomballen mogelijk.

Zelfs pinda's en gomballen? mompelde Joe. President Washington?

Dus hield hij het waar mogelijk bij nijlpaard.

En dit na al een zestien pagina's voortjakkerend gesprek waarin ze het hadden over het Ethiopische nationalisme, de geschiedenis van de seksbranche in Caïro, de Achmedmobiel (Achmeds mislukte handeltje in vis en friet) en Achmeds nog grotere mislukking als dichter.

Het gesprek kan ook ernstig zijn en de vorm aannemen van een serieuze filosofische verhandeling terwijl de personages om beurten hun kijk op het leven uiteenzetten. Als Joe eindelijk oog in oog staat met Stern, zijn moeilijk te vangen prooi, maakt het gebabbel plaats voor zuivere retoriek:

> Revolutie, zei Stern. We kunnen niet eens begrijpen wat dat woord inhoudt, noch wat het betekent of wat het oproept. We doen alsof het totale omwenteling betekent, maar het is veel meer dan dat, zo oneindig veel gecompliceerder, en ja, ook zo veel eenvoudiger. Het is niet alleen de totale omwenteling van nacht naar dag, zoals onze aarde wentelt rond een onbeduidende ster. Het is ook onze kleine ster die wentelt om haar eigen as en dat geldt eveneens voor alle miljarden sterren en melkwegstelsels en het universum zelf. Veranderingen tuimelen over elkaar heen en er is niets dan omwenteling. Elke beweging is omwenteling en dat geldt ook voor de tijd, en hoewel de wetten ongelofelijk ingewikkeld zijn en ons boven de pet gaan, is het resultaat eenvoudig. Voor ons, heel eenvoudig.

En toch is dit waar Whittemores grote kracht zich openbaart: net als we beginnen te aanvaarden dat dit meer een filosofische beschouwing is dan een spionageroman, een aangename meta-fictie, trekt Whittemore plotseling de teugels strak met een dramatische actie die Le Carré (alweer iemand om hem mee te vergelijken) niet zou misstaan. Als Joe voor het eerst arriveert in het twijfelachtige Hotel Babylon, bijvoorbeeld, volgt de volgende beschrijving:

> De deur knalde open onder zijn hand en Joe vloog door de kamer en smeet onderwijl zijn valies naar de hor in het raam. De hor en het valies verdwenen uit het gezicht, hij dook ze achterna en landde met een koprol in de zachte grond achter het hotel, terwijl in de kamer boven hem een gedempte plof klonk. Hij was meteen weer op de been, in de hurkhouding, maar er was niets te zien. Hij stond op een kleine

binnenplaats bezaaid met vuilnis. Een deur achter hem leidde terug het hotel in. Tegenover hem in de muur aan de overkant van de kleine binnenplaats bevond zich een deur. Joe
pakte zijn valies op en liep naar de deur aan de overzijde van
de binnenplaats. Hij probeerde de kruk en de deur ging open.
Een trap leidde naar een kelder.

Deze bedwelmende mengelmoes van het filosofische en het dramatische
vind je in het hele boek terug, het een dat ten grondslag ligt aan het andere, en het resultaat, hoe onwaarschijnlijk het ook mag klinken, is eerder een naadloze eenheid dan een moeizaam getouwtrek tussen tegengestelden. Het leven is per slot van rekening praten, heel veel praten –
grof, schunnig, ernstig, zo nu en dan transcendent – en dat alles schenkt
Whittemore ons. Het is bovendien een wereld vol actie en ondenkbaar
geweld – in de afgelopen eeuw meer dan in willekeurig welke andere –
en dat schenkt Whittemore ons ook. Vanwege de stroom van gesprekken, herinneringen, theorieën en gedachten die zo'n groot deel van dit
boek behelzen, is het gemakkelijk om de aanzienlijke hoeveelheid geweld die het boek bevat te veronachtzamen. Het boek begint met een
uiterst gewelddadige handeling, met een handgranaat die terloops een
kroeg in wordt gegooid en op slag een van de hoofdpersonen doodt,
daarmee een reeks van gebeurtenissen ontketenend die op bijna on-
voorstelbare wijze met dit moment verbonden zijn. Dan is er Stern, de
moeilijk te vangen spion die O'Sullivan moet zien op te sporen daar hij
mogelijkerwijs geheimen prijsgeeft aan de vijand. Stern, een Christus-
achtige figuur die alle ellende van de wereld op zijn schouders lijkt mee
te torsen (hij draagt zelfs een soort stigmata), wordt vooral gekweld door
zijn herinnering aan die keer dat hij in een daad van genade de keel
doorsneed van een stervend meisje, een weerzinwekkende episode die
herhaaldelijk in het boek terugkeert, opborrelend in Sterns gekwelde
geest, elke keer even plastisch voor hem als voor ons.

Behalve deze bedwelmende mengeling is er echter nog iets anders dat
ons aantrekt in *Nijlschaduwen*, en dat is een zekere dwingendheid die,
net als in alle grote romans, de schrijver zelf niet in de hand heeft. Aan
de ene kant is er Whittemore de meesterverhalenverteller, die zijn verhaal over goed en kwaad, met zijn geweldige uiteenlopende personages
uitspint over een grote spanne tijds, terwijl hij aan de andere kant ook
een veel eenvoudiger verhaal vertelt, een verhaal over hemzelf, heb je het
gevoel, dat hij steeds opnieuw vertelt. Als ieder verzonnen personage onvermijdelijk een afspiegeling is van de auteur dan lijkt Whittemore dit

tot in het ziekelijke te hebben doorgetrokken. Jong of oud, goed of slecht, man of vrouw, alle personen in het verhaal zijn onvervalst Whittemore, ongegeneerde remplaçanten van de auteur. Je hoeft niet op de hoogte te zijn van alle autobiografische details over het leven van de schrijver (in voor- en nawoorden van de vier delen van zijn *Jeruzalem Kwartet* wordt daar trouwens ruimschoots aandacht aan besteed) om te beseffen dat er hier iets vreemds aan de hand is. Dit is een boek waarin elk personage, letterlijk of overdrachtelijk of beide, een geheim agent is, die één gezicht toont aan de wereld en een ander aan zichzelf. Zo zijn er Joe en Stern, die zich gedurende hun levens talloos vele malen hebben uitgegeven voor anderen, van wapensmokkelaars tot bedelaars, van antiekhandelaren tot morfineverslaafden en nog veel meer. Dan is er Liffy, de joviale kameleon, niet toevallig genoemd naar Dublins beroemde rivier en evenals die andere Elcerlyc, Bloom, ook een Jood. En dan is er nog de mysterieuze Bletchley, met zijn tijdens de Eerste Wereldoorlog door een kogel gruwelijk verminkte gezicht, bij wie iedere gelaatsuitdrukking iets heel anders zegt dan hij bedoelt. 'Het is allemaal een kwestie van de mens op zoek naar zijn ware thuis...' zoals Joe opmerkt.

Opnieuw ontsnapt Whittemore aan wat voor een andere auteur wel eens een fatale fout zou kunnen zijn. Verre van het lachspiegelhuis dat je zou verwachten na zo'n eindeloze hoeveelheid brekingen en wendingen, maakt de dwangmatige herhaling van dezelfde idee dit boek alleen maar intenser, en wordt het tot één spiegel die het beeld vergroot. Wat is de ware aard van de mens? Hoe dicht kunnen we die ooit naderen? Is er in ons iets eervol en krachtig genoeg om onze meer barbaarse neigingen te overleven? De herhaling van die thema's door zovele stemmen veroorzaakt op zichzelf uiteindelijk al een hypnotiserend effect, alsof je luistert naar een eindeloze koorzang. Je zou het bijna 'de poëzie van de zelfverbanning' kunnen noemen, als dat niet een al te mooie benaming zou zijn voor een boek dat ondanks al zijn abstracties ferm gestoeld is op historische feiten en plaatsen.

En hiermee komen we bij wat Whittemores geest het diepgaandst beroert, want hij wordt evenzeer geobsedeerd door historische feiten en plaatsen als door de verhevener vruchten van zijn verbeelding; die zijn er eigenlijk zelfs onlosmakelijk mee verbonden. De ware protagonisten in het *Kwartet* zijn zonder twijfel de dorre en prachtige woestijnen van het bijbelse land, met zijn oases en ruïnes en bovenal de Heilige Stad Jeruzalem zelf. Whittemore houdt daar zielsveel van en het is een liefde die doorzingt in al zijn boeken. Veel van het 'praatgrage' karakter van het boek is niet alleen terug te vinden in de eindeloze overwegingen en verklaringen van zijn personages, maar in hun dierbare herinneringen aan nachten die zij in het verleden luierend aan de Nijl doorbrachten of in de imposante schoonheid van de piramiden bij zonsopgang. Of in de geur van een welriekende tuin tijdens een geheime afspraak vele jaren eerder. Wat je, aanvankelijk onbewust en dan met een groeiend bewustzijn duidelijk wordt, is dat dit eigenlijk helemaal geen uitweidingen zijn, maar juist de essentie van het boek vormen. Het land dat tot de mensen spreekt en de mensen die tot elkaar spreken in een eindeloze kringloop is de meest adequate definitie van 'waar het allemaal om draait', tenminste als je het nodig vindt om in een verre uithoek naar een diepere betekenis te zoeken. Dit boek, en het gehele *Kwartet*, is een eerbetoon aan de uitweiding, aan de noodzaak van het omtrekkende en het omslachtige als de enige weg naar de waarheid. Vastberadenheid, onbetwistbaar duidelijke doelgerichtheid, leiden enkel tot onderdrukking – zoals de meedogenloze doelgerichte aanwezigheid van de nazi's op de achtergrond ons kan illustreren.

Wat hiervan het gevolg is, wat de criticus met zijn voorkeur voor genre en structuur zo zenuwachtig maakt, is dat dit naar alle maatstaven helemaal geen goed boek kan zijn, het zou zelfs een afschuwelijk boek moeten zijn, en het *Kwartet* een als los zand aan elkaar hangende janboel. Het is te volgepropt met woorden om van recht toe recht aan spanning en avontuur te kunnen spreken, het is te zeer in de ban van het ouderwetse verhalen vertellen om veilig te kunnen worden ingedeeld in het experimenteel literaire kamp en het is te schunnig om te worden gezien als een smaakvol en ingehouden product van het intellect (welk ander werk over het primaat van de menselijke ziel bevat een uitgebreid relaas over de geschiedenis en de kunst van de prostitutie?) en de combinatie van reisindrukken en uitweidingen, van actie en introspectie, terwijl zij ons in flitsen (opnieuw die vergelijkingen die zich opdringen) doen denken aan schrijvers als Chatwin en Theroux, zijn te losjes, te zeer bepaald door Whittemores hamsterachtige, allesomvattende, voortdurend veranderende perspectief. Uiteindelijk werkt het boek, tegen alle verwachtingen in, omdat iets de verheven ambities en omslachtige uitweidingen samenbindt en het geheel, al is het misschien geen eenduidige eenheid, in de aanlokkelijke vorm heeft gegoten van iets wat elk moment kan ontstaan. Dat iets is de kracht van Whittemores visionaire onkreukbaarheid.

Ben Gibberd, New York City, 2002

Ben Gibberd is freelance schrijver en redacteur en woont in New York City.

Deel een

1 Een Australische handgranaat

Op een heldere avond in 1942 explodeerde in een achterbuurt van Caïro een handgranaat waarbij één man terstond de dood vond.

De explosie deed de spiegel uiteenspatten in het halfduister van een armetierige Arabische kroeg, een kale ruimte waar arbeiders kwamen om zich met arak vol te gieten tot ze laveloos waren. De handgranaat was tussen de sjofele gordijnen die de kroeg van de steeg scheidden naar binnen geworpen door een groepje Australische soldaten, recente overlevenden van de rampzalige Slag om Kreta, die erop uit waren om te zuipen en te knokken en zich aan het leven te buiten te gaan.

Afgezien van de dode man, kwam iedereen in de kroeg er met wat schrammen en lichte snijwonden vanaf. En in de verwarring die volgde op de explosie, te midden van gekrijs en dronken kreten over *klote bruinjoekels,* waren de jonge Australische soldaten door de schimmige stegen van het oude Caïro gevlucht en verdwenen, om bij hun leven en sommigen zelfs na hun dood nimmer te worden geïdentificeerd.

Zulke gewelddadige incidenten waren aan de orde van de dag in Caïro tijdens de oorlog. De meedogenloze veldtochten in de Westelijke Woestijn waren nog in volle gang toen Rommels Afrikakorps dreigde Egypte en het Suezkanaal in bezit te nemen. Van daaruit zou het Midden-Oosten en een nog veel groter gebied openliggen voor de binnenvallende Duitsers, wat maakte dat de Britse troepen wel zo uitgekookt waren iedere seconde en alle duisternis te benutten alvorens ze de woestijn in trokken om de oprukkende pantserdivisies tegemoet te treden.

Onder dergelijke omstandigheden had één enkele dode in een achterbuurt van Caïro weinig om het lijf en had een Egyptische politie-agent zijn routineonderzoek al snel afgerond.

Met behulp van documenten gevonden op het lijf van de dode man werd hij geïdentificeerd als een schooier en een morfineverslaafde, een onbeduidende wapensmokkelaar die wel Stern werd genoemd, een vagebond zonder duidelijk middel van bestaan die de afgelopen paar jaar te hooi en te gras in diverse achterbuurten van Caïro van het ene armzalige onderkomen naar het andere was verkast.

Uit Sterns strafblad bleek ook dat zijn naam te vinden was in de dossiers van een aantal politiedepartementen in het Midden-Oosten en hoewel hij van geboorte geen Egyptenaar leek te zijn, sprak hij de taal volkomen accentloos. Daarom werd aangenomen dat hij waarschijnlijk een geboren en getogen Levantijn was wiens kwalijke praktijken in de jaren dertig met zich meebrachten dat hij minstens zoveel tijd in Egypte had doorgebracht als elders.

Het relaas van Sterns misdadige activiteiten was weinig indrukwekkend. In de jaren die voorafgingen aan de Tweede Wereldoorlog had hij wapens gesmokkeld voor heel wat groeperingen in het Midden-Oosten, wellicht met enige nadruk op Palestina. Toch was hij nooit slim genoeg geweest om veel geld over te houden aan die transacties, want zijn dossier vermeldde ook dat hij voortdurend in armoede had geleefd. Meerdere malen was hij aangehouden en veroordeeld tot korte gevangenisstraffen wegens onbeduidende vergrijpen.

Kortom, Stern had een obscuur en nutteloos leven achter de rug, een marginaal bestaan dat tot niets had geleid.

Slechts één beknopte aantekening in Sterns dossier leek dit weinig opzienbarende relaas te weerspreken en dat was een stoutmoedige ontsnapping uit een gevangenis in Damascus in de zomer van 1939. Uit de wijze waarop de ontsnapping had plaatsgevonden bleek dat zij onvoorbereid was geweest, en wat haar onverklaarbaar maakte was het feit dat Stern op de nominatie stond om binnen vierentwintig uur sowieso in vrijheid te worden gesteld. Maar slechts enkele weken later waren Hitlers pantserdivisies de Poolse grens overgestoken om de oorlog te beginnen, en zo was de kwestie, een merkwaardige en opzichzelfstaande episode in Sterns overigens doelloze loopbaan, snel in vergetelheid geraakt.

Op de overlijdensakte stond Sterns nationaliteit vermeld als *Onbekend*, een gegeven dat lang geleden was zoekgeraakt in het doolhof van vervalste identiteitspapieren waarvan hij zich zijn hele leven had bediend. Eigenlijk waren de aliassen in zijn dossier zo talrijk dat onmogelijk viel vast te stellen of *Stern* de echte naam van de dode man was.

Bovendien waren de versluieringen van zijn afkomst zo tegenstrijdig dat niet eens kon worden vastgesteld of hij een Moslim, een Christen of een Jood was.

Er waren ook geen verwanten die konden worden geraadpleegd.

Stern, of wie hij ook mocht wezen, had niet alleen in de obscuriteit ge-werkt, maar zijn leven alleen geleefd, zonder familie of vrienden, zon-der kennissen of buren om hem te gedenken. Het had er alle schijn van dat hij helemaal niemand had. Maar toen het tijd werd om zich van het lijk te ontdoen, wat vanwege de overmaat aan lijken in Caïro snel dien-de te gebeuren, vervoegde zich een armoedig geklede vrouw bij het hoofdbureau van politie die zei dat ze toebereidselen wilde treffen voor een begrafenis. De vrouw had een Grieks paspoort en het verhaal dat ze vertelde klonk geloofwaardig.

Ze had de dode man ongeveer een jaar tevoren voor het eerst ont-moet in een klein buurtrestaurant waar ze soms de avondmaaltijd ge-bruikte. Vervolgens hadden ze de gewoonte aangenomen daar als het zo uitkwam, maar nooit vaker dan één keer per week en vaak niet meer dan eens in de twee of drie weken, samen te eten. Het had hun allebei een soort aanspraak verschaft. Zij had de dode man uitsluitend als Stern gekend en hij had haar bij haar voornaam, Maud, genoemd. Hoewel ze van geboorte Amerikaanse was, had ze jarenlang in het oostelijke Mid-dellandse Zeegebied gewoond.

Daar Stern nooit meer dan een dag van tevoren had geweten of hij die avond naar het restaurant kon komen, had hij daar briefjes achter-gelaten om te laten weten wanneer hij er zou zijn. Zij was elke dag naar het restaurant gegaan om te kijken of er nieuws van hem was, zelfs als ze niet van plan was daar de avondmaaltijd te gebruiken. Ze wist niet waar hij had gewoond of wat zijn bezigheden waren. Het was oorlogs-tijd en de mensen kwamen en gingen. Verklaringen waren zinloos, re-denen betekenisloos. Ze had verondersteld dat hij een of andere onbe-duidend administratief baantje had, net als zij.

Waarom zegt u dat? vroeg de politieman achter het bureau.

Vanwege de wijze waarop hij zich kleedde.

Hoe dan?

Net als ik. Als iemand die moeite heeft de eindjes aan elkaar te kno-pen.

Spraken jullie Arabisch als jullie samen waren?

Nee, zoals u hoort spreek ik dat niet vloeiend. We spraken Grieks of Engels.

Frans?

Soms.

De politieman ging over op Frans, de taal die hij in de avonduren studeerde om hogerop te kunnen komen.

Had hij het wel eens over vroeger? Over wat hij placht te doen?

Het kostte de vrouw moeite zich te beheersen. Ze sloeg haar ogen neer, keek naar haar afgetrapte schoenen en balde in wanhoop haar vuisten.

Nee. Ik nam gewoon aan dat hij ergens vandaan kwam en ooit iets had gedaan. Iedereen komt immers wel ergens vandaan? Iedereen heeft toch ooit wel eens iets gedaan? We spraken nooit over het verleden. Begrijpt u dat niet?

De vrouw kon zich niet langer bedwingen en begon stilletjes te huilen, en natuurlijk begreep de politieman het. De Balkan was onder de voet gelopen, Griekenland was gevallen en overal in Caïro waren vluchtelingen, lieden die niet wilden terugdenken aan wat ze hadden verloren.

Dus zag hij geen reden om dieper op de zaak in te gaan. Als deze vrouw, om welke persoonlijke reden dan ook, de begrafenis van een man die ze nauwelijks had gekend wilde bekostigen, dan was dat haar zaak. Het had geen enkele zin haar te vertellen dat Stern een kleine crimineel, een onbeduidende wapensmokkelaar en een morfineverslaafde was geweest. Het was duidelijk dat ze iemand wilde begraven, en het was niet aan hem om te zeggen hoe ze het kleine beetje geld dat ze had moest besteden.

Een ogenblikje geduld, zei hij, en hij belde even op naar haar kantoor om te controleren of zij inderdaad degene was die ze beweerde te zijn. Hij werd verbazingwekkend snel doorverbonden met een of ander duister Brits departement dat iets van doen had met Irrigatiewerken. Hij kwam terug, vulde de verklaring van overdracht in, schreef de gegevens uit haar paspoort over en noteerde haar als *Een vriendin van de overledene*. Hij liet de formulieren ondertekenen en vertelde de vrouw waar ze het stoffelijk overschot kon laten ophalen. Ze bedankte hem en vertrok.

Waarmee de zaak voor zover het de Egyptische autoriteiten betrof was afgedaan.

De politieman die na de explosie naar de Arabische kroeg was gekomen, was daar ongeveer een halfuur gebleven, maar had de meeste tijd besteed aan het tot zich nemen van borrels. Vervolgens had zijn superieur de volgende ochtend nog eens een minuut of tien besteed aan het vluchtig doorbladeren van het dossier van de dode man. En niet veel meer tijd was die ochtend verloren gegaan aan het gesprekje met de vrouw aangaande de overdracht van wat er over was van het lijk.

Al met al waren er niet meer dan twaalf uur verstreken sinds Stern rond middernacht was gedood. In net zo'n kort tijdsbestek werden de formaliteiten rond zijn dood afgerond en was zijn leven vergeten. Maar er was één onbeduidende merkwaardigheid die men over het hoofd leek te hebben gezien.

Hoe kon het gebeuren dat deze oppervlakkige kennis van Stern, deze armoedig geklede vrouw van Amerikaanse komaf, überhaupt naar het politiebureau was gekomen?

Waarom was zij zo plotseling opgedoken als ze uitsluitend gewoon was eens per week of eens in de twee of drie weken in een klein buurtrestaurant een briefje van Stern te ontvangen?

Hoe kon zij zelfs maar hebben geweten dat Stern dood was?

Want over het voorval had niets in de krant gestaan en dat zou er ook niet in komen. Zulke incidenten kwamen voor, dat was algemeen bekend. Maar de Britse censoren wilden evengoed het feit niet aan de grote klok hangen dat geallieerde soldaten zo nu en dan dronken en zelf met een mogelijke dood in het verschiet, hun zenuwen ontlaadden door handgranaten bij Arabische kroegen naar binnen te smijten.

Maar deze vragen betreffende de Amerikaanse vrouw achtte men, zo bleek, van weinig of geen belang. Elders werd het ware enigma achter de moord al bestudeerd door deskundigen van een inlichtingendienst en zij begonnen zelfs de eenvoudigste feiten verbonden met Sterns mysterieuze dood en zijn al even mysterieuze leven te beschouwen als stukjes van een enorm gecompliceerde puzzel die de uitkomst van de gehele oorlog in het Midden-Oosten en wellicht daarbuiten, zou kunnen beïnvloeden.

2 De Purperen Zeven Armeniër

In het beknopte proces-verbaal dat was opgesteld door de politieman in Caïro die het incident met de handgranaat had onderzocht, stonden de namen van vier getuigen vermeld. De overige klanten hadden onmiddellijk na de explosie rond middernacht de kroeg verlaten. Een van die vier was de Arabische eigenaar van de kroeg en twee anderen waren glazig kijkende Arabische arbeiders die, ten gevolge van hun opiumgebruik, sinds zonsondergang totaal van de wereld waren geweest.

De vierde getuige had een paspoort laten zien waaruit bleek dat hij een genaturaliseerde Libanese staatsburger *op doorreis* was, een rondreizende handelaar in Koptische kunstvoorwerpen. De naam van deze vierde getuige was onmiskenbaar Armeens. En hoewel de politieman ter plekke zorgvuldig had opgetekend dat de Armeniër *op doorreis* was, had hij verzuimd vast te stellen waarheen hij op doorreis was en waarvandaan.

Teams Britse soldaten controleerden stelselmatig elke naam die voorkwam in elk Egyptisch politierapport, ongeacht hoe onbeduidend de zaak ook was. Ze gingen na of de namen voorkwamen op stamlijsten, die niet vermelddden of de geregistreerde naam toebehoorde aan een deserteur of aan een zogenaamde informant, aan een mannelijke of aan een vrouwelijke prostitué die ervan werd verdacht verdwaalde bataljons soldaten met verlof te hebben besmet, of toebehoorde aan een van de andere categorieën lieden die een averechts effect op het verloop van de oorlog zouden kunnen hebben.

De naam van de Armeniër bevond zich op zo'n lijst. De gegevens werden prompt doorgegeven aan Speciale Diensten, waar vervolgens werd gecontroleerd of de naam voorkwam op een van de van diverse kleurcodes voorziene lijsten. De naam van de Armeniër stond vermeld onder de hoogst vertrouwelijke Purperen Code, wat betekende dat de informatie onmiddellijk diende te worden overgedragen aan de Militaire Inlichtingendienst.

Daar werd het belang van de naam op juiste waarde geschat toen hij werd aangetroffen op de exclusieve lijst die bekendstond als de *Purperen Zeven*, de kortste van alle lijsten en bovendien de enige van al die geheime kleurcodes die volgens de Britse classificatie in aanmerking kwam voor prompte behandeling in de Levant.

Allerhoogste Urgentie:

Daar gaan we weer, ouwe jongen.
Laten we de thee maar eens overslaan
en achter de Mof aan blijven jagen.

Onmiddellijk tekende een militaire ijlbode met een motorbril voor ontvangst van het pakketje gegevens en klom in de zijspan van een robuuste koeriersmotorfiets, die werd bestuurd door een deskundige zware-dieselmonteur die vloeiend Maleis sprak, ook een motorbril droeg en was gewapend met een stengun, twee automatische pistolen, drie werpmessen en een verborgen klein pistool van groot kaliber. De bestemming van de koerier was een kleurloos gebouw waarin de Derde Kring van Irrigatiewerken was gehuisvest, een onduidelijke burgerafdeling die rechtstreeks rekenschap aflegde aan de Britse opperbevelhebber der Strijdkrachten in het Midden-Oosten, wat ogenschijnlijk te wijten was aan het strategische belang van water. Maar in feite vormde de kleurloze Derde Kring het hoofdkwartier van een geheime eenheid van de Britse inlichtingendienst die door de specialisten informeel werd aangeduid met de naam *de Waterjongens*.

En zo ontblootte die dag rond het middaguur een ongezond ogende Britse spion, een pooier en een zwarthandelaar met een zieke lever en een kwalijke reputatie langs de rivieroever, zijn vergeelde tanden toen hij door een smerige achterbuurt van de stad sjokte, waarbij zijn geelgrauwe grijns bestemd was voor iedereen die behoefte had aan illegale dienstverlening van uiteenlopende aard.

Om zich te sterken tegen de zwendelpraktijken in het verschiet besloot de zwarthandelaar even te pauzeren voor een glas goedkope Arabische cognac. En het café dat hij daartoe uitkoos bleek toevalligerwijs slechts enkele huizen verwijderd van de kroeg die de vorige nacht door een handgranaat was getroffen.

Voorzichtig schikte de pooier zijn gezwollen lever onder een tafeltje. Hij wreef in zijn ogen en richtte zijn aandacht terloops op het tafeltje naast hem, waar de eigenaar van de beschadigde Arabische kroeg, voor korte tijd een buurtberoemdheid, met veel misbaar voor de honderdste keer verslag deed van zijn ervaringen van de vorige nacht. De kroegbaas had sinds zonsopgang niets anders gedaan dan ademloos zijn verhaal opdissen aan iedereen die het horen wilde, maar in het bijzonder aan iedereen die hem een borrel aanbood, in ruil voor de volledige waarheid omtrent de oorlog en de wereld en de geschiedenis.

De Arabische kroegbaas was inmiddels totaal bezopen en zijn relaas had het formaat aangenomen van een gigantische veldslag in de voortdurende strijd om Egyptische onafhankelijkheid. Zoals zoveel van zijn landgenoten zag hij de Britten als koloniale onderdrukkers en was hij alleszins bereid de Duitsers als bevrijders in Caïro te verwelkomen.

Eigenlijk was het juist vanwege zijn algemeen bekend staande patriottisme, zei hij, dat de lafhartige Britten een keurkorps van gemaskerde commando's hadden gestuurd om zijn kroeg met de duisternis als dekmantel te overvallen. Maar hij had de aanval manhaftig afgeslagen en zou van Rommel een medaille krijgen zodra de onoverwinnelijke pantsereenheden eenmaal tot in de stad waren doorgedrongen.

Tegen het weekeinde, zei hij, waarbij zijn ogen glinsterden van de gin die hij rond het middaguur naar binnen had geslokt. Tegen het weekeinde, volgens de geheime informatie die hem had bereikt.

Hij hoefde zich niet op de borst te kloppen, vervolgde hij, maar hij hoefde de waarheid ook niet langer onder stoelen of banken te steken. Nu niet meer, nu de Britten hadden laten zien hoe bang ze voor hem waren door een massale nachtelijke aanval met hun beste antitankwapens te ontketenen.

Hij dempte zijn stem en nam de pose aan van een toegewijde revolutionair. Grootse nationalistische overwinningen en de geweldige persoonlijke offers die daartoe hadden geleid, merkte hij op, verdienden het diepste respect.

De *volledige* waarheid? fluisterde hij. De volledige waarheid is dat Rommel niet meer via tussenpersonen met me correspondeert. Als hij nu mijn advies vraagt, doet hij dat in zijn eigen persoonlijke handschrift, op briefpapier van het Afrikakorps.

Zijn publiek uitte zich in zuchten en begrijpende knikjes. Op dat moment blonk in de ogen van zijn werkloze toehoorders ontegenzeggelijk iets van gewiekste vastberadenheid. Aan het aangrenzende tafeltje boog de zwarthandelaar zich zijwaarts naar de kroegbaas toe.

Spreekt hij goed Arabisch? vroeg hij op fluistertoon.

Wie?

Rommel.

Uitstekend, natuurlijk. De Duitsers zijn niet stom zoals de Britten.

Daar heb ik nooit aan getwijfeld. Maar komend weekend, zeg je? Is Rommel dan al hier?

Dat heeft hij me zelf gezegd, antwoordde de kroegbaas.

De zwarthandelaar keek plotseling pijnlijk getroffen. Hij liet zijn hand zakken, streek met zijn vingers over de rechterkant van zijn buik en probeerde zijn lever te ondersteunen.

Daar ben ik dan mooi klaar mee, fluisterde hij. De Duitsers drinken bier, enkel bier.

Echt waar?

Absoluut, dan blijf ik hier mooi mee zitten. Ik dacht dat hiermee mijn kostje gekocht was, maar nu blijkt dat ik er niets mee kan beginnen.

Met je lever? vroeg de kroegbaas op fluistertoon.

De zwarthandelaar schudde zijn hoofd en stak zijn hand uit naar het valies dat hij bij zich had en opende het net genoeg om de kroegbaas er een blik in te gunnen. Wat hij zag was een volle fles Ierse whisky, het zegel nog intact. Snel klapte hij het valies weer dicht.

Rechtstreeks uit Shepheard's Hotel, fluisterde de zwarthandelaar. Met groot gevaar en ten koste van heel wat steekpenningen ontvreemd. Maar nu heeft God me in de steek gelaten.

Hoeveel? fluisterde de kroegbaas achterdochtig.

Goedkoop. Belachelijk goedkoop, in het licht van Gods wil en Rommels verschijnen.

Gods wegen zijn ondoorgrondelijk, bracht de kroegbaas ertegen in.

Daar zeg je een waar woord. En slechts zij die het waardig zijn horen Zijn stem. Als de ene revolutionair tegen de andere, stel ik voor dat we ons nu terugtrekken in jouw geteisterde pand om die verachtelijke vernielingen te inspecteren die zijn aangericht door een divisie lafhartige Britse paratroepers die onder de dekmantel der duisternis uit de hemelen omlaag zijn gekletterd.

Het leek eerder het voltallige Achtste Legerkorps, zei de kroegbaas. Tanks, gigantische kanonnen, mijnenvelden, omvangrijke formaties ronkende bommenwerpers, de hele santenkraam.

Ik heb er nooit aan getwijfeld.

En onder aanvoering van Churchill in eigen persoon.

Die zoals gewoonlijk wel weer straalbezopen zal zijn geweest. Maar jij hebt je met alle kracht teweergesteld en Rommel zal in het weekeinde persoonlijk een heildronk op je uitbrengen. Maar intussen een beetje privacy, wellicht?

De kroegbaas stond op en keerde zijn toehoorders, met een hautain gebaar, de rug toe, waarbij hij bijkans zijn evenwicht verloor. Maar de geelgrauwe zwarthandelaar dook rap naast de kroegbaas op en zijn ziekelijke ogen schoten naar links en naar rechts terwijl hij hem te hulp schoot, en een ogenblik later had hij de kroegbaas overeind en duwde hij hem de steeg door, waarna zij hand in hand, hun lichamen op de traditioneel Levantijnse manier van oprechte saamhorigheid tegen elkaar wrijvend, hun weg vervolgden.

Vroeg in de avond keerde een Britse majoor terug naar de Irrigatiewerken, na zijn spion, de ongezond uitziende pooier, te hebben ondervraagd. De majoor legde zijn tropenhelm terzijde en ging rapport uitbrengen aan zijn kolonel, de man die de leiding had over de Waterjongens.

Het betreft het Purperen Zeven-alarm dat vanochtend is binnengekomen, zei de majoor. Het duurde even voor we er een beeld van hadden, omdat de kroegbaas eerst moest ontnuchteren.

De kolonel knikte. Laten we deze Purperen Zeven *de Armeniër* noemen, zei hij. Ga door.

Hij wordt beschreven als een kleine donkere man van Europese origine, met een stoppelbaard en diepe groeven rond de ogen, waarschijnlijk een drinker. Mager, pezig, tegen de veertig. Enigszins rossig haar, zo leek het althans in het schamele licht van de kroeg. Aan zijn kleding viel niets bijzonders op te merken, zij het dat die bepaald aan de armoedige kant was. Kraagloos overhemd, verkreukeld en niet al te schoon. Een oud pak dat tweedehands zou kunnen zijn geweest en hem veel te ruim zat, alsof hij onlangs was afgevallen of gewoon in het algemeen betere tijden had gekend. Globale indruk armetierig, maar verder een alledaags uiterlijk.

Of gepokt en gemazeld, zei de kolonel. Ga door.

Hij betrad de kroeg kort na Stern, wellicht rond een uur of tien. Aan de kroegbaas hebben we niks als het om de tijdsbepaling gaat. Hij heeft geen horloge en er is geen klok in de kroeg. Stern en de Armeniër zaten samen aan de toog. Ze spraken Engels met elkaar en de kroegbaas begrijpt daar maar weinig van. Ze dronken de plaatselijke goedkope cognac. Stern dronk een paar glaasjes, de Armeniër nogal wat meer. Stern bestelde en hield de boel in de gaten.

Hoe?

Ze zaten zijdelings tegenover elkaar, elk met een elleboog op de toog en Stern zodanig gepositioneerd dat hij een goed uitzicht had op het grootste deel van de ruimte en de ingang, die hij zonder zijn hoofd te bewegen over de schouder van de Armeniër in de gaten kon houden. Voor de deuropening hing een gordijn dat het etablissement en de steeg van elkaar scheidde. Terwijl ze spraken rookten ze sigaretten, Sterns sigaretten, een goedkoop Arabisch merk. Aanvankelijk was het een rustig gesprek, op gedempte toon, met zo nu en dan wat gebaren. In die fase was de Armeniër het meest aan het woord. Maar toen deed Stern een duit in het zakje en werd de toestand verhitter, alsof zij het ergens niet over eens waren. De Armeniër leek degene te zijn die dwarslag, terwijl Sterns houding er meer een was van zelfvertrouwen of opluchting. Maar dat zou iets te sterk uitgedrukt kunnen zijn. Het is slechts gebaseerd op een indruk van een indruk.

Opluchting over iets wat de Armeniër hem had verteld? Vanwaar die indruk?

Stern begon op dat moment te glimlachen. Of glimlachte zo nu en dan. Daarover bestaat geen zekerheid.

Ga door.

De reactie van de Armeniër op Sterns opluchting of zelfvertrouwen of wat het ook moge zijn geweest, duidde eerder op verbazing dan op woede. Hij leek niet te begrijpen wat er in Stern omging, of als hij het begreep leek hij het niet te willen accepteren. Iets van dien aard. Juist toen raakte het gesprek verhit en ontwikkelde zich het meningsverschil. Stern leek te trachten zijn standpunt te verduidelijken of zichzelf te rechtvaardigen of iets dergelijks, en de Armeniër weigerde zich erbij neer te leggen.

Aha.

Stern sprak een minuut of twee met overtuigingskracht op gedempte toon, terwijl de Armeniër luisterde en probeerde te begrijpen wat hij zei. Toen schudde de Armeniër zijn hoofd en begon opnieuw gesticulerend te redetwisten. Beide mannen leken vermoeid; *afgemat* is een beter woord. Misschien was het een oud meningsverschil, iets waar ze het eerder over hadden gehad. Zo ging het door tot middernacht en tot de explosie. Lichamelijk leek Stern uitgeput, maar tevens uitgelaten. Ook dat is niet meer dan een indruk van een indruk. En dat is alles wat we weten van vóór de handgranaat.

De kolonel knikte. Laat ons daar nog een ogenblik bij stilstaan, zei hij.

Hij stond op en begon onbeholpen te ijsberen alsof hij niet goed wist hoe hij met zijn kunstbeen overweg moest. Er zaten geen ramen in de kamer. Hij stopte zijn pijp en liet die verstrooid op tafel liggen.

Stern leek uitgeput maar blij of opgelucht, zei de kolonel. En hoe zat het met de Armeniër? Hij moest zeker tien jaar jonger zijn geweest dan Stern, wellicht meer. Ook uitgeput, lichamelijk?

Onmogelijk te zeggen. Klaarblijkelijk was hij niet zo gemakkelijk te doorgronden.

Waarom niet?

Door de wijze waarop hij zich gedroeg of opstelde. Geneigd zich minder bloot te geven. Beheerster misschien?

Dat lijkt me sterk. Maar ervaren, dat vast en zeker. Niemand was ooit ondoorgrondelijker dan Stern, hoewel hij natuurlijk nooit die indruk wekte. Integendeel zelfs. Eerder het tegenovergestelde. Maar uiteraard wist jullie mannetje dat. Wie hebben jullie gestuurd?

Jameson.

Uitstekende keuze, merkte de kolonel op. Ik heb de neiging af te gaan op zijn indrukken van indrukken, dus ja, hier kunnen we toch wel iets mee.

De kolonel keek zoekend naar zijn pijp om zich heen. De majoor had ook nog het een en ander te vragen maar dat kwam later wel. Hij wachtte af.

Laten we het nu eens hebben over dat gedoe met die handgranaat. Hoe begon dat?

Er klonken kreten in het Engels van buiten en het geluid van een schermutseling werd luider, alsof een stel amokmakers door de steeg naderbij kwam. De kroegbaas was nerveus en dat gold ook voor de anderen in de kroeg. De Armeniër, die met zijn rug naar het gordijn zat, keek verscheidene malen achter zich, maar Stern praatte door, ogenschijnlijk alsof hij niets in de gaten had. Natuurlijk kon hij, zonder zijn hoofd te bewegen, het gordijn zien, dus misschien was hij geïnteresseerd zonder daar blijk van te geven. Hoe dan ook, Stern bleef doorpraten en het geschreeuw zwol aan. Toen werd het gordijn opzij gerukt en kwam er iets de kroeg in getuimeld. De kroegbaas zag het wel maar wist niet wat het was. Niemand wist wat het was, behalve Stern.

De kolonel fronste zijn voorhoofd en sloeg met een bedroefde uitdrukking op zijn gezicht zijn ogen neer.

Ja, zei hij zachtjes. Ik zie het voor me.

Stern gaf de Armeniër een stomp in zijn maag, waardoor hij van zijn kruk vloog, vervolgde de majoor. De kroegbaas stond op dat moment vlak bij hen achter de toog en zag het gezicht van de Armeniër toen Stern hem een stomp gaf. De Armeniër was verbijsterd. Het was duidelijk dat hij geen flauw benul had van wat er gaande was. Op dat ogenblik nam de kroegbaas een duik en liet zich achter de toog plat op de grond vallen. Het was een instinctieve reactie, een vorm van dekking zoeken, toen hij zag dat Stern de Armeniër een mep gaf. Niet weg van de handgranaat, die hij als zodanig niet herkende, maar weg van Stern. Het ding explodeerde met een ongelooflijke knal en dat is alles wat we weten van de kroegbaas, totdat de regen van glasscherven was opgehouden.

Spiegel achter de toog?

Ja.

De kolonel vond zijn pijp terug. Hij liep erop af en nam plaats op de sofa, waarbij hij zijn handen gebruikte om zijn kunstbeen rechtop te zetten.

Stern?

De granaat moet recht op hem af zijn gekomen. Hij had de tijd om de Armeniër met een mep het leven te redden maar daar is ook alles mee gezegd. Pal in de borststreek vermoedelijk. Boven de gordel weinig meer van over.

De kolonel streek een lucifer af. Heb jij het wel eens van zo dichtbij meegemaakt? vroeg hij. Heb je het wel eens vlak naast je zien gebeuren?

Nee.

Het is het verschrikkelijkste geluid dat er bestaat. Het tast je hersens aan. Je hebt bijvoorbeeld opeens niets menselijks meer. Het is een andere bestaansvorm, een oervorm, zwart. Je ziet iets binnen in jezelf. Ga door.

Er was een klap en het geluid van brekend glas en rook en verwarring, zei de majoor. Toen de kroegbaas opkeek, vluchtten de gasten gillend halsoverkop de deur uit. De Armeniër lag nog steeds gestrekt in de hoek waar Stern hem in had geslagen. Afgezien van de twee Arabieren aan de andere kant van de kroeg, die bewusteloos waren van de opium, was de Armeniër de enig overgeblevene. Hij lag daar op de grond, in de rook, starend naar de plek waar hij en Stern hadden gezeten. Langzaam, dromerig, krabbelde hij overeind en bleef daar maar staan staren. De kroegbaas was versuft en deed hetzelfde, hij stond daar maar te staren. Alleen was de blik van de kroegbaas op de Armeniër gericht.

Ja, zei de kolonel, de fascinatie is ongelooflijk intens. Je weet niet of je leeft of dood bent en je voelt je helemaal los van je eigen lichaam. Eigenlijk heb je geen lichaam. Het is raar... een soort plotselinge gewaarwording van zuiver bewustzijn. Je geest kijkt om zich heen en het eerste het beste dat enig teken van leven geeft neemt je volkomen in beslag. Op dat moment behelst de minste trilling van een ooglid het complete mysterie van het universum. Ga door.

De Armeniër bewoog nog steeds niet, hij stond daar maar te staren. Na een poosje kwam de kroegbaas bij zijn positieven en begon zelf te schreeuwen. Mensen riepen en staken hun hoofd naar binnen en daarna gebeurde er eigenlijk niets totdat de politieagent arriveerde.

Wat voor soort man?

Doorsnee, helaas. De chaos en de schade grepen hem aan, maar dat is het wel zo'n beetje, behalve iets wat zijn nieuwsgierigheid wekte. Toen hij net binnenkwam, merkte hij iets eigenaardigs op aan de Armeniër. Iets onbestemds, hij kan het zich niet precies herinneren. Het gebeurde toen hij voor het eerst de ruimte in ogenschouw nam en misschien was het slechts zijn verbeelding die hem parten speelde, of was het een geval van gezichtsbedrog. Hoe dan ook, het was iets wat ongewoon aandeed, iets wat daar niet paste of hoorde. Zo heb ik het tenminste geïnterpreteerd. De politieagent is niet bij machte het exact te beschrijven, kennelijk is het enkel als een flits door zijn hoofd gegaan. Maar waar het uiteindelijk op neerkomt is dat hij de indruk had dat de Armeniër glimlachte. Staarde en glimlachte. En dat is alles wat we over het voorval zelf weten.

De kolonel knikte.

Maar er is nog één ander uiterst merkwaardig feit, voegde de majoor eraan toe. De kroegbaas beweert dat de Armeniër gisterochtend in alle vroegte de kroeg heeft bezocht. Er waren geen andere klanten en hij was net begonnen met schoonmaken toen de Armeniër plotseling naar binnen stoof met een woesteling.

Met een wat?

Zo beschrijft de kroegbaas hem. Een spookachtige, in lompen gehulde gedaante, mager, klein en onder het stof en de modder, met een warrige haardos en ogen die uit zijn hoofd puilden. Volgens de kroegbaas deed hij denken aan een woestijnkluizenaar die jarenlang ergens in een grot had gewoond. Hij leek buiten zinnen. Hij klauwde naar de lucht en maakte vreemde geluiden alsof hij geen adem kreeg. De Armeniër snelde samen met deze woesteling naar binnen en bestelde koffie en zij zegen neer in een hoekje. Toen barstte de woesteling in snikken uit en een ogenblik later snelden ze weer naar buiten, de Armeniër voorop, de woesteling in zijn kielzog.

Geen verdere bijzonderheden over die man?

De kroegbaas raakte maar niet uitgepraat over zijn ogen, uitzinnige, uitpuilende ogen. Beangstigend, woest. Hij was ervan overtuigd dat de man krankzinnig was. Dat was de enige keer dat de kroegbaas die andere man ooit heeft gezien en de Armeniër heeft hij na die tweede keer ook niet meer teruggezien.

En ten slotte is er nog dit, zei de majoor, en hij overhandigde de kolonel een smal stuk gebogen metaal. De kroegbaas heeft het na het vertrek van de politieagent op de grond gevonden. Het lag tegen de toog aan, op de plek waar Stern en de Armeniër hadden gezeten. Voor zover ik kan zien is het precies wat het schijnt te zijn, een oude morsesleutel. Waarschijnlijk negentiende-eeuws.

De kolonel betastte het versleten stuk metaal. De sleutel was door ontelbare handelingen glad gepolijst.

Stern droeg die vroeger altijd bij zich, mompelde de kolonel. Het was een soort talisman. Zonder ging hij de deur niet uit.

De kolonel fronste zijn voorhoofd. Hij pakte een fles whisky uit een kast en schonk twee glazen in. De majoor nipte afwachtend van zijn whisky. De kamer bevond zich midden in het gebouw en slechts weinig geluiden drongen er door. De kolonel was zwijgend met zijn pijp in de weer. Uiteindelijk pakte hij het andere glas.

Kunnen jij en Maud de laatste tijd goed met elkaar overweg?

Ja. Zal ik met haar praten?

De kolonel schudde zijn hoofd.

Nee. Weet je, ik vermoed dat we op een operatie zijn gestuit die aan iemand anders toebehoort, en de reden dat we er lucht van hebben gekregen is dat er in die kroeg iets is misgegaan. Ik weet zeker dat het nooit de bedoeling is geweest dat de naam van die Armeniër in een proces-verbaal zou opduiken. Nee, daar ben ik van overtuigd. Wat Maud betreft, zij kan onmogelijk iets met die operatie van doen hebben, omdat, als zij dat wel had, ik daarvan op de hoogte zou moeten zijn geweest.

Maar ze wist dat Stern was gedood, zei de majoor, dat moet iemand haar hebben verteld. Een Purperen Zeven-alarm komt rechtstreeks bij ons. Dus waren wij de eersten die wisten van Sterns dood, en we zijn nog steeds de enigen die daarvan weten. Tenzij u die informatie al hebt doorgegeven, natuurlijk.

Dat heb ik niet, zei de kolonel. Dat doe ik vanavond. Maar dat wij de eersten waren die wisten van Sterns dood klopt niet helemaal, is het wel?

De eersten binnen de organisatie, bedoelde ik. Uiteraard wist de Armeniër ervan.

Ja, onze Purperen Zeven wist het. Onze man met de Armeense naam die in Koptische kunstvoorwerpen handelt en toevallig net op doorreis is. Onze kleine, sjofele Europeaan die een tweedehands kloffie draagt en bij voorkeur zijn ochtendkoffie drinkt in een achterbuurt van Caïro, in gezelschap van de een of andere woeste Arabische kluizenaar uit de woestijn en die er alle tekenen van vertoont een gepokt en gemazeld professional te zijn. Hij wist ervan.

En vertelde het aan Maud?

Juist, zei de kolonel. Maar wat ik eerder bedoelde was dat zij met de operatie als zodanig niets van doen kan hebben. Het is zo klaar als een klontje dat ze wel veel van doen heeft met sommige betrokkenen. Uit een persoonlijk oogpunt.

Had zij niet van begin af aan al een band met Stern?

O ja. Stern was degene die haar ons heeft aanbevolen, en zoals gebruikelijk had hij het volkomen bij het rechte eind. Ze is een waardevolle aanwinst gebleken. Maar zeg eens, wat weet jij eigenlijk van Stern?

Alleen wat er uit de dossiers naar voren komt, antwoordde de majoor. Dat hij in staat leek nagenoeg overal achter te komen.

Je ooit afgevraagd hoe hij dat flikte?

Uitstekende connecties, vermoed ik.

Ja, de allerbeste. De Fransen en de Duitsers en de Italianen, de Turken, de Grieken, de Arabieren en de Joden – hij had overal contacten. En hoe denk je dat hij daaraan kwam?

Door daar voortdurend achteraan te gaan, zei de majoor. Dat was wat hij deed. Dat was zijn leven.

Ja, dat was wat hij deed. Maar langzamerhand begin ik me af te vragen of... of dat werkelijk was wat Stern deed. Stern verstrekte informatie maar haalde die net zo goed binnen, maar de werkelijke reden dat de mensen hem vertrouwden was dat ze altijd, diep in hun hart, het gevoel hadden dat hij uitsluitend voor hen werkte. Uiteindelijk diende hij hen alleen. Wij geloofden dat ook, of niet soms?

Bij wijze van antwoord fronste de majoor zijn voorhoofd. In de korte tijd dat hij voor de kolonel had gewerkt, waren er enkele uiterst delicate operaties op touw gezet die bijna volledig stoelden op gegevens die van Stern afkomstig waren. En in het verleden moesten er nog veel meer van zulke operaties zijn geweest, dus kostte het hem moeite te geloven wat de kolonel nu over Stern leek te suggereren.

Daarmee wil ik niet beweren dat hij niet voor ons werkte, vervolgde de kolonel. De kwestie is alleen dat in uiterste consequentie...

De kolonel zweeg om te trachten zijn gedachten te ordenen. Om de een of andere reden moest hij plotseling terugdenken aan dat duistere incident van voor de oorlog; Sterns ontsnapping uit een gevangenis in Damascus in de zomer van 1939. Van dat voorval had de kolonel nooit iets begrepen, want Stern zou binnen vierentwintig uur sowieso worden vrijgelaten.

En toch riskeerde hij zijn leven door te ontsnappen. Waarom?

Later had hij het er met Stern over gehad en Stern had het hele geval afgedaan met een lolletje. Hij zat op die eigenaardige manier van hem op zijn stoel heen en weer te schuiven en bagatelliseerde de moed waarvan die ontsnapping van zijn kant getuigde door te beweren dat hij zich nuttelozer dan gewoonlijk had gevoeld en in een opwelling had besloten te proberen aan te tonen dat hij zijn Syrische cipiers te slim af kon zijn. Stern had de kolonel zelfs de littekens getoond die hij had opgelopen toen zijn duimnagel was afgerukt tijdens zijn ontsnapping, toen hij zich een weg door het metselwerk groef, akelige, diepe littekens die de rug van zijn duim doorkruisten. De kolonel herinnerde zich hoe pijnlijk die er toen hadden uitgezien, maar Stern had zich er met een schouderophalen van afgemaakt.

Het stelt niks voor, had Stern lachend gezegd. Echt pijnlijke wonden zijn nooit van lichamelijke aard, nietwaar? Die snijden dieper en de littekens die zij achterlaten zitten ergens anders.

En toen waren ze over iets anders begonnen. Maar nu zat het incident in Damascus de kolonel dwars en hij begon Sterns dossier door te spitten. Hij meende zich te herinneren dat Stern had gezegd dat hij na zijn ontsnapping uit de gevangenis naar Haifa was gegaan en zich daar had schuilgehouden totdat, enkele weken later, de oorlog was uitgebroken en iedereen wel iets anders aan zijn hoofd had.

De kolonel bleef stilstaan bij een bladzijde uit het dossier. Hij had het aan de rapporten van andere contactpersonen ontleende ondersteunende bewijs gevonden dat Stern in augustus 1939 in Haifa was geweest. Maar nu de kolonel het bewijs nog eens goed bekeek, realiseerde hij zich dat al die afzonderlijke gegevens waren verstrekt door contacten van wie men wist of vermoedde dat zij zionistische activisten waren die zich met de illegale immigratie naar Palestina bezighielden.

De kolonel sloeg meer bladzijden van het dossier om. Sterns onwaarschijnlijke avontuur deed hem ook aan Polen denken. Vanwaar die associatie? Eenvoudigweg omdat de Duitse invasie van Polen zo snel na Sterns ontsnapping had plaatsgevonden?

Nee. Er was wel degelijk een verband en dat had hij gevonden. Een korte paragraaf uit het rapport van een informant aan de Turkse politie in Istanbul. Het kwam erop neer dat de informant Stern kort na zijn ontsnapping uit Damascus in Istanbul had gezien. Dat Stern een vervalst Pools paspoort bij zich droeg en koortsachtig bezig was een geheime reis naar Polen te organiseren. Naar het Pyri-woud in de buurt van Warschau, op een mysterieuze missie van groot gewicht.

Dat had de informant tenminste geopperd, als persoonlijke mening, zonder een spoor van bewijs om zijn bewering te staven.

Onder normale omstandigheden zou de kolonel om dit web van gissingen hebben geglimlacht. De Turkse politie was in alles ongebreideld onnauwkeurig en Istanbul was berucht om zijn legioenen gretige informanten die met alle liefde bereid waren van alles te beweren in ruil voor een kleine overheidsgunst. En in dit geval was de identiteit van de informant niet eens in het rapport opgenomen. Zelfs het feit dat het lijk van de informant vervolgens drijvend in de Bosporus was aangetroffen had niets te betekenen, als je de toestand in Istanbul in die laatste zomer voor de oorlog in aanmerking nam.

Pure verzinsels van de een of andere wanhopige vluchteling. Belachelijke geruchten gefluisterd rond een kroegtafeltje en losgelaten in het troebele brein van een Turkse politieagent die loom hasj zat te paffen en vaaglijk probeerde zijn blik te concentreren op het kruis van een jonge ober aan de overkant.

Maar toch?

De kolonel sloeg het dossier dicht. Hij fronste zijn voorhoofd.

Misschien had hij een ernstige fout gemaakt toen hij Sterns verklaring accepteerde over wat hij had uitgespookt in die laatste paar dagen voor de oorlog begon. Stern had in feite een geheime reis naar Polen gemaakt zonder daar iemand iets van te vertellen.

Waarom? vroeg de kolonel zich af. Wat had dat te betekenen en wat had hij verborgen gehouden? Waarom had hij gelogen en zich zoveel moeite getroost om zich ervan te verzekeren dat zijn leugen onopgemerkt bleef?

Stern was bovenmatig ervaren en gewiekst te werk gegaan. Hij was een zaak toegewijd die waarschijnlijk te idealistisch was om ooit te worden gerealiseerd, maar die zaak was duidelijk en begrijpelijk, in zijn eenvoud even imposant als Sterns idealen waren geweest.

Of liever, zoals zij hadden geleken. Want het was nu zo klaar als een klontje dat nog iemand anders op Sterns Poolse avontuur was gestuit en had besloten dat nog eens nader te beschouwen en daarbij een glimp had opgevangen van iets onvermoeds. Iets van een enigma, een diepzinnige waarheid die vervolgens door de Armeniër was ontsluierd.

En die toen aan Stern had verteld wat hij had ontdekt. Vlak voordat de handgranaat door de deur van een smoezelige Arabische kroeg in een achterbuurt van Caïro naar binnen kwam vliegen en Stern had gedood toen hij het leven van de Armeniër redde.

Waar waren we? vroeg de kolonel terwijl hij opkeek.

Ik weet het niet precies, antwoordde de majoor. U had het over het belangrijke werk dat Stern voor ons had gedaan, en vervolgens leek u ergens uw twijfels over te hebben.

Ja, ach, het staat me nu gewoon niet meer zo helder voor ogen als toen. Want dat lijkt inherent aan deze operatie. Volgens mij is er ergens twijfel gerezen, een twijfel met zeer ernstige implicaties. Er is dus een man die Stern ergens van kende, een buitenstaander, gerekruteerd om zich hier toegang toe te verschaffen en zo veel mogelijk over Stern te weten te komen.

Dat moet onze Purperen Zeven zijn geweest, zei de majoor.

Ja, de Armeniër. Een professional die ooit wellicht met Stern bevriend was of die op enig moment in het verleden met hem heeft samengewerkt. Mogelijkerwijs bij Sterns wapensmokkelpraktijken, zonder te weten dat die slechts een dekmantel waren voor zijn rol binnen de inlichtingendienst. Nu is de Armeniër aan het werk getogen en naar ik vermoed met succes. Hij heeft de waarheid over Stern achterhaald of hij is er zo dichtbij gekomen dat het niet meer uitmaakt.

De kolonel leunde achterover. Er klonk respect en zelfs iets van bewondering door in zijn stem.

Mijn hemel, als je Stern niet hebt gekend dan heb je geen benul van de omvang van die taak. De complexiteit van die man, het vernuft. Hij is in deze contreien opgegroeid en kende alle talen en dialecten, elke nuance, elke uithoek en regio. Hier kon gewoon niemand aan hem tippen. Hij kon overal gaan en staan, iedereen zijn die hij wilde zijn en ogenschijnlijk is hij ook overal en iedereen geweest. Wat hij maar wilde, zoals het hem uitkwam. Beschrijf een piepklein plekje in de woestijn en hij kende het. Noem een winkeltje verstopt in een bazaar in een van de vele tientallen steden en hij is er geweest, kent de eigenaar. Zaken doen met een man als Stern is een buitengewone ervaring. En hij was bescheiden. Je had geen idee van de diepzinnigheid van die man totdat hij langs zijn neus weg gewag maakte van iets onvermoeds.

De kolonel trok een grimas. Hij strekte zijn armen omlaag en verschoof zijn kunstbeen.

Hoe dan ook, de Armeniër moet gedaan hebben wat hij deed en is toen naar Stern gegaan met wat hij had ontdekt, wat op zichzelf vreemd is. Je zou denken dat hij allereerst naar de mensen zou gaan die hem hadden ingehuurd, maar klaarblijkelijk deed hij dat niet. Want als hij dat had gedaan, dan zouden diezelfde mensen nu weten dat Stern dood is en dat weten ze niet. Nog niet, omdat ik het ze nog niet heb verteld.

De Armeniër ging dus rechtstreeks naar Stern, vervolgde de kolonel, en dat was die samenkomst in de Arabische kroeg. De Armeniër nam contact op met Stern en regelde een ontmoeting, en ging daar vervolgens aan de toog zitten en vertelde Stern wat hij had ontdekt, en dat was de volledige waarheid of zo goed als. En dat maakte dat Stern halverwege hun gesprek begon te glimlachen. Omdat eindelijk, na al die jaren van heimelijkheid, iemand de waarheid over hem had ontdekt.

Zou de reactie van Stern daarop een glimlach zijn geweest? vroeg de majoor. Waarom niet het tegenovergestelde?

Ik heb geen idee. Het kan te maken hebben met wie de Armeniër is. De Armeniër confronteerde Stern in ieder geval met de feiten en Sterns reactie was een glimlach van opluchting. Dat was de uitdrukking die je gebruikte.

Die Jameson gebruikte, verbeterde de majoor.

Ja, Jameson, ons alter ego in dit geval. Dus we hebben een glimlachende Stern en de Armeniër die dat helemaal niet bevalt en op dat moment raakte het gesprek verhit. De Armeniër was het niet eens met wat Stern deed, kon het daar niet mee eens zijn en bracht daar iets tegen in. Maar Stern was niet te vermurwen. Hij was overtuigd van zijn gelijk en begon zich te rechtvaardigen. Opnieuw jouw woorden, of liever, die van Jameson. En zo stonden de zaken ervoor toen de handgranaat door de deuropening naar binnen vloog en Stern het leven van de Armeniër redde.

De kolonel wachtte even. Ik weet niet waarom, maar zo moet het gegaan zijn. Het was Sterns laatste daad en die heeft een zekere betekenis. Het moet iets van doen hebben met de ontdekking die de Armeniër had gedaan, of misschien met iets van vroeger, met de relatie tussen hen als geheel. Die was hecht, zou ik zeggen. Die had een bijzondere betekenis voor hen allebei.

Weet je, besloot de kolonel, het merkwaardigste van dit alles is dat we sommige antwoorden lijken te hebben zonder de vragen te kennen. Nog een whisky?

De majoor schonk hun allebei nog eens in. Aan de muur tikte een klok. Toen de kolonel daar ogenschijnlijk niets meer aan toe te voegen had, besloot de majoor zelf een paar vragen te stellen.

Welke operatie denkt u dat het betreft? Een van het Klooster?

Ja, geen twijfel aan. Het is veel te vérstrekkend en te veelomvattend om van iemand anders te kunnen zijn. En het is bizar en hoogst onwaarschijnlijk, iets wat niemand zou verwachten. Het heeft alle kenmerken van een Kloosteroperatie.

En hoe zit het met de Armeniër?

Ik heb over hem zitten prakkiseren maar er schiet mij niemand te binnen. Eerlijk gezegd heb ik geen flauw idee wie hij is. Uiteraard weet ik wel wie oorspronkelijk die Purperen Zeven-identiteit gebruikte, ik heb zelfs geholpen die voor hem te creëren. Maar dat was drie of vier jaar geleden, in Palestina, in verband met de Arabische opstand, en op de een of andere manier lijkt dat er nu allemaal los van te staan.

Wie was dat? De man die toen van die identiteit gebruikmaakte?

Een onderofficier. Sergeant O'Sullivan heette hij.

Sergeant O'Sullivan, mompelde de majoor, terwijl zijn blik iets mistigs kreeg. U doelt toch niet op *de* Sergeant O'Sullivan?

Nou en of. Een en dezelfde. Ik was even vergeten hoe beroemd hij vroeger was. Ik neem aan dat je van hem moet hebben gehoord, ook al was je toen nog jong.

Ja, antwoordde de majoor, achteroverleunend op zijn stoel om na te denken over dat verbijsterende stuk informatie uit het verleden.

Tijdens de Eerste Wereldoorlog, of tenminste in het begin van de oorlog, waren de wapenfeiten van Sergeant Columbkille O'Sullivan wereldvermaard in elk huisgezin in Engeland, nadat hem tot tweemaal toe het Victoria Kruis was verleend voor buitengewone heldenmoed in het gruwelijke bloedbad dat bekendstond als de Eerste Slag bij Champagne. Hij was de enige man in de Grote Oorlog, van welke rang of stand ook, die die eerbewijzen ontving. Toen werd hij overal *de* Sergeant O'-Sullivan genoemd, of zelfs met nog meer genegenheid eenvoudigweg *Onze Zwarterik van Champagne*.

Maar de reputatie van de befaamde kleine sergeant was op raadsel-achtige wijze beginnen te tanen nadat zijn Ierse landgenoten in 1916 hun Paasopstand hadden ontketend. Tegen de zomer van dat jaar deed in Londen een gerucht de ronde dat *Onze Zwarterik* overmatig dronk en toen het najaar werd, was overal in Engeland algemeen bekend dat de onversaagdheid van *Hun Zwarterik* op het slagveld altijd al te wijten was geweest aan drank en aan drank alleen.

Bovendien had *Hun Zwarterik*, toen hij in Frankrijk gelegerd was en op sluwe wijze door middel van grove zwendelpraktijken Victoria Krui-zen vergaarde, volgens herziene rapporten de absurde arrogantie te doen alsof het drinken van iets anders dan louter eersteklas champagne be-neden zijn waardigheid was, ook al had hij, toen hij weer thuis en als held op tournee was, zijn oude gewoonte opgevat om vrolijk alles met alcohol erin op te zuipen dat hij in zijn trillende handen kreeg.

Zo was de eens vermaarde *de* Sergeant O'Sullivan tegen het einde van de Grote Oorlog volkomen in vergetelheid geraakt. De majoor zelf kon zich niet herinneren in de loop van zijn loopbaan als beroepsmilitair ooit de beroemde naam in enige context, zij het historisch of anders-zins, te hebben horen noemen. Toch was voor hem *Onze Zwarterik van Champagne*, evenals voor tienduizenden toen opgroeiende Britse school-jongens, een unieke volksheld geweest.

✻

Mijn hemel, riep de majoor uit. Maar wat *is* er dan toch geworden van *Onze Zwarterik?*

Ach, na de oorlog heeft hij weer dienst genomen, antwoordde de ko-lonel.

Echt waar? *Onze Zwarterik?*

Ja. En vanwege al die roem die hem op zo prille leeftijd te beurt was gevallen wilde hij weg uit Engeland, dus nam hij dienst in het Britse Kamelenkorps. Hij nam zelfs dienst onder een andere naam, gewoon als soldaat Zus en zo. Hij had een uitgesproken hartstocht voor anoni-miteit ontwikkeld.

Het Kamelenkorps? *Onze Zwarterik* op de rug van een kameel?

Precies. Maar binnen korte tijd was hij weer bevorderd tot sergeant, en uiteraard was het voor iemand met de uitzonderlijke talenten van een man als Zwarterik onmogelijk ergens onopgemerkt te blijven, zelfs als hij alleen maar op een kameel door de woestijnen banjerde. Dus werd hij uitgenodigd tot deze branche van het bedrijf toe te treden en toen hij zich eenmaal bij ons had aangesloten kon Zwarterik niet anders dan voortgaan met zijn gebruikelijke flair. Anoniem, natuurlijk, in het geheim. Eigenlijk zou je kunnen zeggen dat dit was waar hij altijd naar op zoek was geweest. En al dat geklets over zijn gezuip in de vorige oorlog was totale onzin. Zwarterik kon, net als ieder ander, van een glaasje genieten, maar hij paste er wel voor op dat hij in diensttijd nooit dronk. Als hij op karwei was dronk hij uitsluitend water, daar was hij heel strikt in. Hij raakte zelfs geen kopje thee aan. En er deden verhalen de ronde die voor iedereen moeilijk te geloven waren. Enkele opmerkelijke voorvallen in Abessinië tegen de Italianen, en dan later in Palestina, toen we met de Arabische opstand te maken kregen.

Palestina? mompelde de majoor. Ik ben daar regelmatig geweest gedurende de Arabische opstand. Waar was *Onze Zwarterik* toen?

In de omgeving van Galilea. Hij maakte toen gebruik van verschillende dekmantels. Een ervan was de Armeense handelaar in Koptische kunstvoorwerpen en een ander was een kapitein in 's Konings Eigen Schotse Regiment. Om de paar weken glipte hij Haifa in om een andere identiteit aan te nemen. Hij was een beetje een oplichter, die Zwarterik. Hij genoot van dat soort dingen.

Onze Zwarterik, mompelde de majoor. Wat voerde hij uit in Galilea?

O, hij werkte aan een paar opdrachten tegelijk, zoals hij gewoon was te doen, maar waarschijnlijk was de belangrijkste toen zijn hulp aan de Joodse kolonisten bij het organiseren van hun Speciale Nachtploegen, de eerste echte mobiele gevechtseenheden waarover ze beschikten. Zwarterik was de man die die eenheden drilde en organiseerde. Hij deed dat in zijn vermomming als Schotse kapitein, en de methode die hij ontwikkelde werd al snel een van de belangrijkste actiestrategieën van de Palmach.

De kolonel glimlachte.

Die knaap had lef, verdomme, alsof hij er zijn hand niet voor omdraaide. Ik herinner me dat ik later nog eens heb gesproken met een van de jonge mannen van de Haganah die Zwarterik als adjudant had aangesteld, een zekere Dayan, en hij vertelde me hoe verbluft ze allemaal waren toen ze Zwarterik voor de eerste maal ontmoetten. De Arabische opstand was in volle gang en Dayan en Allon en die anderen waren opgetrokken om een nederzetting niet ver van de Libanese grens te verdedigen. Afijn, op een met maanlicht overgoten nacht hielden zij de wacht toen er een taxi kwam voorrijden met de koplampen gedoofd en de achterlichten aan de voorkant van de auto om de vijand in verwarring te brengen, en uit de taxi stapte een kleine magere gestalte met twee geweren en een bijbel en een trommel, een Engels-Hebreeuws woordenboek en twintig liter New England rum.

Onze Zwarterik?

Geen ander. Zijn roekeloosheid om daar 's nachts in zijn eentje naartoe te komen, zei Dayan, maakte een geweldige indruk op iedereen. Ze hadden nog nooit zo'n militair ontmoet en hij had een grote invloed op hun denken. Het besef dat oorlogvoering, ongeregelde oorlogvoering in ieder geval, gebaseerd kon zijn op iets anders dan kadaverdiscipline.

Verbazingwekkend, mompelde de majoor.

Ja. Zwarterik werkte voor mij onder de moeilijkste omstandigheden en meer dan eens heb ik geprobeerd hem over te halen een promotie te aanvaarden. Maar Zwarterik weigerde altijd halsstarrig en zei dat hij er de voorkeur aan gaf zijn status als *de* Sergeant O'Sullivan te behouden. Zelfs al was zijn rang geheim en wist niemand dat hij überhaupt een rang had. Hij was een zwijgzame man, dat lijdt geen twijfel. En wat betreft de rol die hij speelde in de Spaanse Burgeroorlog, dat dient voorlopig nog geheim te blijven.

Waarom is dat? vroeg de majoor, die door die onthullingen over de held van zijn jeugd niet meer wist hoe hij het had.

Omdat Zwarterik aan de Republikeinse kant streed, begrijp je. Officieel was hij met verlof en officieus klaarde hij een aantal klussen voor ons, maar dan nog, een beroepsmilitair en zo. Dat gaf gewoon geen pas. Toen niet, zelfs nu niet.

De majoor had nog nooit zo perplex gestaan.

Onze Zwarterik? herhaalde hij dromerig, neerstarend op de papieren in zijn hand. Toen viel zijn oog ergens op en hij barstte plotsklaps in lachen uit.

Hebt u die naam gekozen, kolonel?

Welke naam?

De Zwarteriks Purperen Zeven schuilnaam. *A.O. Gulbenkian.*

De kolonel glimlachte.

O nee, daar is Zwarterik mee op de proppen gekomen. Feitelijk was het de naam die hij gebruikte toen hij na de laatste oorlog dienst nam in het Britse Kamelenkorps. Dat zegt iets over zijn gevoel voor humor, dunkt me. Het leek hem wel amusant om op een kameel door het Middellandse Zeegebied te sjokken en daarbij de naam te gebruiken van een beroemde Armeense oliemiljonair.

Bizar, mompelde de majoor. Gulbenkian lijkt me een vreemde naam om hier tegen te komen. Maar waar werden die initialen *A.O.* geacht voor te staan?

De kolonel lachte.

Alfa en Omega, waarschijnlijk. Opnieuw een grapje van Zwarterik.

Onze Zwarterik van Champagne, mompelde de majoor. Buitengewoon.

Ja, een en dezelfde. En hij was daadwerkelijk klein en donker, en mager en pezig en op en top een professional. Dus ik moet toegeven dat het signalement waarmee je kwam aanzetten me eventjes in verwarring bracht.

Nu was de majoor zelfs nog meer in verwarring.

Waarom? Zou hij onze Purperen Zeven die opereert vanuit het Klooster niet kunnen zijn? U zei dat die identiteit oorspronkelijk aan hem was toebedeeld.

Dat was zo, en het is ook waar dat hij de laatste keer opereerde vanuit het Klooster. Maar die Monniken in de woestijn voeren sindsdien iets anders in hun schild. Herinner je je de feiten aangaande de ontvoering van de Duitse commandant op Kreta?

Zeker. Had *Onze Zwarterik* daar iets mee te maken?

Dat was van begin af aan helemaal zijn operatie. Hij heeft het bedacht en de details uitgewerkt en is vervolgens meegegaan om erop toe te zien dat alles gladjes verliep. Nou, en of het gladjes verliep, als operatie dan wel te verstaan. Ze grepen de commandant en wandelden met hem over het eiland naar de zuidkust, en de onderzeeër lag in de nacht dat hij zou worden opgepikt waar hij hoorde te liggen. Maar die nacht kwam er een einde aan het geluk van Zwarterik. Hij had de wet der gemiddelden te lang getart.

Wat gebeurde er?

Hij en zijn eenheid kruisten het pad van een Duitse patrouille. Zwarterik maakte stampei en snelde de bergen in om de patrouille op een dwaalspoor te brengen. Hij werd in het donker neergeschoten en raakte gewond, maar slaagde erin door te gaan, totdat hij tegen zonsopgang genoodzaakt was een plekje te zoeken om zich te verschuilen. Dat deel van de bergen is zo kaal als een maanlandschap en de enige plek waar hij uit het zicht was, was in een van de ondergrondse stenen cisternes waar de plaatselijke Kretenzische geitenhoeders gebruik van maken om in de lente, als de sneeuw smelt, de verdoolde dieren in bijeen te drijven.

De kolonel keek chagrijnig.

Toen ze daar langskwamen lieten de Duitsers een van hun mannen achter bij de cisternes omdat hij een aanval van dysenterie had en hen niet kon bijhouden, maar Zwarterik wist dat niet. Zwarterik wachtte tot de patrouille de berg over was en stak toen zijn hoofd uit de cisterne om poolshoogte te nemen. Rillend, verstijfd, nauwelijks in staat zich te bewegen. Hij had inmiddels een uur lang tot zijn neus in het ijskoude bergwater van de cisterne gestaan. En het toeval wilde dat de eenzame Duitser vlak achter Zwarterik op een heuveltje zat.

De kolonel trok een grimas.

Een gril van het lot, ik denk er niet graag aan terug. De verblufte Duitser wierp een handgranaat en Zwarterik was op slag dood. Onthoofd.

Wat? *Onze Zwarterik?*

Hij kan dus alleen deel hebben gehad aan deze nieuwe gebeurtenissen als hij herrezen is, wat wel een overtuigende verklaring zou zijn voor de raadselachtige glimlach op het gelaat van de Armeniër na de explosie in de kroeg. Als O'Sullivan uit zijn graf herrezen was, zou hij daar zeker om hebben moeten glimlachen.

Wat?

Nee hoor, hij is wel degelijk dood. Deze Purperen Zeven is Zwarterik niet. Er loopt daar buiten ergens een andere Gulbenkian rond.

De majoor herstelde zich en dacht een ogenblik na.

Als ik me goed herinner werd er in verband met de ontvoering op Kreta met geen woord gerept over een Britse sergeant.

Dat klopt, zei de kolonel.

Die werd ons voorgeschoteld als een actie van een stel Britse officieren.

Er waren er inderdaad een paar bij betrokken, ja. En we hebben dat rondgebazuind opdat de Duitsers zouden ophouden bij wijze van vergelding Kretenzische dorpelingen bijeen te drijven en dood te schieten. Aangezien het een kwestie van het ene leger tegenover het andere was, zeiden we dat we Duitse krijgsgevangenen zouden neerschieten als ze dat deden, en toen hielden ze op.

Maar waarom verzwegen ze het feit dat ze O'Sullivan hadden gedood?

Omdat ze niet wisten wie de dode man was, zei de kolonel. Zwarterik was vermomd als Kretenzische bergbewoner en de Duitsers besloten ons in het ongewisse te laten over de vraag of de bergbewoner in leven was of niet, voor het geval hij iemand mocht zijn die belangrijk voor ons was. En ook om ervoor te zorgen dat we nooit zeker zouden weten wat hij hun wellicht had verteld. Of hun nog vertelt, wat dat betreft.

De majoor knikte. Het was hem zonneklaar dat de kolonel, omdat hij precies wist hoe O'Sullivan was gestorven, een bron moest hebben op Kreta, die hem had verteld wat er in werkelijkheid was gebeurd. Hoogstwaarschijnlijk een partizaan, meende hij, die de Duitse patrouille had gevolgd en het voorval bij de cisterne vanuit de verte had gadegeslagen. Maar Kreta was niet de majoors zorg, dus zei hij daarover verder niets.

Intussen gingen de gedachten van de kolonel uit naar iets anders dat hem merkwaardig voorkwam. In feite beschikte hij over een speciale bron op Kreta die hem de omstandigheden van O'Sullivans dood had gerapporteerd, zoals de majoor vermoedde, maar die agent was veel waardevoller dan zomaar een willekeurige partizaan in de bergen. En het was om de uiterst geheime positie als ogenschijnlijke collaborateur met de Duitsers, een gevaarlijke rol op een plaats als Kreta, te beschermen dat de kolonel had besloten het feit dat hij met zekerheid wist dat Sergeant O'Sullivan dood was voor iedereen te verzwijgen.

Tot op heden, nu de nostalgische herinneringen aangaande *Onze Zwarterik* hadden gemaakt dat hij tegenover de majoor zijn mond voorbij praatte.

Maar tot op dit moment had hij het aan niemand verteld. Zelfs niet aan de elite inlichtingeneenheid waarvoor O'Sullivan had gewerkt, het obscure commando in de woestijn dat door de kolonel en anderen, onder elkaar en vaak met enige minachting *het Klooster* werd genoemd.

Dat riep plotseling een vraag op bij de kolonel.

Hoe wist het Klooster dat O'Sullivan dood was?

Want dat moest men daar beslist weten. Anders hadden ze zijn Purperen Zeven-identiteit nooit aan een ander gegeven. En toch wist het Klooster niets van de speciale bron van de kolonel op Kreta. Was er dan nog iemand anders die contact kon hebben gehad met de speciale bron van de kolonel, zonder dat hij daarvan afwist? Een van de agenten wellicht, die in de tijd na de dood van de Zwarterik met een onderzeeër op Kreta aan land was gezet?

De kolonel pakte een andere dossiermap, bleef toen stilstaan en knikte in zichzelf. Het opzoeken van andere namen was overbodig. Wie was immers degene aan wie de kolonel deze waardevolle bron op Kreta te danken had?

Nou? Wie? *Stern*, natuurlijk. Stern had de vrouw kort nadat Kreta in handen van de Duitsers was gevallen gerekruteerd. Ze was al jarenlang een kennis van elders van Stern geweest, en Stern was degene die haar had benaderd en overgehaald de rol van collaborateur, met alle gevaar en de vernederingen die daarmee gepaard gaan, op zich te nemen. En vervolgens had Stern ervoor gezorgd dat hij, niet lang nadat Zwarterik op Kreta onvindbaar was, daar ook nog eens op een andere missie heen werd gezonden. Maar het lag voor de hand dat hij in werkelijkheid daar heen ging om te onderzoeken wat er met Zwarterik was gebeurd.

Stern moet hebben geweten van Zwarterik, realiseerde de kolonel zich nu, uit de tijd dat Zwarterik in Palestina was geweest. Misschien waren ze toen zelfs dikke vrienden geweest, want zij waren het soort mannen dat een spontane aantrekkingskracht op elkaar uitoefent. Zwarterik, met zijn vindingrijkheid en zijn vele eigenaardigheden die eerder religieus dan rationeel was, die oprecht in de bijbel geloofde en die, toen hij in Palestina werkzaam was, een fervent zionist was geworden met een mystiek bewustzijn van de bijzondere missie van de Joden.

Ja. Zwarterik zou Stern hebben aangesproken en ze waren waarschijnlijk goede vrienden geworden, zonder dat de kolonel of zelfs het Klooster daarvan wist. Toen Zwarterik niet terugkeerde van Kreta, had Stern er dus op een of andere manier voor gezorgd dat hij daarheen werd gezonden om erachter te komen wat zijn vriend was overkomen.

Zo moest het zijn gegaan, de kolonel was ervan overtuigd. Het was echt iets voor Stern. En eenmaal op Kreta moest Stern de beschutting van de bergen hebben verlaten en het hebben gewaagd, vermomd als Kretenzische bergbewoner, de stad in te gaan om een bezoek te brengen aan de vrouw die hij eerder voor de kolonel had gerekruteerd, om voor zichzelf uit te vinden welk lot Zwarterik te beurt was gevallen. En later verwittigde hij het Klooster van de dood van Zwarterik zonder zijn bron prijs te geven.

Zo moest het zijn gegaan en het baarde de kolonel zorgen. Het was soms een beetje beangstigend als je dacht aan de risico's die Stern had genomen. Dit geval bijvoorbeeld, helemaal op eigen houtje. Hoe hij, simpelweg om na te gaan hoe het een vriend was vergaan, een plausibele missie had bedacht om naar Kreta te gaan en zich daarheen had laten zenden. In de ogen van de kolonel had dat iets verontrustends. Iets raadselachtigs en ongerijmds dat inherent was aan Sterns gehele persoonlijkheid.

Maar voor dit moment liet de kolonel deze intrigerende overwegingen even voor wat ze waren. Voor hij iets anders ondernam moest hij eerst op zijn eigen kantoor orde op zaken stellen.

Ik vrees dat ik je zojuist misschien op het verkeerde been heb gezet, zei hij, toen ik suggereerde dat O'Sullivan gedood was. De waarheid is dat we niet weten of hij dood is of niet. Per slot van rekening is het best mogelijk dat *Onze Zwarterik* nog in leven is in de bergen van Kreta, die immers uitgestrekt en woest zijn.

Ik begrijp het, antwoordde de majoor.

Dat wil ik best geloven. Je hebt als jongen ongetwijfeld veel over hem gehoord en je weet dat hij zich nooit ergens door liet weerhouden. Absoluut verbijsterend, als je erover nadenkt. *De* Sergeant O'Sullivan. *De* onderofficier van het Britse Rijk. Ik bedoel maar, *Onze Zwarterik van Champagne*, van ons, van jou, van mij en van iedereen, toch? Het enige dat er we er nu dus over kunnen zeggen is dat Zwarterik onmogelijk de Purperen Zeven kan zijn die gisteravond met Stern in die Arabische kroeg was. En dat is *alles* wat we met betrekking tot Zwarterik kunnen opmerken.

Ik begrijp het volkomen, zei de majoor.

De kolonel wachtte even. Er was hem weer iets ingevallen. Hij keerde terug naar het politierapport dat door de Egyptische agent was opgesteld, naar de gegevens die na de explosie waren overgenomen uit het paspoort van de Armeniër. De uiterlijke kenmerken van de Armeniër kwamen overeen met die van Zwarterik. Het Klooster had niet eens de moeite genomen een van de gegevens in het paspoort te veranderen, hoewel ze dat zeker zouden hebben gedaan als daar enige aanleiding toe was geweest. Betekende dat dat de Armeniër niet alleen vaaglijk op Zwarterik leek, maar zelfs als twee druppels water op hem leek?

De majoor moest die overeenstemming van lichaamskenmerken hebben opgemerkt.

Had *Onze Zwarterik* een broer? vroeg hij.

De kolonel kreunde.

Doe me een lol. Daar kunnen we ons onmogelijk in verdiepen.

Kolonel?

Er was een enorm aantal broers, allemaal ouder, als ik me goed herinner. Zwarterik beweerde dat de reden voor het feit dat hij zoveel broers had lag in het feit dat zijn vader zo veel aardappels at. Een plaatselijk bijgeloof waar hij opgroeide. Afijn, de meeste broers emigreerden op jeugdige leeftijd naar Amerika, naar een of andere plaats die de Bronx heet, waar ze dakwerkers of dronkaards of beiden werden.

Dakwerkers?

Om te reiken naar de sterren in de Nieuwe Wereld, noemde Zwarterik het. En betreurenswaardig genoeg werden ze dronkaards toen de sterren buiten bereik bleken, zelfs daar. Maar dat terzijde. Het is een intrigerend idee maar het leidt nergens toe. De Bronx is simpelweg te ver weg. Zelfs Jameson zou niet tot zo'n exotisch oord kunnen doordringen.

De kolonel schudde zijn hoofd.

Stern, mompelde hij. *De Armeniër.* De kroeg in een krottenwijk. Hoe je het ook wendt of keert, ik denk niet dat ze in het Klooster erg blij zullen zijn als ik ze dit vertel.

Hoe je het ook wendt of keert? vroeg de majoor.

Ja. Als de handgranaat hun werk is, dan volgt daaruit dat ze van zins waren beiden te doden. En als het echt een verachtelijk incident was, dan kunnen ze daar op z'n minst uit opmaken dat de Armeniër met zijn ondervindingen in plaats van naar hen naar Stern is toegegaan. En nu Stern is gesneuveld, heeft het Klooster niets anders dan het woord van de Armeniër over alles met betrekking tot die operatie van hen tegen Stern... Nee, ik vrees dat de Armeniër geen kant op kan. Hoe je de situatie ook bekijkt, hij zit in de penarie.

Misschien zouden we ons er wat meer in kunnen verdiepen.

Op eigen houtje, bedoel je. Ja, dat zouden we kunnen proberen. Maar de operatie blijft van het Klooster, dus ik kan niet langer wachten met hun te vertellen van Sterns dood en al het overige. Zelfs over iets onbeduidends als het feit dat wij Jameson erop uit hebben gestuurd om poolshoogte te nemen zullen ze uit hun vel springen.

En hoe zit het met Maud? Misschien kan zij een boodschap overbrengen aan haar vriend, de huidige Gulbenkian.

O, dat is niet belangrijk. Hij hoeft niet te weten wat zijn positie is. Maar ik wilde haar sowieso spreken, ze zit op me te wachten.

De kolonel sloeg zijn ogen neer. Hij zuchtte.

De kwestie is dat jij net zo goed als ik weet dat als het Klooster in dit soort zaken een agent als een Purperen Zeven afstuurt op een man die waarschijnlijk onze waardevolste agent en wellicht ook hun waardevolste agent is, die Purperen Zeven dan, gezien wat er op het spel staat, naar verwachting geen lang leven beschoren zal zijn. Wat staat er op het spel? Als hij won dan verliest hij, als hij verloor dan verliest hij. En hij moet wel een heel lepe Armeniër zijn als hij een dag of twee in leven wil blijven nu de Monniken achter hem aan zitten. Ik hoop alleen maar dat hij half zo uitgekookt is als zijn voorganger onder die identiteit was.

Na wat u me hebt verteld over O'Sullivan lijkt die kans me bijzonder klein.

Dat ben ik met je eens. Een man als O'Sullivan kom je niet vaak tegen. Dat kun je niet verwachten en dat gebeurt ook niet.

Opnieuw verplaatste de kolonel zijn kunstbeen. De majoor stond op om te vertrekken.

Kolonel?

Hmmm.

Ik zal het zo snel mogelijk onderzoeken, maar denkt u dat u me een beetje op weg kunt helpen? Er zijn zoveel namen en feiten en voorvallen in Sterns dossier, dat het me wel een jaar kost om die door te spitten. Hebt u überhaupt enig idee waar de Armeniër naar op zoek kan zijn geweest?

Het is maar een gokje, zei de kolonel, maar ik zou geneigd zijn in Polen te beginnen.

De majoor leek totaal van zijn stuk gebracht.

Polen? Hier in Caïro...? De oorlog is in Polen begonnen, voegde hij er plompverloren aan toe.

Zo is het, zei de kolonel. Merkwaardig genoeg, maar zo is het. Maar de oorlog is daar alleen ogenschijnlijk uitgebroken. Zijn oorsprong moet ergens verder in het verleden liggen, zoals altijd het geval is met oorsprongen. Tegen de tijd dat iets manifest wordt heeft het al een bepaald traject afgelegd, nietwaar? Dan is het al jaren en decennia in wording en heeft het een historische context. Dus hoewel ik, als ik jou was, in Polen zou beginnen, zou ik me er ook van bewust blijven dat dat slechts een begin is. We moeten terug, verder terug, om de Armeniër te vinden. Want dat is precies wat hij heeft gedaan om Stern op te sporen. Komt dat ingewikkeld op je over?

Eerlijk gezegd wel, zei de majoor.

Dat is het echter niet. Dat kan het niet zijn. Stern was een man en de Armeniër is een man en Polen is een land. En de Armeniër deed alles in zijn eentje, terwijl wij een overdaad aan hulpmiddelen tot onze beschikking hebben.

Hoe komt u erbij dat hij in zijn eentje opereerde? Hij kon voor hulp toch zeker een beroep doen op het Klooster?

Nee, ik ben ervan overtuigd dat hij dat niet kon, niet echt. Het Klooster zou nooit iets wat van wezenlijk belang is aan een buitenstaander prijsgeven, zo werken ze niet. De naam die ze hebben, hebben ze niet voor niets, zoals dat geldt voor de meeste namen op de wereld. Ik vermoed dus dat de Armeniër er vroeger, net als nu, in zijn eentje voor stond, en nu de Monniken achter hem aan zitten staat hij er zeker in zijn eentje voor.

De kolonel staarde in de verte. Het moet een uitzonderlijk belangrijke zaak zijn, zei hij peinzend.

Kolonel?

Op het eerste gezicht, afgaande op het weinige dat ik weet. Stern en Zwarteriks opvolger die elkaar schijnbaar tegenwerken? En elkaar tegelijkertijd op een merkwaardige manier ook weer niet tegenwerken? Mijn God, als je hier ooit twee mannen zoekt om iets voor je op te knappen dan zou je zonder twijfel Stern en Zwarterik hebben gekozen.

En Zwarteriks opvolger?

De kolonel schudde zijn hoofd.

Ja, ik weet het. Het is een raadsel en doodzonde.

Pardon?

Ach, het is gewoon dat ik altijd bijzonder op Zwarterik was gesteld en ik veronderstel dat ik onwillekeurig wat van die gevoelens moet hebben geprojecteerd op zijn opvolger, deze nieuwe Purperen Zeven.

De kolonel glimlachte bijna beschroomd.

Vreemd zoals we dat doen. Ik heb geen flauw idee wie deze Purperen Zeven is. Hij is gewoon een man die we gemakshalve de Armeniër noemen. Toch voel ik onwillekeurig iets van droefenis als ik aan hem denk. Waar hij nu is en hoe het hem is vergaan, gewoon de hele toestand. Natuurlijk is er geen rationele verklaring voor mijn gevoelens, maar evengoed, een man die in staat was de waarheid omtrent Stern te achterhalen...

De kolonel zuchtte.

Nou ja, er zit niets anders op. We moeten maar afwachten.

Op een afgelegen plek in de woestijn, in het binnenste van een vestingachtig gebouw, snelde een monnik met zijn kap op door een smalle onderaardse gang die schaars werd verlicht door op grote afstand van elkaar aan de muur bevestigde toortsen. De gang verdween in de duisternis en het enige geluid was het gedempte geruis van de monnikspij toen hij stilletjes in het tweeduister over de uitgesleten stenen liep.

De monnik was een krachtige gedrongen man met een ongekamde baard die slechts gedeeltelijk het deel van zijn kaak bedekte dat hij miste. Hij bleef stilstaan bij een lage ijzeren, in de rotsen uitgehakte deur en wachtte even voor hij die met een daverende knal in de ondergrondse stilte opensmeet.

Voor de monnik bevond zich een piepkleine cel. Aan de andere kant zat, met zijn rug naar de deur, een man met slechts één arm geknield

voor een onbewerkt houten kruis en zware ketenen liepen van zijn en-
kels naar een roestige ijzeren ring in de muur. Toen de deur openzwaaide,
schoot het uitgeteerde lichaam van de man, terugdeinzend voor het oorverdovende geluid, met een ruk naar voren. Maar hij draaide zich niet
om en liet evenmin zijn hand zakken, die hij als een smekeling voor zich
uit hield.

De man leek op een woestijnkluizenaar. Zijn haar was samengeklit
en zijn blote voeten waren zwart van het vuil. Klaarblijkelijk had hij in
volstrekte duisternis zitten bidden, want er was geen enkele kaars in de
cel aanwezig en het kleine beetje licht dat er nu naar binnen viel kwam
van de flakkerende toortsen in de gang. Het gezicht van de monnik met
de kap was in het duister onzichtbaar.

Een poosje bewoog geen van beide mannen in de schimmige stilte en
bleven zij allebei somber en stil in de afzonderlijke poses van hun afzonderlijke werelden, de krachtige, gedrongen monnik omlijst door de
ijzeren deursponning, de gekluisterde man bevend, met zijn gezicht naar
de muur, afwachtend. En toen daverden plotseling de eerste akkoorden
van Bachs Mis in B Mineur van ergens hoog boven hen in het oude vestingachtige gebouw.

De monnik sloeg een kruis en pakte van onder zijn soutane een op-
gerolde zweep, een lange dikke gesel van gevlochten leer. Hij ontrolde
de zweep, een gemeen veeltongig martelwerktuig, tot zij op de grond
hing. De gekluisterde man schokte een beetje en zijn hoofd zonk lager.
Het was koud in de cel, toch waren er rond de lippen van de monnik
zweetdruppeltjes ontstaan. Hij likte het zweet af en sprak op een luide
minachtende toon.

De Armeniër heeft de handgranaat overleefd, zei hij.

De strenge woorden galmden door de stilte en een plotselinge huivering beving de gekluisterde man, ontegenzeggelijk een siddering van
verlangen, een bijna sensuele uitdrukking van walging. Hij begon verwoed naar de lompen om zijn schouders te klauwen en rukte ze weg om
zijn aangetaste vlees, de lijkbleke, witte huid overdekt met donkere, on-
effen littekens, te ontbloten. Een ogenblik later had de geknielde man
zijn bovenlichaam ontbloot en zat hij opnieuw, zijn gezicht verborgen
in zijn ene hand, verstard te wachten.

De monnik stond met zijn benen wijd gespreid. Hij liet de zweep in
de lucht knallen en liet hem met alle kracht neerkomen op de bleke rug
van de knielende man. De gemene leren tongen sisten en gierden tegen
het vlees en knalden opnieuw. Na de derde meedogenloze zweepslag
smeet de monnik de bebloede gesel in een hoek. Hij likte zijn lippen af

en keek toe. De gekluisterde man was door de kracht van de slagen tegen de grond gesmakt en slaagde er slechts met de grootste moeite in zich op zijn knieën op te richten.

Hij ademde zwaar en deed zijn uiterste best om niet op zijn gezicht te vallen. Opnieuw hief hij zijn ene magere hand op naar het kruis aan de muur in een smekende houding, de palm van zijn geopende hand nu nat van tranen. Zijn lichaam schokte hevig toen hij trachtte zich te beheersen.

De Armeniër is ten dode opgeschreven, mopperde de gefolterde gestalte. Hij is al dood maar weet het alleen nog niet. *Dood hem.*

Maar hij is ons te vlug af geweest, mompelde de monnik met grote eerbied. Wij weten niet waar hij is, Monseigneur.

In dat geval sporen jullie hem op en vermoorden jullie hem, fluisterde de gekluisterde man.

Jawel, Monseigneur.

De monnik wachtte nog enkele ogenblikken om te zien of er nog meer instructies zouden volgen. Maar de in lompen gehulde gekluisterde man leek zich niet langer bewust van zijn aanwezigheid, dus trok de monnik zich langzaam terug in de gang en sloot de zware ijzeren deur van de piepkleine cel, zijn gegeselde meester opnieuw alleen achterlatend in de inktzwarte duisternis, met zijn opengereten vlees en zijn eenvoudige kruis, bloedend... biddend.

3 Hopi Mesa Kiva

Enkele maanden voordat de obscure wapensmokkelaar Stern in Caïro werd gedood, snelde een grote zwarte auto over een afgelegen landweg diep in de dorre woestenij van het Amerikaanse zuidwesten.

Achter in de auto zaten drie voorname grijsharige mannen in gekreukelde witte linnen kostuums en met breedgerande panamahoeden op, hun gezichten getekend door de lange reis vanuit Washington in een militair vliegtuig. Behalve dat zij ooit jonge helden van hun respectieve naties in de Eerste Wereldoorlog waren, hadden ze alle drie ook nog een reputatie wegens onconventionele uitmuntendheid in hun verschillende metiers. En nu een nieuwe oorlog over de aarde raasde, waren zij mannen met gigantische geheime invloed in ontelbare uithoeken van de wereld.

Van de drie was alleen de Engelsman volkomen onbekend bij nagenoeg al zijn landgenoten. Hij was een oud-leerling van Eton, lid van twee Londense sociëteiten en een beroepsmilitair die kolonel was bij de Life Guards voordat hij, jaren tevoren, anoniem werd overgeplaatst naar een anonieme post die strikt anonieme geheime taken moest uitvoeren, in overeenstemming met de traditionele Britse anonimiteit waar het geheime inlichtingendiensten betrof.

Op dit ogenblik zat hij te breien.

De Canadees was klein en tenger met geloken ogen die alles in de gaten hielden. Oorspronkelijk beroemd als luchtgevechtkampioen in een Sopwith Camel, vervolgens als lichtgewicht bokskampioen en de man die de methode om foto's via de radio te verzenden had geperfectioneerd, was hij uiteindelijk een miljoenen vergarende grootindustrieel geworden met wereldwijde zakenbelangen.

De Canadees zat in een vijzel een mengsel met ijs door elkaar te roeren, terwijl de grote Ierse Amerikaan zich tevredenstelde met uit het raam staren naar het tanende licht van die namiddag in de woestijn. Hij had samen met de Amerikaanse president rechten gestudeerd en was de voormalige bevelhebber van het befaamde New Yorkse regiment dat bekendstond als het Fighting Sixty-ninth, en had het op eigen houtje helemaal gemaakt als Wall Street-jurist met internationale relaties.

De Engelsman stond bij de andere twee mannen bekend als *Ming*, naar de eerste lettergreep van zijn achternaam, die helemaal niet zo werd gespeld. Hij was de eerste op de achterbank die de stilte verbrak.

Laten we eens kijken hoe lang hij nu is, zei hij, met de breinaalden in zijn handen een laatste salvo klikjes producerend.

Hij pakte het zwarte gebreide materiaal op van zijn schoot, hield het einde van een meetlint tegen een van de hoeken en strekte zijn armen over de lengte van de achterbank. De Amerikaan pakte het andere einde aan en trok de lap strak, terwijl de Canadees in het midden, zijn uitzicht tijdelijk geblokkeerd door de lap van zwart materiaal voor zijn neus, zich over de zitting van zijn stoel omlaag liet glijden en onder het breiwerk door tuurde om het uitzicht op zijn vijzel te behouden.

Nog steeds een tikkeltje aan de korte kant? opperde de Amerikaan.

Hoewel hij over het algemeen bekendstond als *Wild Bill*, werd de Amerikaan in de diverse gezamenlijke comités geleid door de ondergeschikten van de drie mannen, *Big Bill* genoemd, om hem te onderscheiden van de Canadees, die half zo groot was als hij en dezelfde voornaam had en zodoende bekend stond als *Little Bill*. De kleine Canadees werd, op zijn onnadrukkelijke onversaagde manier, als even wild beschouwd als wie dan ook.

Verkreukelde witte linnen kostuums en gedeukte panamahoeden die zonderling scheef op hun hoofden stonden.

Big Bill. Little Bill. Ming.

En in Washington en Ottawa en Londen verklaarden mysterieuze identieke memo's in de handen van hun staven cryptisch dat *het opperhoofd* de komende veertig uur of daaromtrent in het gezelschap zou verkeren van de twee andere opperhoofden en volkomen onbereikbaar zou zijn op een geheime missie van groot gewicht, bestemming en doel onbekend.

Klaarblijkelijk was Ming het met Big Bill eens over de lengte van zijn breiwerk. Hij knikte uitdrukkingloos en toog weer aan het werk met zijn breinaalden. Little Bill pakte een gekoeld glas met een lange voet uit een ijsemmer, roerde de inhoud van zijn vijzel nog éénmaal goed door elkaar en schonk in. Hij voegde een reepje citroenschil toe en nam toen voorzichtig een slokje.

Verrukkelijk, mompelde hij, onmiddellijk een veel grotere slok nemend om te voorkomen dat er iets van de martini zou worden gemorst.

Opnieuw deden de drie mannen er enkele minuten het zwijgen toe, terwijl de auto zich door het barre woeste landschap spoedde, de stilte binnen uitsluitend doorbroken door het gesnor van de automotor en het ritmische geklik van Mings breinaalden. Opnieuw was het Ming die hun mijmeringen verstoorde. Even legde hij zijn breiwerkje opzij en stak een Turkse sigaret van zware zwarte tabak in een sigarettenpijpje. Zonder de sigaret aan te steken zoog hij verwoed drie of vier keer krachtig op het mondstuk van het pijpje en drukte de nog steeds onaangestoken sigaret uit in het asbakje op de armsteun. Streng rechtop zittend keek hij naar rechts uit het raam en speurde het kale maanlandschap af. Ze waren nu niet ver meer verwijderd van de geheime bestemming die in hun respectieve hoofdsteden aanleiding had gegeven tot zoveel speculaties, een onbeduidende Indiaanse pueblo, of dorp, waar ze de hoofdmedicijnman van de Hopi-stam zouden ontmoeten.

Wat zou hem er werkelijk toe overhalen het te doen? vroeg Ming, evenzeer aan zichzelf als aan een ander. Patriottisme in ieder geval niet, onze zaak is niet de zijne. En evenmin de onrechtmatigheden die we hem kunnen aanwrijven, want die zijn niet ernstig genoeg om hem over te halen. Waarom zou iemand deze vrede en rust verlaten om naar de andere kant van de wereld af te reizen met de mogelijkheid daar te worden gedood? De oorlog lijkt hier zo ver weg dat het bijna lijkt alsof hij niet bestaat.

Avontuur? mompelde Little Bill, van zijn glas nippend. Afgaande op wat jouw mensen in Caïro laten doorschemeren, schijnt hij het type man te zijn dat het leven in deze afgelegen streken wel eens een tikkeltje te stil, een tikkeltje te vredig, zou kunnen vinden. Per slot van rekening is hij ongeveer zeven jaar geleden hiernaartoe gekomen.

Dat kan inderdaad meespelen, beaamde Big Bill. Wat betreft zijn illegale status en de akkefietjes die hij had toen hij voor het eerst het land binnenkwam, heb je gelijk als je zegt dat die niets voorstellen, daar kun je hem niet eens een boete voor geven. Een man als hij kan verdwijnen zodra hij dat wil en ongeveer waarheen hij maar wil, zonder dat je hem ooit kunt opsporen. Daar draait hij zijn hand niet voor om. Nee, als hij erin toestemt te gaan, dan denk ik dat het uit nieuwsgierigheid is.

Maar niet vanwege Rommel, zei Ming. Ik heb zo'n vermoeden dat dat soort aangelegenheden hem volkomen koud laat. Heb je het dossier bij de hand?

Hier is het, zei Little Bill, een map pakkend van de stapel vertrouwelijk leesmateriaal die zij hadden meegenomen om de tijd tijdens de vlucht uit Washington te doden. Op het lipje van de dossiermap stond de naam van de Hopi-medicijnman in purperen letters getypt.

O'SULLIVAN BEARE, J.E.C.K.K.B.
(JUNIOR, MAAR NOOIT ALS ZODANIG BEKEND)

Little Bill sloeg de map op zijn schoot open. Hij nam een slokje martini en bestudeerde de eerste pagina.

Wat wilde je nazien?

Niets in het bijzonder. Ik wilde alleen een paar basisgegevens doornemen, als je het goedvindt.

Little Bill begon te lezen.

Joseph Enda Columbkille Kieran Kevin Brendan O'SULLIVAN BEARE.

Persoon was geboren op de Aran Eilanden en zijn roepnaam luidt Joe. Geen officiële opleiding. Zijn voornamen zijn allemaal ontleend aan heiligen die oorspronkelijk van zijn eiland komen, dat klein, winderig en regenachtig is en per hoofd van de bevolking meer heiligen en dronkaards heeft opgeleverd dan enig andere regio in de Christelijke invloedsfeer.

De taal waarin persoon werd grootgebracht was Gaelic en als jongetje werkte hij op de vissersboot van zijn vader. Hij is de jongste van een grote schare broers, van wie voor zover wij weten slechts één zich heeft onderscheiden, de op één na jongste die in leeftijd het dichtst bij voornoemd persoon stond. Deze broer liet het toevoegsel Beare varen en stond eenvoudigweg bekend als Columbkille O'Sullivan, of in de volksmond zo nu en dan als Hun Zwarterik, waar hij in de roddelbladen tijdens de Eerste Slag bij Champagne, in de Grote Oorlog, 1914-1918, korte tijd roem verwierf als een onbehouwen bezopen vagebond.

Dat is nog eens een naam uit onze jonge jaren, mijmerde Little Bill. Hoewel we hem in mijn legeronderdeel toen altijd *Onze Zwarterik* noemden.

In het mijne ook, voegde Big Bill eraan toe. Jouw archivaris schijnt een of andere historische tic te hebben, zei hij tegen Ming.

Ming zei niets, terwijl zijn breinaalden ritmisch klikten. Little Bill glimlachte en las door.

Persoon deed in 1916, op zestienjarige leeftijd mee aan het Paasoproer en slaagde erin uit het postkantoor van Dublin te ontsnappen toen dat werd ingenomen. Hij hield zich schuil en vocht in zijn eentje tot hij in de val werd gelokt en opnieuw wist te ontsnappen, ditmaal vermomd als Clarisse op pelgrimstocht naar het Heilige Land.

In Jeruzalem aangekomen nam Persoon, met behulp van een list en een andere vermomming, zijn intrek in het Tehuis voor Helden uit de Krimoorlog, een plaatselijke Britse liefdadigheidsinstelling. Daar ontving hij, namens een dankbare natie, de standaardbeloning die alle helden die de Krimoorlog hadden overleefd uitgereikt kregen – een gebruikte kaki deken. Persoon heeft die deken sindsdien altijd bij zich als een soort aandenken.

Kleine Bill glimlachte.
Een soort aandenken? mompelde hij.
Big Bill schraapte zijn keel terwijl Mings breinaalden stilletjes klikten. Little Bill nipte van zijn glas en las door.

Kort na zijn aankomst in Jeruzalem ontmoette Persoon Stern en ging voor hem werken, door wapens Palestina binnen te smokkelen.

Een ander met wie hij kennismaakte was een Amerikaanse vrouw, een zekere Maud. Persoon woonde enkele maanden met haar samen en uit hun samenzijn werd in Jericho een kind geboren, terwijl Persoon weg was, op een van zijn regelmatige reizen voor Stern. De Amerikaanse vrouw verliet Palestina daarna met de baby en liet Persoon in de steek, die vervolgens alle contact met Stern verbrak daar hij hem de schuld gaf van het gebeurde.

Persoon nam toen deel aan de organisatie van wat bekend zou worden als het Grote Jeruzalem Pokerspel, een lasterlijk gokspel dat een volle twaalf jaar duurde, tot 1933, toen president Roosevelt een New Deal voor de kleine man in de Verenigde Staten

aankondigde. Persoon verliet toen Jeruzalem en het Midden-Oos-
ten, doch pas nadat er een volledige verzoening met Stern had
plaatsgehad, op initiatief van Stern en waar Persoon maar al te
graag op in ging.

Het is bekend dat Persoon sedert die tijd, op z'n minst te hooi en
te gras, contact heeft onderhouden met Stern. Er is ook komen
vast te staan dat hij in de loop der jaren geld naar Stern heeft
gestuurd, waarschijnlijk een regeling waarbij Persoon fondsen
kon verstrekken aan Maud, de Amerikaanse vrouw, zonder dat
zij de ware herkomst daarvan kon achterhalen.

In 1934 kwam Persoon, opnieuw in vermomming en met ver-
valste papieren, vanuit Canada de Verenigde Staten binnen. Na
een korte tijd in Brooklyn te hebben doorgebracht en daar wat
illegale zaakjes te hebben gedaan, reisde hij naar het westen en
sloeg uiteindelijk zijn tenten op in een Hopi-reservaat, waar hij
hoofdmedicijnman van de stam werd. Naar verluid mompelt hij
in het Gaelic als hij in trance raakt van vuurgloed, wat onge-
schoolde parochianen beschouwen als de een of andere mysteri-
euze taal van de Grote Geest.

Wat voor illegale zaakjes in Brooklyn? vroeg Ming.

Vuilnis, antwoordde Little Bill. Dat staat hier tenminste, maar wat zou dat kunnen betekenen?

Soms, legde Big Bill uit, is het ophalen van vuilnis of de transport-industrie in New York in handen van gangsters.

Ming keek verbijsterd.

Bedoel je dat er in Brooklyn geld te verdienen valt aan vuilnis?

Het is mogelijk.

Geld in vuilnisvaten, mijmerde Ming. Wat een merkwaardige toe-stand. Hoewel jullie Amerikanen toch neven van ons zijn, krijg ik de indruk dat jullie vreemd zijn beïnvloed door die wilde dromen over de onbegrensde mogelijkheden die de Nieuwe Wereld biedt.

Nou, dat was dan dat, zei Big Bill. Wat denken jullie ervan?

Een goed man om in een conflict aan je zijde te hebben, merkte Little

Bill op. Vindingrijk, onafhankelijk, in staat zijn koppie erbij te houden. En bovenal, ervaren. Die vermommingen en zo. Dat bevalt me wel.

Hij weet wat hij wil, voegde Ming eraan toe. Maar onbruikbaar in de politiek, die heeft hij lang geleden achter zich gelaten. Twaalf jaar pokeren in Jeruzalem en dat dan allemaal opgeven omdat Roosevelt toevallig aan de andere kant van de wereld een New Deal in het vooruitzicht stelt? Een romanticus, een idealist. En toch volgt pal daarop die vuilnisepisode in Brooklyn. Gangsters, zeg je. Een romanticus met een kronkel dus, een idealist met een cynisch trekje. Dat botst, tegenstrijdigheden in 's mans karakter. En daarna volgen zeven jaren in de woestijn als een kluizenaar, een heremiet, volkomen afgesneden van zijn eigen soort. Maar wat is zijn soort? Daar gaat het om. Op het eerste gezicht is daar onmogelijk achter te komen.

Maar wel volkomen onafhankelijk, concludeerde Ming, en dat bevalt me. Ik weet alleen niet goed hoe we hem moeten benaderen.

Ik evenmin, zei Big Bill. Maar ik denk wel dat onze belangrijke troef, wellicht onze enige troef, zijn genegenheid voor deze Stern is. De nieuwsgierigheid die hij misschien koestert aangaande Stern, wat hem is overkomen en waarom. Het gaat er niet om dat Stern heimelijk voor de Duitsers werkt terwijl hij ogenschijnlijk voor ons werkt. We weten dat Stern met iedereen zaken doet, dat is juist zijn verdienste. En onze Hopi-medicijnman zou zich best eens niet druk meer kunnen maken over onze kant en hun kant, maar ik denk dat hij zich wel druk maakt over de twaalf kanten van Stern. *Waarom* Stern doet wat het ook mag zijn dat hij doet. Ik vermoed dat er nog steeds een buitengewone band bestaat tussen die twee, een unieke band zelfs, ondanks het feit dat ze elkaar al die jaren niet hebben gezien. En dat zou hem ertoe kunnen bewegen te gaan, uit persoonlijke motieven. Dat moeten we gewoon zien uit te vissen als we met hem in gesprek zijn. We moeten hem aan de praat krijgen over Stern en zien waar dat toe leidt.

En laten we de Amerikaanse vrouw niet vergeten, voegde Little Bill eraan toe. Ik heb ondervonden dat het beter is de vrouw in een zaak nooit over het hoofd te zien.

Bill hield zijn hoofd schuin.

Is het werkelijk?

Little Bill glimlachte.

Nou en of. Laten we de feiten nog maar eens de revue laten passeren. Onze man op de Hopi *mesa*, het plateau dat zich voor ons uitstrekt, was ooit een opmerkelijke revolutionair, en hoewel er in de romantiek sindsdien misschien een beetje de klad is gekomen of hij, om zo te zeggen, een tikkeltje op drift is geraakt, moeten we ons toch eens afvragen wat het Midden-Oosten ooit voor hem moet hebben betekend. Een Ierse blaag die plotseling in het Heilige Land verzeild raakt en in mythische steden woont als Jericho en Jeruzalem? Het moet één grote betovering voor hem zijn geweest, na te zijn opgegroeid op een straatarm regenachtig eilandje in de Atlantische Oceaan. De zon en de woestijn en Maud? Liefde in de Heilige Stad? Een zoon hem geboren in Jericho? Dat soort dingen zet je aan het dromen.

Ming, die verwoed zat te breien, wierp een zijdelingse blik op de ijskoude martini die prijkte op de knie van zijn vriend, de broze steel van het glas luchtig geklemd tussen Little Bills duim en wijsvinger.

Je bent zelf een romanticus, zei hij droogjes. Met een kronkel, uiteraard.

Uiteraard, beaamde Little Bill glimlachend. Dan is er ook nog het feit dat onze Joe nog steeds in de woestijn is. Of opnieuw in de woestijn, wat ons toch iets zou moeten zeggen.

Maar wat? mompelde Ming, evenzeer tot zichzelf als tot de anderen.

Alles bij elkaar genomen, vervolgde Little Bill, zou het me niet verbazen als onze Hopi-medicijnman best bereid zou blijken de veiligheid van zijn *kiva* te verlaten om naar de andere kant van de aardbol te reizen. Zo is daar Maud en zo is daar zijn mysterieuze vriend, de ondoorgrondelijke Stern... Een reis naar zijn eigen verleden, wellicht?

Hij was nog maar een jongeling toen hij oorlog en revolutie vaarwel zegde, zei Ming. Dat was twintig jaar geleden en er is al bijna net zo'n lange periode verstreken sinds hij de vrouw voor het laatst heeft gezien. Mannen veranderen in de loop der tijd hun gewoonten.

Of versterken die? zei Little Bill. Misschien is hij wel een ongeneeslijke romanticus, ondanks twee eeuwen van alles en nog wat. Wie weet wat men kan verwachten van een Ierse Hopi?

Ming knikte en hield zijn breiwerk omhoog. De drie mannen strekten de zwarte sjaal uit over de achterbank. Big Bill las het meetlint af.

Precies goed, zei hij. Ik heb gehoord dat de Hopi's hun ceremonies heel serieus nemen.

Ming borg zijn breinaalden op en Little Bill hield zich onledig met het afknippen van de losse draadjes van de sjaal met een klein schaartje. Aan de horizon stegen verschillende rookwolkjes op. Ming wees ernaar.

Het Hopi-signaalkorps dat onze komst aankondigt?

Hij stak een nieuwe zware Turkse sigaret in zijn pijpje, inhaleerde drie of vier keer en drukte de onaangestoken sigaret toen uit in de asbak die al vol was.

Maar dit is *ongerijmd*, bulderde hij plotseling. Een volslagen absurde situatie. Dat wij onze drie diensten op eigen houtje laten aan modderen terwijl wij helemaal hiernaartoe vliegen voor dít?

Big Bill lachte.

Het was voornamelijk een voorwendsel om je mee te krijgen en je een idee te geven van de grootte en de reikwijdte van ons werelddeel, jouw nieuwe bondgenoot.

Groot, mompelde Ming. Maar evengoed zouden jullie het veel te druk moeten hebben voor dit soort dingen.

Dat hebben we ook, antwoordde Big Bill. Maar toch lijkt het me passend dat wij gedrieën, al is het maar voor één keer, de gelegenheid aangrijpen om samen een spion te rekruteren. Eén keer maar, bij wijze van ritueel.

Een uniek moment in de geschiedenis van de grote democratieën, mompelde Little Bill. Als de Duitsers winnen is alles voorbij, alles, want er is iets in de mens dat maakt dat hij eenvoudig geen leven zonder vrijheid kan dulden. Dus lijkt het mij gepast dat wij drieën dit ogenblik op onze eigen bescheiden wijze markeren... En goede moed houden.

Ming draaide zijn hoofd en keek hen beiden aan.

Toegegeven, dat kan allemaal best zo wezen, en ik zou wel de laatste zijn om te beweren dat rituelen zinloos zijn. Maar wat moet *zomaar iemand* hiervan denken, als je het nader beschouwt? De hoofden van drie geheime diensten die zich, op een ogenblik als dit in de geschiedenis van het Westen, verdiepen in Hopi-rooksignalen bij zonsondergang? Het is inderdaad een ritueel, maar het is tevens een stuk geheime informatie dat ik niet van plan ben aan iemand thuis te rapporteren, en al helemaal niet aan Winston.

Little Bill glimlachte.

Dan doe ik het, zei hij plotseling. Hij zou het prachtig vinden.

Ming keek uit het raam en deed er het zwijgen toe.

Ja, mompelde hij na een poosje, daar heb je gelijk in, Winston zou het inderdaad *prachtig* vinden. En dat is wellicht een van de minder in het oog springende verschillen tussen onze kant en de hunne.

De duisternis was bezig zich meester te maken van het onherbergzame gebied tegen de tijd dat de auto de weg verliet, langzaam aan de klim over een stuk verharde woestijngrond begon en in de richting reed van een enorm verlaten plateau dat in de schemering boven hen uitrees, waarbij de roze en de paarse tinten van de lagere uitlopers plaatsmaakten voor puur gouden klippen aan het uitspansel. Eindelijk kwam de auto glijdend tot stilstand en deed de chauffeur de koplampen driemaal snel achtereen aan en uit. De drie mannen stapten uit en keken naar de ontzagwekkende gouden klippen.

Zonsondergang en de mythe van de Zeven Verloren Steden van Cibola, mompelde Little Bill. De *conquistadores* moeten met hun neus hebben gekeken. Geen wonder dat ze nooit in staat waren de dromen en realiteiten van de Nieuwe Wereld te onderscheiden.

Big Bill schraapte zijn keel. Op nauwelijks tien meter afstand stond een indiaan stil op één been, zijn andere been opgetrokken onder zich in de tijdloze pose van een wachter in de wildernis, zijn sombere aanwezigheid even onveranderbaar als de reusachtige monolieten die majestueus boven de woeste gronden uittorenden. De indiaan gaf geen blijk van herkenning, hij gaf er zelfs geen blijk van zich van hun aanwezigheid bewust te zijn. Hij maakte daar een even eenzame indruk als hij altijd had gedaan, mysterieus geworteld in een of ander geheim oord van zand en steen dat hem bij de geboorte van de schepping was toegewezen. Zo stond hij enkele ogenblikken en toen knipperde hij abrupt met zijn ogen en hief zijn hoofd op in de richting van de mesa, alsof hij langs de massieve wanden van goud een gefluister hoorde neerdalen. De drie mannen volgden zijn blik maar hoorden niets, zelfs niet een zuchtje wind dat de hoog oprijzende droom boven hen had kunnen strelen.

De indiaan keerde zich om en liep weg. Ze volgden hem op een korte afstand en kwamen bij drie pakezels die achter een zwerfkei stonden, de dieren in hun eenzaamheid even onbeweeglijk als de indiaan vóór hen had gestaan.

Bespottelijk, mompelde Ming.

Gedrieën bestegen ze de ezels en voorafgegaan door de indiaan te voet, begon de klim over een pad dat was uitgehakt in de voorzijde van de klip. Hoger en hoger klommen ze, waarbij het kronkelige pad vaak minder dan een meter breed was en er aan de zijkant een afgrond gaapte die op den duur wel honderd meter diep was en uitmondde in de onderliggende woestijn. Terwijl zij omhoogploeterden vervaagde de gouden glans van de rotsen en spreidden de donkere vergezichten onder hen zich uit met nog grotere geheimzinnigheid, totdat, toen ze de top van het plateau bereikten, de vage gloed aan de horizon, de laatste stralen van de ondergaande zon, in de lucht niets had achtergelaten dan een schimmige schemering.

Zij stapten af te midden van uit klei opgetrokken bouwsels die boven op elkaar waren geplaatst op wat zo te zien het centrale plein van de pueblo was. Toen zij het stof van zich afklopten en hun kleding fatsoeneerden, maakte hun indiaanse gids zich met de ezels uit de voeten. Nergens in het dorp was een teken van leven te bespeuren.

Niet bepaald een warme ontvangst, fluisterde Ming. Bestaat de kans dat we een paar honderd jaar te laat zijn?

Misschien zijn ze allemaal naar de vesper, fluisterde Little Bill. In een ambiance als deze lijkt een mysterieus samenscholinkje bij zonsondergang beslist op zijn plaats.

Maar waarom fluisteren we allemaal? vroeg Big Bill fluisterend.

Hij tuurde met samengeknepen ogen in het duister en wees.

Is dat daar de *kiva* niet?

In het midden van het plein rees tot anderhalve meter boven de grond een verhoging op van in elkaar gevoegde stenen die waarschijnlijk het dak vormden van een ondergrondse kamer. Uit een opening in het dak stak het einde van een ladder. Ze klommen op het dak, naar de ladder toe en daalden, een voor een, door de opening af naar het binnenste van de heuvel.

Het ondergrondse gewelf dat zij betraden was rond en ruim, met gladde wanden van steen. In het midden van het vertrek stond een laag onopgesmukt altaar en voor het altaar zat een eenzame indiaan in kleermakerszit op de grond, met een deken om zich heen geslagen. Het vertrek was ruwweg in tweeën gedeeld, waarbij de halve cirkel waarin de indiaan zich bevond een lagere vloer had dan de halve cirkel waarin zij waren afgedaald en nu slecht op hun gemak stonden, in hun verfomfaaide linnen pakken die vuil waren van de klim tegen de klip op, en met hun panamahoeden gedeukt en schuin op hun hoofden. Toortsen hier en daar aan de wanden wierpen sissend grillige schaduwen.

De indiaan keek hen onbewogen aan. Zijn donkere huid was diep doorgroefd. Zijn haar was lang en vettig, tenminste het weinige dat daarvan zichtbaar was onder de dikke wollen muts die over zijn oren getrokken was, een muts die ooit misschien rood was geweest maar nu beïnvloed door de tijd en de elementen ernstig was verschoten. Hoewel hij grof met de hand geweven was, leek de muts niet in de omgeving vervaardigd. In plaats daarvan had het er alle schijn van dat hij het product was van een of ander flutbedrijfje in de Oude Wereld, het povere handwerk van een boer op jaren die voortdurend in de regen en de schemering voortploetert. In Ierland, misschien.

De indruk die door de muts werd gewekt verontrustte de drie bezoekers enigszins. Met een punt aan de voor- en aan de achterkant en de schalkse wijze waarop hij scheef op het hoofd geplant was, deed de muts bovenal denken aan de sjofele uitmonstering van een rondreizende kwakzalver die zijn uiterste best doet om flessen waardeloze alles genezende gezondheidstonica, versterkt met gin en laudanum, te slijten in ruil voor kostbare huiden.

De bovenkleding van de indiaan bestond uit een tot op de draad versleten kaki deken die hem van zijn nek tot zijn voeten bedekte en die zo verweerd en rafelig was dat hij eruitzag als een aandenken aan een veldslag uit een vorige eeuw, en jawel hoor, een stempel langs de rand verklaarde dat hij oorspronkelijk was verstrekt voor gebruik door Hare Majesteits strijdkrachten in de Krim, 1854. Uiteraard was de deken onmiddellijk herkenbaar voor de drie mannen, daar hij in hun inlichtingendossiers duidelijk vermeld stond als aandenken aan het Tehuis voor Helden uit de Krimoorlog in Jeruzalem.

Zodra ze de ladder waren afgedaald en bij elkaar stonden, maande de indiaan hen met een gebaar tot stilte. Nog een gebaar en het drietal zat op een rijtje tegenover hem en het altaar, hoger dan hij omdat hij zo'n kleine man was en omdat het niveau van de vloer aan zijn kant lager lag. Ze keken toe hoe hij zijn hand onder zijn deken stak en in een gesloten vuist iets tevoorschijn haalde. Plechtig stak de indiaan zijn vuist omhoog, mompelde op schorre toon een soort bezweringsformule en liet toen zijn vuist zijwaarts met een wegwerpend gebaar neerdalen.

Van boven naar onder. Van links naar rechts. De indiaan wierp maïsmeel naar hen, bestrooide hen met maïsmeel. En terwijl hij dat deed, leek hij, merkwaardig genoeg, in de lucht een kruisteken te slaan.

Nog steeds ernstig kijkend stak de indiaan opnieuw zijn hand onder zijn deken en haalde ditmaal een platte papierachtige maïsschil en een handjevol ruwe, zelfverbouwde tabak tevoorschijn. Behendig draaide hij een dikke sigaret, streek een lucifer langs de zool van zijn blote voet en hield het vlammetje dat heel even opflakkerde bij het einde van de sigaret. De indiaan nam een aantal trekjes en gaf de losjes gedraaide sigaret door aan zijn drie bezoekers, die op hun beurt, hoestend en proestend, een trekje namen. De indiaan knikte en pakte de sigaret terug. Hij lachte bruusk en sprak met zachte Ierse tongval.

... jullie zullen er wel aan moeten wennen, net als aan een hoop dingen. En die toestand waarover jullie waarschijnlijk wel hebben gehoord, dat indianen bij wijze van welkomstritueel een vredespijp roken, nou ja, dat is het precies. Dat ritueel. De Hopi's hebben hun tabak altijd gerookt in wat wij sigaretten noemen. En over mythen gesproken, de Hopi-visie op de schepping is dat het eerste wat ooit iemand in het universum zei simpelweg het volgende was. *Waarom ben ik hier?*

De indiaan lachte.

... best zinnig, zeggen jullie? Nou daar hebben jullie gelijk in, dat zijn vragen doorgaans. Alleen is hun manier prachtig recht voor zijn raap en terzake, dat moet ik toegeven. Pas als we met antwoorden op de proppen proberen te komen, raken we het spoor bijster en slaan op drift, zoals de sterren boven onze hoofden. Want dat doen de sterren, toch? Vergeten wat ons verteld is, bedoel ik, dat is toch zeker de indruk die het firmament maakt? Op drift en onbevattelijk?

... op drift, mompelde de indiaan, zo is dat. Nou ja, volgens het Hopi-scheppingsverhaal waren dat de allereerste woorden die in het universum werden gesproken. *Waarom ben ik hier?* En heel misschien begrijpen wij, naarmate wij ouder worden, beter hoe zinnig die vraag is.

En ik hoef jullie evenmin te vertellen dat deze eerste en meest fundamentele vraag werd geformuleerd door een vrouw, dé stammoeder, weten jullie wel. Want de Hopi's geloven dat het eerste levende wezen in de leegte een vrouw was, wat ook een zinnig uitgangspunt is. Voor hen geen paraderende mannetjes in het begin, want uit ons komt nooit leven voort, wij leven het leven alleen maar en kijken toe. Afstamming bij de Hopi's blijft traditioneel en matrilineair, zoals naar ik heb vernomen ook bij enkele andere oude samenlevingen.

Terwijl mijn blote voeten niet deze kant op steken omdat ik een barbaar ben, maar slechts om deemoed te betonen. Om dezelfde reden wordt van mij verwacht dat ik in de laagste helft van de levenskring hier in de *kiva* zit. Bij de Hopi geldt: hoe machtiger je bent, des te deemoediger je bent. Maar ik veronderstel dat dat eigenlijk overal en altijd de ware weg is.

Om jullie dus even snel, nog steeds de Hopi-zienswijze volgend, op de hoogte te brengen: deze stammoeder bracht vervolgens een tweeling ter wereld, mannetjes ditmaal, voor het evenwicht, en wat denken jullie dat de allereerste woorden waren die in de hoofden van die kereltjes opkwamen?

Juist, precies wat je zou verwachten, hetzelfde als bij haar, maar met die toegevoegde hunkering naar identiteit die voor onze sekse zo gewoon is. *Waarom zijn wij hier,* inderdaad, maar meteen daarbovenop die andere troef in het mannelijke raadsel, de vraag die ons altijd tot aan ons graf zorgen heeft gebaard: *Wie zijn wij eigenlijk?*

De fundamentele menselijke enigma's lijken dus van heel ver terug te stammen en een deugdelijk antwoord is altijd linke soep geweest, wat mij meteen bij jullie brengt. Die verkenningseenheid van jullie die hier een paar weken geleden naar boven kwam kon niet goed uitleggen wie jullie zouden zijn als jullie hier aankwamen, en bovenal, waarom jullie hier überhaupt naartoe kwamen. Waarom zijn we hier bijeen, bedoel ik?

De indiaan stak zijn hand onder zijn deken en krabde zich.

Jullie mogen rustig met elkaar overleggen, zei hij. Ik trek me gewoon terug in mijn hoofd en jullie geven maar een gil als jullie zover zijn.

De indiaan sloot zijn ogen en begon te snurken. Zijn drie bezoekers keken elkaar aan en een van hen schraapte zijn keel. Onmiddellijk sprongen de ogen van de indiaan open.

Watte? Wat zei je?

We wisten niet goed hoe we je moesten aanspreken, zei een van de mannen.

O, is dat alles. Nou, zoals de wind u inblaast, luidt het antwoord. De Hopi's zijn grote gelovers in echo's. Voor zover zij kunnen horen is alles in het universum een geluid dat door al het andere heen vloeit. Zozeer dat het grootste deel van mijn taak als residerende sjamaan bestaat uit luisteren, niets meer. Me inspannen om die echo's op te vangen, begrijpen jullie. Maar wat mij betreft, ach... waarom noemen jullie me geen Joe?

Prima, zei een van de mannen.

De indiaan knikte glimlachend.

Ja, eenvoudig maar prima. En jullie hoeven niet met die schuilnamen op de proppen te komen die jullie voor jullie zelf hebben ingepakt, Kaspar en Balthasar en Melchior of hoe vreemd die uitheemse namen ook mogen klinken. Aangezien we ons ergens in een woestijn in het Verre Westen bevinden, noteer ik jullie gewoon als de Drie Wijzen uit het Oosten, traditionele personages die men kan begrijpen en aanvoelen zonder ze te hoeven kennen. Dus vertel op, hebben jullie van die plezierige geschenken als goud en wierook en mirre bij jullie, zoals dat in de traditionele sprookjes beschreven staat?

Voor goud kunnen we zorgen, antwoordde een van de mannen.

Daar ben ik van overtuigd, maar helaas heb ik daar niets aan. Waar een medicijnman behoefte aan heeft zijn medicijnen, het soort dat heilzaam is voor de ziel. Nu dan, nu we allemaal hebben vastgesteld wie we zijn moeten we ons maar eens buigen over de bijzonderheden van dit tijdsgewricht. Jullie hebben een lange reis hiernaartoe gemaakt omdat jullie willen dat ik iets voor jullie doe. Waar, als ik vragen mag?

In het Midden-Oosten.

Ach ja, daar heb ik van gehoord. Het schijnt daar even droog te zijn als hier maar het geniet historisch een grote bekendheid. Waar in het Midden-Oosten, als ik vragen mag?

In Caïro.

Ach ja, daar heb ik ook van gehoord. Dat is in het oude land van de farao's, naar overlevering een plek voor piramiden en mummies en verloren geheimen in het algemeen. Wijd en zijd beroemd om zijn grote rivier des levens, en ook om zijn dampende vleespotten die langs alle rivieren des levens steeds weer lijken op te duiken. Maar Caïro is *mij* volkomen vreemd. Daar ben *ik* nog nooit geweest. En dat moet betekenen dat jullie een buitenstaander nodig hebben om daar rond te scharrelen en iets te zoeken, of in de vleespotten of in een piramide of twee. Maar wat, als ik vragen mag? Een zoekgeraakt geheim wellicht? Een dolende farao? Een mummie die het vertikt jullie naar zijn leider te brengen...? Wat is het eigenlijk precies dat ik voor jullie moet vinden?

Een persoon. Een man.

Joe stak zijn hand onder zijn deken en krabde zich. Zijn gezicht stond nadenkend.

Een van jullie is Amerikaan, een ander is Brit en de derde spreekt iets daartussenin. Canadees?

Ja.

Dan is het een delegatie van behoorlijk hoog niveau die ik voor me heb en dat is mijn niveau bij lange na niet, en dat kan maar twee dingen betekenen. Of ik ken die man en jullie kennen hem niet, of jullie kennen hem wel en ik ken hem niet. Welke van de twee is het?

Jij kent hem. Wij kennen hem uitsluitend uit de dossiers en via via.

Joe streek over zijn kin.

Ik zou mijn baard weer kunnen laten staan. Indianen moeten niets hebben van baarden en het is pijnlijk om je snorharen een voor een uit te trekken. Maar er is nog een andere invalshoek. Wist iemand van jullie dat Hopi *vrede* betekent? Nou dat betekent het en hoewel er niet veel van ons over zijn, zijn we dat toch, het Volk van Vrede. Ons geloof verbiedt ons iemand schade toe te brengen, iemand te mishandelen, iemand te doden. We zijn daar gewoon niet toe in staat, zo zitten we niet in elkaar en dat is tegelijk de reden dat we maar met zo weinigen zijn. De Navajo's zijn wreed en overal om ons heen en zij plukken ons al jaren kaal. Wat hebben jullie daar dus op te zeggen?

We zouden je nooit iets vragen te doen dat tegen je overtuigingen indruist, zei een van de mannen.

Dat weet ik, dat doet nooit iemand. De kwestie is gewoon dat anderen de gewoonte hebben een beetje met je overtuigingen te schuiven om er vertrouwd mee te raken.

Joe stak naast zijn voeten een vinger in de aarde.

Tja, ik denk dat het tijd wordt om een naam te laten vallen. Naar wie zijn jullie op zoek?

Naar Stern.

Er verscheen een ernstige uitdrukking op Joe's gezicht. Een aantal minuten lang staarde hij zonder iets te zeggen naar zijn vinger in de aarde. Toen hij eindelijk opkeek was er een diepe droefenis in zijn ogen.

Ik wist wel dat het daarop zou uitdraaien. Vanaf het moment dat die mannen hier met al hun geheimzinnigdoenerij en hun heimelijkheid arriveerden wist ik dat dat het begin was van iets wat uiteindelijk naar Stern zou leiden. Ze zeiden alleen maar dat ik bezoek zou krijgen van enkele belangrijke regeringsvertegenwoordigers, maar ik wist al hoe laat het was. Maar toch wordt hij niet vermist, is het wel? Dat bedoelden jullie niet toen jullie over hem opsporen spraken, hè?

Nee.

Nee, dat dacht ik al. Jullie probleem is dat Stern het een en ander weet en jullie niet precies weten wat.

Iets dergelijks.

Nou, wat is het precies? Ik stel me voor dat hij voor jullie werkt, maar tevens voor de andere kant. Maar jullie dachten altijd dat hij uiteindelijk toch voor jullie werkte, en nu zijn jullie daar opeens niet meer zo zeker van. Zit de vork zo in de steel?

Ja.

En het is natuurlijk belangrijk dat jullie dat weten. Hoe belangrijk?

Heel belangrijk. Het is van cruciaal belang.

Van cruciaal belang? Stern? Overdrijven jullie niet?

Nee, in het geheel niet. We kunnen dat niet sterk genoeg benadrukken.

Joe keek van het ene gezicht naar het andere en de drie mannen keken hem op hun beurt somber aan.

Aha, zei Joe. Van *cruciaal* belang, dus. En evengoed stond Stern te boek als een onbeduidend, aan morfine verslingerd wapensmokkelaartje, dus hoe is het mogelijk dat een stuk onbenul als hij opeens de oorlog in het Midden-Oosten in de war stuurt? Of moet ik mezelf voor ogen houden dat bijna iedereen die ooit belangrijk is geweest in de geschiedenis, begonnen is als een stuk onbenul en dat de allerbelangrijksten altijd zo zijn begonnen? Onzichtbaar, begrijpen jullie. Als een stem die de waarheid spreekt.

Joe staarde in de verte. Hij hernam zich en krabde zijn wang.

Natuurlijk zou niemand die Stern een klein beetje kende hem ooit omschrijven als een aan morfine verslingerd wapensmokkelaartje. Die indruk wekte hij slechts van een afstand. Van dichtbij heeft Stern een hele geheime wereld in zich en op de ene of de andere manier heeft hij altijd deel uitgemaakt van mijn leven, hij was er gewoon, een grote schuifelende beer van een vent met een raadselachtige glimlach en soms een beetje onbeholpen manier van voortbewegen, een soort stunteligheid die hij had overgehouden aan al die knokpartijen in de loop der jaren, en misschien zonder vaste gedaante, zou je kunnen zeggen, of juist in *alle* gedaanten. Zo kun je het ook stellen. Alleen maar tastbaar en volumineus en *aanwezig* met zijn zachte stem en die beminnelijke wijze waarop hij met mensen omgaat. Hen *helpen*, dat doet hij. Stern heeft zo'n steelse manier om hen te helpen, zelfs zonder dat ze het in de gaten hebben, zonder dat ze zelfs maar een flauw vermoeden hebben wat hij uitspookt en zelf rept hij er met geen woord over. Er kunnen jaren verstrijken en dan is het misschien louter toeval als je op iets stuit wat hij ooit heeft gedaan. Een leven dat hij heeft veranderd. Iemands leven dat hij heeft gered. Wis en waarachtig... En dikwijls dat van een vreemde.

Ik herinner me een dergelijk voorval dat jaren geleden plaatsvond. Iemand anders vertelde me ervan, hij zelf uiteraard niet, en evenmin de vrouw die erbij betrokken was. Het was een mistroostige regenachtige middag aan de Bosporus en het licht was tanende en een radeloze vrouw stond langs de balustrade klaar om zich het leven te benemen, zichzelf in het water te storten, en daar kwam plotsklaps die grote, onbeholpen man uit de regen aanschuifelen, een vreemdeling, Stern, en hij ging naast de vrouw langs de balustrade staan en staarde samen met haar naar de donkere wervelende stroom onder hen, en hij begon op die oprechte, weifelende toon van hem te praten, eenvoudigweg *niets* dan de waarheid en er verstreek enige tijd en binnen korte tijd had hij haar weer naar het leven toe gepraat... Eén klein voorval vele jaren geleden. Slechts eentje dat mij toevallig ter ore is gekomen.

Ja. En ik weet dat kennis zonder geheugen niet bestaat, en ik herinner me wis en waarachtig nog alle lotgevallen met Stern als de dag van gisteren. Het was vlak na de Eerste Wereldoorlog dat wij elkaar ontmoetten, in Jeruzalem natuurlijk, Sterns geliefde mythische Jeruzalem. En ik wist toen nog van toeten noch blazen en Stern ontfermde zich over me en leerde me dingen en ik was dol op hem in het begin, ik hield van hem met heel mijn hart... Dat effect heeft hij op je. Het zijn die idealen van hem, begrijpen jullie.

En toen gebeurde er een aantal dingen en haatte ik hem met de hartstocht van een jongeman die zich verraden voelt. Want dat effect heeft hij ook op je. Opnieuw die onmogelijke idealen van hem. Die kunnen je in je hart raken en je misschien wel tegelijkertijd beschamen.

Sterns idealen. Geen wonder dat jullie uiteindelijk niet goed weten of hij voor jullie werkt of niet. *Gecompliceerd*, dat zijn ze... Als je die weet te ontrafelen zou je wel eens een stuk wijzer kunnen worden.

Afijn, er ging dus nog enige tijd voorbij en mijn gevoelens voor hem veranderden opnieuw, zoals dat gaat met gevoelens, als de jaren en het verlies ervan het hart van een man op dezelfde wijze tanen als de wind en de zon zijn gezicht tanen. En ik begreep het inmiddels beter. Het probleem dat ik altijd met Stern had gehad was hetzelfde probleem dat ik altijd met mezelf had gehad, en het is gewoon vreselijk hoe we daarin zijn. We zijn zo'n verfoeilijk zelfzuchtig zooitje, de vloek van de soort is dat. Het is simpelweg zo lastig om anderen, al is het maar een klein beetje, aan te voelen. Om tegenover hen te staan en hen te zien zoals ze zijn, in plaats van hen te zien als een deel van jezelf dat je op dat moment toevallig mag of juist niet mag... Het is met Stern en dankzij Stern, begrijpen jullie, dat ik voor het eerst waarlijk werd blootgesteld aan de wrange en meedogenloze grillen van het leven. Met hem hoorde ik voor het eerst de bulderende vergetelheid van het universum in heel zijn angstwekkende stilte.

Joe prikte in de aarde.

Ja. Waar het dus op neerkomt is dit. Ik ben nooit in staat geweest Stern uit mijn leven te bannen. Ik heb jarenlang geprobeerd hem te vergeten, en ik ben zelfs naar de andere kant van de aardbol, naar deze vredige uithoek van de wereld, gereisd met de gedachte weg te komen van Stern en al het andere. Maar nee hoor, niks van dat al. Hij is nog steeds even dicht bij me als ooit, een schuifelend hoopje menselijkheid dat nooit iets anders heeft gedaan dan verliezen, niets dan verliezen, jaar na jaar na jaar... Heeft geen van jullie hem ooit ontmoet?

Nee, geen van ons drieën.

Dat is alleszins begrijpelijk, geen enkele reden waarom jullie dat wel zouden hebben. Jullie zijn succesvol en machtig en zo is het voor Stern nooit geweest en zo zal het ook nooit zijn, niet op die manier. Maar ik kan jullie wel zeggen dat in jullie dossiers totaal geen weerslag te vinden is van wat die man uitstraalde, vooral aan zachtmoedigheid. Vroeger dacht ik vaak dat wat hij deed niet bij hem paste, maar misschien vergiste ik me daarin, trouwens wie zal zeggen waar iemand thuishoort. Zoals Stern het zelf placht te zeggen: wij bepalen altijd zelf wat we met onze zielen doen... Wat is dat?

Pardon? zei een van de mannen.

Nee, let er maar niet op. Het is iemand in de pueblo. Dat is van later zorg.

Joe schudde zijn hoofd.

Het is dus weer Stern, nietwaar? Twintig jaar later en ik kijk hier nog steeds in de spiegel en probeer de schaduwen te onderscheiden, die fluisteringen in de wind te ontcijferen. Ik probeer een beetje duidelijkheid te vinden, al is het maar een greintje... *Stern*. Natuurlijk.

Opnieuw viel er een stilte in de kiva terwijl Joe in gedachten verzonken naar de grond staarde. Zijn drie bezoekers wachtten af. Voor hij opnieuw het woord nam, stak hij zijn hand onder zijn deken en strooide maïsmeel voor hen.

De laatste keer dat ik hem zag was vlak voordat ik Jeruzalem verliet, meteen na het einde van mijn twaalf jaar durende pokerspel. Het was winter en het sneeuwde, en Stern droeg die afschuwelijke oude schoenen van hem die ik nooit heb kunnen vergeten, de schoenen die hij ook aan had in Smyrna toen we daar waren tijdens de bloedbaden van 1922. Hoeveel honderden mijlen moet hij op die schoenen hebben afgelegd om in die hel van vuur, smartenkreten en dood in Smyrna te geraken? God behoede ons, hoeveel jaren en hoeveel struikelingen om dáár te komen.

Afijn, het was meer dan tien jaar later toen ik hem voor het laatst zag en het was in Jeruzalem. Hij had contact met me opgenomen en we ontmoetten elkaar in een smerig Arabisch koffiehuis in de Oude Stad, waar we vroeger vaak kwamen. Een koude, lege kroeg, kaal en vreugdeloos, een klein onooglijk hol waar we samenkwamen om 's avonds laat bij het licht van een kaarsje te kletsen en die walgelijke Arabische cognac te drinken. En het sneeuwde toen hij die avond binnen kwam schuifelen, een strompelend hoopje mens dat er nog erger aan toe was dan in mijn herinnering. En hij glimlachte die raadselachtige glimlach van hem en vertelde hoe fijn hij het vond me weer te zien, en ik wierp één blik op hem en wilde het uitschreeuwen, dat is alles, gewoon die vragen in zijn gezicht slingeren waarop de antwoorden zo diep en diep droevig zijn... Hoe kon het gebeuren, Stern? Wat maakt dat een mens er zo komt uit te zien als jij? In wat voor soort hel moest hij wonen? En waarom? *Wat?*

Maar ik schreeuwde niet, toen in ieder geval niet. In plaats daarvan haalde ik een bundeltje bankbiljetten tevoorschijn, want ik had toen toevallig geld, en ik legde het op tafel naast zijn hand. Dat is altijd de gemakkelijkste manier om met mensen om te gaan. Ik bedoel maar, daar zat hij tegenover me na al die jaren dat ik hem niet had gezien, na Smyrna eigenlijk, daar zat hij op die weifelachtige, verslagen manier met alles wat hij bezat op zijn rug, nog steeds met die godsgruwelijke schoenen aan, na een leven van toewijding dat niets had opgeleverd, maar nog steeds pogend te glimlachen op een wijze die je hart brak, arm als de nacht lang is en nog steeds zijn best doend, en wat had hij ermee bereikt, vraag ik jullie? Wát, in jezusnaam?

Hetzelfde als altijd. Louter dromen. Die had hij nog steeds en ik veronderstel dat we die allemaal ooit hebben gehad. Ik in ieder geval wel.

Maar de kwestie met Stern was dat je altijd wist dat hij nooit zou ophouden met dromen. Ongeacht hoe futiel het was, ongeacht of hij eraan kapotging, hij bleef maar bezig met zijn hopeloze dromen. Simpelweg hopeloos, er was totaal geen land met hem te bezeilen.

Eén grote vreedzame nieuwe natie in het Midden-Oosten? Moslims en Christenen en Joden die allemaal samenleven in één grote nieuwe natie met Jeruzalem als hoofdstad? Al die meelijwekkende vertegenwoordigers van een geschift ras die vreedzaam samenleven in Sterns geliefde mythe van Jeruzalem? De Heilige Stad van *iedereen?*

Vergeet het maar. Dat wordt nooit wat. Geen hoop in Jeruzalem voor Sterns droom, geen hoop daar of waar dan ook onder de zon. Maar Stern bleef erin geloven, ongeacht hoe de mensen zijn, en hij weet hoe de mensen zijn, beter dan de meesten van ons, hij weet het. En toch blijft hij maar doorsukkelen, en af en toe spuit hij bij zonsopgang wat morfine in zijn bloed om de zoveelste wederkomst van het licht te kunnen verdragen, zoals hij het noemde.

Dus ja, wij hebben samen dingen beleefd, Stern en ik, en daartoe behoren sommige van de beste en de verschrikkelijkste dingen die ik heb meegemaakt. Want als je droomt zoals Stern droomt, als je zo hoog kijkt, dan betekent dat ook dat je de andere kant op moet kijken, diep omlaag in het zwartste zwart. En soms glijd je uit, dat is niet te vermijden. En als je begint te vallen dan val je in een oneindige diepte en komt er nooit een einde aan de duisternis, bij God...

Joe hield op met praten. Hij wees op een kleine ondiepe kuil in de aarde naast het altaar.

Zien jullie dat? Hier in de kiva symboliseert die het vertrek uit de vorige wereld waarin de Hopi's leefden. En de opening met de ladder symboliseert de toegang tot de wereld die nog moet komen. Voor de Hopi's is er slechts één ingang en één uitgang in deze gewijde ruimte die ze een kiva noemen, wat wil zeggen in het leven. Of zoals ze in een van hun spreuken zeggen, er is licht in de wereld omdat de zon zijn rondreis 's nachts voltooit en van het westen naar het oosten door de onderwereld trekt.

Joe fronste zijn voorhoofd.

Het is naar om te zeggen, maar het schijnt dat er geen licht kan zijn zonder duisternis. Het schijnt dat we onze zielen niet in de zon kunnen koesteren zonder eerst door de nacht te dolen en vreselijk te lijden. En ik veronderstel dat het met de omloop van de zon te maken heeft en met het zonnewiel, dat altijd ons symbool van leven en hoop is geweest, het oudste van alle. En het is een goed en een treffend symbool, maar een wiel draait rond en heeft spaken en spaken op zonnewielen vormen kruisen. En dan heb je nog die zonnewielen van tegenwoordig in hun oude vorm van de swastika, dat kruis dat wentelt in de diepte wordt even complex en tegenstrijdig als de mens zelf. Dood en leven in een en hetzelfde symbool, en het ene niet minder echt dan het andere.

Joe wreef over de aarde voor zich, betastte haar, streelde haar.

Je wilt het dus voor ons doen? vroeg een van de mannen.

Wat doen?

Naar Caïro gaan. De Stern-opdracht aanvaarden.

Joe keek op. Hij glimlachte.

Ik zou er liever van afzien, zoals een krabbelaar ooit heeft gezegd.

Opeens was Joe's glimlach verdwenen en sloeg zijn stemming om. Een gekwelde melancholie nam bezit van hem en zijn stem klonk plotseling heel bedaard en zacht in de stilte.

Ach, is dat alles wat jullie verlangen? Zoals we hier nu even zitten, in de hemel, in de onderwereld, dacht ik dat jullie wellicht iets lastigs in gedachten hadden. Maar nu begrijp ik dat jullie alleen maar de waarheid omtrent Stern willen weten en zijn vreemde bezigheden in de bazaars en woestijnen van die mythische plaats die hij zijn thuis noemt, dat zanderige stuk kruiswegen en geschiedenis waar de mens heeft gedroomd en zichzelf heeft omgebracht sinds zijn komst... Precies daar in de woestijnzee is het allemaal te vinden, de waarheid omtrent Stern en de kentering.

Er ging een huivering door Joe's magere schouders en onder zijn deken sloeg hij zijn armen om zich heen in een poging die te onderdrukken.

Maar Stern zit binnen in de Sfinx, fluisterde hij, wisten jullie dat niet? Zijn leven wordt in beslag genomen door de oude raadselen van die oude oorden, en vanuit de Sfinx bestudeert hij de nachtelijke woestijnen van het leven, en wat hij ziet is wat de rest van ons niet wil zien. Je moet dus oppassen als je Stern in de ogen kijkt. Je moet oppassen omdat daarin ontzettende dingen te zien zijn... de wereld en jezelf en een soort waanzin, een soort volslagen vruchteloze hoop zonder einde.

Joe staarde naar de aarde voor zich.

Stern, zeggen jullie. Een man even onverantwoord en eenzaam als andere mannen, een man die de verborgen gevaren van een ordelijk bestaan nooit heeft gekend. En van mij verlangen jullie niet meer dan dat ik in zijn ogen kijk en jullie vertel wat daarin te lezen staat.

Joe glimlachte droefgeestig.

Stel je eens voor... *Louter* dat.

Een andere avond, een andere zonsondergang en Joe zat alleen op de rand van een klip hoog op de mesa, te kijken naar het tanende licht. Hij had de voorgaande dagen elk van de huizen in de pueblo bezocht en die avond was er een speciale ceremonie in de ondergrondse kiva, een sobere bijeenkomst van de oudsten van de verschillende stammen ter gelegenheid van zijn vertrek.

Natuurlijk hoef ik niet te gaan, dacht hij, waarom zou ik, als je nagaat hoe bang ik ben? De Nieuwe Wereld is groot en ik zou gewoon ergens anders heen kunnen gaan en daar zou niemand ooit achter hoeven komen.

En wie zit er trouwens te wachten op die eeuwige ellende daar? Wie wíl die woestijn? Ze dromen en ze verhaspelen onze religies en ze verzinnen onze sprookjes van *Duizend-en-één-nacht*, en dat is allemaal goed en wel en prachtig zolang je afstand houdt van de waanzin en niet door die dromen dwaalt en in die sprookjes woont en voor altijd het spoor bijster raakt.

O, het was heel uitgekookt van dat drietal om zich voor te doen als de Drie Schikgodinnen en me maar door te laten zeveren over Stern en te proberen me ertoe te bewegen mezelf wijs te maken dat ik daar eigenlijk zou moeten terugkeren. En Maudie zelfs, om op haar te zinspelen. Klote Grieken en Perzen en Joden en Arabieren en Turken en kruis-vaarders, er komt geen einde aan. En die enkele opgezwollen Mameluk die de Nijl komt afdrijven en die enkele maffe Mongool die zijn paard tot razernij ranselt, barbaren die zoals gebruikelijk binnenvallen om zich te vermengen met Assyrische wagenmenners en verdwaasde Babyloniërs die zich door de sterren laten leiden, terwijl de Chaldeeërs ondertussen via de vleugels naar binnen komen en de Meden naar buiten uitwijken en de Feniciërs hun geld tellen en de Egyptenaren hun goden tellen, misschien komen de hogepriesters van beiden om de duizend jaar of zo bij elkaar om ervaringen uit te wisselen en te zien of een van hen beter heeft geboerd dan de ander.

Over echo's gesproken. Over chaos en verwarring gesproken. Als er, zoals wordt beweerd, sinds de aanvang der tijden veertigduizend profe-ten zijn geweest, dan hebben in ieder geval de meesten van hen hun le-ven lang hun vuisten ballend en hun waarheden uitkrijsend en tot hun laatste ademtocht tierend door juist deze woestenijen gebanjerd.

Hier is het, roepen ze. Eindelijk de ene ware God en de ene waar-achtige weg, en heel toevallig is die weg nu juist de weg die *Ik* altijd heb bewandeld. Dus hoor mij aan, in Godsnaam. Luister.

Ach, lieve help. Wat kan het me allemaal schelen? Verwarring en chaos bij het oprichten van een Toren van Babel, dat ontwaarde Hij daar lang, lang geleden. De toren naar Mij en naar niemand anders. De toren die iedereen altijd heeft proberen op te richten, iedereen die een echte vent is, tenminste. Ontzettend trots op onze erecties, dat zijn we.

Evengoed een mythische plek. De bakermat van religies en 's mans eerste hemelse erecties en een eeuwige kwelling voor de rest van ons. Moet een hoop te maken hebben met de woestijn, neem ik aan. Niets maakt zo'n warboel van je hersenpan als veertig dagen of veertig jaren door de woestijn dolen. Waar je moeilijk aan water komt, waar koorts-achtige koude rillingen je de hele nacht doen huiveren en waar je 's och-tends niets te eten hebt dan een handjevol sprinkhanen dat is overge-bleven van het avondmaal van de vorige dag. Wat kun je eraan doen als je dingen gaat zien en horen als je daar een tijdje mee bezig bent ge-weest?

Oorlog weer daar, hoor ik? Het meest verbazingwekkende nieuws sinds het laatste bericht dat barbaren de hoogten van Jeruzalem afschuimden.

Oorlog in die prachtige wildernis?

Verbijsterend nieuws, dat is het. Of zoals Stern placht te zeggen, *Goedemorgen.*

Joe schoof zijn verschoten rode wollen muts over zijn oren en trok zijn nieuwe zwarte sjaal, een cadeautje van zijn drie bezoekers, strakker om zijn smalle schouders. Het werd koud als de zon onderging, koud van de komst van de nacht in de woestijn.

Een klein meisje stond op enkele meters afstand naar hem te kijken. Joe maakte een gebaar en ze kwam naar hem toe en ging naast hem staan, zo jong dat zij nooit een andere medicijnman in de pueblo had gekend. Hij wikkelde zijn sjaal om haar heen tegen de koude, pakte haar piepkleine handje en hield het vast.

Het kleine meisje zei niets en Joe evenmin. Toen de zon achter de einder was gezonken glipte ze weg, nog steeds met de sjaal om die hij haar cadeau had gedaan. Joe staarde haar na toen ze in de schaduwen verdween. Hij dacht niet dat ze ze had gezien maar hij had tranen in zijn ogen. Hij wist niet waarom.

Ach, dacht hij, we doen wat we kunnen. Het maakt weinig verschil maar toch moeten we het doen.

Sterns woorden, realiseerde hij zich plotseling. Sterns eigen woorden lang geleden tegen hem gesproken, gefluisterd in de schaduwen in een ander tijdsgewricht in een volledig ander oord.

Vreemd, dacht hij. Tijd is iets vreemds.

... en even plotseling was hij bij Stern en was het avond, twintig jaar tevoren in een stad die ooit Smyrna werd genoemd, *ooit* lang geleden in de eeuw voor het tijdperk van de genocide, voor de monsterlijke bloedbaden uit Klein-Azië dwarrelend waren neergedaald op Smyrna toen Stern en Joe daar waren... de bloedbaden die door het grootste deel van de wereld werden veronachtzaamd maar niet door iedereen, en niet door Hitler, die er luttele dagen vóór zijn legers Polen binnenvielen om de Tweede Wereldoorlog te beginnen triomfantelijk aan had herinnerd... *Wie heeft het tegenwoordig per slot van rekening nog over de uitroeiing van de Armeniërs? De wereld gelooft enkel in succes.*

... een avond, ooit, in een hel van rook en vuur en geschreeuw, Joe die gewond op een kade lag en Stern die boven hem uit torende en overal doden en de stervenden bij elkaar gekropen, opeengedrongen aan de waterkant terwijl de stad in brand stond... en naast Joe, zacht kreunend, een in de steek gelaten klein Armeens meisje dat opengereten en verscheurd in onzegbare pijn lag te sterven.

... Joe niet bij machte het mes naast zijn hand te pakken en die in zijn woede tegen Stern lag te krijsen... schreeuwend dat Stern de zaken minder in de hand had dan hij de mensen wilde doen geloven, dat hij zijn eigen vuile slagerswerk kon doen als hij de grote ziener wilde uithangen die alle antwoorden kende, de grote held die een ideaal van een andere wereld toegedaan was.

... Stern die op hem neer staarde met ogen die in het duister brandden, Stern woest van smart en heftig bevend toen hij het mes omklemde en zijn hand in het haar van het meisje begroef en haar hoofd achterovertrok, het kleine keeltje zo blank en bloot.

... het natte mes dat op de keien klettert en Joe die toen niet op durfde te kijken, Sterns ogen toen niet wilde zien... een avond twintig jaar geleden en immer en niet meer dan een voorproefje van de veel diepere afdaling in de duisternis die nog zou volgen...

Joe huiverde. Hij bewoog zijn hand voor zijn ogen.

En wie zal nu Sterns getuige zijn? vroeg hij zich af... Wie zal dat voor hem doen, wie zal in *zijn ogen* kijken? De man met een droom die van begin af aan gewoon hopeloos was, waar nooit iets van terecht kon komen...

Joe stond op. Natuurlijk wist hij allang hoe het daar zou aflopen, hoe het voor Stern moest aflopen. En hij ging niet omdat hij het gevoel had dat hij Stern iets verschuldigd was, want dat gevoel had hij niet. Maar na al die jaren dat Stern zijn best had gedaan en had gefaald, was ergens iemand wel iets verschuldigd. En nu Stern zou gaan sterven, moest er iets tegenover dat geschenk worden gesteld.

Zwijgend liep de grote gelauwerde sjamaan van de Hopi's over het pad naar de pueblo boven op de mesa, naar de ondergrondse ruimte waar de oudsten van de piepkleine natie zaten en hun gutturale mantra's en vogelachtige fluisteringen steeds weer herhaalden, die mysterieuze klanken van leven en dood die zij hadden gehoord sinds de aanvang der tijden en die doorklonken in alle dingen in het universum.

Deel twee

4 Vivian

De hemel boven het vliegveld van Caïro was op dat vroege uur onbewolkt en werd niet ontsierd door zelfs maar de lichtste waas van de zon die nog laag boven de Sinaï stond. Het transportvliegtuig maakte een bocht en kwam tot stilstand, waardoor een peloton soldaten in zicht kwam dat in rotten van twee en drie over de landingsbaan in de richting van het vliegtuig marcheerde. De mannen droegen korte wijde gesteven paradebroeken en verschillende overhemden en petten uit diverse uithoeken van het Britse Rijk.

Kordaat en krachtdadig en in bijna alle kleuren en tinten, dacht Joe, terwijl hij naar de mannen keek. Je moet weten waar je op uit bent of denken dat te weten, om elke dag zo uitgedost over de aardkorst te marcheren.

De soldaten kwam rap naderbij, stram en in de pas, hun rechterarm hoog opzwaaiend, klemborden paraat en stijf onder hun linkerarm geklemd. Sommigen van hen verdrongen zich al om aan boord te gaan toen Joe de deur van het vliegtuig bereikte en de trap afdaalde. Hij had nog maar een paar stappen gezet toen zijn oog viel op een excentrieke figuur in het wit die hem leek aan te staren. De man knikte met overtuiging naar niemand in het bijzonder en blafte zichzelf gelijktijdig een stil bevel toe. Toen sprong hij in de houding met een animo alsof hij een drildemonstratie gaf en marcheerde voorwaarts.

Jezus, dacht Joe. Wat is dát?

En terecht, de man vormde een verbluffende verschijning.

Een elegant wit overhemd, tot zijn middel toe open, met daarop de onderscheidingstekens van een onderofficier. Een korte witte paradebroek en hoge witte sokken en sneeuwwitte tennisschoenen. Een regimentsluipaardvel achteloos over een schouder geslagen, een glinsterende gouden hanger stuiterend op 's mans borst. En boven dat alles uit torende een enorme breedgerande witte hoed, waarvan de rand op Australische wijze aan één kant aan de hoedenbol was vastgemaakt.

Christus, dacht Joe, toen hij de trap was afgedaald en merkte dat hem de weg werd versperd. De man in het wit gaf op nog geen halve meter afstand acht, stampte met zijn voet op de landingsbaan en salueerde.

Meneer, bulderde hij. Goede vlucht gehad en van die dingen?

Een wolk prille ochtendgeuren sloeg Joe pal in zijn gezicht. Niet in staat een woord uit te brengen, knikte hij in plaats daarvan.

Juist, schreeuwde de onderofficier, hem opnieuw de volle laag gevend. Twee omvangrijke rijen volmaakte witte tanden schitterden in 's mans facie. Zonder erbij na te denken dook Joe weg.

Juist, brulde de onderofficier. Juist? Juist. Maar zeg eens, meneer, is het waar dat jullie Yanks hiernaartoe zijn gekomen om de oorlog voor ons te winnen? Alweer een handreiking van over de grote plas?

Joe slikte.

Ik ben geen Amerikaan, zei hij.

Wat krijgen we nou, meneer? *Geen* Amerikaan? Helemaal uit die verre woestenij, hoe noemen jullie het daar ook weer, Arizona? Helemaal uit zo'n rotkolonie en u bent niet eens Amerikaan?

Hoofden werden omgedraaid. Ogen staarden hem aan. De onderofficier stond nog steeds te schreeuwen en blokkeerde de trap.

Het spijt me dat te horen, meneer, linke soep eigenlijk. Gewoon even erin en eruit om wat buffeltjes neer te paffen, is dat het? De bruinjoekels even een poepie laten ruiken en laten zien wie er de baas is?

Joe drong naar voren om om de man heen te lopen, een gebaar dat de onderofficier abusievelijk opvatte als een teken van welwillendheid.

Of ging het om heel iets anders, meneer? Een sluikse sluipaanval op de jonge maagden in dierenvellen? Nieuwe huiden voor in de bibliotheek en een paar welverdiende inkepinkjes op de oude donderbus?

Eindelijk had Joe de man weten te omzeilen en hij liep in de richting van de luchthavengebouwen. De onderofficier salueerde en liep kordaat stampend naast hem op.

Neem me niet kwalijk, meneer, krijste de onderofficier. Dat ik u voor een Yank aanzag, bedoel ik. Sommige van mijn beste vrienden zijn Yanks. Ik wil u met alle liefde het adres van mijn kleermaker geven.

Joe liep rechtdoor. De man had, toen hij naast Joe was komen lopen, al diverse malen zijn tred aangepast in een poging met hem in de pas te lopen, maar daar leek hij niet in te slagen en nu danste hij naast Joe's elleboog, dan weer voor hem uit, dan weer iets achter hem en zijn pas versnellend.

Verschillende ritmes, krijste de onderofficier. Wij zijn per slot van rekening een ras van individualisten. En wilt u zo vriendelijk zijn naar links af te slaan, meneer, zoals de Bolsjewieken zeggen. De geheime strijdwagen naar links.

Joe sloeg, zonder zijn pas in te houden, linksaf. Ze verwijderden zich van de groepen rondbanjerende starende mannen. Joe sprak op gedempte toon.

Zou je zo vriendelijk willen zijn me te vertellen wat dit te betekenen heeft?

De onderofficier ving de dwingende toon van Joe's stem op maar klaarblijkelijk zonder de woorden te verstaan. Om dichter bij hem te komen versnelde hij zijn pas, maar hij vergiste zich in de afstand en knalde tegen Joe op met de kracht van een bodycheck. Joe klapte voorover en sloeg met zijn handen tegen de landingsbaan en de onderofficier kwam wijdbeens op zijn rug terecht. De onderofficier keek omhoog en speurde de hemel af.

Iets opgemerkt, meneer? De Mof in de lucht voor een vroegertje, soms? Die duik van u duidt op goede reflexen.

Godsgloeiende, mopperde Joe.

Ik zie de naarling nergens, mompelde de onderofficier in Joe's oor, terwijl hij nog steeds ingespannen de lucht aftuurde. Verdomd uitgekookt, die Moffen.

Ga van mijn rug af, mopperde Joe. De onderofficier keek Joe aan, met zijn gezicht op slechts enkele centimeters van het zijne.

Wat krijgen we nu, meneer? *Dacht* u alleen maar dat u een Stuka uit de zon zag opduiken?

Mijn rug af. Nu meteen.

De onderofficier grinnikte zenuwachtig en begon zich los te maken uit de omstrengeling.

Jawel, meneer. Neemt u me niet kwalijk, meneer. Maar je kunt nu eenmaal niet voorzichtig genoeg zijn als de Mof in de buurt is. De oorlog *is* per slot van rekening een helse bedoening.

De onderofficier klom van Joe af en ramde daarbij zijn knie in Joe's rug. Joe krabbelde overeind.

Zeg, klootzak, wil je me nu eindelijk eens vertellen wat hier allemaal de betekenis van is.

Betekenis, meneer? *Betekenis?* Neem me niet kwalijk, meneer, maar zoekt u in een wereld in oorlog daadwerkelijk naar *betekenis?*

Kap daarmee. Die komedie die je bij dat vliegtuig hebt opgevoerd. En dit belachelijke kostuum dat je aanhebt. Wat stelt dat verdomme voor?

O, mijn uniform. Ach, ziet u, meneer, omdat het geheime inlichtingenwerk een hoge mate van initiatief vereist, worden wij aangemoedigd uitdrukking te geven aan ons individualisme in de keuze van ons dagelijkse kostuum. En met betrekking tot de wijze waarop ik u toen u uitstapte heb begroet, waren we van mening dat de directe benadering de beste was. Met andere woorden, als zaken qua heimelijkheid uitermate kwalijk zijn proberen we het uiterlijk vertoon zo natuurlijk mogelijk te houden. Dat is verreweg de beste dekmantel.

Ik was me er niet van bewust, zei Joe, dat tennisschoenen en een luipaardvel heel natuurlijk overkomen op een vliegveld in Caïro in oorlogstijd.

O ja, meneer, als de witschakeringen een beetje zijn gewijzigd. Misschien bent u er een beetje uit en dat soort dingen, dat kan iedere gepensioneerde uit Arizona die een comeback probeert te maken overkomen. Maar de naakte waarheid heden ten dage, meneer, is dat we niet te werk gaan als in de oude films.

Aha.

Precies, meneer. Dat is het in een notendop. Dit is wis en waarachtig spionage in de jaren veertig waar we ons hier mee bezighouden en de oude films zijn wis en waarachtig uit de tijd en niet ter zake doend om het zacht te zeggen. En dan bevinden we ons ook nog eens in het platte oude zanderige zonnige Midden-Oosten en zitten we niet te lanterfanten in een schaduwrijke salonwagen in de Oriënt-Expres die zich door Bulgarije slingert, terwijl u en ik het uitschateren en af en toe een glas vatten. Het personeelsprobleem, meneer. Vazallen zijn niet meer wat ze waren, of het nu om landen of om personen gaat. Neem nu de Balkan, bijvoorbeeld.

Wat?

Precies, meneer, in het bijzonder de Balkan. Die staten zijn in het gehéél niet meer wat ze ooit waren. Eigenlijk is het waarschijnlijk verstandig om uw heimelijke hoop te laten varen om de een of andere gluiperige kleine Dimitri, ondanks zijn vele maskers, in de riolen van Sofia te slim af te zijn met de bedoeling de waarheid te achterhalen aangaande de Bulgaarse onderzeese krijgsmacht. Dit is eenvoudigweg niet de plaats voor vage begrippen als eer en sportiviteit en al die flauwekul. De tijden veranderen, meneer, nietwaar?

Joe kreunde.

... kan me niet eens meer oprichten, mopperde hij.

Nee? Ach, laat u niet ontmoedigen, meneer. De mensen verwachten zo ongeveer dat een spion eruitziet als Quasimodo die rond zijn klokkentoren strompelt met een krankzinnige grijns op zijn verwrongen ge-

zicht. Het belangrijkste is gelijke tred te houden met de laatste techni-
sche ontwikkelingen, daar gaat het om. In het spionagebedrijf ben je
modern of je bent nergens. Kunt u zich voorstellen hoe het eruit zou
zien als wij tweeën in regenjassen met een of twee sigaretten bungelend
uit onze mondhoeken in alle vroegte op het vliegveld van Caïro zouden
rondsluipen? Voortdurend achteromkijkend om te zien of Peter Lorre
ons al op het spoor is? Of mogelijk zelfs de dikke?

O.

Precies, meneer, de inboorlingen. Misschien is hun huidskleur dan
wel niet donkerder dan die was in de heldendichten van voorgaande jaren, maar ze zijn gewoon *niet* zo voorspelbaar als de figuranten vroeger
waren.

Terwijl hij voortbazelde, hield de onderofficier Joe scherp in de gaten. Na diverse pijnlijke pogingen slaagde Joe erin zich op te richten.
De onderofficier grinnikte, knikte.

Heel goed, meneer. Ik zie dat wij een schitterende comeback aan het
maken zijn. De kwestie is dus dat we zitten met dit slonzige zooitje beu-
zelzieke bruinjoekels die rondlummelen met niets om handen en alleen
maar wachten tot ze een glimp opvangen van iets wat ze aan de Mof
kunnen overbrieven. Zoals een verdachte kleine buitenlander die op een
ochtend vroeg aankomt op het vliegveld van Caïro? Een pezig ventje in
een vreselijk tweedehands pak dat veel te groot voor hem is? Die van
zijn gezicht een bedenkelijk stoppelveldje heeft gemaakt alsof hij
probéért eruit te zien als de anonieme spion uit vervlogen tijden? Laat
u wellicht uw baard staan, meneer?

Dat laat ik.

Heel goed, meneer. Hoewel de meeste mannen in het veld, het zand
in de lucht hier in aanmerking genomen, de voorkeur geven aan een
snor waar het gaat om dat onderscheidende kenmerk. Wanneer er haar
dient te worden getoond, meneer, om brute mannelijkheid te benadrukken.

In stilte schaterde de onderofficier het uit van het lachen. Hijzelf droeg
een gigantische walrussnor waarvan de met was bewerkte punten bijna
tot de bovenkant van zijn oren reikten.

Het haar daargelaten, zei Joe, mij was gezegd een geheel andere ontvangst te verwachten.

Is het werkelijk, meneer? Hebben wij het hier wellicht over de zogenaamde herkenningstekens, die doorgewinterde spionnen gebruiken om
elkaar eruit te pikken te midden van de reguliere troepen in de loopgraven?

De onderofficier klapte zijn tennisschoenen onmiddellijk tegen elkaar en sprong in de houding. Hij salueerde en kneep zijn ogen halfdicht.

Stelt u zich alstublieft eens voor dat wij ons in een luchthavengebouw bevinden, meneer, en dat uw papieren worden gecontroleerd door de een of andere dienstplichtige die nauwelijks kan lezen of schrijven. Terwijl u in onzekerheid afwacht, duikt er een knappe onderofficier op en bindt op listige wijze een gemoedelijk gesprek met u aan in de loop waarvan hij terloops de woorden *Brooklyn* en *vuilnis* laat vallen. Op dat moment haalt de onderofficier met een hoffelijk gebaar een sleutel van zijn sleutelring die hij in zijn zak had en houdt de sleutels rammelend omhoog alsof hij zich verveelt.

Nog steeds in de houding staand stak de onderofficier zijn linkerhand in zijn zak en haalde een sleutelring tevoorschijn. Hij keek Joe doordringend aan, terwijl hij de sleutelbos rinkelend voor zijn neus hield.

Goed, meneer, tot nu toe niets aan de hand. Nu hebt u in de linkerzak van uw sjofele jasje een opgerold exemplaar van een populair Londens weekblad. U haalt dit blaadje eruit met uw rechterhand, het aloude kruiselingse trekken, en houdt het omhoog alsof u wilt weten uit welke hoek de wind waait. De ontzagwekkende onderofficier is tevreden aangaande uw legitimatie en bepaalt wat er vervolgens gebeurt. Nou, meneer, u bent zover, neem ik aan?

Joe overhandigde hem het tijdschrift.

Het is een beetje oud. Ik heb het uit een bibliotheek in Londen gestolen om geld uit te sparen. Op de voorpagina beweert Chamberlain dat de vrede op handen is.

Uitstekend, meneer, dat zou ons goed van pas komen. Maar afijn, het trouwe clandestiene strijdros staat daar.

De onderofficier opende het portier van een kleine ouderwetse bestelwagen, bleef er trots naast staan en wachtte. De wagen was een civiel model, beige en bejaard, met diverse deuken. De zijkant van de bestelwagen was over de gehele lengte volgekalkt met grote felgroene letters.

ACHMEDS VETTE VIS & LEVANTIJNSE FRIET

De onderofficier volgde Joe's blik. Hij snoof.

Uitgekookt, hè? In ondergrondse kringen heimelijk bekend als de onneembare *Achmedmobiel,* en hier is hij in elk geval minstens zoveel waard als een tankregiment, dat verzeker ik u. Hij brengt de vijand in verwarring en maakt dat de bruinjoekels denken dat we in de bezorging zitten, wat in zekere zin ook zo is. Maar het is een feit dat je nooit voorzichtig genoeg kunt zijn als je bent veroordeeld tot het spionnenbedrijf. Je moet niet alleen te allen tijde alert zijn, maar hoe alerter je bent, hoe beter de tijden, dat is mijn motto. Mee eens, meneer?

Zodra ze allebei voor in de kleine bestelwagen hadden plaatsgenomen, deed de onderofficier demonstratief de portieren op slot. Toen stak hij zijn hand uit en scharrelde rond in Joe's schoot, graaide naar zijn hand en schudde die geestdriftig toen hij haar te pakken had.

Vivian, luidt de naam, meneer, en niettegenstaande mijn uiterlijk ben ik geen beroepsmilitair. Eigenlijk ben ik archeoloog in het echte leven. Ik hoef u niet te vertellen hoe verzot die inlichtingendiensttypes zijn op mannen met een ongewone achtergrond. Hun ogen beginnen er waarlijk van te glimmen. Afijn, voor de oorlog heb ik hier wat opgravingen gedaan en zo ben ik hierin verzeild geraakt. Ik kende het ondergrondse terrein, om zo te zeggen.

O. Ja. Ik begrijp het.

Precies, meneer, de huidige farao's laten geen gelegenheid onbenut. Afijn, kortweg komt het hier op neer. Toen de Mof vond dat er weer een generatie voorbij was en dat ze er wel weer eens aan toe waren, aan een *oorlog*, verdomme, meldde ik me natuurlijk direct aan bij de autoriteiten in Londen. Ik ben Vivian, zei ik, en ik legde uit dat ik ten volle bereid was in willekeurig welke onderbezette loopgraaf een geweer op te nemen. Maar na één blik op mijn ervaring bij opgravingen zonden ze me onmiddellijk door naar een van de u wel bekende naamloze kamers in de buurt van Queen Anne's Gate. Weet je, ouwe reus, zei de naamloze generaal in burger, we kunnen jou toch niet in het slijk van Vlaanderen laten rondbanjeren als de eerste de beste ongeletterde pummel, daar ben je veel te waardevol voor. We hebben je gewoon nodig in ons geheime theater, wat buitenstaanders de inlichtingendienst noemen. Nou, wat vind je daarvan?

Vivians wenkbrauwen schoten op en neer.

Ach, ik hoef u niet te vertellen dat ik dat *uit de kunst* vond. Zet me maar globaal op het spoor van Mata Hari, zei ik, en ik red me verder wel in de duisternis. Waarna de generaal in burger me hartelijk de hand schudde en mompelde: Puik gezegd, ouwe reus. En nu je officieel geheim agent bent, Viv, ouwe knakker, Vivvy, mijn gozertje, goeie ouwe Viv, beste jongen, nu dat je een mysterieuze spion bent net als wij, voegde de generaal in burger eraan toe, is het eerste wat je te doen staat je via de achterdeur uit de voeten maken en *C* een bezoek brengen.

En wat te doen? vroeg Joe.

Vivian grinnikte.

Uitstekend, meneer. Afijn, ik vertrok, als opgedragen, door de achterdeur, slenterde door de aangewezen steeg naar een naamloos adres en beklom de trap naar een naamloze kamer, en toen stond ik plots tegenover het zeer geheime hoofd van de geheime dienst, *C* zoals we hem in het geheim noemen, die in zijn eigenste stoel zat, maar omgekeerd met zijn gezicht naar de muur om zijn geheime identiteit geheim te houden. *Afijn.* Daar zat een uitermate uitgekookte vent, onze goede oude geheime *C*, dat wist ik van begin af aan. Dus toonde ik zijn rug mijn vertrouwde grijns en zei: Hier is Viv, geheim agent van het Rijk, paraat en bereid. Waarop de goede ouwe *C*, met zijn rug naar de wereld, zei: Zie hier, Viv, *C* hier.

Vivian schaterde het uit.

Of misschien zei ons geheime hoofd: *C* hier, Viv, *C* hier. Of misschien zei hij wel: Zie hier, Viv, zie hier. Of met andere woorden, wie heeft in hemelsnaam énig idee wat hij zei? Ongetwijfeld dient een geheime *C* naar zijn aard onkenbaar zijn, een waarachtig Orakel van Delphi als het gaat om misleidende betekenissen en dubbelzinnige boodschappen.

Vivian knikte geestdriftig.

U begint te lachen, meneer, het is dus duidelijk dat we het eens zijn over de hoofdzaken. Maar goed, ik ga verder.

Viv? mompelde *C*, in de richting van de muur, luister alsjeblieft aandachtig want ik kan dit slechts éénmaal zeggen. Het Suezkanaal, in feite de navelstreng van het Rijk, is in gevaar en we hebben behoefte aan een betrouwbare kerel hier om de sluizen in de gaten te houden. Dus pak die zwarte pil die op het bureau achter me ligt, dat ding dat eruitziet als een snoepje, de reglementaire cyaankalitablet voor het geval het leven er ooit zo zwart uit komt te zien als dat ding, en zet koers naar de Nijl en moge de beste overwinnen.

En zo is het gegaan, meneer, en al die tijd dat *C* met zijn rug naar me toe zat leek hij te breien.

Te breien? vroeg Joe.

Vivian grinnikte.

Jawel, meneer. De naalden van het lot, veronderstel ik. Daarna kreeg ik een intensieve training in zwijgen en ballingschap en bedrevenheid, en een spoedcursus vervalsen met de nadruk op het vervalsen van het onbestaande geweten van het ras, en hier ben ik dan. *Vivian of Arabia...* Zo zit dat.

Vivian neuriede een variétédeuntje en startte de motor. Een daverend geronk barstte rond hen los. Vivian grinnikte en moest schreeuwen om boven het oorverdovende lawaai uit te komen.

Mijn verontschuldigingen hiervoor, meneer. Gat ergens in de uitlaat, net gisteren gebeurd. Heb nog geen tijd gehad om de onderhoudsknuppels eraan te laten sleutelen.

Aha.

Wat?

Lekker weertje, schreeuwde Joe, zich naar Vivian toe buigend om zich verstaanbaar te maken. Hij stak zijn hand onder zijn jasje, ogenschijnlijk om zich te krabben, maar in werkelijkheid om Vivians portefeuille, die hij zojuist had gerold, in een binnenzak te steken.

Dat is beter, riep Joe. Karren maar.

Uitstekend, meneer. Daar gaan we dan.

Er klonk een doordringend knarsend geluid en het bestelwagentje schoot met volle vaart over de landingsbaan, waarbij het zware loopvlak van zijn zachte woestijnbanden woest piepte. Vivian lachte en zat in racehouding aan het stuur te rukken. Joe keek hem aan. De indrukwekkende walrussnor had in de wind losgelaten waardoor de stof aan de achterkant en een dun streepje lijm boven Vivians bovenlip zichtbaar werden. Eén punt van de in de was gezette snor was over zijn gezicht omhooggekropen hetgeen hem een permanent scheve grijns gaf. En toen hij zijn tanden ontblootte bij het zien van een olievlek op de landingsbaan en er, wild het stuur heen en weer bewegend, omheen laveerde, deed de uitdrukking op zijn gezicht beangstigend veel denken aan een delirium.

Er kwam een slagboom met een wachthuisje in zicht. Vivian minderde vaart.

Controlepost in aantocht, schreeuwde hij. Houd u maar gewoon van de domme, meneer. Ik regel het wel met die door de zon geestelijk aangetaste sukkels.

Ze stopten. Diverse marechaussees hingen rond voor het wachthuisje met een metalen kroes in hun hand. Toen een van hen naar de bestelwagen toekwam, leunde Vivian uit het raampje en snoof aan de kroes van de man.

Thee, schreeuwde hij naar Joe, en hij keerde zich opnieuw naar de marechaussee.

Deze sjofel geklede knaap, schreeuwde hij, is een Yank die hierheen is gekomen om de oorlog voor ons te winnen. Maar hoor eens, soldaat één of korporaal of wat je ook wezen mag, je wekt de indruk vanochtend wel toe te zijn aan een stevige borrel, of niet soms?

Vivian schaterde het uit.

Nou, heb ik gelijk? *Nou?*

De marechaussee bestudeerde het kaartje dat Vivian hem had gegeven.

Wat is dit? vroeg hij verbaasd.

Wat is wat, beste kerel?

De marechaussee las hardop voor.

Deze waardebon geeft toonder het recht op gratis drankjes zoveel hij wil in het Kit Kat Kabaret. Zeg slechts dat u door Achmed wordt gestuurd en u zult er nooit spijt van hebben. Maar denk eraan, ACHMED HEEFT ME GE-STUURD. *Dat is altijd weer de toverspreuk in het land van de piramiden.*

(En Achmed heeft ook nog andere waardebonnen, als u belangstelling hebt. Ga vandaag bij hem langs en maak uw dromen werkelijkheid. Mummies leverbaar op speciaal verzoek.)

De marechaussee keek Vivian, die vrolijk lachte, strak aan.

Verkeerde zak zeker, hè? Men moet zich goed in acht nemen vóór het ontbijt. Maar luister eens, beste man, waarom houd je deze attentie niet als geschenk van het bestuur? Dit is immers precies waar wij naar uitkijken als er een oorlog woedt.

Vivian tastte in een andere zak en haalde een paspoort tevoorschijn. De marechaussee gebaarde dat ze konden doorrijden. Ze verlieten het vliegveld en sloten zich aan bij de lange file militaire voertuigen in de richting van het stadscentrum. Voor ze veel verder waren begon Vivian weer te schreeuwen.

Nu weet ik welke vraag u op de lippen brandt, meneer. Hoe zit het met de inboorlingen, nietwaar? Die andere knakkers kunnen boven hun gin en biertjes hangen als ze er niet in hun tanks op uit zijn, maar een spion moet zich door de woestijn bewegen zoals een vis door het water, nietwaar? Zoals het oude gezegde luidt?

Maar hoe *zit* het dan toch met die inboorlingen, vraagt u, meneer?

Tja, zoals de geschiedenis ons leert kregen de duizenden die de piramides bouwden uitsluitend uien, knoflook en radijsjes te eten.

Vivian liet een luide boer.

Kunt u zich dat voorstellen, meneer? *Stank* is het woord dat ik in gedachten had. Ongetwijfeld moeten die uien, knoflook en radijsjes het voetvolk dat de piramides heeft gebouwd hebben opgestookt, maar de waarheid is dat vijfduizend jaar geschiedenis de adem van de doorsnee zigeuner er niet aangenamer op heeft gemaakt. Dat brengt ons terug in het heden, nietwaar?

Ze verlieten de snelweg en reden door drukke straten. Vivian claxonneerde voortdurend en woof en glimlachte naar de menigten.

Kolere bruinjoekels, schreeuwde hij zijwaarts. Ze lijken een stelletje nietsnutten maar ze zijn doortrapt, *doortrapt*, dat is het woord.

Joe zette grote ogen op. Ze hadden zich steeds trager voortbewogen door de mensenmassa's totdat ze helemaal tot stilstand waren gekomen. Terwijl Vivian naar Joe toegekeerd zat, was plotseling het magere, ernstige gezicht van een Arabier voor het raampje vlak achter Vivian opgedoken. Aanvankelijk leek de Arabier niet te bedelen en enkel maar nieuwsgierig. Hij bestudeerde het interieur van de bestelwagen met een krijtje tussen zijn tanden. Toen keek hij doordringend naar de achterkant van Vivians hoofd, trok zijn eigen hoofd terug en nam het krijtje uit zijn mond. Hij leek iets op te schrijven en ja hoor, een ogenblik later verscheen er een leitje voor het raampje.

IK BEN EEN DOOFSTOMME MARXISTISCHE MOSLIM.
GEEF ME EEN GROTE PORTIE GRATIS VETTE
PATAT MAAR ZONDER ZOUT GRAAG. IK BEN
OP EEN ZOUTLOOS DIEET OMDAT DAT GESCHREVEN STAAT,
ALS HET NOODLOT EN DE GESCHIEDENIS.
LOOF ALLAH EN MARX, ALLE MACHT
AAN MOHAMMED EN STALIN.
BEDANKT. PRETTIGE DAG VERDER.

Een *slonzig* volkje, schreeuwde Vivian, zich niet bewust van de lei die enkele centimeters achter zijn hoofd heen en weer bewoog.

Gewoon *laks*, gilde hij. Met heel lange beweeglijke vingers, meneer, vergeet dat geen moment.

De lei verdween. Met een ruw gebaar van zijn arm veegde de Arabier haar schoon en schreef opnieuw iets op. Het leitje dook weer op.

Ik heb het al eerder gezegd en ik zeg het nogmaals, schreeuwde Vivian.
Je kunt daar buiten nooit voorzichtig genoeg zijn met wie je omgaat.

De Arabier kreeg een moordzuchtige blik in zijn ogen. Het leitje ging
omlaag en dook even later weer op.

SODEMIETER OP MET JE PATAT, VETTE
KAPITALISTISCHE VIS.

Vivian keek Joe doordringend aan.

Met andere woorden, *hoed u voor de bruinjoekels*. Gesnopen, meneer?

Ze reden een poosje door en kwamen uiteindelijk met uitgeschakelde
motor tot stilstand in een rustig achterafstraatje.

We zijn er, meneer.

Mooi zo, Viv. Waar?

Op een door de tijd bezoedelde plaats, meneer, bij romantische rei-
zigers van vóór de oorlog wijd en zijd bekend als het Koptische Kwartier en tevens als Oud Caïro, maar bij bewoners, toen en nu, simpelweg
bekend als een krottenwijk. Ooit berucht, nu louter beroemd. De steeg
waar u heen gaat heet officieel de Rue Lepsius, maar het volk herinnert
zich haar slechts als de Rue Clapsius. Men beweert dat Caïro gedurende een groot deel van de negentiende eeuw een ongeneeslijke dosis nostalgie verwierf in deze lommerrijke zijstraten, en die indruk wekken de
zijstraten ook stellig. Dus lijkt het me, als ik zo vrij mag zijn, meneer,
een gepaste ambiance voor uw poëtische mijmeringen als de fles wordt
doorgegeven.

Nou, bedankt voor de lift, Viv.

En u bedankt, meneer, voor uw charmante gezelschap vanochtend.
Oorlog is immers hels en wij jongens aan het front kunnen maar beter
met volle teugen van het leven genieten zolang we niet tot onze knieën
in de modder in de loopgraven staan.

Vivian maakte met zijn hand op wijsgerige wijze een vaag pompend
gebaar in de lucht, een gebaar dat klaarblijkelijk bedoeld was om uit te
monden in een nadenkend betasten van zijn valse snor. Maar in plaats

daarvan trof Vivian zijn snor halverwege de zijkant van zijn gezicht. Hij drukte hem terug op zijn plaats en grijnsde.

Het spionnenbedrijf, meneer, een zonderling en dodelijk spel. Als u nu deze kronkelweg volgt en de volgende zijsteeg in loopt, komt u bij wat een van de laatste hoerenkasten in deze curieuze verloederde buurt is, een buitensporig onbetamelijk oord, en daar zult u worden ondergebracht. Kijk uit naar een smerig onopvallend bouwwerk dat Hotel Babylon heet, een voormalige tiendeklas bouwval, in trek bij mislukte handelsreizigers en armlastige klerken op zoek naar romantiek gedurende hun siësta's, een plaats van geknakte idealen en onmogelijke dromen.

Maar dat was vroeger, meneer. De laatste tijd heeft Hotel Babylon onder de heimelijke supervisie gestaan van Hare Majesteits Geheime Dienst, en dient het als een universeel schuiladres voor zwervende spionnen op doorreis, een discreet, stinkend toevluchtsoord te midden van het tumult, juist voor dolende ridders als u.

Laten we doorgaan, Viv.

Uitstekend, meneer, nu dan, zodra u zich bevindt in het schemerlicht dat dit vervallen bouwsel beheerst, komt u bij de ter plekke residerende kluizenaar, de bewaarder van de sleutels tot dit zonderlinge koninkrijk, een grote Egyptenaar die een krant zal zitten lezen en een opmerkelijke platte strohoed draagt van het soort dat in burgerkringen een matelot wordt genoemd. U kunt hem Achmed noemen als u wilt, en u hoeft hem alleen maar te zeggen dat u door meneer Bletchley bent gestuurd.

Bletchley, zeg je?

Precies, meneer. De Bletch is onze plaatselijke tuinman en manusje van alles, de man die de potpalmen in de achtertuin water geeft en zorg draagt voor de inkwartiering van passanten als uzelf. Een stuk onbenul, jammer genoeg, onze Bletch. Maar dat zult u zelf wel merken.

Is dat alles, Viv?

Voorlopig, meneer. Maar zodra u de tijd hebt gevonden om u onder te dompelen in een eersteklas Babylonisch bad en uw uitgaanstenue hebt aangetrokken en die vodden van uw reis hebt verbrand, zal één van uw collega-spionnen u komen ophalen.

Wanneer?

Vanavond, stel ik me voor. Bent u zover, meneer?

Joe stelde nog een paar vragen en liep toen de straat door. Voordat hij de hoek van de Rue Lepsius of Clapsius bereikte, was de bestelwagen al ronkend in tegenovergestelde richting verdwenen. Op de hoek bleef Joe even stilstaan om een sigaret op te steken en zich te oriënteren. Hij nam ook de gelegenheid te baat om zich even onder zijn jasje te krabben doch eigenlijk om Vivians portefeuille te bekijken. Zijn oog viel op een telefoonnummer.

De Viv, dacht hij. Wat een manier om te beginnen.

Hotel Babylon was een smal gebouw van vier of vijf verdiepingen. De verf op de voorgevel bladderde af en de voordeur stond open. Het hotel miste een receptiebalie. In plaats daarvan was op de begane grond in een van de smalle gangen een toonbank geplaatst. Verder achter in de gang stond een oude pianola in het stoffige halfduister.

Op een hoge kruk achter de toonbank prijkte een grote man die door een gigantische hoornen bril de krant zat te lezen. Hij droeg een platte strohoed en het was overduidelijk dat hij Joe's voetstappen in de gang had gehoord, maar hij nam niet de moeite op te kijken van zijn krant.

Meneer Bletchley heeft me gestuurd, zei Joe.

De Egyptenaar stak, nog steeds zonder op te kijken, zijn hand uit naar de muur achter hem en pakte een van de sleutels.

Bovenste etage, achterzijde, zei hij. Het is de rustigste kamer en de grootste. Er hangt een gerafeld zijden koord naast de deur dat is bedoeld om het dienstmeisje te ontbieden, maar bespaar u de moeite. Sinds de Eerste Wereldoorlog is er geen dienstmeisje meer geweest.

Aha. Meneer Bletchley zei ook dat u iets voor me kon laten aanrukken.

De grote Egyptenaar die bekendstond als Achmed leek ietwat geërgerd.

Ach, ik kan het proberen, maar het is nog vroeg op de dag, weet u. Over het algemeen gaat dat soort mensen om deze tijd pas naar bed.

Ik doelde op een fles whisky en een ontbijt.

O. Een Engels ontbijt?

Als dat zou kunnen, graag.

Het zal ongeveer een halfuur duren. Verderop in de straat woont een buikdanseres in ruste die verstand heeft van dat soort dingen. Wat de whisky betreft, die kan ik u binnen een paar minuten komen brengen.

Zoiets had ik ongeveer in gedachten.

Ik zal ervoor zorgen. Drie klopjes op de deur voor de whisky, twee voor het ontbijt.

Joe keerde zich om naar de trap en bleef toen stilstaan, alsof hem zojuist iets te binnen was geschoten.

O, tussen haakjes, heb je toevallig ook iets op de eerste verdieping? Ik heb last van hoogtevrees.

De grote Egyptenaar pakte een andere sleutel.

Eerste verdieping, achterzijde. Kleiner maar eigenlijk even rustig.

Joe liep de trap op en vond zijn kamer aan de achterkant van het gebouw, weg van de straat. Hij keek om zich heen en liet zich toen voorzichtig op zijn knieën zakken om door het sleutelgat te gluren. Hij zag het voeteneinde van een smal bed, een stoel, een tafel. Aan de andere kant van de kamer bevond zich een raam met een hor erin. Hij ontsloot voorzichtig de deur en stak de sleutel in zijn zak. Toen pakte hij zijn valies en drukte het tegen zijn borst. Hij draaide de deurknop om.

De deur knalde open onder zijn hand en Joe vloog door de kamer en smeet onderwijl zijn valies naar de hor in het raam. De hor en het valies verdwenen uit het gezicht, hij dook ze achterna en landde met een koprol in de zachte grond achter het hotel, terwijl in de kamer boven hem een gedempte plof klonk. Hij was meteen weer op de been, in de hurkhouding, maar er was niets te zien. Hij stond op een kleine binnenplaats bezaaid met vuilnis. Een deur achter hem leidde terug het hotel in. Tegenover hem in de muur aan de overkant van de kleine binnenplaats bevond zich nog een deur. Joe pakte zijn valies op en liep naar de deur aan de overzijde van de binnenplaats. Hij probeerde de kruk en de deur ging open. Een trap leidde naar een kelder.

Onder aan de trap bevond zich weer een deur. Joe opende haar en bevond zich in een smalle cel met een laag plafond. Achter een tafel zat een man die voor het grootste deel schuilging achter de krant die hij zat te lezen. Eén enkel naakt peertje brandde boven hem en daaraan hing een touwtje. Een elektrische draad kringelde van de contactdoos naar een elektrisch kookplaatje naast de elleboog van de man. Er stond een ketel water te pruttelen en er waren ook een afgeschilferde theepot en diverse gedeukte metalen kroezen. Joe liet zich in een stoel vallen en veegde het vuil dat hij op de binnenplaats had opgedaan van zijn kleding.

Bletchley?

De man ging, verborgen achter de krant, door met lezen.

Inderdaad.

Wat is daar boven ontploft?

O, dat was maar een rotje. Het had natuurlijk ook een bom kunnen zijn.

Natuurlijk. Maar is dat jullie gebruikelijke welkomstritueel?

Zo zou je het kunnen zeggen.

Waarom dat spelletje?

Het is geen spelletje, ze willen alleen weten of je bij de pinken bent of niet. Voor amateurs is hier geen plaats.

Bij de pinken, hè? En wat was hun verwachting toen ze die mafketel stuurden om me van het vliegveld op te halen?

De man die bekendstond als Bletchley tuurde over zijn krant naar Joe, waarbij slechts één oog zichtbaar was. Hij leek tranen in zijn oog te hebben en met zijn gezichtsuitdrukking was iets mis, iets faliekant mis. Maar zijn hoofd verdween weer en Joe had geen tijd om te bepalen wat het was.

Huilt hij? vroeg Joe zich af. Waarom houdt hij zich zo schuil?

Vivian zal vanochtend wel een exuberante bui hebben gehad, zei de man die bekendstond als Bletchley. Hij is een oude operettesoldaat, een acteur van beroep, en hij kan er een hele voorstelling van maken als zijn pet ernaar staat. Misschien viel je bij hem in de smaak, of misschien verveelt hij zich de laatste tijd gewoon. Kopje thee?

Graag.

De theepot verdween achter de opgeheven krant.

Hoeveel klontjes suiker?

Geen.

Het is maar suiker, hoor.

Dat zal best, maar ik neem nooit suiker.

Daar krijg je zeker al genoeg van binnen door de drank, hè?

Zoiets.

Een metalen kroes, een hand die hem naast de krant naar voren duwt. Het was de hand van een oude man, maar dat gold niet voor de stem. Een verweerde hand die enigszins beefde. Joe greep de kroes, nam een slokje en brandde zijn lippen aan het metaal. Hij hield de kroes op enige afstand en blies erin.

Hebben jullie in alle kamers explosieven geplaatst?

Nee. Alleen in die twee. De achterkamers op de eerste twee verdiepingen. Als je aan de voorkant van het hotel uit het raam zou springen, zou je het risico lopen een been te breken op de klinkers in de steeg, en als je van een hogere verdieping zou springen, of dat nu aan de voor- of aan de achterkant is, zou je bijna zeker een bot hebben gebroken en wellicht je rug. Maar ik kon me niet voorstellen dat je dat wilde, dus kon ik me ook niet voorstellen dat je ergens anders zou willen logeren dan waar je nu verblijft.

Tja, dat is logisch, zei Joe.

Inderdaad. Ik neem aan dat je na je reis nu wel een tukje zult willen doen. De trap voor je voert je naar een andere steeg. Loop je neus achterna naar links en je bent weer terug op de hoek waar je vandaan komt. Je hebt je toch niet bezeerd, is het wel?

Nee.

Mooi zo. Ze zouden niet willen dat je iets overkomt voor je goed en wel bent begonnen.

En dat is ook logisch. Zeg eens, is deze kelder je vaste kantoor of zomaar een van je vooruitgeschoven bevoorradingsposten in het veld?

De krant ritselde, maar het hoofd van de man verscheen niet. Een ogenblik was het stil aan de tafel.

Onvriendelijke herbergier, dacht Joe.

Luister, zei de stem van achter de krant. Er is geen enkele reden om dit persoonlijk op te vatten, maar je kunt net zo goed van begin af aan weten dat jij me Siberisch laat. Ik weet niet wie je bent of wat je missie is en het kan me niet schelen ook. Dat is mijn taak niet. Ik doe wat van me wordt verwacht en het Klooster verwacht van jou hetzelfde. Als men mij opdraagt een deur te boobytrappen dan boobytrap ik een deur. En als je op zoek bent naar gezelschap dan kun je je geluk op straat beproeven net als ieder ander. Zaken zijn zaken, waar het mij aangaat. Begrepen?

Dat is niet onredelijk, zei Joe.

Mooi. Dan zie ik je vanavond om negen uur hier.

Joe proefde nog eens van zijn thee, maar de metalen kroes was nog steeds te heet. Hij stond op.

Ken jij toevallig een zekere Stern, Bletchley?

Niet persoonlijk, dat is mij allemaal te hoog gegrepen. Ik ben enkel de voorzitter van het ontvangst- en vertrekcomité van het Klooster. Slaap wel.

Joe liep in de richting van de trap. Toen hij halverwege was, draaide hij zich om en keek naar de geheven krant.

O, tussen haakjes, zou je ervoor willen zorgen dat deze portefeuille wordt terugbezorgd aan Vivian? Er zit weinig van belang in maar misschien wil hij hem toch terug. En wie mag Cynthia wezen?

Een van Bletchleys ogen dook op boven de krant.

Wie mag wie wezen?

De kleine schoonheid die Cynthia heet. Er zit een stukje papier verborgen in de voering van de portefeuille met haar naam en telefoonnummer erop.

Wie maalt daarom?

Ik weet niet, jij misschien, dacht ik. Het telefoonnummer is bijna identiek aan het nummer dat ik heb opgekregen om in noodgevallen te bellen. Ik bedoel maar, het zou toch geen pas geven als een van jouw operetteartiesten rotzooit met een van je secretaresses zonder dat jij ervan afweet. Natuurlijk blijft het allemaal binnen de comitéfamilie, maar ik kan me voorstellen dat Papa graag wil weten wat er qua incest binnen zijn familie wordt gepleegd. Voor zover dat de Kloosterzaken betreft, bedoel ik, nergens anders om. Ik laat het bewijs maar hier op de trap liggen zodat je er even naar kunt kijken als je klaar bent met de contactadvertenties.

De man die bekendstond als Bletchley zei niets. Zijn gerimpelde hand beefde enigszins en zijn ene oog, dat knipperend tegen de tranen vocht, bleef boven de krant uit kijken toen Joe de laatste paar treden van de trap op sprong en de kelderdeur achter zich sloot.

Eenmaal buiten gekomen liep Joe een klein stukje en bleef stilstaan op een door ochtendzonlicht beschenen plekje. Hij leunde tegen een muur, sloot zijn ogen en ademde diep in en uit.

Van de Viv naar de Bletch, dacht hij, de hemel sta ons bij. Maar het zal straks vast wel beter gaan. Dat kan niet anders, zou je zeggen, na zo'n begin.

Tegen de tijd dat Joe door de voordeur terugkeerde in het hotel, floot hij een vrolijk deuntje. Wellicht een ongewoon voorval in Hotel Babylon, want Achmed keek onmiddellijk op van zijn krant.

Een prachtige ochtend, zei Joe.

Achmed staarde hem aan met een verbijsterde uitdrukking op zijn gezicht.

Jullie zijn een verbazingwekkend volkje, mompelde hij.

Joe glimlachte.

Vind je? Waarom zeg je dat?

Vanwege jullie vermommingen. Ik zou durven zweren dat jouw identieke dubbelganger zojuist binnen is komen lopen.

Joe's glimlach verbreedde zich.

Mijn dubbelganger, die is zeker naar boven gegaan, hè?

Eerste verdieping achteraan. Nauwelijks vijf minuten geleden.

Had zeker dringend behoefte aan whisky, hè, toen je hem voor het laatst zag langskomen?

Achmed hield een fles omhoog.

Hier is hij. Ik wilde hem net naar boven brengen.

Ach, het heeft geen zin dat wij beiden die tocht maken, zei Joe. Ik zorg wel dat hij hem krijgt. Hij en ik hebben het een en ander te bespreken.

Joe nam de fles over van Achmed, die hem verbluft bestudeerde.

Wacht eens even, zei Achmed. Ben jij echt de dubbelganger van die ander, of ben jij dezelfde vent?

Dat hangt ervan af, antwoordde Joe. We bewonen toevallig allebei hetzelfde hoofd maar dat betekent niet dat we altijd, of zelfs maar het grootste deel van de tijd, hetzelfde denken. Die daarboven heeft de neiging veel te luisteren en zijn gedachten voor zichzelf te houden, terwijl ik, ik ben totaal anders.

Langzaam verscheen er een beschroomde glimlach op Achmeds sombere gelaat.

O, ik begrijp het. Nou ja, ik heb het ontbijt besteld, daarom was de whisky nog niet boven.

Prachtig. En is het geen schitterende ochtend hier in het land van de Nijl?

Achmed leek in verwarring gebracht.

Dat zeg je steeds, maar waar heb je het over? Het weer?

Ja.

Maar het weer is hier altijd hetzelfde. Het verandert nooit.

En dat mag zo wezen, maar ik ben niet altijd dezelfde.

En wat bedoel je dáármee?

Alleen dat ik houd van de woestijn en van de zon, zei Joe. En ik denk dat ik ook zal houden van het Koptische Kwartier, dat tevens bekendstaat als Oud Caïro. En waarschijnlijk ook van dit smoezelige etablissement dat jullie Hotel Babylon noemen en waarschijnlijk ook van Vivian. Van Bletchley niet, zou ik zeggen. Maar ja, het kan niet louter rozengeur en maneschijn zijn.

Achmed staarde Joe ontsteld aan.

Ik weet uiteraard wie Bletchley is, maar wie is Vivian?

Joe beschreef hem. Achmed schudde zijn hoofd.

Zo iemand heb ik hier nog nooit gezien.

Echt niet?

Nee. En ik heb ook nog nooit gehoord van iemand die Vivian heet.

Aha. Tja, en is dit het enige Hotel Babylon in de buurt?

Gelukkig voor ons is het het enige in Egypte.

En Achmed is toch je échte naam, nietwaar?

Achmed glimlachte. Daar is geen twijfel over, zei hij. Ik leef ermee en kan het weten.

Kijk aan. Dat is tenminste een beginnetje en qua feiten voorlopig meer dan voldoende, zou ik zeggen. Te veel feiten ineens, dat leidt maar tot verwarring. Welnu. Een prachtige ochtend en welterusten.

Joe lachte en liep met de fles whisky in zijn hand in de richting van de trap.

Ontbijt? riep Achmed hem na.

Zodra het is bezorgd. Twee klopjes, ik wacht.

Joe liep fluitend de trap op. Achmed keek hem na tot hij uit het gezicht was verdwenen en ging toen weer op zijn handen en knieën achter de toonbank zitten waar hij zich had bevonden toen Joe voor de tweede maal de lobby binnenstormde. Hij dacht niet dat Joe hem daar had opgemerkt, maar evengoed besloot hij dat hij behoedzamer moest zijn nu er eindelijk een gast in Hotel Babylon verbleef.

Een raadselachtige glimlach speelde om Achmeds lippen toen hij stilletjes het geheime paneel achter de toonbank opende.

Hoog in het oude vestingachtige bouwsel in de woestijn dat bekendstond als het Klooster, beklom een adjudant de laatste steile treden van een wenteltrap en klopte op de houten deur boven aan de trap. Hij wachtte, telde langzaam tot twaalf en drukte toen de zware ijzeren deurklink omlaag.

De torenkamer die hij had betreden zou ooit kunnen hebben dienstgedaan als uitkijkpost van het oude oord, want zij was klein en rond, met op regelmatige afstand van elkaar smalle spleten in het dikke metselwerk, die in alle richtingen uitzicht boden op de woestijn. Flinterdunne strepen stralend zonlicht doorkliefden de zware schaduwen in de kleine ruimte, die ondanks het verblindende zonlicht buiten nog steeds in schemerdonker gehuld was.

Een man met één arm, onberispelijk gekleed in gesteven kaki, stond vlak bij een van de spleten in de verste muur. Hij stond met zijn rug naar de kamer en leek de woestijn in het westen, in de richting van de oprukkende Duitsers, te observeren. De man stond kaarsrecht als op de plaats rust, zijn ene hand stram tegen zijn onderrug gedrukt. De adjudant wachtte. Na een ogenblik klonk van ergens lager in de oude vesting gedempte orgelmuziek op. De man met één arm draaide zich om om de adjudant aan te kijken.

O, jij bent het. Wat is er?

De ondergeschikte hield zijn superieur een vel papier voor, die de boodschap in een oogwenk las en toen weer uit staarde over de woestijn.

Zo zo, mompelde hij. Dus onze nieuwe Purperen Zeven is eindelijk op zijn plaats en klaar om te beginnen...

Hij glimlachte, zijn gezicht verborgen voor de adjudant.

Wie heeft de Armeniër opgehaald van het vliegveld?

De acteur, meneer. De man die zich Liffy noemt. Hij weet niets. Hij heeft het vliegtuig opgewacht en de Armeniër rechtstreeks naar Hotel Babylon gebracht.

De man met één arm lachte.

Ongetwijfeld een bizarre kennismaking met Caïro voor de Armeniër. En wellicht ook een tikkeltje misleidend... Ach, hij heeft veel te leren en niet veel tijd om dat te doen. Liggen de kaarten gereed voor de briefing?

Jawel, meneer.

Over tien minuten ben ik beneden. Zorg dat de luiken gesloten zijn en alles gereed is.

Jawel, meneer.

Dat is alles.

Jawel, meneer.

De adjudant klapte zijn hielen tegen elkaar en vertrok, de deur achter zich sluitend. Vanuit de diepten van het Klooster steeg de orgelmuziek luider aanzwellend op en vulde de kleine torenkamer met zijn denderende gegalm.

Stern, mompelde de man met één arm en met een grimmige uitdrukking op zijn gezicht. En nu worden we eindelijk verlost van die verrader en zal Rommel niet van elke beweging die wij maken op de hoogte zijn voor we hem maken... Maar we moeten nauwgezet te werk gaan, zonder een steek te laten vallen.

Zonder een steek te laten vallen, herhaalde hij, zijn ogen halfdicht geknepen, terwijl hij teder het dikke middeleeuwse metselwerk streelde dat hem beschermde tegen de genadeloze gloed van de woestijnzon.

5 Liffy

Enkele avonden later zat Joe in zijn eentje in zijn kleine hotelkamer in de vensterbank naar het duister buiten te turen, toen er opeens zacht, zo zacht dat hij het bijna niet hoorde, op de deur werd geklopt.

Twee klopjes voor eten en drie voor drinken, hoewel hij Achmed nergens om had gevraagd. Met een hand in zijn zak liep Joe naar de deur en deed open.

Tegenover hem, midden in de gang, stond een tengere man met een onopvallend voorkomen, jong noch oud, van wie de nationaliteit onmogelijk was in te schatten. De ogen van de man schoten heen en weer en zijn lippen bleven voortdurend in beweging, een zenuwtrekje hier, een knabbeltje daar, waarbij een glimlach schoksgewijs werd afgewisseld met een sombere en bezorgde gelaatsuitdrukking.

Joe keek hem verbaasd aan.

De wonderlijkste mond die hij ooit had gezien. Die stond gewoon nooit stil.

Opeens kwam er een woeste glinstering in de ogen van de vreemdeling, een angstaanjagend spel van kleuren en schitteringen en diepten. Hij schuifelde met zijn voeten en bracht zijn gewicht over van het ene op het andere been, waarbij zijn lengte voortdurend leek te veranderen. Vervolgens keek hij panisch om zich heen en trok zich, zonder Joe ook maar één enkele keer aan te kijken, nog verder terug in de gang en staarde verslagen naar de grond voor zijn voeten.

Eén brok zenuwen, dat is duidelijk, dacht Joe.

De vreemdeling sputterde en grinnikte en schudde zijn hoofd alsof hij ten prooi was aan een overweldigende tweestrijd. Zelfs zijn omvang leek toe en af te nemen toen Joe hem in de gang heen en weer zag wiebelen, dan weer fors en overweldigend, als hij met zijn ellebogen werkte en zijn hoofd naar voren stak, dan weer klein en ineengekrompen als hij zich in zichzelf terugtrok, alles aan hem voortdurend in beweging, zijn gehele voorkomen voortdurend veranderend.

Op en neer, dacht Joe, als een bootje dobberend op de donkere nachtelijke deining van de Nijl. Maar wat heeft het te betekenen en wie is hij eigenlijk?

De vreemdeling had zijn armen vol met boodschappenzakken die hij maar met moeite bij elkaar wist te houden. Hij deed een stap naar voren en probeerde iets wat voor een glimlach moest doorgaan, maar de glimlach vervaagde abrupt en uit zijn keel steeg een rochelend geluid op, een poging tot spreken die de mist in ging.

Arghh?

Graaa...

Het deed Joe denken aan een schuchter leeuwenwelpje dat nukkig met zijn hoofd schudde en in zichzelf prevelde.

Kan ik u ergens mee van dienst zijn? vroeg Joe, zijn handen uitstekend naar de zakken om te voorkomen dat ze zouden vallen. Hij greep er een aantal en droeg ze de kamer in. De vreemdeling stond nog steeds in de gang zenuwachtig van zijn ene op zijn andere voet te wippen.

Wilt u niet binnenkomen?

Twee voor het eten en drie voor de drank, mompelde de vreemdeling. Paul Revere zei dat.

De vreemdeling schuifelde weifelend, Joe's blikken mijdend, naar voren. Er school een melancholieke droefenis in zijn stem.

Paul Revere kan de kolere krijgen, die kan me wat. Je herkent me niet, hè?

Ik geloof het niet, zei Joe. Had dat gemoeten?

Ik neem aan van niet. Ik veronderstel dat er geen enkele reden is waarom iemand mij ooit zou herkennen. Dat is mijn probleem.

Pardon?

Om als mezelf te worden herkend, als ik mezelf ben. Dat overkomt me nooit. Zou jij dat ook geen probleem vinden?

Joe moest de neiging zijn armen om de vreemdeling heen te slaan onderdrukken, zo verloren was de indruk die hij maakte. In plaats daarvan nam hij de laatste papieren boodschappenzak uit de armen van de man en zette die veilig op tafel.

Ze zijn zwaar. Wat zit erin?

De vreemdeling schuifelde verlegen met zijn voeten en zei niets. Joe raakte de arm van de man aan.

Wie bent u?

De vreemdeling wierp een beschroomde blik op Joe en sloeg zijn ogen neer.

Ik ben de officiële toeristengids voor deze straat, fluisterde hij, hoewel er sinds het begin van de oorlog geen stuiver meer mee te verdienen valt. De vorige oorlog bedoel ik, niet deze. Maar evengoed...

Nou?

De vreemdeling zuchtte diep.

... maar evengoed was de Rue Clapsius ooit wereldberoemd onder degenen die het geheim van het leven kenden. Eigenlijk werd dit straatje door heel veel filosofen beschouwd als de ultieme oase voor de ziel. Er was zelfs een spreekwoord dat hier blijk van geeft. *Wie de Rue Clapsius heeft gezien verlaat de wereld neuriënd.* En weet je waarom dit straatje uiteindelijk als belangrijker werd beschouwd dan de Sfinx en de piramides en zelfs de Nijl?

Waarom?

Vanwege die pijpnummertjes. De geschiedenis is eigenlijk doodsimpel, nietwaar?

Joe zette grote ogen op. Hij staarde de vreemdeling aan, die zenuwachtig heen en weer bleef bewegen, terwijl zijn mond al die tijd geen moment stilstond.

Pijpnummertjes, zegt u?

Inderdaad, mompelde de vreemdeling, en dan heb ik het over het summum van weldadige vibraties. Weet je, de hoeren in dit straatje waren ooit opzienbarend goed in het pijpen van hun klanten. Zozeer zelfs dat het geheel niet ongewoon was dat filosofen uit alle uithoeken van de wereld, krachtige mannen, vastberaden mannen, op alle uren van de dag en de nacht, niet in staat te oreren, zelfs zonder een zweem van een syllogisme in hun hoofden, niet meer dan schaduwen van zichzelf, eenvoudigweg rochelend op de keien lagen te kroelen... Maar wat bedoel ik daarmee? Ik bedoel *uitgeput.*

De vreemdeling toonde een vluchtige glimlach die onmiddellijk weer vervaagde.

Ik heb het over de besten, mompelde hij. Europeanen denken vaak dat pijpnummertjes rond het begin van de Renaissance in Bologna zijn ontdekt, dat de Renaissance daarmee op gang is gekomen, om zo te zeggen. Maar ze dateren van veel verder terug dan men algemeen aanneemt, zoals de meeste dingen die met mensen van doen hebben. In feite dateert de pijptraditie in deze straat uit wat de Europeanen de duistere middeleeuwen noemen, toen de zaken in het Oosten lang niet zo duister waren als in het Westen. In het Oosten bestudeerden de geleerden nog de *Duizend-en-één-nacht* en deelden zij kruimels van hun erudiete bevindingen uit aan uitverkoren kennissen... Ken je dat standaardwerk uit de klassieke literatuur wellicht?

Joe staarde de man stomverbaasd aan. Eindelijk vond hij zijn tong terug.

Ik geloof dat ik er wel eens van heb gehoord, ja.

De vreemdeling glimlachte opnieuw vluchtig, klaarblijkelijk minder zenuwachtig dan voorheen.

Mooi zo. Dan weet je waarschijnlijk dat de Arabieren de *Duizenden-één-nacht* lang geleden hebben geleend van de Perzen, die het, nog veel langer geleden, op hun beurt hebben geleend van India... Maar het is intrigerend, nietwaar, de gedachte van een verlicht Oosten met het primitieve gegons van pijpnummertjes die weerklinken door de nevelen van het oude India? Ik moet eerlijk toegeven dat juist het idee van die vreemde tongen die daar door het subcontinent van onze zielen weergalmen me, voordat ik de waarheid kende, uitputten. Maar nu ik beter weet, zie ik welk een briljante innovatie het is van de kant van de Indiërs pijpnummers te verbinden met de beschavende impuls... Ware fakirs. Duivels eigenlijk...

De vreemdeling gooide zijn hoofd in zijn nek en snoof en op zijn gezicht verscheen een uitdrukking van een soort verloederde mystiek.

Maar geef het nu maar toe, bulderde hij plotseling in vervoering. Heb je niet altijd al gedacht dat *Om* dé belangrijke klank van India was? Hebben ze jou daar ook niet mee in het ootje genomen? En houdt deze nieuwe informatie derhalve niet in dat de *Hum* en de *Om* veel hechter met elkaar verbonden zouden kunnen zijn dan iemand ooit heeft kunnen bevroeden? Dat de ene klank voortbrengen heimelijk hetzelfde is als de andere zingen? Dat de Indiase wijsgeren, in hun wijsheid, lang geleden deze verbluffende manier om de klokjes van de ziel en het lichaam gelijktijdig te luiden hebben ontdekt? Dat de ziel en het lichaam derhalve, in tegenstelling tot het westerse denken, niet alleen vertrouwd zijn met elkaar maar in feite in diepste wezen één en dezelfde zijn? Dat de gehele menselijk geschiedenis in één enkele zinsnede kan worden samengevat? Dat het allemaal draait om de mens die zijn ware thuis zoekt? Met andere woorden, van *hummmm* naar *ommmm* en zo naar *home?* En zo uiteindelijk naar *hommmme...*

Joe keek hem aan. Het neuriënde geluid hield aan terwijl de vreemdeling zijn gewicht naar voren en naar achteren verplaatste en ondertussen energiek bemoedigend en met een verlegen maniakale grijns op zijn gezicht knikte. Eindelijk was Joe bij machte zich uit de trance waarin hij was gebracht los te maken.

Maar dit is *buitengewoon*, mompelde hij.

Vind je? vroeg de vreemdeling gretig. Bedoel je dat de wonderen de wereld nog niet uit zijn? Zelfs niet in een steegje zo armetierig als de Rue Clapsius?

Joe lachte.

Hoe zei u ook weer dat uw naam was?

De glimlach van de man verdween als sneeuw voor de zon. Plotseling staarde hij Joe met een immens ernstige blik in zijn ogen aan. Gewichtig schraapte hij zijn keel.

Dat heb ik niet gezegd, hoor. Maar ik heet Vivian en ik heb je van het vliegveld opgehaald en het spijt me allemaal. *Sorry.*

Vivian bloosde en hij zwaaide van opwinding met zijn armen. Joe lachte en schudde hem hartelijk de hand, waarbij hij nogmaals de neiging onderdrukte hem te omhelzen.

Viv? Ben jij het werkelijk zonder de pruik en de witte tennisschoenen en de luipaardvellen? Leuk je terug te zien.

Vivian kromp enigszins ineen en keek nog bedenkelijker dan toen hij voor het eerst de kamer betrad.

Vind je? Ik weet wie jij bent, ze hebben me het een en ander over jou verteld. Niet veel, een beetje maar. Ben je niet boos op me?

Nee, natuurlijk niet. Waarom zou ik?

Vanwege mijn stuitende gedrag op het vliegveld. Maar dat moet je me maar niet euvel duiden, het was een act, een rol. Als ik een nieuw iemand oppik word ik geacht een of andere uitzinnige rol te spelen... vind ik... en soms verlies ik gewoon mijn greep op de werkelijkheid en ga ik totaal uit mijn dak. Het is de waanzin van de tijd die me daartoe beweegt.

Allang goed, Viv. Trouwens, jij zou degene moeten zijn die verbolgen is.

Vivian keek verbijsterd.

Ik? Waarom dat in hemelsnaam?

Om dat gedoe over Cynthia. Ik hoop dat je beseft dat het met jou persoonlijk niets te maken had. Het was Bletchley aan wie ik me ergerde.

Vivian zuchtte.

Ach ja, de Bletch, dat is me er eentje. Dat had ik al meteen door. Onze plaatselijke foerier kan soms heel vervelend zijn, vooral als hij die zaken-zijn-zakenhouding van hem aanneemt. Je moet het niet persoonlijk opvatten, zegt de Bletch voortdurend, maar wat een onzin. *Natuurlijk* vat ik het persoonlijk op. Het is mijn leven waarmee hier wordt gesold in die Bletchverdomde droge zooi die men de Westelijke Woestijn noemt, en vind je het goed dat ik meteen ga zitten? Mijn voeten doen pijn.

Natuurlijk, Viv, neem de stoel maar, of het bed. Deze kamer is niet veel soeps.

Vivian trok zijn schoenen uit en zeeg zuchtend en steunend neer op het bed. Als hij geen rol speelde, leek hij zwaar te ademen. Hij legde het kussen op het voeteneinde van het bed, drapeerde zijn jasje eroverheen en legde daarop zijn voeten. Even keek hij naar het afbladderende plafond en sloot toen zijn ogen.

Schilferachtig, mompelde hij. Maar desondanks probeer ik, in het werkelijke leven, altijd mijn voeten boven mijn hoofd te tillen om de bloedtoevoer naar mijn hersens te stimuleren. Eerlijk gezegd komt het maar zelden voor dat mijn hersens een beetje extra zuurstof niet kunnen gebruiken. Het is mijn astma die me trager maakt en het rare is dat ik er vóór ik naar Egypte kwam nooit last van heb gehad, kun je je zoiets voorstellen? Een woestijnklimaat wordt geacht heilzaam te zijn voor bepaalde kwalen, niet die te veroorzaken, maar daar heb je weer zoiets. De zoveelste manifestatie van de blues.

Vivian glimlachte flauwtjes vanaf het bed.

Ja, de blues. Om de een of andere reden heb ik het leven altijd opgevat als een nogal liederlijke weergave van de blues. Ritmische intensiteit, een nadruk op de zwakke maten, riedels.

Vivian kreunde. Hij betastte zijn keel.

O dit *lijf*, mopperde hij. Deze zuchtende jazzband van de ziel.

Hij opende zijn ogen en lachte.

Schilferachtig, dat plafond van jou, daar is geen ontkomen aan. Maar afgezien van het leven als muziek, kan ik je wel meteen vertellen dat dit bezoekje niets zakelijks heeft. Ik ben hier om mijn excuses aan te bieden en ik ben nu enkel mezelf, meer niet. Heb je een beetje trek?

Ik rammel, Viv. Ik wilde net uitgaan toen jij aanklopte.

Mooi zo. Ik heb wat gegrilde kip meegebracht en ook wat wijn en pruimen, om je mijn obstructie die ochtend op het vliegveld te helpen vergeten. De kip is doorgaans heel smakelijk, die haal ik bij een gepensioneerde buikdanseres verderop in de straat die Achmed kent uit een ander tijdsgewricht. Zij is ook degene die me heeft verteld over de plaatselijke pijptraditie. En de wijn moet goed zijn, als je met Duitse wijn genoegen neemt. Een van onze Long Range woestijneenheden heeft hem nauwelijks een week geleden zelf uit Rommels privé-voorraad geplukt.

Vivian fronste zijn voorhoofd.

Maar misschien wil je de wijn liever bewaren voor een belangrijkere gelegenheid. Ik zou me niet gekwetst voelen als je dat deed. Ik ben wel wat slagen, schoppen en stompen gewend.

Wacht eens even, Viv, dit is een belangrijke gebeurtenis. Ik zal hem meteen even pakken.

Vivian glimlachte opgelucht en begon een populair liedje te zingen. Joe trok een van de flessen open.

O, tussen haakjes, Viv, je heet toch echt Vivian? Ik vraag het maar omdat Achmed toevallig opmerkte dat hij hier nog nooit een Vivian had gezien of er zelfs maar van had gehoord.

Vivian keek nors. Hij kreunde.

O, zei hij dat? Heeft Achmed dat echt gezegd?

Ja.

Vivian rolde op zijn zij en keek Joe bedroefd aan, terwijl zijn mond knabbelde en kauwde en geen moment stilstond.

Dat is een hele klap, zei hij zuchtend. Waarom vraag je me zoiets, in hemelsnaam?

Ach, ik zou het niet weten, Viv, de gedachte kwam gewoon bij me op. Maar ik bedoelde er niets mee. Vergeet het maar.

Het vergeten? Mijn naam? Kijk nu eens goed naar me en zeg me dan de waarheid. Zie ik *eruit* als een Vivian?

De kurk kwam met een plofgeluid uit de fles.

Tja, misschien niet, zei Joe. Ik zou het eigenlijk niet kunnen zeggen.

Zag ik er voorheen zo uit? Toen je aankwam op het vliegveld?

Ja, misschien wel. Ik geloof het wel.

Maar nu niet?

Nee, misschien niet.

Zelfs niet een klein beetje? Is er dan niets in de wereld dan slagen, schoppen en stompen?

Wacht eens even, ik geloof dat ik het begin te zien. Vivian, zeg je? *Vivian?* Maar natuurlijk, onmiskenbaar. De gelijkenis is treffend, Viv.

Echt waar?

Nou en of, verbluffend, gewoonweg. Ik had het alleen niet meteen in de gaten omdat ik niet gewend ben een Vivian te zien. Die loop je niet elke dag tegen het lijf in een Indiaans reservaat in Arizona.

Dat kan ik me voorstellen, mompelde Vivian mistroostig. En hoe denk je dan over een Vivian McBastion?

Een wat? Is dat waar?

Ja.

Tja nou, dat bevalt me wel, zei Joe. Het heeft de klank van een aristocratische Schotse vesting die verscholen ligt onder de koele nevel en elke aanval afslaat.

Vivian lag op zijn rug en glimlachte vaagjes naar het plafond.

Geen overhaaste conclusies. Er is een gigantische hoeveelheid verwarring in de wereld en ik ben bang dat ik daar deel van uitmaak. Ik ben bang dat dat nog maar het begin is van mijn persona. Er gaat meer schuil achter mijn masker, veel meer. Ben je bereid het allemaal aan te horen?

Natuurlijk, waarom niet?

Dat zul je wel merken. Zet je dan maar schrap. Mijn volledige naam luidt *Vivian McBastion Noël Liffingsford-Ivy.*

Jezus, Viv, is dat echt waar?

Vivian keek chagrijnig en zijn stem klonk mistroostiger dan ooit.

Voorts kan ik je wel vertellen dat ik er niet uitzie als een Vivian, laat staan al dat andere. Mooi niet.

Wel heb ik *jou* daar, riep Joe opgelucht uit.

Ik bedoel dat het mijn officiële naam is, maar ik ben het niet echt. Mijn vader heette Lifschitz. Toen mijn ouders uit Duitsland naar Engeland kwamen wilden ze iets wat minder buitenlands klonk, dus scharrelden ze wat rond op zoek naar gangbaardere woorden en kwamen toen aandragen met *Liffingsford,* als een nieuwe leider van de Conservatieven in het parlement. Dat *Ivy* is er later aan toegevoegd, om de aangename indruk te wekken al een aardig tijdje mee te draaien. Ik weet niet hoe goed hun Engels toentertijd was.

Ik weet hoe dat is, zei Joe. Ik begreep mezelf ook niet tot ik een jaar of vijftien, zestien was.

Toen ze in Engeland aankwamen kochten ze een winkeltje, een knus pandje met een strodak in het hart van Londen. Ze dachten dat het nu eenmaal zo hoorde. *Fair play, England my England,* een land van winkeliers en zo. Toen ik in aantocht was, schuimden ze de zondagse roddelbladen af op zoek naar een naam voor mij en toen kwamen ze met die rariteit op de proppen. Later heb ik ze genoeg teleurgesteld. Ik ben geen tandarts geworden.

Aha.

Maar iedereen heeft me altijd *Liffy* genoemd, met uitzondering van mijn moeder en mijn vader en Bletchley... Verrekte autoriteiten, die zitten altijd overal naast. Maar Achmed kent me als Liffy, en alle overigen ook.

Mooi, Liffy, zo zal ik je dan ook noemen. En de naam bevalt me, want ik herinner me toevallig dat er een rivier is die zo heet.

Zo'n vermoeden had ik al, zei Liffy, en het is altijd prettig om iemand aan een rivier te herinneren. Maar ik ben nooit tandarts geworden, dat kan ik je beter meteen zeggen. Ik ben een clown geworden, een droevige clown. Dat is mijn probleem.

Wil je wat wijn, Liffy?

Dank je, graag. Ik heb last van mijn lever.

Misschien moet je dan juist wat minder drinken?

Nee, met drank kan het niets te maken hebben, ik drink bijna nooit. Mijn lever speelt 's avonds vaak op en ik denk dat het komt omdat de lever in de klassieke wereld, lang voordat de barbaren de klassieke wereld vernietigden en de hartstochten werden overgeplaatst naar het hart, werd beschouwd als de zetel van de hartstochten. Maar op de een of andere manier schijnt die overplaatsing in mijn geval nooit te hebben plaatsgehad. Met andere woorden, Joe, ik ben een atavisme.

Waarvan?

Dat weet ik niet goed, dat is mijn probleem. Maar ik heb het donkerbruine gevoel dat ik de Wandelende Jood uit de oudheid ben. Alles lijkt daarop te wijzen.

Heb je dan veel gewandeld?

Nou en of, voor de oorlog deed ik niet anders. Ik heb als rondreizende entertainer door Europa gedoold en mensen na het diner aan het lachen gemaakt. Toen zat ik 's avonds laat in verlaten stationswachtkamers met een lege maag te wachten op een melktrein naar Nergenshuizen. De restaurants waren altijd gesloten tegen de tijd dat ik 's avonds klaar was met mijn werk, en als ik de volgende ochtend op een nieuwe plaats aankwam deed ik een dutje in de stationswachtkamer om kosten uit te sparen, totdat het tijd was die avond in een show op te treden. Ik sliep dus bijna nooit in een bed en veel daglicht zag ik ook niet. In die tijd leefde ik bijna uitsluitend op melk en dat maakte me heel bleek. Om kort te gaan, ik was een spookachtige verschijning.

Ben jij echt een professionele potsenmaker geweest, Liffy?

Ach, dat was de rode draad in mijn leven. Ik werkte als potsenmaker of als mimespeler of als toneelspeler, of jongleur of acrobaat of conferencier, de dikke dronken metgezel van een shakespeariaanse koning uit het jolige oude Engeland of een veel minder jolige shakespeariaanse woekeraar in het nevelige oude Venetië, soms met een zwarte tronie, soms met een witte, maar verreweg het vaakst met een grauwe. En in het merendeel van de gevallen, na mij volledig te hebben gegeven, na afloop afgepeigerd. Het schijnt dat er in elk menselijk drama iemand moet zijn die verliest, en om de een of andere mysterieuze reden is die rol mijn specialiteit geworden. Zo nu en dan diende ik serieus te worden genomen, maar over het algemeen was ik de doldwaze kameleon onder de entertainers, de potsierlijke nar en komiek, de universele grapjurk. Mensen aan het lachen maken was mijn beroep. Dat is een beklagenswaardige manier om je brood te verdienen.

Dat wil ik best geloven, zei Joe. En hoe zit het met je werk hier, Liffy? Wat doe je?

Kleine dingen. Ik speel een rolletje voor een paar uur of een dag. Alles waar een vermomming en wat grime en een of twee talen aan te pas komen. Eigenlijk ben ik niet meer dan een rekwisiet. Ik speel een Italiaanse generaal of een Syrische koopman of een Tsjechische boer, wat men maar wil. Als ze een rekwisiet nodig hebben dan laten ze mij opdraven en dan foeter en poch ik of ik sluip en kruip en ik ga door de knieën en sta te wiebelen en walg van koelakken of Joden, van Moffen of Tommy's, al naar believen. Ik ben de plaatselijke illusionist, dat is alles. Een treurige clown.

Waarom treurig, Liffy?

Omdat het met de wereld treurig gesteld is.

Maar waarom dan een clown?

Omdat de wereld zo treurig is dat we wel moeten lachen, anders zou het een nog gevaarlijker oord zijn dan het al is.

Liffy glimlachte verlegen.

Maar ach. Net als iedereen doe ik graag alsof er een of andere hoogstaande verklaring is voor mijn persoonlijke grillen. De waarheid is dat ik waarschijnlijk bedroefd ben omdat ik vóór de oorlog 's nachts zoveel tijd heb doorgebracht in lege stationswachtkamers. Is je ooit opgevallen dat mensen die 's nachts leven geen botten lijken te hebben? Misschien komt dat door het slechte licht.

En waarom ben je clown geworden, Liffy?

Waarom? Ach, ik geloof niet dat ik dat altijd ben geweest. Als kind begon ik, zoals elk kind dat doet, volwassenen na te doen en het duurde niet lang voor ik tot de ontdekking kwam dat men moest lachen om mijn nabootsingen, en het feit dat ik mensen aan het lachen maakte leverde me wat lekkers op en dus een carrière en een gewoon leven.

Maar je bent niet als de meeste mensen, Liffy.

Nee, dat zal wel niet. Daarvoor heb ik te lang over de wereld gezworven.

Liffy glimlachte.

Hoe lang, vraag je? Kom ik werkelijk in aanmerking als Wandelende Jood uit de oudheid? Tja, soms lijkt het alsof al die omzwervingen van mij al ongeveer vijfentwintighonderd jaar duren. Soms, als ik 's nachts alleen en bang ben, lijkt het wel zo lang.

Liffy sloeg bedroefd zijn ogen neer.

En ik ben vaak bang, zei hij op fluistertoon. Maar er is misschien nog een andere reden waarom ik anders ben. Om mensen na te bootsen moet je ze begrijpen, en dat is mijn probleem, dat ik ze begrijp. Je moet kwaad zijn om vooruit te komen in deze wereld, of als je echt vooruit wilt komen moet je de pest hebben aan mensen. Maar hoe kan ik de mensen nu haten als ik weet wat er in hen omgaat?

Liffy zuchtte.

Soms wilde ik dat ik tandarts was geworden. Er duikt een zwart plekje op en dat slijp je pardoes weg en je knalt er wat glimmend goud voor in de plaats. Het is eenvoudig, het is bevredigend, de mensen staan in de rij om je te bezoeken en spreken je aan met Herr Doktor of Panzergruppenführer. Maar om zo vooruit te komen moet je mensen zien als tanden, net als de nazi's doen.

Liffy's adem stokte en het duurde even voor hij weer lucht had. Een astmatisch gerochel steeg op uit zijn keel.

Hoewel het niet louter haat is die je voortdrijft. Het heeft vooral met jezelf te maken, zoals alle sterke emoties, dus ik denk dat je het zelfafkeer zou moeten noemen. Is je nooit opgevallen dat de haat die de mensen jegens ons, de Joden, koesteren recht evenredig is aan de mate waarin ze heimelijk van zichzelf walgen? Niet dat er geen ontelbare redenen zijn waarom de mensen liever de Joden haten dan zichzelf. Wie wil per slot van rekening zichzelf haten? Wie zou niet liever iemand anders haten?

Jij hebt een hoop haat gezien, Liffy.

Natuurlijk, ik ben een Jood. Als ik niet de koning van het goede oude Engeland ben, uiteraard. Of een potsenmaker. Of de Heilige Geest in een of ander tijdloos sprookje over leven en dood en wederopstanding.

En je praat heel druk, Liffy.

Dat komt alleen omdat ik zo veel heb gewandeld en zo veel mensen op zo veel plaatsen ben geweest, dat ik niet kan doen of ik de klanken van de wereld gemakkelijk onderscheid. Of mezelf wijsmaak dat ze eerder eenvoudig dan mysterieus en complex zijn... Een Jood haten? Wat kon er simpeler zijn dan dat? Dat is even simpel als een boom of de wind of de zonsopgang haten.

Liffy sloeg zijn ogen op en keek Joe met een zachtmoedige blik aan.

Uit wat ik heb gezegd maak je wellicht op dat ik een verbitterd man ben die uitsluitend de weerzinwekkende dingen van het leven ziet, maar dat is allerminst waar. Het zijn de goede dingen, de goedaardige kanten van de mens die mij interesseren en zorgen baren. De kwestie is alleen dat nu soms, met die oorlog en de nazi's...

Ik begrijp het, Liffy.

Echt waar? Begrijp je het écht? Mag ik jou dan vertellen hoe ik me werkelijk voel?

Liffy glimlachte beschroomd.

Weet je wat het leven volgens mij, in zijn diepste wezen, is? Een gouden belletje en een granaatappel.

Liffy glimlachte nog beschroomder.

Is dat geen prachtige manier om het te beschrijven? Lang geleden hoorde ik dat en ik heb het nooit vergeten. En als het leven me bitter en wreed lijkt, dan neem ik me die woorden ter harte en fluister ze steeds opnieuw, totdat ik me weer in de hand heb.

Het is prachtig, zei Joe. En wie heeft die woorden uitgesproken, als ik vragen mag?

Liffy's ogen glinsterden.

Wie? Wie anders dan de goede stem binnen in ons. God.

Hij lachte.

Ja. God die in de woestijn tot Mozes spreekt en het gewaad beschrijft dat de priesters des levens dienen te dragen.

> En gij zult op zijn zomen granaatappels in blauwpurper, rood-purper en scharlaken, rondom op zijn zomen, zetten, en gouden belletjes overal daartussen: telkens een gouden belletje en een gra-naatappel, rondom op de zomen van het opperkleed.

Liffy glimlachte.

En het heeft een bijzondere betekenis voor mij die me hoop geeft zo-dat ik door kan gaan, ongeacht hoe duister de weg is.

Zou je me deelgenoot kunnen maken van die bijzondere betekenis, Liffy? Zou je me kunnen vertellen wat een gouden belletje betekent in deze wereld? En een granaatappel?

Liffy sloeg zijn ogen neer.

Ik bén ze, fluisterde hij. Ik ben allebei tegelijkertijd. En jij bent ze ook, en elk menselijk wezen is ze. Want wij zijn vreemde en wonderbaarlijke schepselen en de geluiden in onze ziel zijn helder en galmen rond als de klank van een gouden bel. En toch is de smaak die wij proeven altijd de stoffige aarde, de zoete stoffige smaak van de granaatappel vol van zaden in de hete zon.

Liffy keek op. Hij glimlachte.

Dus je zult begrijpen dat ik ook weer niet zoveel heb gedoold, en evenmin heb ik te veel rollen gespeeld. Het leven is een geweldig geschenk en hoe meer we ervanaf weten, hoe rijker we zijn. Hoe meer wij weten van zijn stof en al evenzeer van het luiden van zijn bel. Die twee altijd samen, onafscheidelijk in onze harten.

Opeens ging Liffy rechtop zitten en lachte, waarbij hij twee volmaakte rijen stralend witte tanden deed schitteren. Toen schoten zijn vingers voor zijn mond heen en weer, liet hij zijn schouders hangen en plotsklaps was hij een ineengekrompen mannetje, tandeloos en afgetobd. Hij hield het kunstgebit dat hij uit zijn mond had genomen omhoog en keek ernaar en klapte het open en dicht als een poppenspeler met zijn pop.

Omhoog ging het bovengebit. Gelach.

Omlaag ging het ondergebit. Rampspoed.

Hij stopte het gebit weer in zijn mond en keek Joe aan.

Tanden, zei hij. Ze zijn vals. Een tijdje geleden heb ik een theorie ontwikkeld om mijn toestand te verklaren, die ik voor mezelf altijd *De Eerste Wet van Liffy* noem en die luidt: *Een goed gebit duidt op stompzinnigheid.* Kijk maar eens stiekem om je heen, dan zie je dat ik gelijk heb, hoewel het ook waar is dat we ons uiterste best doen om onszelf te rechtvaardigen. Dat is niet meer dan natuurlijk, in aanmerking genomen dat we allemaal iemands kind zijn. Zelfs de wijste oude man op aarde is, tenminste in zijn gedachten, nog steeds iemands kleine zoon. Maar dat is allemaal mijn probleem niet. Ik ben wijs noch oud en mijn probleem is basaler.

Jij bent praktisch, Liffy.

Nee, niet echt, zoals je snel genoeg zult ontdekken. Ik begrijp de praktische kanten van de dingen, maar die hebben me nooit aangesproken. Eigenlijk kom ik, wanneer ik mezelf naga, tot de conclusie dat fantasie meer voor me heeft betekend dan feitenkennis. En dat is in zijn geheel een citaat. Weet je wie dat heeft gezegd?

De een of andere dromer?

Ja, Einstein. En weet je ook dat Cynthia tegenwoordig niet meer met me wil slapen? Ze is uit haar hum omdat ik haar problemen met Bletchley heb bezorgd.

Het spijt me dat te horen.

Ach, ze komt er wel overheen. Haar enige probleem lijkt te zijn dat ze het Midden-Oosten romantisch vindt en dus wil dat ik steeds weer iemand anders ben als ik bij haar op bezoek kom. De ene avond moet ik een lange slanke Bombay Lansier zijn die de Khyberpas bestormt, een wellustige bruine kerel die zijn laarzen nooit uittrekt. De volgende avond moet ik weer een kleine glibberige sjeik zijn die, verzot op zijn hazewind, op het tapijt rollebolt.

Liffy fronste zijn voorhoofd toen zijn stemming omsloeg.

Romantiek? Verbeeldingskracht? Maar is dat niet altijd hét menselijke enigma geweest? Is alles van begin af aan ooit zo circulair en contradictoir geweest? Het schiet van ongehoord naar onschuldig, van Einstein naar Cynthia en zo rond naar de gruwelen die Zarathoestra, helaas voor ons allen, aldus ook sprak.

Liffy kreunde.

Jazeker. Ik heb het nu over de laagste van de laagste, de Duitse *Uebermensch*. Voor de oorlog raakten de Duitsers in vervoering bij de gedachte aan een modderkuil gevuld met gespierde blote blonde vrouwen, die genadeloos met elkaar worstelen. Nadat de gebruikelijke namiddagverpozingen in de gewesten voorbij waren was dat vaak de speciale voorstelling die tegen een verhoogd tarief achter de schermen werd opgevoerd. Een discrete zij-ingang voor paren, dames alleen vrij toegang. De modder vloog in het rond en het slijk droop eraf en blote kreunende vrouwen zonken weg in primordiale smurrie, begeleid door Bach en Mozart, het fonografische kabaal met een dramatisch uitstapje naar Wagner en gelegenheidsbenoemingen tot *Panzergruppenführer* voor degenen die het luidst kreunden, nadat het een van de oprijzende strijdsters was gelukt alle andere hoofden onder de modder te verpletteren... Pure verrukking en meer. Ja.

Liffy verslikte zich en hapte pijnlijk hijgend naar adem.

De waarheid brengt me altijd een beetje van de kook, zei hij raspend. En is je opgevallen dat Rommel in burger net een of ander straatschoffie lijkt? Zo'n korzelig Zwabisch ventje met chagrijnige tronie en zijn vilten hoed op zijn test geplant? En hij wordt geacht de *goede* Duitse ge-

neraal te zijn. Nou, als hij dan zo goed is, waarom is hij voor de oorlog
dan bevelhebber van Hitlers persoonlijke hoofdkwartier geworden? Hij
moet zich toch geliefd hebben gemaakt, lijkt je niet? En Hitler moet een
hoge pet van hem hebben opgehad, wat heel wat meer zegt over onze
Woestijnvos dan welk rondgedraaf door een Afrikaanse woestijn ooit zal
zeggen... In een goed blaadje bij Hitler? Noemen ze dat *goed*?

Liffy greep naar zijn keel. Even leek hij niet in staat te ademen.

En ik kan me ook voorstellen dat ik in de ogen van iemand uit de
Nieuwe Wereld een tikkeltje overgevoelig lijk te reageren op de beelden
die onwillekeurig voor mijn ogen opdoemen bij het horen van het simpele Duitse woord Panzergruppenführer. Nu ja, dan kan ik alleen zeggen dat het veel erger is dan je denkt. Veel erger. Eerlijk gezegd is het
woord me een afgrijselijke nachtmerrie en je zou net zo goed *kozak* in
mijn oor kunnen brullen. Het ene woord roept dezelfde oerduisternis
in me wakker als het andere...

Liffy huiverde, alsof hij een bepaalde stemming van zich afschudde.

Naarmate de nacht vorderde en het gesprek in de kleine kamer van Hotel Babylon voortging, werden er meer flessen van Rommels wijn open-
getrokken, waarbij Liffy meer te weten kwam over Joe en zijn belangstelling voor Stern en Joe meer te weten kwam over Achmed en Bletchley
en de Britse inlichtingendiensteenheden die bekendstonden als de Monniken en de Waterjongens, de een met haar hoofdkwartier in de woestijn, de ander in de Irrigatiewerken in Caïro zelf.

Natuurlijk wist Liffy dat Joe door de Monniken naar Caïro was gehaald, daar Bletchley een Monnik was. En hij stond ook op goede voet
met Stern, zoveel werd duidelijk, hoewel hij beroepsmatig geen banden
had met Stern en bijna niets wist van Sterns bezigheden.

We hebben elkaar op het werk ontmoet, zei Liffy, maar daardoor zijn
we nog geen vrienden en we praten nooit over het werk. Wie zou dat
willen, nu er een oorlog woedt? Doorgaans zitten we alleen maar in een
of andere schaars verlichte Arabische kroeg te kletsen.

Waarover praten jullie zoal? vroeg Joe.

Ach, lege treinstations, het leven 's nachts, Europa voor de oorlog.
Stern heeft toen hij jong was in Europa gestudeerd en mijn persiflages
vallen bij hem in de smaak. Ze wekken zijn lachlust op, tenminste dat
deden ze. Tegenwoordig is er maar weinig dat hem aan het lachen brengt.

Heb je toevallig nog andere vrienden van hem ontmoet?

Tja, zo heb je Maud, de Amerikaanse vrouw die voor de Waterjongens werkt. Als vertaalster, meen ik, niet in het veld. Ik heb haar een enkele maal in zijn gezelschap ontmoet. En dan is er natuurlijk Achmed, die vroeger zijn vriend was. Maar je weet hoe het tegenwoordig gesteld is, Joe. De mensen hebben de neiging de verschillende kanten van hun leven gescheiden te houden, en dat heel stringent.

Joe knikte. Maar hoe zit het met die Monniken en die Waterjongens, Liffy? Wat kun je me over hen vertellen?

Liffy's lippen bewogen geluidloos terwijl hij knabbelend en kauwend nadacht.

Ach, ze hebben uiteraard andere interessegebieden maar die gebieden lijken niets met geografie van doen te hebben. Het is meer een kwestie van soorten geheime informatie waarmee ze zich bezighouden, of met de niveaus, zou ik kunnen zeggen, denk ik. De dingen die de Monniken doen lijken altijd verholener en ze houden op fanatieke wijze alles wat zij uitspoken geheim. Zij nemen wel degelijk dingen aan van de Waterjongens, zoals gegevens en steun en zo meer, maar andersom nooit. De Monniken zorgen er altijd voor aan de periferie der dingen te blijven.

Wedijveren die twee groepen met elkaar?

Liffy schudde zijn hoofd.

Dat kun je eigenlijk niet zo zeggen. Ik neem aan dat er bij hun operaties soms sprake is van enige overlapping, dat kan niet anders. Maar uiteindelijk dienen zij andere doelen, opnieuw die belangstellingsniveaus. Hoe dieper je graaft, hoe waarschijnlijker het is dat je merkt dat de Monniken er iets mee te maken hebben en niet de Waterjongens. De formelere aspecten van de zaak, daar houden de Waterjongens zich mee bezig. En de Monniken... tja, wat meer, maar ik kan onmogelijk precies zeggen wat... Tussen haakjes, uit pure nieuwsgierigheid ben ik nagegaan of de Waterjongens iets van jou afweten en dat is niet het geval. Ze hebben zelfs nog nooit van je gehoord.

Nee? Maar waarom zouden de Waterjongens jou zoiets aan je neus hangen, ongeacht of het waar is of niet?

Liffy glimlachte.

O, dat zouden ze niet, dus heb ik niet eens de moeite genomen het hun te vragen. Er is een archiefambtenaar in de nachtdienst met wie ik bevriend ben en... nou ja, en van die dingen.

Aha. En Stern? Bij welke groep zit hij?

Liffy weifelde. Hij fronste zijn wenkbrauwen.

Stern is in vele opzichten een uitzondering, weet je? Hij schijnt voor zowel de Monniken als voor de Waterjongens veel werk te hebben verzet dat zo gevaarlijk is dat ik er niet eens aan moet denken. Maar zie je, Joe, ik weet zeker dat je inmiddels wel beseft hoe weinig ik van die dingen begrijp. Zoals ik je al zei ben ik hier niet meer dan een rekwisiet en werk ik uitsluitend in de periferie, trouwens, wie weet wat te denken van lieden die zich Monniken of Waterjongens noemen? Tegenwoordig schieten hier inlichtingendiensten uit de grond zoals vroeger ooit religies. Eigenlijk ga je je soms afvragen of dit niet onze moderne aanpak is, hoewel God weet dat ik er beslist de voorkeur aan geef te denken dat het Klooster daar diep in de woestijn een oorlogsaberratie is en geen permanent geval.

Je spreekt op een vreemde manier over de Monniken, Liffy.

Ach, het is ook een vreemd slag en Bletchley met zijn barse zaken-zijn-zakenaanpak is nog maar het begin. Een van de excentriekere opdrachten die ik voor de Monniken heb uitgevoerd is me 's nachts op ritjes laten trakteren naar de piramiden, waarbij Bletchey voorin de rol van zwijgende chauffeur speelde, terwijl een vreemdeling naast mij achterin zat en ondoorgrondelijke taal uitsloeg, terwijl ik met een sigarettenkoker zit te spelen en zo nu en dan een van te voren afgesproken vraag stel die ik niet begrijp... Kom nou, Joe. Een zakelijke cycloop die gewoon geniet van een nachtelijk ritje achter het stuur van een auto en een glimp van de Sfinx bij maanlicht? Betreft het hier de spionagebranche of de een of andere mythologische bijeenkomst of beide? Maar als je Bletchley al vreemd vindt, wacht dan maar tot je Whatley hebt ontmoet.

Wie is dat? De laatste schakel van de keten. De man die de scepter zwaait in dat verre genadeloze godvergeten gat. De abt, zou je hem moeten noemen, vermoed ik. Of simpelweg Monseigneur. Dat schijnt hij prettig te vinden. En hij is pas echt een vreemde snoeshaan. En hij heeft pas echt rare trekjes. Ik weet dat het inherent aan de mens is om zich tegen de laatste oorlog af te zetten, dat gisteren gemakkelijker te begrijpen is dan vandaag, maar Whatley lijkt het te overdrijven. Hij is excessief in zijn obsessies, weet je. Zozeer dat ik me wel eens afvraag of hij wel weet in welke eeuw we leven. Natuurlijk wordt iedereen op het verkeerde moment in het verkeerde tijdsgewricht geboren en het is al even evident dat waanzin niet veroudert maar gewoon van alle tijden is. Maar evengoed zie je vreemde dingen in de binnenste cellen van het Klooster, kwaadaardige dingen, wellicht. Het leven dat wordt geleefd en voortwoekert, maar leeft en voortwoekert op een verkeerde manier, en er op de een of andere manier misvormd, destructief uit tevoorschijn komt...

Liffy's stem stierf weg.

Of zo klonk het tenminste in Joe's oren toen Liffy zijn akelige angst-visioenen van het Klooster vertelde. Toen vertroebelde Joe's geest en zonk hij langzaam weg in de onbehaaglijke schaduw van een rusteloze slaap.

6 Sfinx

Toen Joe op zijn horloge keek was het al laat, nauwelijks een uur of twee voordat de zon opkwam. Hij realiseerde zich dat hij in de stoel aan tafel moest zijn ingedommeld, maar had geen flauw idee hoe lang hij had geslapen. Liffy lag nog steeds uitgestrekt op Joe's smalle brits zachtjes te hijgen. Joe wierp een blik op de tafel die bezaaid was met lege wijnflessen en kippenbotjes en fronste zijn wenkbrauwen. Liffy sloeg hem bezorgd gade.

Weer wakker? En voel je je goed? In het geheel niet koortsig? Je leek vannacht, toen ik een beknopte schets gaf van de geschiedenis van de wereld, een strijd te voeren met jezelf.

Eigenlijk voel ik me niet al te best, zei Joe, behoedzaam, met zijn hoofd in zijn handen vooruitschuivend.

Alleszins begrijpelijk, mompelde Liffy. Een beknopte geschiedenis van de wereld zou op iedereen die uitwerking hebben. Niets is verontrustender dan de herinnering. En ik weet precies hoe je je vanochtend moet voelen want ik weet precies hoe ik me voelde toen ik voor de eerste maal in deze wereld ontwaakte. Toen ik werd geboren, bedoel ik. Maar weinig mensen beschikken over een geheugen dat zo ver teruggaat, maar het mijne doet dat.

Joe kreunde en klemde zijn hoofd steviger vast.

En hoe voelde ik me op dat moment? vroeg Liffy. Verontwaardigd. Ontzet. Volkomen verbijsterd over wat in het verschiet lag, nu ik was verbannen uit mijn tropische zilte Eden, uit die warme en vloeibare en ritmische schoot waarin ik me gelukkig en geborgen had gevoeld. En let wel, ik was nog maar luttele seconden oud, niet meer dan een nietig roodrauw bundeltje bibberende impressies. En toen opeens tilde die reusachtige gestalte in het wit, die natuurlijk een masker droeg, me hoog in de lucht en sloeg me *gemeen* op mijn billetjes. *Pats*, zonder pardon. En krijsend kwam ik ter wereld, ik *krijste* het gewoon uit,

Joe. En op dat moment begreep ik gewoon alles, en ik zei tegen mezelf:

Kolere, maak nu je borst maar nat.

Plotseling schoot Liffy uiterst vief overeind.

Nou? Had ik dat goed gezien of niet soms? Het was een van die zeldzame gevallen waarin een man het van begin af aan bij het rechte eind heeft. Van het *allereerste* begin af aan.

Liffy lachte en fronste vervolgens zijn voorhoofd.

Maar hoe voel *jij* je vanochtend, Joe? Onze lichamen zijn per slot van rekening slechts minderwaardige pantsers van de ziel... En waarom heb je die muts op?

Welke muts?

Dat verschoten roodwollen geval. Je Ierse vermomming. Je lijkt net de een of andere uitgeteerde elf die dringend om een aalmoes verlegen zit.

Ik zei je toch al dat ik me niet lekker voelde, mopperde Joe.

Dan moeten we hier onmiddellijk wegwezen, zei Liffy terwijl hij opstond. De dageraad is op handen boven Egypte, dus waarom zou een blik op de piramiden bij zonsopgang niet precies zijn wat we nodig hebben? Kom op, Joe, waarom niet? Tenminste frisse lucht, en maken wij alles bij elkaar genomen niet deel uit van een ras van onversaagde jagers? Stoutmoedige avonturiers voorbestemd om te speuren en kennis te vergaren?

Joe hoestte een kleverige fluim op maar zijn geest bleef troebel. Liffy snoof.

Natuurlijk maken we dat, Joe, spreek me niet tegen. Avontuur is alles voor mannen zoals wij. Het zit ons in het bloed, samen met het kippenvet en het ranzige residu van Rommels wijnen. Denk eens aan mijn clandestiene orders, de echte geheime orders die ik kreeg toen ik als spion vanuit Londen hierheen werd gestuurd. Heb ik je niet verteld hoe die luidden?

Nee, mompelde Joe. Hoe luidden die?

Oostwaarts, mijn zoon, immer oostwaarts.

Echt waar?

Juist. En na die algemene inleiding kwamen ze met de details.

A. *Ja, mijn zoon, wij hebben een ontspannen reis voor je in petto, dus wees stil, kijk en luister.*

B. *Meng je tussen de bevolking, eet de plaatselijke kost.*
C. *Houd je op in openbare ruimten en knoop de plaatselijke aforismen goed in je oren.*
D. *Hoed zelf een geit of twee als je daar de tijd voor hebt.*
E. *Maar reis bovenal immer oostwaarts, want dit zijn je orders voor het leven, mijn zoon. In ieder geval voorlopig.*
F. *Veel succes.*
G. *Goede reis.*

Liffy lachte.

Een tikkeltje vaag, wellicht, maar niet vager dan de meeste dingen die met spionage van doen hebben. Eigenlijk zou het me niet verbazen als jouw orders heimelijk dezelfde zijn, dus kom maar mee. Kom.

Liffy hielp Joe overeind en nam hem zijn muts af. Voorzichtig loodste hij Joe, onderwijl voortdurend op geruststellende toon prevelend, in de richting van de deur.

Frisse lucht, ja, ik weet hoe je je voelt... je moet weg uit deze kamer en uit Hotel Babylon in het algemeen, dat helaas heel weinig is veranderd sinds de tijd dat een detachement van Napoleons Kamelenkorps hier bivakkeerde... Achmed heeft me erover verteld. Naar het schijnt was er in de lobby een plaquette die herinnerde aan die gebeurtenis... *Napoleons kamelen sliepen hier. Met hun ogen open...* Natuurlijk Joe, zo'n soort plek is het. Kom nu maar mee...

Liffy deed de deur achter hen op slot.

Kalmpjes aan, fluisterde hij. In deze wijk heeft de duisternis oren en in onze hoedanigheid als spionnen dienen we ons geluidloos te verplaatsen.

Ze liepen op hun tenen de trap af en de pianola op de begane grond kwam in zicht. Achmed was zittend op zijn hoge kruk achter de toonbank in slaap gevallen met zijn hoofd rustend op een opengeslagen krant. Naast zijn elleboog lag een aantal ronde sesamwafels, klaarblijkelijk overgebleven van zijn twaalfuurtje. Liffy graaide ze bij elkaar.

Noodrantsoenen voor de ochtendpatrouille, zei hij op fluistertoon. Het thuisfront zit gebeiteld. Maar is je nooit opgevallen dat alle spionnen in Caïro altijd kranten lezen als ze zitten te wachten op hun volgende geheime actie?

Terwijl ze fluisterden boog Liffy zich demonstratief over de toonbank om Joe's sleutel op te hangen. Maar op een bepaald moment stak hij plotseling zijn hand onder de toonbank en pakte iets, dat hij vervolgens achter zijn rug verborg. En niet al te bedreven, dacht Joe.

Ze liepen op hun tenen naar de buitendeur.

Ik dacht dat iedereen in Caïro nooit iets anders deed dan kranten lezen? vroeg Joe op fluistertoon.

Dat klopt, dat doen ze ook niet, maar dat is alleen omdat iedereen in Caïro een spion is. Hier heeft men geen keuze. Spioneren en bespioneerd worden – dat is het ware geheim van de piramiden.

Ze liepen op hun tenen door de open deur de duisternis in en door de Rue Clapsius.

Wat we vanochtend overduidelijk nodig hebben, fluisterde Liffy, is een spectaculaire doorbraak. Ik ga nu de bestelwagen halen en jij slaat bij de volgende hoek linksaf en loopt je neus achterna tot aan een pleintje waar zich een fragment van een Romeinse fontein bevindt, een gepijnigd marmeren gelaat met een van schrik vertrokken mond die water spuwt. Je kunt haar niet missen en dan heb je meteen de gelegenheid je eventjes op te frissen. Ik zie je daar.

Liffy ging er op een drafje vandoor, met een lange, kokervormige leren tas en iets wat op een bundeltje wasgoed leek onder zijn arm.

Die dingen moest hij onder Achmeds toonbank hebben achtergelaten toen hij gisteravond langskwam, dacht Joe, zich afvragend waarom Liffy de moeite had genomen ze zo halfslachtig achter zijn rug verborgen te houden.

Door een bovenraam in het vervallen gebouw aan het einde van de steeg dat toebehoorde aan de voormalige buikdanseres die nu kippen braadde om in haar levensonderhoud te voorzien, legde een jongeman zijn krant terzijde en draaide een telefoonnnummer.

Ze hebben het hotel verlaten, zei hij op fluistertoon. Alleen zij tweeën.

De jongeman miste het merendeel van zijn vingers. Hij luisterde aandachtig.

Goed, fluisterde hij. Ja... ik zal er zijn.

Hij legde de hoorn op de haak en glimlachte.

En dan nu een onvervalst, ouderwets Engels ontbijt, dacht hij en hij bonkte tweemaal op de vloer zodat de vrouw beneden hem zou horen.

Joe vond het pleintje en waste, nog steeds niet in staat het warrige gevoel in zijn geest van zich af te schudden, zijn gezicht en handen. Hij stond tegenover de kleine Romeinse fontein en keek verslagen naar het verweerde marmeren gelaat en vroeg zich af waar Liffy bleef, toen er plotseling een ijzingwekkende kreet achter hem opklonk. Hij draaide zich met een ruk om.

Een reusachtig paard met een lijkbleke berijder stormde in wilde galop uit de schaduw tevoorschijn, het pleintje op. De ruiter was een vervaarlijk uitziende bedoeïen, rechtstreeks uit de onmetelijke diepten van de woestijn, zijn grote zwaard van Allah hooggeheven terwijl hij onbesuisd door de donkere steeg op Joe af snelde. De onder een capuchon schuilgaande bedoeïen maakte zich klein toen het dier een sprong maakte, met zijn hoeven de keien ranselde en in het schemerduister onbeheersbaar steigerde, geweldig en vurig onder de ruisende gewaden van de ruiter.

God sta ons bij, dacht Joe, ineengedoken op het pleintje, zonder zijn blik te durven afwenden van de monsterlijke verschijning, uit vrees onder de voet te worden gelopen of in tweeën te worden gehakt door het wild om zich heen houwende zwaard van de demon. Het beest ging op zijn achterste benen staan en viel opnieuw aan, roekeloos bokkend terwijl de bedoeïen zijn rijdier met zweepslagen tot nog grotere razernij bracht, waarbij zijn manen wapperden en de vonken eraf vlogen en paard en ruiter omhoogschoten en de lucht bezwangerden met de stank van koud zweet.

Joe wierp zich op zijn zij toen een vochtige ademstoot zijn hoofd rakelings miste. Hij gleed uit, sloeg met één knie tegen de keien, wist zich op het laatste ogenblik te herstellen en keerde zich, trekkebenend, strompelend en rennend, met het gruwelijke beeld van het gezicht van de ruiter boven hem uit torenend, naar een muur.

... grimmige onaandoenlijke gelaatstrekken en een ziekelijke gelaatskleur in het spookachtige licht. Een haviksneus en diep verzonken glinsterende ogen en wrede verwrongen lippen. Een maniakaal primitief gezicht uit de een of andere verloren wildernis.

De Dood, dacht Joe, een beeld dat onwillekeurig door zijn hoofd schoot. *De ruiter is de Dood en ontsnappen is uitgesloten.*

Hij stond tegen een muur geperst en bewoog zich zijdelings, koortsachtig tastend naar een portiek, beschutting, wat dan ook. Hij voelde een nis in de muur, glipte erin en kromp achterwaarts ineen, terwijl hij met alle kracht tegen de steen duwde.

Maar zodra Joe de veiligheid van het portiek had gevonden, begonnen hem bepaalde dingen op te vallen.

Zo leek de reusachtige glanzende hengst merkwaardig knokige knieën te hebben. En hij had een hangbuik en een holle rug en over zijn hoeven verspreid hingen dikke kluiten samengeklit haar.

En bovendien droeg het enorme beest een zware houten halster van het soort dat wordt gebruikt om ordinaire werkpaarden mee te belasten. En aan die halster hingen stukken oud touw die eruitzagen alsof ze kort tevoren nog met een wagen verbonden waren geweest.

Joe zette grote ogen op.

In plaats van de onbesuisde bedoeïen die uit de schaduw tevoorschijn was gestormd, zag hij nu een angstige gestalte die zich wanhopig zo goed mogelijk vastklampte aan zijn afgetobde rijdier, een man die een en al ellebogen en knieën en doodsbange gilletjes was toen hij zich ronddarrend op zijn oude knol vastklampte, waarbij zijn hoge positie zo precair was dat hij zich aan het hoofd van het paard moest vastklampen en een oude lap tegen de neusgaten van het arme dier moest persen.

Zelfs het lange indrukwekkende zwaard was niet meer wat het aanvankelijk leek. Eigenlijk was het geen zwaard maar een lange buis van dof metaal die ongevaarlijk heen en weer bungelde en duidelijk meer diende om het evenwicht te bewaren dan ergens anders voor.

Hoe dan ook, de vertoning was abrupt voorbij, de vreemde illusie even snel verdwenen als zij zich in de schaduwen van het pleintje had gemanifesteerd. Kreunend verhief het uitgeputte werkpaard zich voor een laatste maal in de lucht en plofte vervolgens op de keien, waarbij zijn botten zwaar kraakten in de stilte en zijn benen het van de klap bijna begaven en de oude knol plotseling huiverde om vervolgens onbeweeglijk, met hangend hoofd, een toonbeeld van afgemat en grenzeloos futloos vlees, te blijven staan.

Vlak voordat het paard landde, sprong Liffy eraf. Hij schoof zijn capuchon naar achteren en grijnsde.

Looppas, fluisterde hij. Deze kant op.

Een ogenblik later renden ze door een steeg. Terwijl Liffy hem meetrok, keek Joe om en zag het enorme oude werkpaard alleen op het pleintje staan, met zijn hangbuik en zijn zwiepende staart en zijn neus gevlijd tegen het geschrokken marmeren gelaat van de kleine Romeinse fontein. Liffy pufte vrolijk.

Dat hadden we nodig om op gang te komen, fluisterde hij. Snel, deze kant op.

Waarom rennen we?' vroeg Joe.

Liffy minderde vaart tot een drafje.

Daar is eigenlijk geen reden voor. Dat maakt het wat spectaculairder.

Maar wat had dat allemaal te betekenen?

Liffy nieste. Hij glimlachte.

Drama, fluisterde hij. Het onontkoombare drama van het leven. Ik vond dat we een stimulerende gebeurtenis behoefden om ons vanochtend op gang te brengen.

Stimulerend? Je hebt me zowat een beroerte bezorgd.

Liffy lachte.

Ja, ik heb je flink de stuipen op het lijf gejaagd hè, ik kon het aan je gezicht zien. Heel even moet je hebben gedacht dat het noodlot uit de woestijn was binnen komen rijden om je een bezoekje te brengen.

Joe trok aan Liffy's arm en vertraagde hem tot een stapvoetse gang.

En niet louter en alleen het noodlot, Liffy.

Nee?

Plotseling nieuwsgierig bleef Liffy stilstaan. Hij keek Joe aan.

En ik zag, mompelde hij, en zie een vaal paard en die daarop zat, zijn naam was Dood.

Liffy raakte Joe's borst aan.

Maar zie je nu hoe het eraan toegaat? Je moet behoedzaam zijn, Joe. De woestijn is hier nooit veraf, en zelfs het oude Caïro kan een gevaarlijk oord zijn. En misschien zelfs Hotel Babylon, als jij daar de enige gast bent.

Joe keek hem aan.

Is dat waar? Logeert er behalve ik niemand anders?

Niemand, zei Liffy. Sterker nog, er heeft al een aantal maanden niemand meer gelogeerd. Vraag maar aan Achmed.

Maar waarom?

Wie zal het zeggen, Joe? Misschien was het verdoemd of vergeten door bepaalde duistere geheime krachten... totdat jij ten tonele verscheen. Misschien gaat er veel meer schuil achter Bletchleys potplanten dan wij vermoeden.

Liffy knikte. Hij glimlachte.

Maar voorlopig hebben we onze buik vol van Hotel Babylon. De kwestie is dat de klassieke wereld nog steeds bestaat en de truc werkt. Het heeft me wat tijd gekost om een onbeheerde oude knol te vinden, daarom duurde het zo lang. Hij stond gewoon aan een kar gebonden in een nare steeg met de zoveelste nare dag in het vooruitzicht, oud en afgeleefd en denkend dat hij het allemaal wel gezien had, en opeens had hij de ervaring van zijn leven toen wij er samen als de wind vandoor gingen. Als de *wind*, Joe, ik kon het voelen. De wonderen zijn de wereld nog niet uit.

Joe glimlachte.

Ik denk niet dat ze dat ooit zullen zijn, Liffy, niet zolang jij in de buurt bent. Maar wat heb je met dat oude werkpaard gedaan om het zo gek te krijgen?

Ik heb het alleen maar herinnerd aan de geneugten van het leven, antwoordde Liffy.

Hoe?

Door het een dag uit het leven van Alexander de Grote in herinnering te brengen.

Wat?

Ja. Die lap die ik tegen de neus van de oude heer heb gedrukt is eigenlijk een voetnoot uit de geschiedenis. Je zoekt een tochtige merrie en verwerft je haar geur, en als dat tovermiddel onder de neus van een hengst wordt gehouden, zelfs als het zo'n oude afgeleefde knol als deze is, zal zijn bloed gaan bruisen en is hij plotsklaps weer een stampend, steigerend veulen dat van vervoering buiten zinnen is. Het dier kan er niets aan doen, weet je, niet als je het vlak onder zijn neus houdt. Seks, noemen ze dat.

Heeft Alexander dat dan met een paard gedaan? vroeg Joe.

Hij of één van zijn vazallen, en je ziet hoe goed het werkt. De geur schijnt een aantal dagen goed te blijven en dat is heel best mogelijk. Uitgekookt, die klassieken. Die waren zo nu en dan behoorlijk bij de tijd en zijn aardig wat te weten gekomen. Waaronder ook het feit dat het allemaal tussen de oren zit, zoals we al vaak vermoedden. Seks, bedoel ik.

Liffy neuriede, floot en nieste.

Denk je dat Cynthia geschokt zal zijn als ik haar hiervan vertel? Volgens mij doet ze alsof ze geschokt is terwijl ze heimelijk genoegen schept in het hele idee. En wie weet waar het later op de avond toe kan leiden, want wie weet welke wellust er op de loer ligt in de geesten van vrouwen? Of wie weet wat er überhaupt in iemands geest op de loer ligt? Of...

Joe glimlachte. Liffy gooide zijn hoofd in zijn nek en speurde de hemel af.

Waar heb ik onze geheime bestelwagen ook weer gelaten? Onze volkomen onopvallende Achmedmobiel?

Hij lachte en ze gingen weer op weg.

O, ik weet het alweer, het is net als met al het overige in deze wereld. We zijn er nog niet maar we komen er wel.

Na kriskras door nog wat stegen te hebben gelopen kwamen ze uiteindelijk aan bij de kleine bestelbus met op de zijkanten de opvallende tekst ACHMEDS VETTE VIS & LEVANTIJNSE FRIET. Voordat ze instapten borg Liffy zijn voormalige zwaard, een lange en inschuifbare verrekijker, op in zijn leren foedraal.

Van Achmed, zei hij. Die heeft hij altijd paraat onder de toonbank, voor het geval hij het gevoel heeft dat hij een bijzonder doordringende blik op het verleden moet werpen. Ik kon hem niet zeggen dat ik hem meenam zonder hem wakker te maken, maar dat vindt hij niet erg. Hij gebruikt hem uitsluitend 's nachts... Zaterdagsnachts, geloof ik.

Liffy keek naar het bundeltje kleren onder zijn arm. Hij glimlachte.

De bedoeïenenmantel houd ik nog een dagje bij me, maar ik denk dat ik vanochtend maar eens voor God speel en deze van hemelse geuren doordrenkte toverlap hier op de vensterbank achterlaat. En mocht er vandaag toevallig een afgeleefd werkpaard passeren, en mocht die doorgezakte oude knol toevallig zijn vermoeide hoofd op het juiste ogenblik opheffen en een zweem van deze Alexandrijnse lap opsnuiven, dan zal hij worden beloond met muziek die zijn stoutste dromen te boven gaat. Want het bloed van de oude knol zal plotseling gaan bruisen en hij zal zich overgeven aan de hartstochtelijke bokkensprongen van zijn jeugd, en zijn eigenaar zal perplex staan en iedereen zal perplex staan en de hele buurt zal bijeenkomen *om te aanschouwen*, zoals men placht te zeggen.

Toen bleef Liffy ernstig stilstaan en keek Joe, met zijn hand hoog geheven, aan.

En zo stond het geschreven, zullen de buren, met een glinstering en een twinkeling in alle ogen en de glorie van goddelijke genade over zich, tegen elkander zeggen. Want indien een uitgeput oud werkpaard plotseling een steigerend, speels veulen kan worden, wagen wij ons dan voor te stellen wat dat voor de rest van ons moet betekenen?

En zo stond het geschreven, zullen zij zeggen. En het woord zal van deze plaats voortgaan en overal in het land goed nieuws zijn en grote vreugde brengen bij allen die het horen, als van een gouden bel. Want er zijn wonderen in de wereld, zullen zij zeggen, die alle begrip te boven gaan. En deze wonderen overkomen hen die hun blikken van de keistenen opheffen naar de hemelen om in hun harten naar de duisternis en het licht te speuren...

Liffy glimlachte beschroomd. Hij liet zijn arm zakken en knikte.

En ik *weet* dat het zo geschreven moet staan, Joe, want er doen zich voortdurend wonderen voor, *echt waar*. De kwestie is alleen dat we omhoog moeten kijken om naar ze te zoeken. En dat doen we meestal niet omdat we zwak en bang zijn, maar als we het doen...

Liffy bleef glimlachen en knikken.

Tja, een intermezzo dus tijdens de ochtendpatrouille. Maar zou het niet heerlijk zijn als we vanochtend getuige konden zijn van een klein wonder? Vooral een mirakel waar iemand bij betrokken is die het verdient? Iemand als Stern...?

De motor van het bestelbusje sloeg met een zacht geronk aan.

Minder kabaal dan toen we van het vliegveld wegreden, zei Joe.

Toen was de geluiddemper eraf, antwoordde Liffy, dat is soms heel handig als het verkeer vast staat. Je hoeft maar een schakelaartje over te halen en onze Egyptische vrienden denken dat Rommels tanks door het Achtste Legerkorps zijn heen gebroken en Caïro binnen denderen. Ogenblikkelijk maakt het verkeer ruim baan en ik daver er dwars tussendoor terwijl ik van alle kanten word toegezwaaid en toegejuicht. Dat montert je best een beetje op totdat je je realiseert waarom ze juichen. Daar gaan we dan.

Ze reden door de smalle straten van het Koptische Kwartier, voorbij door paarden getrokken wagens en mannen die gebukt gingen onder ladingen zakken en fruit. De lucht was fris en koel. Hier en daar opende een café zijn deuren.

Het mooiste moment van de dag, eigenlijk, zei Liffy. De hitte en de corruptie zijn nog niet neergedaald en de geest heeft nog geen tijd gehad om ontzet te zijn over wat in het verschiet ligt. Heb je koffie nodig of kun je wachten?

Ik kan wachten. Waar gaan we naartoe?

Het is een verrassing, een geheime bestemming.

Liffy neuriede een variétédeuntje, een gewoonte die hij klaarblijkelijk gemeen had met Vivian. Joe keek, opnieuw verontrust door de troebele staat van zijn geest, uit het raam. Ze leken Caïro te verlaten en naar de woestijn te rijden, waar aan de einder een samenballing van licht te zien was. De weg maakte een bocht en Joe ving een glimp op van de piramiden die zich aftekenden tegen de schemerhemel.

Maakte je geen gebbetje? Gaan we echt naar de piramiden?

De ochtendpatrouille, mompelde Liffy. We koersen naar de dageraad van de Egyptische beschaving, en hoewel er vijfduizend jaren voorbij zijn gegaan sinds de piramiden werden gebouwd, wacht ons wellicht toch nog een verrassing. Dat hoop ik tenminste. Als we mazzel hebben...

Ze lagen op een zandhelling, de piramiden en de Sfinx in volle glorie voor hen, een dieprode gloed in het oosten boven de woestijn. Liffy overhandigde Joe de lange verrekijker.

Richt de kijker nu eens op de Sfinx, zei Liffy. Ben je zover?

Bijna.

Prachtig?

Schitterend. Het licht.

Ja. Kijk nu eens naar het rechteroog van de Sfinx en concentreer je daarop. Wat zie je?

Schaduwen, Liffy.

Mooi, blijf kijken. Schaduwen vooronderstellen onverwachte gedaanten en dat kan belangwekkend zijn.

Maar wat word ik geacht te zien?

Wie zal het zeggen. Dat vreemd uitziende mythische wezen met zijn menselijke hoofd en zijn dierlijke lichaam is, in tegenstelling tot de rest van ons, altijd een raadsel geweest. Blijf nou maar kijken.

Joe deed het en hij voelde het koele zand tegen zijn borst en snoof de frisse geur van de woestijn op, zijn gedachten ver van enige oorlog.

Nog niks? vroeg Liffy.

Meer licht.

Mooi. Daar kunnen we allemaal wel wat meer van gebruiken. Blijf gewoon kijken.

Joe tuurde ingespannen door de verrekijker. Heel even dacht hij iets in het rechteroog van de Sfinx te zien bewegen. Een flikkering, schaduwen, hij kon het niet met zekerheid zeggen. Misschien veroorzaakte de opkomende zon aan de horizon schaduwen die over de oude afgesleten stenen speelden.

Naast hem begon Liffy te fluisteren.

Weet je nog, gisteravond? Jij praatte honderduit over Stern en wat hij voor jou betekent en waarom je hierheen bent gekomen. Je zei ook dat je had gehoord van die vriend van Stern, de oude Menelik Ziwar, een egyptoloog uit de vorige eeuw. Je zei dat je verhalen over hem had gehoord toen je in Jeruzalem woonde. Maar wist je ook dat de oude Menelik tijd had gevonden om flink wat rond te scharrelen in het interieur van de Sfinx? Heeft iemand je daar ooit iets over gezegd?

Nee, zei Joe op fluistertoon, terwijl hij ingespannen door de verrekijker tuurde en steeds harder trachtte iets te onderscheiden, zonder te geloven wat daar scheen te gebeuren.

Nou, dat heeft hij wel degelijk, fluisterde Liffy. De oude Menelik besloot dat hij binnen wel een soort onderzoekje in wilde stellen, dus liet hij, beminnelijke oude mol die hij was, van buitenaf een tunneltje tot diep in de Sfinx graven. De ingang tot de tunnel is verborgen zoals hij dat altijd is geweest, en die voert naar een piepkleine uitkijkpost die de oude Menelik voor zichzelf midden in het raadsel zelf had ingericht... Wat zie je?

Er beweegt iets, fluisterde Joe.

In het rechteroog?

Ja.

Een steen die wordt weggehaald?

Het zou kunnen.

En nu.

Het lijkt of er een gezicht, een hoofd, verschijnt.

Waar?

Precies in het midden van het oog.

Op zijn rug naast Joe in het zand liggend staarde Liffy omhoog naar de hemel en zuchtte voldaan.

In de pupil van het oog, bedoel je?

Ja.

Het lijkt op een gezicht, zeg je, een hoofd? En het wordt de pupil van het rechteroog van de Sfinx? Nog steeds schimmig?

Ja.

Hebben die schaduwen een vorm die je kunt herkennen?

Nee, het is te ver weg. Te klein en te vaag.

Natuurlijk, de Sfinx is een raadsel. Kijk beter.

Joe deed het. Hij leunde op zijn ellebogen naar voren, hield zijn adem in en deed zijn uiterste best om door de verrekijker te turen. Opeens floot hij zachtjes.

Onmogelijk.

Naast hem sloot Liffy, met een gelukzalige glimlach op zijn gelaat, zijn ogen.

Maar het *is* hem echt, fluisterde Joe, ik herken hem. O, mijn God, het is *Stern. Stern...*

Aha, mompelde Liffy, hij was dus toch niet weg. Hij zit daar op zijn favoriete plekje naar de zonsopgang te kijken. Je kunt er niet altijd meer op rekenen, zegt Achmed, niet zoals de zaken er de laatste tijd voorstaan. Maar heel soms kun je hem daar aantreffen... Maar wat een uitzicht, hè, Joe? Iets wat de moeite waard is om naar uit te kijken en op te wachten en te hopen dat het zal gebeuren, onze eigenste Stern die bij zonsopgang door het oog van de Sfinx kijkt... en dat gebeurt de laatste tijd niet vaak meer, als je Achmed mag geloven, dus we boffen dat we Stern daar aantreffen... een ontzettende mazzel. Tenzij Stern wist dat je naar Caïro zou komen. Zou hij dat kunnen hebben geweten?

Nee, ik heb het hem niet verteld.

En Bletchley kan het hem niet hebben gezegd?

O nee.

Weet je het zeker?

Ja, absoluut zeker.

Liffy neuriede. Hij glimlachte.

Dan is het schitterend. Het is toeval, puur toeval en ik was degene die hem aan jou heeft mogen laten zien... Ach, de wonderen van het leven, de mirakelen. Soms voel ik me zo licht als een duif in de dageraad. *Ahhhhh...*

7 Klooster

Liffy was verbaasd toen Joe hem vertelde dat hij binnenkort overdag een afspraak had met Bletchley. Volgens Liffy stonden de Monniken er algemeen om bekend dat hun briefings en vergaderingen altijd 's nachts plaatsvonden.

Uitsluitend 's nachts, zei Liffy. Duisternis is de zee waarin ze zwemmen. Besef je wel dat ik in al die tijd dat ik hier ben het Klooster nog nooit overdag heb bezocht? Maar als Bletchley je echt op klaarlichte dag mee de woestijn in neemt om door Whatley te worden geïnstrueerd, hoef je tenminste niet naar die afschuwelijke films te kijken die ze daar vertonen.

Films? vroeg Joe, terwijl hij zichzelf nog wat gin inschonk. Ze zaten samen op de kleine vervallen binnenplaats achter Hotel Babylon, een omheind stukje grond bezaaid met puin en oude kranten en stapels antiek afval.

Over de gevaren van geslachtsziekten, zei Liffy. Dezelfde films die ze in Engeland aan jonge legerrekruten laten zien voor ze overzee worden gezonden. Ontbrekende neuzen... weggeteerde ogen... gaten in hoofden die nergens toe leiden. Verschrikkelijk gewoon. Als je 's nachts in het Klooster aankomt moet je in een van de kloostergangen eerst een paar van die films uitzitten voor je binnen wordt toegelaten. Akeligheid bij sterrenlicht, met andere woorden, om je in de juiste stemming te brengen voor je de zwarte ingewanden van het gebouw betreedt. Het is een soort ritueel dat ze daar buiten uitvoeren, en niet het enige naar ik heb horen verluiden... Niets dan zwartheid overal. *Walgelijk.*

Joe nipte van zijn gin en bedacht hoe diepgaand het louter noemen van het Klooster Liffy altijd in verwarring bracht, op een wijze die Liffy zelf niet scheen te kunnen verklaren.

Maar wat is het aan het Klooster dat jou zo overstuur maakt? vroeg Joe.

Liffy huiverde en sloeg zijn handen ineen, zijn vingers om elkaar kronkelend. Even staarde hij vol afschuw naar zijn vingers, alsof hun glijdende bewegingen zijn gevoelens weerspiegelden.

Maar dat is het nu juist, Joe. Ik weet het niet, ik *weet* het niet. Als je daar voor het eerst komt, lijkt alles heel normaal. Je kijkt om je heen en het is nét een oude vesting of een oud klooster of wat het dan ook mag wezen, dat door een inlichtingeneenheid tot hoofdkwartier is gebombardeerd. Gewoon een geheime plaats waar agenten, beladen met de alledaagse gruwelen van de oorlog in het duister komen en gaan. Maar op de een of andere manier is er meer aan de hand, een ziekte van de ziel, en na een poosje begin je het te merken.

Ach, kun je me een voorbeeld geven, Liffy? Iets specifieks dat je dat gevoel geeft.

Liffy wapperde met zijn handen in de lucht.

Neem die kaarten nou, bijvoorbeeld, die kopieën uit de vierde eeuw. Whatley heeft de muren van een van de cellen ermee vol hangen, naast hedendaagse kaarten van de door de Duitsers bezette gebieden van Europa en Noord-Afrika. En er hangt ook een in het oog springend exemplaar van de Geloofsbelijdenis van Athanasius, met symbolen in de kantlijn die corresponderen met symbolen op de landkaarten, zowel op de oude als op de moderne, alsof er een soort verband bestaat tussen die twee...

Plotseling begon Liffy te piepen en kostte het hem moeite adem te halen, dezelfde problemen die hij had als hij over de nazi's of over Duitsland sprak.

Wat bedoel je, Liffy? Een verband tussen wat en wat? Ik vrees dat ik je niet goed meer kan volgen.

Tussen de Duitse legers en de Geloofsbelijdenis van Athanasius.

Ik heb van die Geloofsbelijdenis gehoord, maar wat heeft zij met die kaarten van doen? Wat is het verband?

Precies. Dat maakt het allemaal zo vreemd. En om eerlijk te zijn, ik heb altijd vermeden over die kaarten na te denken, net zoals ik altijd heb vermeden na te denken over de implicaties van die weerzinwekkende films die ze daar vertonen. Maar wil je dat ik probeer er voor jou enige zin in te ontdekken?

Joe knikte. Hoewel Liffy meer dan eens had duidelijk gemaakt dat hij het vreselijk vond om over het Klooster te praten, deed hij dat nu toch, op een soort monotone toon, waarbij hij bijna in een trance leek te geraken.

Welnu, allereerst, mompelde Liffy, is de Geloofsbelijdenis ontstaan uit de Ariaanse Controverse, nietwaar, een grote crisis in de vroege dagen van het Christendom. De Arianen ontlenen hun naam aan Arius, de Lybische theoloog die leerde dat Christus niet zowel mens als god kon zijn. In plaats daarvan stelden zij dat Christus louter mens was, en het duurde enige tijd voor de Kerk in staat was die ketterij te boven te komen en haar positie te bepalen in de Belijdenis. Het Arianisme was heidens tot in zijn vezels en vooral de Duitse stammen omhelsden het, wat tot grote oorlogen leidde. De Romeinse keizer Justinianus moest de Vandalenlegers in Noord-Afrika en de Oostgoten in Italië vernietigen en ten strijde trekken tegen het Westgotische rijk in Spanje, aangezien zij de ketterse opvattingen bleven aanhangen. En wie was toevallig de kerkvader in het verre Egypte die zo invloedrijk was bij het helpen neerslaan van die ketterij?

Sint-Antonius, zei Joe onwillekeurig, terwijl het hem begon te duizelen.

Sint-Antonius, herhaalde Liffy in zijn trance. Dezelfde Sint-Antonius die de Egyptische woestijn in was getrokken en de stichter van het kloosterwezen was geworden. En gebeurde dat niet allemaal in de vierde eeuw na Christus? En wat, vraag ik je, doet Whatley vandaag de dag in de woestijn waar hij verbanden legt tussen Hitlers legers en de Ariaanse Controverse? Heeft de nazigekte niet alles te maken met A-r-i-e-r-s? En dit is toch zeker de twintigste eeuw en niet de vierde eeuw? En hebben vijftien eeuwen in de geschiedenis van de mensheid dan niets te betekenen? Of is het antwoord niet meer dan een schouderophalen en de droefgeestige fluistering: *Niet altijd, mijn kind.*

Joe stond versteld. Een lange tijd zat hij Liffy aan te staren, terwijl het in zijn hoofd gonsde van de over elkaar tuimelende gedachten.

Maar wat probeer je me duidelijk te maken? vroeg hij ten slotte. Wat heeft dat alles te betekenen?

Ik kan niet met zekerheid zeggen wat het in zijn totaliteit betekent, zei Liffy, maar ik moet eraan toevoegen dat Whatley heel innemend kan zijn als hij dat wil. Een tikkeltje erudiet en, in tegenstelling tot de rest van ons, in beslag genomen door zijn eigen problemen. Maar innemend... Dus de simpele feiten aangaande het Klooster lijken de volgende te zijn. Sint-Antonius en Whatley bevinden zich daar in de woestijn met hun geheime legers van monniken en Monniken, en ze schijnen veldtochten voor te bereiden tegen de ketterijen die vanouds werden aangehangen door de Duitse stammen, terwijl ondertussen de Vandalen en de Oostgoten en de Westgoten in de vierde eeuw huishielden en de nazi's dat oude barbaarse optreden in de twintigste eeuw op ontaarde wijze herhalen.

Whatley, zei Joe. Zou je je verbeelding eventjes op hem kunnen loslaten?

Bedoel je dat je vermoedens verlangt? Geen feiten?

Ja.

Tja, als ik zou proberen te begrijpen wat Whatley waarlijk daar in de woestijn in zijn schild voert, dan zou ik me kunnen afvragen of de kwestie is dat Whatley gelooft dat de Duitsers het goddelijke aspect van onze karakters ontkennen. En of Whatley de nazi's, die nieuwe barbaren, simpelweg beschouwt als de oude barbaren in elegantere uniformen, met zwart en leer en overal doodskoppen, die de ketterse doctrine op dezelfde manier omhelzen als de Duitse stammen dat vijftienhonderd jaar geleden deden. En of Whatley er zodoende van uitgaat dat hij een soortement eigentijdse Sint-Antonius is die gerechtvaardigd slag levert tegen de boosaardige Duitse aartsketters.

Liffy hoestte en proestte en hapte naar adem.

En zo ja, waarom? Omdat Whatley een religieuze fanaticus is? Een historische fanaticus? Een morele herbewapeningsfanaticus? ... En ik hoef er niet aan toe te voegen dat die Christelijke metaforen niet meer zijn dan dat, louter metaforen. Het Christendom heeft er maar zijdelings mee te maken, alleen de vorm van morele herbewapening die toevalligerwijs de afgelopen tweeduizend jaar in het Westen de meest voor de hand liggende is. De kwestie voert veel dieper dan willekeurig welke religie of filosofie, want wat het Duitse trekje in de menselijke aard werkelijk niet kan verdragen is verandering. Elke vorm van verandering. Het geeft de voorkeur aan wat was, in ons geval het dierlijke stadium. De put van het verleden is heel diep, zegt Mann. Zouden we hem niet bodemloos kunnen noemen? zegt Mann. En vandaar die verleidelijke fluistering die weglekt uit de duisternis, de Duitse fluistering in ons allen... Waar je was is waar je bent, mijn kind. Dus kijk achterom en omlaag, mijn kind. Immer...

Liffy hapte naar adem.

Wat zich in de huidige tijd laat vertalen in een stompzinnig ronddarren in de savannen en *moorden*, begeleid door muziek van Bach.

Liffy verslikte zich.

Neem me niet kwalijk, Joe, ik kan er gewoon niet meer over praten. Ik vind het vreselijk om te moeten denken aan de nazi's en hun zwart en hun leer en hun doodskoppen. Het is een gigantische piramide van schedels waar ze naar streven en het is monsterlijk.

Joe stond op en ging weer zitten. Die *Whatley*, mompelde hij.

Liffy knikte.

Ik weet het. Het is een onvervalste Whatley, wat? *What?* En er schijnt daar buiten ergens altijd wel een Whatley te zijn die ziekelijk zijn eigen vlees geselt omdat hij wenste dat hij geen vlees had, omdat zuiverheid dan mogelijk zou zijn. Maar de Whatley-factor bestaat nu eenmaal en het heeft geen zin dat te ontkennen, simpelweg omdat het ons niet aanstaat. Een deel van ons zal áltijd hunkeren naar zuiverheid, helderheid, volmaaktheden. Ernaar hunkeren, helaas, ook al zijn levende materie en zuiverheid elkaars tegenpolen, zoals Einstein zei.

En zoals gewoonlijk had hij gelijk, zei Joe. Maar wij mensen lijken veel verwarder dan enig ander levend wezen, en waarom is dat?

Omdat wij denken. En er is niets rampzaliger voor de helderheid van onze doelen.

Aha, zei Joe, dat klinkt niet gek. Is dat van jou of citeer je weer?

Dat is van mezelf, zei Liffy op zachte toon, helemaal van mezelf. Het viel me hier, op deze oude bouwvallige binnenplaats in, een soort plaatselijk aforisme om over na te denken op de reis oostwaarts. Eigenlijk zouden we het wel kunnen classificeren als de *Tweede Wet van Liffy*. Te weten: *denk nooit na als je zeker wilt weten waar je mee bezig bent...* Maar dit hele gesprek wekt de indruk bij me dat je nog heel wat voor de boeg hebt, als de waarheid al ooit boven water te krijgen is.

En welke waarheid mag dat zijn? vroeg Joe.

Liffy knikte. Hij glimlachte.

De waarheid omtrent Stern, natuurlijk. Maar is het werkelijk mogelijk om achter de waarheid omtrent iemand anders te komen? *Nou...?* Dat heb ik me vaak afgevraagd. Het was een van die onbeantwoordbare vragen die dit oude kind dat mijn ziel is, 's nachts laat, in die lege stationswachtkamers voor de oorlog, plachten te kwellen.

Liffy glimlachte minzaam.

Een Wandelende Jood verwondert zich immers over zulke dingen, want uiteindelijk draait zijn verwondering daarom en is dat het hele punt van zijn lotsbestemming. Het mysterie van andere gezichten en andere talen – *verwondering* in al zijn verschijningsvormen... Om te *aanschouwen*, zoals men placht te zeggen.

En zoals gewoonlijk...

Korte tijd later verlieten ze de binnenplaats, Liffy omdat hij een afspraak had en Joe om zich in zijn kamer uit te strekken totdat het tijd was voor zijn afspraak met Bletchley. Het benevelde gevoel had zich weer meester gemaakt van Joe toen ze die ochtend op de binnenplaats zaten, net als de laatste keer toen Liffy over het Klooster had gesproken. Een onbehaaglijk gevoel wat Joe betreft, een schimmige waarschuwing van ergens uit zijn binnenste.

Intussen lag op een dak niet ver daarvandaan een waarnemer op zijn buik omlaag te turen naar Hotel Babylon. Zijn verrekijker rustte voor hem. Daar hij al enige jaren doof was kon de waarnemer moeiteloos liplezen. Toch had hij die ochtend moeite met de man die Liffy werd genoemd, vanwege de wijze waarop zijn lippen voortdurend bewogen, onverschillig of hij sprak of niet. Wauwelend en kauwend leek die mond geen moment stil te staan.

De andere man, die ze Joe noemden, vormde totaal geen probleem. Maar helaas was het de constant prevelende Liffy die op de binnenplaats het meest aan het woord was geweest.

Dat zullen ze bepaald niet leuk vinden, dacht de waarnemer, met zijn verrekijker achteruitkruipend.

Die *vermaledijde* Liffy ook met zijn immer bewegende lippen...

Toen Joe later de deur aan de overkant van de binnenplaats probeerde, vond hij die op slot. Hij maakte gebruik van een sleutel die Achmed hem had gegeven en liep op de tast in het donker de trap af naar de daaronder gelegen verdieping.

De kelder was precies zoals hij zich die herinnerde. Een kille langwerpige ruimte met een plafond dat zo laag was dat je er niet rechtop kon staan. Een tafel met één enkel naakt peertje aan het plafond en een snoer dat van het bevestigingspunt naar een elektrisch kookplaatje liep waarop een ketel stond te dampen. Een theepot en een omhooggehouden krant.

Maar Bletchley leek die dag in een beter humeur, ook al kwam Joe te laat voor hun afspraak. Zodra Joe binnenkwam legde Bletchley zijn krant terzijde en stond op om hem een hand, de hand die niet verminkt was, te geven.

Dat is andere koek, dacht Joe. Hij begon zich te verontschuldigen voor het feit dat hij te laat was, maar Bletchley wuifde het excuus weg.

Geeft niks, zei hij, ik zat net aan mijn tweede kopje thee. Wil je ook een kopje?

Joe zei dat hij dat wel wilde, en Bletchley pakte de theepot, terwijl hij even een akelige grimas trok.

Jezus, dacht Joe, hij probeert te glimlachen. Dat foeilelijke vertoon is zijn manier van glimlachen.

Bletchley droeg die dag een oud kaki uniform, dat hem 'een volkomen ander voorkomen gaf. In een burgerkloffie had hij, 's avonds tenminste, ondanks zijn opbollende zwarte ooglapje een elegante en bekwame indruk gemaakt. Maar in een slobberbroek en een gekreukeld open overhemd, beide afgedragen en verschoten, had de man iets armetierigs over zich. Zijn koppel was te wijd voor hem en hield zijn broek in knullige plooien om zijn middel bijeen, en zijn schoenen waren oud en afgetrapt. Een van zijn mouwen was opgerold terwijl de andere zonder knoopje heen en weer zwabberde. Er waren zelfs ogenschijnlijk thuis gebrekkig verstelde plekjes op de voorkant van zijn overhemd. Hij was al met al een veel minder indrukwekkende man dan Joe zich herinnerde. Beslist op geen enkele manier gezaghebbend, eerder nogal fragiel, eigenlijk. Een enigszins afgetobde figuur met een enigszins gedienstige houding.

Heel even deed hij Joe denken aan een eenzame kluizenaar die rondscharrelt in een tuin die niet de zijne is, beschaamd dat hij niet op zijn plaats is, zich pijnlijk slecht op zijn gemak voelend tussen planten en bloemen die hij niet herkende.

Bletchley schonk de thee in.

Ik ben vanochtend nog even bij Achmed langs gewipt om goedendag te zeggen en hij merkte op dat je heel vroeg een wandelingetje moet hebben gemaakt. Ik ben zelf een vroege vogel, altijd geweest. Tegenwoordig slaap ik natuurlijk sowieso weinig. Nog steeds zonder suiker?

Ja, dank je. Nog iets belangrijks in de krant vandaag?

Zoals gewoonlijk voornamelijk Rommel, zei Bletchley. Hij is op nog maar zestig kilometer afstand van Tobruk en niets schijnt naar wens te gaan. Het is bijna alsof Rommel alles wat wij ondernemen van tevoren ziet aankomen. Verdomd als het niet waar is, maar zo is het.

Joe blies op de thee in de metalen kroes. En als wat hij over Rommel zei nu eens waar was? vroeg hij zich af. Wat als hij elke Britse manoeuvre van tevoren kende? Zou iemand over zulke goede informatiebronnen kunnen beschikken?

En hoe zit het met de contactadvertenties? vroeg hij. Daar nog wat beter nieuws?

Niet echt. Van de een krijg je een reactie, van de ander niet. Het is vreemd maar afgezien van de zakelijke kant heb ik altijd een grote belangstelling gehad voor de contactadvertenties in lokale kranten. Die geven je zo'n merkwaardig intiem beeld van een plaats en van de mensen die daar wonen, of tenminste een illusie daarvan. O, tussen haakjes, je hebt toch nog niet geprobeerd contact op te nemen met Maud, is het wel?

Nee, ik houd me aan de instructies.

Aan het advies, mompelde Bletchley. Ik weet zeker dat ze niet elke stap die je zet proberen te sturen. Ik weet zeker dat ze willen dat je op je eigen manier te werk gaat. Maar ik heb de indruk dat ze het gevoel hebben dat hoe meer jij kunt rondkijken voordat Stern erachter komt dat je hier bent, hoe beter het voor je is. Ja, dat is het. Stern zal er toch wel snel genoeg achter komen, als je eenmaal op verkenning gaat.

En wanneer zal dat zijn, denk je?

Spoedig. Aanstonds. Ze hebben het rustig aan gedaan met jou, vanwege iets wat te maken heeft met Sterns plannen, met Sterns bezigheden, maar nu heb ik gehoord dat Stern vanavond vertrekt op een missie die hem een aantal weken uit Caïro weg houdt. Twee weken, op z'n minst, zo staan de zaken ervoor. Dus nu heb je waarschijnlijk tijd genoeg om flinke vorderingen te boeken.

Zal hij met niemand in Caïro contact onderhouden?

Niet met iemand die hem over jou zou kunnen vertellen. Ik neem aan dat dat zo is geregeld.

Dat lijkt me redelijk, zei Joe, aarzelend zijn theekroes oppakkend omdat hij niet nogmaals zijn lippen wilde branden, zoals de eerste keer toen hij een bezoek bracht aan de kelder. En hij wist ook niet goed wat hij moest zeggen omdat hij het gevoel had dat het belangrijk was te trachten tot een hechtere band met Bletchley te komen. Hij keek op en wees op het zwarte opbollende lapje dat Bletchleys rechteroog bedekte. De meeste littekens leken oud, hoewel er merkwaardig genoeg ook bij waren die minder oud leken.

Dat heb je zeker in de vorige oorlog opgelopen, hè?

Ja, antwoordde Bletchley, verbaasd over de directheid van de vraag.

Hoe is het gebeurd? vroeg Joe, over de rand van zijn kroes kijkend.

Onmiddellijk wendde Bletchley zijn blik af en bleef onbeweeglijk stil zitten. Enkele seconden staarde hij naar het tafelblad, zijn ene oog rond en wezenloos en vol onbegrip. Maar toen hij eindelijk sprak, klonk zijn stem zakelijk, emotieloos.

Het was nogal aan het begin van de vorige oorlog. Ik was in de weer met een verrekijker toen een kogel het ding raakte, de behuizing verbrijzelde, stukjes metaal en glas in mijn oog dreef en enkele spieren in mijn hand doorsneed. Een vriend probeerde de metaalfragmenten uit mijn oog te trekken maar slaagde daar niet in. Toen sneuvelde hij en heb ik daar een uur of vijf, zes moeten liggen voordat er hulp kwam opdagen. Later was men in staat de brug van mijn neus te reconstrueren en mijn hand enigszins op te lappen, maar het verwijderen van de scherven uit de oogkas bleek een langdurig proces. Maanden, jaren, er kwam maar geen einde aan, zo ging dat. Lange tijd voelde ik me waardeloos.

Joe schudde bedroefd zijn hoofd. Bletchley staarde nog steeds met zijn ene oog wijdopen, onbegrijpend, naar het tafelblad.

Het ergste was toen dat ik deel had uitgemaakt van het beroepsleger en daar was natuurlijk geen toekomst meer voor me. Als je jong bent is het moeilijk te aanvaarden dat je nooit meer de gelegenheid zult hebben in dit leven te doen wat je het liefste wilt. De meeste mensen moeten dat ervaren, maar voor hen komt de desillusie tenminste geleidelijk. Dat is iets anders dan van begin af aan te weten dat je geen enkele kans maakt.

Joe knikte.

Hoofdpijnen ook, stel ik me zo voor.

Soms, maar over het algemeen blijft het bij een akelig jeukend gevoel, iets wat knaagt aan je hersenen en er altijd is, iets wat gewoon niet weg wil gaan.

Ja.

Ze zaten een poosje zwijgend. Bletchley had nog steeds niet opgekeken naar Joe. Hij staarde wezenloos naar het tafelblad, een broze gestalte in een versleten en versteld uniform. Toen begon hij opeens in hoog tempo te knipperen en drukte een zakdoekje tegen zijn ooglapje om iets op te deppen.

Er komt vocht uit de oogkas, zei hij. Ik wilde er een glazen oog in hebben maar de botten rond de oogkas zijn verbrijzeld en er is niets om het in vast te klemmen. Ze hebben het diverse malen geprobeerd maar het ging niet. Het leek net een scheef in de hoek van mijn gezicht gestoken glazen kraal. Uiteindelijk was er niets meer mee te beginnen, dus moet ik me behelpen met een lapje.

Het bedekt het grotendeels, zei Joe.

Bletchley ging door met het deppen met zijn zakdoek.

Ik vind het vreselijk dat het kinderen zo afschrikt, vooral in dit deel van de wereld waar ze in het boze oog geloven. Kinderen zijn er als de dood voor. Eén blik en ze beginnen te krijsen. Het geeft me het gevoel dat ik een monster ben.

Ben je hier al lang?

Hier nog niet zo lang, voornamelijk in India. Ik ben opgegroeid in India, we waren een legerfamilie. Nadat ik weer op de been was, werd me dit soort werk aangeboden, en het leek me nog het meest verwant aan een militaire loopbaan, dus heb ik het aangenomen, dat is alles.

Nee, voegde hij eraan toe, ik ben nog niet zo lang in het Midden-Oosten, pas sinds het begin van de oorlog. India is mijn specialiteit.

Daar ben ik nooit geweest. Ik zou er ooit nog wel eens heen willen.

Eindelijk sloeg Bletchley zijn oog op van het tafelblad en keek Joe aan.

O ja, het is een prachtig land, het landschap en de mensen, alles. Ik weet dat de woestijn sommigen aanspreekt, maar zo zal ik er nooit over denken. Voor mij is India mijn thuis en dat zal het altijd blijven. Er is gewoon geen ander land op aarde dat daaraan kan tippen.

Bletchleys gezicht klaarde op en hij glimlachte bij de gedachte aan zijn thuisland en de herinnering aan zijn eerste jaren daar.

Het was tenminste bedoeld als glimlach, maar vanwege de ontbrekende botten en de doorgesneden aangezichtsspieren was het effect anders. Zijn goede oog ging wijd open en staarde grotesk met een blik die hard, koud, arrogant en minachtend leek te zijn.

De pijn die hem dat moet kosten, dacht Joe. Hij probeert vriendelijk te zijn en zijn eigen gezicht drijft de spot met hem. Geen wonder dat kinderen het op een krijsen zetten en wegvluchten. Hij maakt een wrede indruk en daar kan hij niets aan doen en zij denken dat hij hen hoont en daar kunnen zij niets aan doen.

Maar Bletchley was op dat moment in gedachten ver weg in zijn geliefde India en hij glimlachte, schoof zijn stoel achteruit en stond op, in zichzelf neuriënd, ingenomen met zijn mooie herinneringen aan een thuisland waarvan hij waarschijnlijk al wist dat het nooit meer zijn thuis zou zijn.

Nu dan, zei Bletchley, zullen we maar eens gaan?

Juist, eindelijk naar het Klooster, zei Joe, en je zult moeten toegeven dat het waarlijk wel een rare naam is voor een inlichtingeneenheid, ook al ligt die verborgen in de Egyptische woestijn. Een heel menselijk trekje, nietwaar, zoals wij dingen graag mysterieus willen doen klinken... *En wanneer je eindelijk in het Klooster aankomt, mijn kind...*

Bletchley lachte.

Ik weet het, zei hij. Ongeacht hoe saai de werkelijkheid ook is, wij doen ons uiterste best om haar een exotische klank mee te geven. Een natuurlijke neiging, veronderstel ik, om een zweempje grandeur te verlenen aan onze kleurloze leventjes. Een romantische voorkeur in ons allemaal, dat is het.

Zo schijnt het, zei Joe. En of het nu romantisch moet worden genoemd of niet zou ik niet weten, maar dromen moeten we in ieder geval wel. Waar zouden we blijven als we dat niet zouden doen? Zoveel moge duidelijk zijn. Maar uiteraard zijn er allerlei soorten dromen en dat kan iemand behoorlijk in verwarring brengen.

Toen hij er naderhand op terugkeek realiseerde Joe zich dat hij, lang voordat hij en Bletchley de kelder verlieten, had kunnen weten dat er iets niet in de haak was. Toen ze de trap opliepen, maakte Joe een misstap en verloor bijna zijn evenwicht. Hij had een lelijke val kunnen maken als Bletchley niet was toegeschoten om hem van achteren te ondersteunen.

Scheelt je iets?

Ik weet het niet. Ik voel me een beetje duizelig.

Ze stapten in het felle zonlicht. Joe's benen waren zwaar en hij leek er totaal geen macht over te hebben. Toen ze door de steeg liepen wierp Joe een steelse blik op zijn eigen hand omdat hij een beetje nieuwsgierig was naar de vorm en niet helemaal zeker wist of hij er nog zo uitzag als hij zich haar herinnerde.

Het kan uitputting zijn, overgehouden aan de reis, zei hij. Het is een heel eind van Arizona naar Caïro en misschien ben ik nog niet helemaal geacclimatiseerd.

Was je reis hiernaartoe zo hectisch?

Ja, na het trainingskamp in de buurt van Toronto. Ik ben in de geschutskoepel van een bommenwerper gekropen en daar in Schotland weer uitgekropen... In de foetushouding. Ik weet niet hoe die schutters het daar zo lang in uithouden. Vervolgens hield Londen niet meer in dan de ene vergadering na de andere en daarna was het rechtstreeks hierheen.

Dat is het, zei Bletchley, een uitgestelde reactie op al die tijd dat je in de lucht was.

En die geschutskoepel was een ramp, mompelde Joe. Het is net of ik vandaag niets weet vast te houden.

Joe's gevoel voor onwerkelijkheid groeide toen ze Caïro uit reden. Hij zat verdoofd, als in een droom, en keek door de open zijkant van de kleine woestijnwagen hoe de stad in de verte verdween. Diverse malen merkte hij dat Bletchley hem steelse blikken toewierp.

Wat zit hem dwars? vroeg hij zich af.

Hij wist niet goed of hij nog een woord had gezegd sinds ze aan de rit waren begonnen, of zelfs hoe lang ze onderweg waren. Hij wist dat hij op zijn horloge kon kijken maar op de een of andere manier leek het niet belangrijk. Ze hadden de stad achter zich gelaten en nu was alles hetzelfde, zand en nog eens zand en de hete zon en de glinstering en Bletchley schakelend terwijl ze dieper de woestijn in reden en Bletchleys goede oog zo nu en dan zijn kant op bewoog.

Immer oostwaarts, mijn kind, dacht Joe. *Stop, kijk en luister. Maak contacten.*

Ik zou contact moeten maken en iets moeten zeggen, dacht hij, en was onmiddellijk verbaasd toen hij zichzelf Bletchley een vraag hoorde stellen.

Heb jij een gezin?

Bletchley schakelde naar een andere versnelling.

Hoe bedoel je? Een vrouw en kinderen?

Ja.

Nee, die heb ik niet. Ik ben nooit getrouwd geweest. Voor we de vorige keer ten oorlog trokken was ik te jong en daarna duurde het jaren voor ik een beetje was opgelapt. Toen was ik inmiddels te zeer gewend geraakt aan alleen wonen om nog echt iets voor iemand te kunnen betekenen.

Toch was je het niet.

Wat was ik niet?

Te oud om te trouwen.

Wanneer?

Nadat ze je hadden opgelapt. Wanneer was dat, een paar jaar na de vorige oorlog? Je moet toen nog begin twintig zijn geweest.

Chronologisch bekeken, maar ik voelde me niet meer zo jong. Er zit immers weinig chronologisch in het leven, er is geen sprake van een logische ontwikkeling, zoals we onszelf graag wijsmaken. Sommige mensen houden even na hun twintigste op met groeien. Ze stoppen er gewoon mee, zeggen 'nu is het welletjes voor mij', en stappen uit en gaan de rest van de tijd langs de zijlijn staan.

Immer oostwaarts, mijn kind, dacht Joe. *En als je eindelijk aankomt bij...*

Daarbij kwam, vervolgde Bletchley, dat ik de hoop nog niet had opgegeven. Ik wilde er een glazen oog in laten zetten en toen dat in de ene plaats niet lukte, probeerde ik het in een andere. Parijs, Johannesburg, Zürich, ik bleef maar rondtrekken. De laatste operatie is nog niet eens zo lang geleden.

O.

Pas drie jaar, in feite. Ze hadden inmiddels al het reconstructiewerk gedaan dat er te doen viel en uiteindelijk was het resultaat dat de glazen kraal er in een schuine hoek in stak.

Het spel met de glazen kraal, dacht Joe. Dat moet een van de ergste zijn.

Dus ten slotte heb ik het opgegeven en het feit geaccepteerd dat ik een gedrocht moest blijven.

Kinderen begrijpen die dingen niet, zei Joe. Dat kun je niet van ze verwachten.

Nee, dat is waar, dat kun je niet. Maar hoe zit het met volwassen mannen en vrouwen? Wat kun je van hen verwachten?

Joe tuurde uit over de woestijn. De glinstering van het zand deed pijn aan zijn ogen en hij kneep ze stijf dicht. Bletchley schakelde, zonder een antwoord op zijn vraag te verwachten want daar was geen antwoord op.

Op de hoogvlakte in Arizona was een oude vrouw geweest met een zwaar misvormd gezicht, daar was ze mee geboren, zo zwaar misvormd dat ze sinds ze een baby was verborgen moest worden gehouden. Haar gehele leven had ze, voor zover men kon nagaan, de kamer waarin ze het levenslicht had aanschouwd nooit verlaten. Heel wat nachten had Joe met haar in die kleine ruimte gezeten en geluisterd hoe ze zong met de mooiste stem die hij ooit had gehoord, een onthutsende stem vol van verwondering over alle dingen die ze nooit had gezien of waar ze zelfs maar het bestaan van had vermoed. Ze zong uren achtereen en als ze ophield bleven ze samen een tijd lang zwijgend bij elkaar zitten, waarna de oude vrouw Joe haar rug toekeerde en Joe opstond en zonder een woord te zeggen vertrok. Iets zeggen zou ongelofelijk wreed zijn geweest, want haar gezang was alles wat ze bezat op aarde, haar lied was de vlucht van haar ziel.

Honger? vroeg Bletchley. Ik heb het een en ander meegenomen. Ik dacht dat we onderweg misschien wel even konden stoppen voor een hapje.

Ze zaten in het zand, zich kleinmakend in de schaduw naast het kleine woestijnvoertuig, en Joe met zijn rug tegen een van de warme banden. Bletchley trok wat blikjes marmelade en kaakjes open. Er waren ook een thermosfles en een paar gedeukte kroezen.

Joe nam een paar hapjes en al het voedsel smaakte precies hetzelfde, een wrange, metaalachtige smaak. Hij speelde wat met de kroes en liet die uiteindelijk door Bletchley volgieten. De vloeistof, koude thee of wat het ook wezen mocht, had ook een wrange metaalachtige smaak. Gelaten keek hij toe hoe Bletchley marmelade op een kaakje smeerde, een handeling waar geen einde aan leek te komen.

Wat is er? vroeg Bletchley.

Ik wilde jou net hetzelfde vragen. Je lijkt je vandaag erg traag te bewegen.

Bletchley legde zijn hand op Joe's voorhoofd.

Je hebt flinke koorts, zei hij. Het zou me niets verbazen als dat aan de verandering van het water is te wijten. Dat komt tamelijk veel voor.

Tijd en verandering van water, dacht Joe. Niet bepaald de problemen die je hier, waar helemaal geen water is, verwacht te vinden, maar je kunt er maar het beste van uitgaan dat schijn bedriegt. En zand en nog eens zand en totale verlatenheid, precies zoals Liffy had opgemerkt. Het is dus niet een en al grazige groene hellingen op reis naar de Oost, o nee. *Er zijn woestenijen die doorkruist moeten worden, voor je slapen gaat, mijn kind. Woestenijen, stralend en weids...*

Ze reden weer, Bletchley schakelde naar een andere versnelling, de schittering van het zand was intens. En voor Joe, die steeds dieper in zijn koorts wegzonk, hadden de hemel en de woestijn alle grenzen die zij wellicht ooit hadden gehad verloren.

Ik heb mannen gekend die voor de woestijn hebben gekozen, zei Bletchley, avonturiers die haar beschouwen als een oerkracht, net als de zee. Maar er zijn gevaren in de woestijn die een zeevarende niet onder ogen hoeft te zien. De zee, die over het algemeen glad is, neigt mannen tot bescheidenheid te manen door te verwijzen naar een essentieel evenwicht in alles. Maar de woestijn, met haar extreme uitersten, heeft vaak juist het tegengestelde effect doordat zij de dingen helderder maakt dan ze zijn, dus je moet altijd verdacht zijn op de verlokkingen van het idealisme. God weet dat menselijke zaken al vunzig genoeg zijn, maar hier loop je gevaar dat te vergeten omdat alles zo schril is, zo zeer zichzelf. Of dat in ieder geval *schijnt* te zijn.

Bletchley schakelde naar een andere versnelling. Ze verlieten de verharde weg en kozen een hobbeliger pad.

De kwestie is, vervolgde hij, dat we geneigd zijn dingen die we niet begrijpen te romantiseren, waar we het al eerder over hebben gehad. Neem nu die oude uitdrukking, *de woestijn volgen*. Die wekt de indruk van avontuurlijke omzwervingen, maar de bedoeïenen zijn eigenlijk geen zwervers. Ze hebben hun huis, hun tent, altijd bij zich en hun land, de woestijn is altijd bij hen. Een buitenstaander, een Noord-Europeaan, zal dat anders zien. Maar dat komt omdat een Noord-Europeaan zijn huis en vaderland in een ander licht ziet. *In minder licht.*

Joe knikte. Aan de horizon waren rookwolkjes verschenen, gevolgd door een serie doffe, gedempte knallen. Een ogenblik later waren ze om een duin heengereden en zag Joe een batterij Engelse houwitsers die in de woestijn geparkeerd stonden en grote wolken zand opwierpen terwijl ze methodisch werden afgeschoten. Hij wist dat de frontlinies zich heel wat kilometers verderop bevonden.

Wat zijn die aan het doen?

Bletchley draaide zijn hoofd om om een blik op de batterij te werpen.

Ze bombarderen de woestijn, schreeuwde hij boven de daverende salvo's uit.

De verlaten woestijn?

Daar ziet het naar uit.

Maar waarom?

Wie weet, misschien dachten ze dat ze de vijand zagen. Dat is natuurlijk uitgesloten, maar ze kunnen best hebben gedacht dat ze iets zagen.

Zouden ze dat alleen maar hebben *gedacht?* vroeg Joe zich af. Ach, waarom ook niet. Het zou zo'n geval kunnen zijn van je hebt gelijk als je denkt dat je gelijk hebt, de woestijn zoals je haar wilt.

Maar toen ze langs de gecamoufleerde batterij verder reden, kreeg Joe het gevoel dat er behalve de enorme uitgestrekte stukken kale woestijn die de houwitsers scheidden van de dichtstbijzijnde Duitse eenheden nog iets anders niet in de haak was. Hij concentreerde zich zo goed hij kon en uiteindelijk kwam hij erachter wat het was.

Ze staan oostwaarts gericht, schreeuwde hij. Is dat voor hen niet de verkeerde kant om de oorlog uit te vechten? De Duitsers komen uit het westen.

Bletchley snoof en schreeuwde.

De verkeerde kant? Maar hoe zou er een *goede* kant kunnen zijn om mensen af te slachten? En bovendien, fata morgana's zijn een veel voorkomend verschijnsel in de woestijn. Dat hoef ik jou toch niet te vertellen?

Klopt, dacht Joe, dat hoef je niet. Maar al met al vond hij het, terwijl hij toekeek hoe de houwitsers vuurden, terugstootten, vuurden en terugstootten, nog steeds een rare zaak. De mannen die de kanonnen bedienden bewogen zich snel en repten zich heen en weer alsof ze die dag een bepaald aantal schoten moesten afvuren.

Wat denk jij ervan? riep hij. Hebben ze een soort quotum schoten opgekregen dat ze geacht worden te halen?

Dat zit er dik in, schreeuwde Bletchley. De bevoorrading moet worden gereguleerd om in oorlogstijd een maximaal rendement te bewerkstelligen, dus is het logisch dat quota aan de orde van de dag zijn.

Joe knikte, in gedachten nog steeds zoekend naar een rationele verklaring voor dit furieuze en niet aflatende, nergens op gerichte artilleriespervuur.

Maar verspillen ze zo niet een hoop waardevolle munitie? riep hij. Met al dat geknal in de lege woestijn?

Dat zou je wel zeggen, schreeuwde Bletchley, maar niemand heeft ooit beweerd dat oorlog iets van zuinigheid moet hebben. Hij verspilt en verbruikt en vernietigt, dat is alles. De enige reden dat we hem voeren is dat er iets in de mens is dat het opwindend vindt. Of om preciezer te zijn, de *idee* die erachter zit. Niet een van onze nobelste trekjes, maar zo is het nu eenmaal. En ik denk dat je ook wel veilig kunt stellen dat de aard van die opwinding bij nadere beschouwing niet helemaal fris is.

Mee eens, dacht Joe, dat denk ik ook en dat is-ie niet. Want dat trekje is het doden van mensen en de opwinding daarbij is gewoonweg verfoeilijk, een duistere plek op de bodem van de ziel. De duisternis is zo diep, zouden we haar niet bodemloos kunnen noemen?

Ik kan het beter nog eens proberen, dacht Joe, het op een andere manier aan Bletchley voorleggen. Er moet een verklaring zijn voor dit gedrag, zelfs al is het krankzinnig. Misschien ligt het in de menselijke aard om een woestijn te willen bombarderen, maar iemand die zo uitgekookt is als Bletchley zou daar toch een redelijke reden voor moeten hebben.

Het algemeen belang? Het grootse plan? De ontbrekende schakel en het onkenbare universum?

Luister, riep Joe. Als je er zo over denkt, over de nutteloosheid van de oorlog en van die dingen, waarom heb je dan voor een militaire carrière gekozen? Afgezien van de familietraditie.

Ik veronderstel omdat het leger voorziet in een vorm en in een structuur, schreeuwde Bletchley. Een reglement voor alles. Geen reden om iets te doen maar een duidelijk bevel dat het gedaan moet worden. Dat is iets waar wij mensen van houden. Voor sommigen is het God die de orders geeft, voor anderen zijn het politieke systemen. Maar zonder orders en bevelen en reglementen is de chaos van het zijn eenvoudigweg dat. Chaotisch. En dat is een situatie die voor de meesten *too hot to handle* schijnt te zijn.

Too hot to handle, neuriede Joe, zich een schunnig zinnetje herinnerend uit een van Liffy's musicaldeuntjes, terwijl hij toekeek hoe de artilleristen de granaathulzen in de kamers ramden en de grendels erop schoven, terwijl de houwitsers puften en met een ruk achteruitschoven en het geknetter opklonk en het stof omhoogwervelde in de eindeloze kanonnade.

Hou je vast, schreeuwde Bletchley. Het gaat er hier ruig aan toe.

Joe sprong naar voren en greep de hendel voor hem. *Rough going here*, neuriede hij, zich een ander zinnetje uit een van Liffy's ondeugende deuntjes herinnerend. Ver voor zich uit in de woestijn zag hij iets zichtbaar worden wat deed denken aan een goederenwagon van een trein. De goederenwagon was ondermaats en lag op zijn rug, met zijn wielen in de lucht en nergens een spoorbaan te bekennen.

Hoe is dat ding daar gekomen? riep hij.

Bletchley staarde recht voor zich uit, concentreerde zich op het rijden en was niet bij machte zijn ogen af te wenden van het hobbelige wegdek.

Wat is het? Een van die oude Veertig en Achters?

Zo te zien wel, riep Joe, zich de term herinnerend die in de laatste oorlog werd gebruikt ter aanduiding van een kleine Franse goederenwagon, die zo was genoemd omdat hij veertig manschappen of acht paarden ter slachting naar het front kon vervoeren. Maar de Fransen hadden toen natuurlijk niet gevochten in de Egyptische woestijn, zij hadden thuis in modderige loopgraven liggen creperen. Joe neuriede, *It's a long way to Tipperary.*

Zou het niet logischer zijn geweest om die goederenwagons Veertig *of* Achters te noemen? riep hij. Per slot van rekening zijn ze dat.

Er valt weinig logisch in een oorlog te ontdekken, schreeuwde Bletchley bars terug.

Dat is maar al te waar, dacht Joe. Daar is geen speld tussen te krijgen.

Eigenlijk lijkt de hele toestand, als je erop terugkijkt, volkomen zinloos, schreeuwde Bletchley.

Joe knikte en keek om naar de eindeloze kale woestenij. De omgekiepte Franse goederenwagon was uit het gezicht verdwenen, maar nu stond er een omgekiepte strijdwagen aan de horizon. Het was een log, primitief model, met gigantische houten wielen beslagen met ijzer dat in de droge woestijnlucht maar zeer weinig was geroest.

Zo'n ding heb ik al eens eerder gezien, dacht Joe. In ieder geval op plaatjes. De Assyriërs gebruikten ze in het begin van de ijzertijd toen ze uit het noorden kwamen aandenderen om hun plaats op te eisen als de zeer gevreesde barbaren van dat moment.

Welke vorige oorlog bedoel je? vroeg hij.

Watte? schreeuwde Bletchley.

Ik zei *welke* vorige oorlog? Van wie? Die jij volkomen zinloos noemde als we erop terugkijken.

Ach, ieders oorlogen eigenlijk. Wat maakt het voor verschil? Komen alle oorlogen niet ongeveer op hetzelfde neer als je erop terugkijkt? Moord en verminking en ravage, en voor wat allemaal?

Voor wat? dacht Joe. *Wat?* Hij is een regelrechte Whatley, dat is het.

Bletchley keek hem zijdelings aan.

Gaat het goed met je? schreeuwde hij.

Niet bijzonder, riep Joe, maar luister. Waar ben je nu echt bang voor, Bletchley? Kun je me dat vertellen?

Hoe bedoel je? In welke context?

In een persoonlijke context. Heel diep in je hart, daar waar je in de wereld staat. Waar ben je werkelijk bang voor?

Dat de Duitsers de oorlog winnen, schreeuwde Bletchley. Ik zal *alles* doen om dat te voorkomen.

En dat is alleszins redelijk, dacht Joe, beslist kloek en redelijk en wat niet meer. Die man wil de Mongolen niet toelaten. Natuurlijk is dat *alles* van hem zijn waarschuwing jegens mij in verband met Stern, maar wie kan bezwaar maken tegen het tegenhouden van die gemechaniseerde barbaren die zich nazi's noemen?

Bletchley? riep hij. Heb jij je wel eens afgevraagd waarom de Duitsers zo'n ophef maken over de verdediging van het Oostfront tegen de barbaren? Nationaal noodlot, heilige opdracht, raciale missie enzovoort?

Waarom zijn het in deze wereld altijd de Mongolen die ons vertellen dat ze ons verdedigen tegen de Mongolen?

Dat is de menselijke natuur, schreeuwde Bletchley. De mens rechtvaardigt oorlog altijd door te beweren dat hij de barbaren bevecht. Wat ze er gemakshalve niet bij vermelden is dat de reden dat de oorlogen door de gehele geschiedenis voorkomen is omdat de barbaren in ons zitten. Heb je wel eens tussen een menigte gestaan die verandert in een bende herrieschoppers? Aan weerszijden van je staat een Genghis Khan. Geef willekeurig wie van hen een horde kerels te paard en je ziet de dertiende eeuw opnieuw in vlammen opgaan.

En zo is dat, dacht Joe. En Bletchley is vandaag een toonbeeld van wijsheid, zijn geest is zo helder als glas.

Korte tijd later passeerden zij andere vreemde, in de woestenijen afgedankte, relikwieën.

Een achtergelaten batterij Napoleontische voorladers dook naast hen op, zuidwaarts gericht naar het hart van het Zwarte Continent, stompe drieponders weggezakt in het zand, de overblijfselen van een ander koloniaal avontuur in Afrika. Maar klaarblijkelijk waren de voorladers geen partij geweest voor Lord Nelsons snelle schoenerbarken, waarvan er een op briljante wijze Napoleons kanonnen had omzeild en nu achter hen comfortabel op zijn zij rustte en duidelijk een superieur schootsveld beheerste.

Een schoenerbark helemaal hier in de woestijn, dacht Joe. Merkwaardig als je erover nadenkt, ook al zijn de winden van de Middellandse Zee altijd vermaard geweest om hun grilligheid. Maar is er iets wat aan de grilligheid van de mens kan tippen, en wat zouden de plaatselijke bedoeïenen van die aanblik vinden? Waarschijnlijk denken ze dat Europeanen een beetje geschift zijn.

Een enkele boog van een antiek Romeins aquaduct kwam in zicht, een schitterende boog minstens vijfendertig meter hoog en oostwaarts gericht, of westwaarts, al naar gelang de situatie, met de kale woestijn die zich naar beide zijden uitstrekte. Terwijl niet ver weg het solide oppervlak van een vakkundig aangelegde Romeinse weg opdook van onder een zandduin om pas drieënhalve meter verderop weer door een volgend duin te worden verzwolgen. Er lagen ook hele legers zonnevlekken te glinsteren in het zand, hoewel ook die nergens naartoe leken te leiden.

Lord Nelson had ook maar één oog, dacht Joe.

Maar verreweg het meest indrukwekkende schouwspel dat Joe te zien kreeg was een enorme belegeringstoren die vol stond met vuurkokers en katapulten en stormrammen bedekt met dierenhuiden in terugwijkende verdiepingen waardoor zij ruwweg de vorm van een piramide had, met een adelaarsnest bovenin, een magnifieke uitkijkpost voor een krankzinnige tiran om neer te kijken op de niet bestaande stad in de woestijn die hij op het punt stond te verwoesten. Of een magnifieke uitkijkpost om neer te kijken op alle niet bestaande steden op aarde voor een periode van duizend jaar, waarom niet. Het duizendjarige Derde Rijk in de woestenijen van nergens... in al zijn verbijsterende glorie.

Leiders zijn een wonderbaarlijke uitvinding, dacht Joe. Wat zouden we ooit moeten beginnen zonder hen? Hoe zouden we de slachtingen ooit voor elkaar krijgen?

Bletchley schakelde over naar een andere versnelling. Terwijl ze ratelend hun weg vervolgden, keerden Joe's gedachten steeds weer terug naar de primitieve belegeringstoren die ze voorbij waren gereden, die gigantische dodelijke verschijning, helemaal in zijn eentje in de woestijn, wachtend om tot beleg over te gaan. Het beeld obsedeerde hem en hij kon het maar niet uit zijn hoofd zetten. Kwam dat omdat het heel even had geleken alsof het apparaat was opgetrokken uit menselijke schedels? Een piramide van schedels? De definitieve oplossing voor het leven, zoals Liffy het had genoemd? Of was het eenvoudigweg omdat het, van alle door de mens opgerichte monumenten in die desolate door de zon verteerde woestenijen, het enige was wat geen verlaten en misplaatste indruk maakte?

Joe huiverde.

Het is afgrijselijk, dacht hij. Afgrijselijk.

Er klonk een knallend geluid. Bletchley schakelde opnieuw.

Hoe voel je je? Het is nu niet ver meer.

Mooi, veel verder had ik het niet gered. Het is uitputtend hier, en beangstigend ook.

Bletchley minderde vaart.

Omdat het allemaal gebleekte botten en illusies zijn, dacht Joe.

Ze stopten. De motor ging uit.

De natuur roept, zei Bletchley op gedempte toon. Ben zo terug.

Ze vervolgden hun reis. Joe zat te schuifelen op zijn stoel en neuriede zo nu en dan één van Liffy's deuntjes.

Heeft het Klooster ooit wel eens echt als klooster dienstgedaan? riep hij op een gegeven ogenblik.

Voor wij het overnamen, bedoel je? schreeuwde Bletchley. Tja, van Sint-Antonius is bekend dat hij een tijd in dit deel van de woestijn heeft doorgebracht, maar daar Sint-Antonius visioenen had, denk ik niet dat iemand met zekerheid zou kunnen zeggen *waar* hij zijn vlees voortdurend kastijdde. Misschien is een van de grotten ergens in de ingewanden van het Klooster van hem, maar wie zal het zeggen? De ketenen van Sint-Antonius waren van het onzichtbare soort.

Hij is ten prooi gevallen aan het water, dacht Joe. Slecht water of geen water of zelfs een verandering van water kan hier een gevorderde staat van zinsbegoocheling teweegbrengen. Of visioenen, zoals raaskallende heiligen in de woestenij ze plachten te noemen.

Joe dommelde in. Een ogenblik later schoot zijn hoofd achterover. Het pad leidde omhoog, Bletchley schakelde terug.

Wat is dat daarboven?

We zijn er, schreeuwde Bletchley. Dat is de poort naar de achteringang. Het grootste deel van het Klooster is daarboven, van hierbeneden kun je het niet goed zien.

Ze reden een kleine geplaveide binnenplaats op waar andere militaire voertuigen geparkeerd stonden. Hoge muren van ruw metselwerk met smalle spleten daarin uitgesneden torenden boven hen uit. De muren boven hen weken van de binnenplaats achteruit, zodat het onmogelijk was te schatten hoe hoog ze waren.

Niet verschrikkelijk hoog, fluisterde Bletchley, zo'n groot bouwwerk is het niet. Het lijkt alleen groot omdat het boven op een kleine berg, of liever, op een heuvel is gebouwd.

Een ronde heuvel?

Ja.

Waarschijnlijk in de vorm van een hoofd, dacht Joe. Darmen en ingewanden en andere inwendige organen liggen nu verscholen, samen met de herinneringen van Sint-Antonius en de kaarten van Whatley.

Deze kant op, fluisterde Bletchley.

Bletchley maakte een houten deur open en ze liepen door een korte tunnel naar een andere binnenplaats, ditmaal groter en ongeplaveid, met kruisgangen rondom. Mannen met lange stokken in hun hand kwamen traag vanuit de schaduwen onder de zuilengalerijen naar voren slenteren om Joe even op te nemen en zich vervolgens ergens buiten zicht terug te trekken, terwijl weer anderen ordeloos bleven rondlopen over de binnenplaats, meer als pelgrims die onverwacht, voortijdig, op een of andere pleisterplaats op hun reis waren gearriveerd en niet goed wisten wat ze nu moesten doen. De pelgrims leken zich in elke denkbare uitmonstering te hebben gehuld, zowel uniformen als burgerkleding, sommigen gekleed als juristen en zakenlieden en bankiers en professoren, anderen als commando's of ballonvaarders of zelfs als bedoeïenen. Maar zonder uitzondering keerden ze zich allemaal, zodra ze Bletchley in het vizier kregen, om, trokken zich terug en toonden alleen hun rug.

De veelheid aan lange stokken die de pelgrims bij zich droegen fascineerde Joe uitermate. De stokken woven zachtjes heen en weer als korenaren in de wind, beschermd en beschut, uitsluitend aangeraakt door de mildste briesjes.

Het moet zoetjesaan tijd zijn dat de refter opengaat voor de thee, fluisterde Bletchley. Anders zou je nooit zo'n groot aantal agenten hier buiten zien rondlummelen.

Plotseling greep Bletchley een willekeurige verschrikte pelgrim bij zijn arm en draaide hem om. De pelgrim leek zo bang dat hij bereid was alles te ontkennen.

Wat is er bij de thee? vroeg Bletchley op dwingende toon.

Drie soorten sand... sand... sandwiches, stamelde de man. Waaronder komkommer. Ze zeiden dat we konden kiezen welke we wilden, zolang we maar niet allemaal dezelfde kozen.

En welke ga jij kiezen? vroeg Bletchley.

Ik hoopte op een komkommersandwich, fluisterde de pelgrim, maar ik ben met alles tevreden.

Bletchley liet de zenuwachtige man los, die onmiddellijk opging in de rondslenterende menigte. Van ergens hoog boven hen daalden de eerste akkoorden van Bachs Mis in B Mineur dreunend op de binnenplaats neer.

Die man leek bang voor je te zijn, zei Joe. Waarom is dat?

Bletchley glimlachte.

Deze kant moeten we op, zei hij fluisterend.

*

Bletchley ontsloot een andere deur en Joe volgde hem door de ene schaars verlichte gang na de andere. Alle vertrekken in het Klooster leken voortdurend in het schemerdonker te worden gehouden, wat koel en rustgevend was na het felle zonlicht buiten. Terwijl ze doorliepen vervaagden de verre tonen van de orgelmuziek en stierven weg om vanuit een andere onverwachte hoek weer aan te zwellen. Ze daalden trappen af en daalden meer trappen af en kwamen uiteindelijk bij een kleine cel die door één enkele kaars werd verlicht. Er stond een klaptafeltje met erachter een enorme draaistoel die overdadig met donker leer was bekleed. Bletchley wees op de comfortabele leren stoel.

Ga gewoon zitten en maak het je gemakkelijk, zei hij. Ik zal Whatleys adjudanten laten weten dat we er zijn.

Joe zeeg neer in de draaistoel en draaide langzaam heen en weer. In een hoek stond een apparaat op wielen waarvan hij wist dat hij het zou moeten kunnen herkennen, maar dat hij in zijn opwinding niet kon thuisbrengen. Het apparaat bestond uit verschillende tankcilinders en diverse slangen en buizen. Bletchley draaide inmiddels aan de slinger van een veldtelefoon en fluisterde iets in het mondstuk.

Whatley is op weg naar beneden, kondigde hij aan. Nu dan...

Bletchley reed het apparaat naar een plek achter de enorme leren stoel. Hij boog zich voorover, bestudeerde het en testte hier en daar een klep. Joe had zich omgedraaid om hem aan te kijken.

Wat is dat? vroeg Joe.

Salpeteroxide. Lachgas.

Waar is dat voor?

Voor je gesprek met Whatley.

Bletchley bleef met kleppen in de weer. Er klonk een langdurig laag gesis en hij glimlachte.

Niets om je druk over te maken, mompelde hij, terwijl hij aan knoppen draaide. Het is gewoon lachgas. Tandartsen gebruiken het aan de lopende band.

Dat weet ik, maar wat heeft het voor zin om het mij toe te dienen?

Gebruikelijke Kloosterprocedure, meer niet.

Maar waarom?

Oorlogstijd, mompelde Bletchley. Het is niet aan ons om te vragen waarom enzovoort. Maar bekijk het van een andere kant. Zou jij niet liever wat je te wachten staat tegemoet treden met een aangename wolk salpeteroxide in je mik? Zou in oorlogstijd niet *iedereen* dat? Al was het maar om te maken dat de zaken een tikkeltje redelijker *lijken*? Niet *helemaal* zo idioot als ze feitelijk zijn?

Bletchley lachte.

Om eerlijk te zijn is er daarboven in de kloostergangen geen agent die juist op dit moment niet aan de salpeteroxide zou willen zijn. Natuurlijk zouden ze ook niet *hierbeneden* willen zijn, maar zo is het leven nu eenmaal, nietwaar? Gas is plezierig, dat staat, maar we moeten altijd accepteren wat ermee gepaard gaat.

En dat is Whatley, dacht Joe, huiverend en wezenloos naar het apparaat starend. Er schoot een deuntje door zijn hoofd, een van Liffy's versjes, maar de tekst kon hij zich niet herinneren. *Tarry in caves, but beware of local bats,* was dat het? *Beware of bats, my child?*

De kwestie is, zei Bletchley, dat het gas je zal helpen je te ontspannen en ontvankelijk te zijn in deze vreemde omgeving, ook al voel je je vandaag niet al te best. En het dient ook als veiligheidsmaatregel. Je zult in staat zijn alles te horen wat Whatley zegt en alle vragen te stellen die in je opkomen, maar naderhand zal je indruk van Whatleys stem maar een klein beetje vervormd zijn. Hij is de baas hier en hij wil het nu eenmaal zo.

Een beetje vervormd? vroeg Joe. Waarom?

Zo, mompelde Bletchley, haal normaal adem door je neus.

Bletchley schoof een klein rubberen masker over Joe's neus. Joe zat daar te luisteren naar een ritmisch gezucht dat luider werd. Toen er enkele ogenblikken voorbij waren ging er een deur open. Een man met slechts één arm, onberispelijk gekleed in gesteven kaki uniform, bewoog zich langs de rand van Joe's gezichtsveld. Was dat echt de roemruchte Whatley, eindelijk, in den vleze?

Ah, zei een stem in de verte. En dit is zeker onze Purperen Zeven Armeniër die helemaal van een mesa in Arizona hierheen is gereisd om bij ons te zijn. Nee, alsjeblieft, Joe, doe geen moeite en blijf rustig zitten. Zo te zien zit je net lekker. En als ik me niet vergis wil je geen suiker in je thee, klopt dat?

Joe knikte. *Beware of bats*, dacht hij.

Ja, vervolgde de stem. Het doet ons genoegen dat je eindelijk bij ons bent. Maar laat ons verder geen tijd verspillen, laat ons meteen ter zake komen. We zijn hier om te praten over Stern – de man, de spion, alles. Ja, alles...

Het meeste wat Joe zich verder nog herinnerde van zijn bezoek aan het Klooster was in nevelen gehuld. Later, nadat de briefing in de enorme leren stoel met het gasmasker op ten einde was, ontwaakte hij op een smal stenen balkon, zoveel wist hij nog.

Het balkon moest zich ergens hoog boven in het Klooster bevinden, want het bood een schitterend uitzicht op de woestijn. Hij en Bletchley zaten daar met z'n tweeën, naast elkaar, op canvas-ligstoelen. Een markies in camouflagekleuren verschafte schaduw en langs de muren stonden palmen in potten. De huid van een Bengaalse tijger hing aan één kant over de balkonrand. Uit de kleur van de hemel maakte Joe op dat de schemertijd bijna was aangebroken.

... en om die redenen, zei Bletchley, vind ik niet dat je geschokt moet zijn over de heftigheid van Whatleys woorden wanneer hij het over Stern heeft. De gemoederen raken in oorlogstijd erg verhit en die arme Whatley is nooit vergeten dat hij zijn arm aan de Duitsers heeft moeten prijsgeven. Eigenlijk heeft hij me wel eens verteld dat hij de vingers van de hand die hij mist diep in de nacht nog steeds voelt tintelen. Vooral de wijsvinger, de vinger waarmee hij de trekker overhaalde. Die houdt gewoon nooit op met tintelen, vertelde hij.

En dat zal hij ook nooit, dacht Joe. Niet als hij weg is.

Hij had geen flauw idee waar het gesprek over ging of waar het was begonnen. Hij had een halfleeg glas in zijn hand en rook eraan. Kininewater. Bletchley boog zich naar voren, schonk gin bij in zijn eigen glas, strekte zich uit, glimlachte en ontspande zich. Opeens had Joe het gevoel dat hij zich op een passagiersboot naar de Oost, naar India, bevond. Hij en Bletchley hadden elkaar bij toeval ontmoet en zaten nu samen op het dek te keuvelen en een borrel te drinken voor de zon onderging en doodden de tijd voor ze zich gingen omkleden voor de avondlijke bijeenkomst.

Tarry in open spaces, my child, dacht Joe.

Je voelt je vast wel een stuk beter na je tukje, zei Bletchley.

Dat is zo, maar ik ben nog steeds verontrust. Verontrust door Whatley, wat?

Ach ja, dat is me opgevallen, maar ik geloof niet dat Whatley er opzettelijk omheen draaide. Ik weet er niet zo erg veel vanaf maar ik heb de indruk dat hij wil dat je er fris inkomt, zonder vooroordelen over Stern en Sterns rol in deze kwestie. Helemaal van buitenaf, om zo te zeggen.

Stern, mompelde Joe, uitstarend over de glooiende woestijn. Iemand van buiten, zeg je?

Precies.

Of iemand van de andere kant, wellicht? voegde Joe eraan toe. Zou dat geen andere formulering kunnen zijn? Hoe moet het als de Duitsers plotseling een bijzondere belangstelling voor Stern aan de dag leggen? Waar kunnen de Duitsers mee aan komen zetten? Wat zouden ze kunnen onthullen?

Ik neem aan dat het iets langs die lijnen is, zei Bletchley. Ik weet niet precies wat de aard van de operatie is, maar de algemene indruk die ik ervan heb komt overeen met de jouwe.

Dat is het, dacht Joe. Het Klooster laat mij een rol spelen die sprekend lijkt op die van een Duitse spion. Bezie Sterns activiteiten vanuit de optiek van de vijand, en kijk wat je boven water krijgt. Maar waarom? Ze hebben hun handen al meer dan vol aan hun operaties tegen de Duitsers. Waarom al die moeite doen en een operatie op touw zetten tegen Stern, een van onze eigen mensen? De gegevens waarover hij beschikt moeten wel heel belangrijk zijn. Zelfs van vitaal belang, zoals de drie mannen in de witte linnen kostuums in Arizona zeiden.

Joe kreeg een idee.

Zou het mogelijk zijn dat die gegevens het Klooster betreffen? Is dat de reden dat die Monniken zo gesloten zijn over alles? Omdat ze vrezen voor hun eigen hachje? Omdat Stern iets over deze plek weet wat niemand anders weet? En als de Duitsers daar ooit achter zouden komen...?

Bletchley nipte van zijn glas en begon te praten over zonsondergangen en over de zee. Opnieuw bevonden ze zich op een passagiersboot naar de Oost, naar India.

Hij verandert van gespreksonderwerp, dacht Joe. Bletchley wil niet dat ik al te nieuwsgierig word naar wat Stern nu precies zou kunnen weten. Ze willen een globaal rapport over Stern, meer niet. Het is niet de bedoeling dat ik die hoogst waardevolle informatie herken als ik haar vind. Mocht ik ooit zover komen.

Joe voelde dat hij weer begon te zweven, het contact met de werkelijkheid verloor.

We zullen spoedig moeten vertrekken, zei Bletchley. Ik rijd niet graag in het donker. Dan krijg ik last van mijn oog.

Je doet het niet graag, maar je doet het, dacht Joe, terwijl een beeld door zijn hoofd flitste, iets wat Liffy terloops had opgemerkt. Liffy die Bletchley vergezelde naar nachtelijke ontmoetingen met agenten in een automobiel, Bletchley voorin, zich voordoend alsof hij alleen maar de chauffeur was terwijl Liffy in vermomming achterin zat met de agent en de man verhoorde overeenkomstig Bletchleys instructies. De agent die zich concentreerde op Liffy en zodoende Bletchley de gelegenheid gaf te luisteren en de agent in zijn achteruitkijkspiegel te observeren. Een eenvoudige en een oude truc, maar doeltreffend.

Nou, een ingewikkeld spel is het in ieder geval, dacht Joe, maar we weten tenminste waarom we hier boven op de brug van de kapitein zitten met onze jachttrofeeën en onze potpalmen. Bletchley de ware schipper hier en degene die aan de touwtjes trekt van deze operatie en van het Klooster wat dat betreft, en Whatley, zomaar één van zijn ondergeschikten, waarschijnlijk zijn plaatsvervanger... Maar waarom ís het spel zo ingewikkeld? Die Monniken hebben een oorlog om mee in hun maag te zitten en Rommel is daar ergens in de woestijn met zijn pantserdivisie die met het uur denderend dichterbij komt, dus wat is er loos? Waarom zijn ze zo doodsbenauwd voor Stern in een tijd als deze? ... Het is per slot van rekening maar één man, meer niet.

Heb je wel eens van de Zusters gehoord? vroeg Bletchley.

Joe probeerde na te denken.

De Vreemde Zusters, bedoel je? Die oude benaming voor de Schikgodinnen?

Bletchley lachte.

Nee, dit heeft niets met folklore te maken. Ik doelde op de twee vrouwen die een tijdje geleden de regerende koninginnen van de society van Caïro waren. Het is een tweeling en ze leven nu nogal teruggetrokken. Ze wonen op een woonboot in de Nijl, heb ik gehoord.

O. Nee, van hen heb ik nooit gehoord, zei Joe.

Maar de naam Menelik Ziwar zegt je toch zeker wel wat, of niet? Die egyptoloog die Stern vroeger kende? Hij was ooit ook een echte societyfiguur... op zijn manier.

Ja, van de oude Menelik heb ik wel gehoord, zei Joe. Wat is er met hem?

Bletchley gaf geen antwoord. Hij stond op en rekte zich uit.

We moeten er nu echt vandoor, mompelde hij. Ik rijd niet graag in het donker. Dan krijg ik last van mijn oog.

Van de rit terug door de woestijn met Bletchley, of van de aankomst in het oude Caïro, of van Achmed die hem naar zijn kamer boven hielp herinnerde Joe zich niets. En al evenmin wist hij dat Liffy die avond was gekomen om de wacht te houden, Liffy die zacht binnensmonds neuriede terwijl Joe van koorts lag te woelen en de nacht zich dieper neerlegde over die wegrottende ruïne die Hotel Babylon werd genoemd, terwijl beneden al die tijd de zwijgzame Achmed recht op zijn hoge kruk

8 Maud

Ze deed haar achterdeur op slot en liep de buitentrap af en de steeg in, waar de kinderen van haar buren ondanks het late uur nog buiten speelden. Zodra ze haar voetstappen in het donker hoorden, kwamen ze lachend en schreeuwend op haar afgerend en probeerden te raden in welke hand ze snoepgoed voor hen had. En toen boog hun moeder zich uit een van de smalle ramen die geel licht in de steeg wierpen en moest Maud eerst met haar praten alvorens ze door de open keukendeur naar binnen keek om nogmaals enkele woorden te wisselen met de grootvader van het gezin, die altijd blij was als hij de kans kreeg zijn povere Frans te demonstreren.

Op het stille pleintje aan het einde van de steeg, verstopt achter drukkere straten, waren andere buren die dienden te worden gegroet, werkvolk dat een ommetje maakte of dat in kleine groepjes stond te babbelen en te genieten van het avondbriesje van de rivier, dat zo welkom was na de verzengende hitte van de dag. De ober binnen de deur van het kleine restaurant op het plein was een en al glimlach toen hij haar zag.

Nee, zei hij, er was die middag geen post voor haar. En ja, zijn zoon deed goed zijn best en hielp op zijn tiende al mee in de keuken. Nog een paar maanden en hij zou de jongen onderrichten in het dekken van de tafels... De ober boog zich, met iets van plechtstatigheid in zijn stem en een zweem van intensiteit rond zijn ogen naar haar toe.

Komt u binnenkort dineren? In het weekeinde wellicht?

Als het zo uitkomt, zei ze, wetende wat hij bedoelde.

O mooi, mooi. Dat doet me zo goed...

Ze liep over het plaveisel naar het buitencafeetje en koos een tafeltje achteraan. De ober daar was ook een vriend die haar het nieuws moest vertellen terwijl hij de tafeltjes drie of vier keer afveegde en zijn gewicht beurtelings verplaatste van het ene been naar het andere.

We hebben vanavond wat speciale gebakjes, zal ik er eentje voor u reserveren?

Dat is bijzonder aardig van u, zei ze, en de ober straalde. Daar zij nooit zoetigheid at als ze alleen in het café was, wist hij dat ze haar vriend verwachtte. Plotsklaps was hij één en al aandacht en vertrouwelijkheid.

Gaat alles goed? Is hij... is alles in orde?

Ja, zei Maud met een glimlach.

O ja, nu dat is dan prima, God zij geprezen...

De man liep, in zichzelf mompelend, weg om haar koffie te halen en Maud staarde uit over het pleintje naar de straat waar het verkeer doorreed. Ze bleef zich altijd weer verwonderen over de kommernis van mensen om Stern en zijn welbevinden, zelfs bij mensen die hem nauwelijks kenden. Toch was daar altijd de suggestie, de plotseling waakzame toon en de bijna gespannen vraag die een alledaagse aardigheid zou kunnen zijn maar het niet was... Is alles in orde...? Komt u binnenkort dineren...? Waarmee werd bedoeld: Is alles in orde met *hem*? Komt *hij* binnenkort terug?

En de glimlach van opluchting als ze bevestigend antwoordde. En die diep gevoelde fluisteringen... *O mooi, mooi... God zij geprezen.*

Ze nam een slokje koffie, verheugd alleen te zijn op een plaats waar ze zich thuisvoelde en genietend van de avondlijke geluiden en rituelen van haar buurt. Toen hoorde ze boven het geroezemoes uit opeens zijn stem, dieper dan die van de anderen, en daar baande hij zich een weg tussen de tafels door en begroette hij de ober en zei hij iets tegen een groepje oude mannen wat hun lachlust opwekte, waardoor hun kopjes rinkelden... *Eindelijk Stern.* Het grote donkere hoofd en de mysterieuze glimlach, de speurende ogen en de handen die nooit ophielden iets te betasten, die altijd naar iets reikten, aanraakten, aanraakten...

Hij nam plaats op de stoel naast haar en zijn hand rustte licht op haar schouder.

... Ik had gehoopt dat ik op tijd weg kon voor het avondeten, maar je weet hoe zwaar een kantoorklerk het de laatste tijd heeft. Het werk stapelt zich maar op en op. In tegenstelling tot wat God beweert, is het soms net alsof het de boekhouders zijn die de aarde zullen beërven.

Hij glimlachte en dronk van de arak die de ober voor hem neerzette, nog steeds met zijn andere hand op haar schouder. De ober leek onwillig om weg te gaan en Stern maakte een opmerking in het Arabisch die maakte dat de ober in de lach schoot, het dialect te ingewikkeld voor Maud om te kunnen verstaan. Stern knikte en keek de man glimlachend aan.

... nog een? Waarom niet. Waar heb ik mijn sigaretten gelaten?

Hij liet haar schouder los en tastte in zijn zakken.

... moet vergeten zijn die te kopen, ik loop even naar het stalletje om de hoek. Maar jij wilt een zoete lekkernij, toch? Zal ik hem vragen die nu te serveren...? Ik ben zo terug.

Stern liep naar binnen en bleef nog even met de man praten, waarbij geen van beiden zich opvallend gedroeg, en vervolgens keerde hij zich om, verliet het café en liep met snelle passen over het pleintje de straat in. Twee, drie minuten later was hij terug en legde bij het zitten gaan ditmaal zijn hand op de hare. Als hij bij haar was, raakte hij haar altijd aan, dat was zijn gewoonte. Zijn vingers die voortdurend licht, voorzichtig, in beweging waren. Strelend, *tastend*... En om de een of andere reden viel haar oog ditmaal op zijn misvormde duim met de gruwelijke littekens die een paar jaar tevoren waren ontstaan toen hij zijn duimnagel bij een of ander stom ongeluk afscheurde.

Hij had haar ooit wel eens verteld wat er was gebeurd... hij had geprobeerd iets te repareren en toen was zijn duim weggegleden en ergens achter blijven haken, zijn duimnagel was gescheurd en had het vlees meegetrokken... ze kon zich de details niet eens meer herinneren. Eigenlijk was die duim met de littekens haar al lange tijd niet meer opgevallen, want het was nu gewoon een onderdeel van Stern. Maar op dat moment viel haar oog er plotseling op, en ze schrok er bijkans van. Het contrast tussen die grove littekens en de zachte streling van zijn duim op haar hand... opeens werd het haar bijna te machtig.

Stern glimlachte hartelijk, zijn ogen dronken haar in.

... zo *goed* om bij je te zijn, fluisterde hij. Zo *juist*, zoals het leven behoort te zijn.

Terwijl ze praatten, hief hij zijn hand op en streelde haar haar. Er was niets ongewoons aan het gebaar en van een afstand zou niemand er iets bijzonders aan hebben opgemerkt, geen enkele verandering in zijn gedrag, maar Stern fluisterde nu in een weinig bekend Grieks dialect dat werd gesproken in de bergen van Kreta. Hij maakte alleen gebruik van dat dialect als ze zich op een openbare plaats bevonden en hij haar iets te zeggen had dat niet voor andere oren bestemd was. Maud sprak het niet zo vloeiend als hij, maar ze verstond het uitstekend.

... ik wil niet dat je je zorgen maakt maar ik ben vanavond niet helemaal alleen. Ik word geschaduwd.

Ze voelde een tinteling in haar binnenste. Hoe lang is dat al zo? vroeg ze en ze zag dat hij zijn schouders ophaalde.

... een paar dagen.

Maar wie zijn het, Stern? Is alles in orde?

... o ja. Gewoon een paar lui van het Klooster.

Dat is alles, dacht ze, zich bewust van zijn voortdurend bewegende handen die haar streelden en de tafel aanraakten en zijn glas aanraakten, en zijn sigaretten en haar ring. De wereld rond hem nu meer aftastend dan ooit, alsof hij bang was hem kwijt te raken. Niet los wilde laten, *beroerend...*

Maar waarom, wat heeft het te betekenen, Stern? Weet je het?

... ach, ik verlaat laat in de avond de stad en ze willen zich er waarschijnlijk van verzekeren dat ik veilig vertrek.

Hij lachte wrang.

... je voelt wel, in de hoop dat ik nooit meer terugkom.

Ze fronste haar wenkbrauwen bij die opmerking, bedenkend dat zijn humor de laatste tijd bitter was geworden op een manier die haar niet aanstond, maar Stern leek haar frons niet op te merken. Zijn ogen schoten heen en weer over het plein terwijl hij de oude morsesleutel tevoorschijn haalde die hij altijd bij zich droeg en die begon om en om te draaien terwijl zijn andere hand op haar schouder rustte.

Wat is er, Stern?

... o. Ach, hier in de buurt is jou zeker niemand opgevallen, hè?

Nee.

... en het gezin dat naast je woont, de grootvader, heeft hij niet gezegd dat hij iemand heeft gezien?

Nee, maar houden ze mij ook in de gaten? Bedoel je dat te zeggen?

... ik vrees dat die mogelijkheid bestaat, heeft men mij verteld... maar niet zo scherp en er is geen gevaar bij, het heeft louter iets met mij te maken.

Ze keek hem aan. Ze kon er geen touw aan vastknopen, maar er was ook geen reden waarom ze dat wel zou kunnen. Stern had er altijd voor gewaakt dat hij nooit tot in details sprak over zijn werk voor het Klooster. Toch had hij de laatste tijd duidelijker toespelingen gemaakt op zijn werk, en alleen dat vond ze al verontrustend.

... misschien zou het dus beter zijn, voegde hij eraan toe, als je hier op kantoor met geen woord over repte. Het gaat de Waterjongens niets aan en zij weten er niets van af, dus waarom zouden we ze overstuur maken? En je hebt zelf niets gezien dus hoef je niets te verzwijgen. Natuurlijk, als er iets abnormaals lijkt te zijn, zou het verstandig kunnen zijn de grootvader bij de buren daarop te wijzen. Hij is er altijd en hij kent iedereen en hij zou... maar hoe dan ook, het is zuiver iets tussen de Monniken en mijzelf en...

Stern maakte zijn zin niet af. Hij glimlachte zijn mysterieuze glimlach en veranderde van gespreksonderwerp en zij praatten over andere dingen, waarbij Stern hem stevig raakte. Toen was al te snel het middernachtelijk uur aangebroken en hun korte samenzijn voorbij. Opnieuw was het voor Stern tijd om te gaan.

Ik weet dat je je moet haasten, zei ze, maar er is iets wat je me vanavond nog niet hebt verteld. Hoe gáát het met je?

Die vraag doorkliefde Sterns rusteloosheid. Hij liet zijn hoofd hangen en sloeg zijn ogen neer en werd bevangen door een lusteloosheid, zijn doordringende ogen eindelijk stil, zelfs zijn handen kwamen tot rust.

... moe, Maud... *hondsmoe*. Maar het is niet zozeer de fysieke uitputting als... Het is vreemd, weet je. Ik dacht altijd dat het lichaam het als eerste zou begeven, vooral als je gewoonten hebt als de mijne. Maar nee, het lijkt alsof de andere illusies... Het is niet zozeer het pantser van de ziel als... afijn, ik zal een paar weken wegblijven, dus...

Ze stak haar armen naar hem uit en hij hield haar dicht tegen zich aan geklemd, in stilte trachtend alle dingen te zeggen die hij niet in woorden had kunnen zeggen, glimlachend toen hij een stap achteruit deed en een laatste keer in haar hand kneep en toen snel over het plein wegsnelde... de rusteloze gang en een knikje of een enkel woord hier en daar tot de laatblijvers, zich naar haar omdraaiend en wuivend, het grote donkere hoofd tegen de middernachtelijke hemel van de stad, toen hij de hoek bereikte en achteromkeek en een laatste glimp van haar opving...

Weg. Diep zuchtend staarde ze hem na. Wat vreemd was het, dacht ze. Al jarenlang was het afscheid nemen altijd zo hectisch voor ons, zo op een pijnlijke manier hartverscheurend. Maar nu er een oorlog woedt en het gevaar groter is dan ooit, is het bijna stil tussen ons. Vredig zelfs.

Waarom? vroeg ze zich af. Omdat zoveel beslissingen niet meer aan ons zijn? Is dat echt de enige manier waarop het leven minder martelend kan zijn? Als de keuzes je uit handen worden genomen, als er voor je wordt beslist?

Ze zat die nacht nog laat op haar balkonnetje, zoals ze altijd deed als Stern weer wegging. Voor twee weken ditmaal, had hij gezegd. Maar wie wist wat dat beduidde? Wie kon dat ooit weten bij een man als Stern die voortdurend opnieuw vertrok op een gevaarlijke missie voor het Klooster?

Missie. De Waterjongens gebruikten die term altijd en de Monniken eveneens. Verder had iedereen de mond vol over een missie hier en een missie daar, maar Stern nooit. Op de een of andere manier vond hij het woord te gewichtig klinken en in plaats daarvan had hij het over op reis gaan... Een man op reis... Ik moet nog een reisje maken.

Stern... Joe... hoe anders waren zij in zo veel opzichten, en toch hadden zij ooit, jaren geleden in Jeruzalem, een heel hechte band gehad. Toen had Joe het vaak tegen haar gehad over zijn grote vriend Stern, en ze herinnerde zich hoe verbaasd ze was geweest toen zij en Stern elkaar eindelijk, veel later, hadden ontmoet in Istanbul, nadat ieder van hen een eigen weg had ingeslagen.

Ze wist niet wat ze had verwacht, waarschijnlijk een of andere djinn, zoals Joe over hem had gesproken. In ieder geval niet de Stern die zij had leren kennen, net als andere mannen wanneer ze hem zag zoals ze hem vanavond had gezien, gebogen over een tafeltje in een klein café en pratend over koetjes en kalfjes, beurtelings lachend en zwijgend, zij samen precies als ieder ander, zoals zij zich over elkaar ontfermden en zo goed zij konden standhielden, genietend van de kortstondige ogenblikken samen. Stern in het sjofele pak van een klerk, zijn haar naar achteren strijkend en pratend over stapels werk en grapjes makend over overwerk... Behalve zijn rusteloze ogen en zijn handen die nooit helemaal stil waren, dezelfde als ieder ander die een uurtje doorbracht op dat pleintje aan het einde van de steeg. In ieder geval vanavond eventjes... net als ieder ander.

En Joe? Waarom moest ze juist vanavond aan hem denken? Of dacht ze altijd aan hem, vooral deze tijd van het jaar... terugdenkend aan hun reis naar de Sinaï zo lang geleden en hun maand samen in een kleine oase aan de Golf van Akaba. Sprankelend water en zand dat brandde en de verbluffende zonsondergangen van de woestijn die boven hen losbarstten en de briesjes van de alles genezende zee, de eeuwige stilte van de dageraad aan het begin van de liefde...

Ja, dat moest de reden zijn dat ze vanavond aan Joe moest denken. Het was de tijd van het jaar en Stern die weer wegging zoals Joe zo vaak was weggegaan toen hij lang geleden in Jeruzalem voor Stern werkte... een of andere samenloop van kleine dingen in haar geest. De grillen van het geheugen dat de jaren dooreen mengde toen zij laat op haar balkonnetje zat en uitstaarde over de grote rusteloze stad en nadacht over vele dingen, maar bovenal over Stern.

De stem, de ogen, het aanhoudende aanraken... zou het echt mogelijk zijn dat hij eindelijk ineenstortte zoals de wereld zelf? Stern met zijn
levenslange droom van een grootse vredige nieuwe natie in het Midden-
Oosten, het visioen dat een fikse oplazer had gekregen in de monsterlijke slachting van de Eerste Wereldoorlog om te worden verpletterd in
de waanzin van de Tweede Wereldoorlog. Voor Stern was er niets overgebleven want niemand wilde horen van zijn hopeloze dromen, de Arabieren niet en de Joden niet... niemand. En toch had Stern dat al die
jaren geweten, dus waarom ging hij door met wat hij deed? Waarom de
eindeloze strijd als er geen einde was aan wat hij nastreefde?

In de duisternis moest Maud opeens lachen om zichzelf, om haar
eigen mijmeringen.

Wat beweegt *hem*...? Maar wat beweegt ieder van ons? Waarom blijven wij pogen als wat wij hopen voor altijd buiten ons bereik zal liggen? Wanneer wij nooit meer kunnen dan de levens van anderen die ons
passeren aanraken? Wanneer zelfs ons eigen leven voor altijd onzeker en
onvolledig en buiten ons bereik zal zijn, niet meer dan een schaduw van
waar wij naar verlangen?

Dus misschien was het uiteindelijk niet zo moeilijk te begrijpen waarom mensen zoveel om Stern gaven, zelfs mannen als de obers op haar
pleintje, vage kennissen die nagenoeg niets van hem wisten. Heel eenvoudig, zij zagen in Stern iets wat ze in zichzelf zouden willen zien. Een
weigering de erbarmelijke begrenzingen van het bestaan te aanvaarden,
een verzet tegen de erbarmelijke nederlagen van de hoop...

We moeten meer zijn, placht hij te zeggen. Wat wij zijn is niet langer voldoende. We zijn dromende wezens die hebben geleerd boven onszelf te reiken, in tegenstelling tot elk ander dier, en daarom kunnen wij
beslissen wat wij zullen worden. En ongeacht hoezeer ons dat beangstigt, er blijft ons nu geen andere manier om te bestaan...

En het grote donkere hoofd dat in de nek werd gegooid terwijl de
mysterieuze glimlach zich over zijn gezicht uitspreidde.

... dus het is niet langer waar dat we *slechts* onszelf kunnen scheppen.
Nu moeten we wel. Onze kindertijd als ras is voorbij en terugkeren is
onmogelijk, geen ontsnapping in barbaarsheid, geen manier om onszelf
te verliezen in de geestloosheid van ons dierlijke bestaan. Nu moeten
we vrij zijn om überhaupt te kunnen zijn. Het kind binnen in ons geeft
de voorkeur aan zijn instinctieve kooi, en de oorlogen van deze eeuw
zijn de laatste stuiptrekkingen van het einde van onze kindertijd, maar
de oorlogen kunnen niet eindeloos doorgaan en dat voelen wij allemaal.
Ons moordspeelgoed is te vernuftig geworden en onze slagvelden zijn

de gehele aarde geworden, en nu dienen we ons moordspeelgoed terzijde te leggen of dat te weigeren, en door dat te weigeren het leven te verzaken. Ik bedoel onszelf volledig en volkomen te vernietigen...

O ja, dacht ze. Stern en zijn onwankelbare dromen en de legioenen kleine lieden die hoop putten uit de vuren die hem in de duistere krochten van zijn ziel verteren, Stern met zijn alcohol en zijn morfine en de afbrokkelende halsstarrigheid van zijn visioen... Moe, had hij gezegd. *Hondsmoe*, had hij gezegd.

Van haar balkonnetje staarde Maud uit over de zachte lichten van de rusteloze stad, denkend aan de woestenij weinig mijlen verderop, waar grote legers elkaar op de kale zandvlakten even meedogenloos als blinde, verscheurende en klauwende dieren in de nacht afslachtten.

Arme Stern, dacht ze, *arme wij allemaal*. En zijn we echt geworden als hij... een droom die te groots is om te overleven?

9 Menelik

Joe ontwaakte op een zondagochtend in zijn piepkleine kamertje in Hotel Babylon, na sinds vrijdagavond onafgebroken te hebben gekampt met een hevige koortsaanval. Liffy zat nog steeds naast hem aan de tafel om de wacht te houden, zoals hij het merendeel van die tijd had gedaan. Terwijl Joe het vreemde verhaal van zijn tochtje naar het Klooster vertelde, zat Liffy ongemakkelijk te draaien op zijn stoel en tekende een steeds grotere gekweldheid zich af op zijn gelaat. Uiteindelijk opende hij zijn mond en liet een daverende boer, gevolgd door een explosief spervuur van rochels en zuchten. Hij glimlachte flauwtjes en klopte op zijn buik.

Wat hoor ik nou, Joe? De *Bletch*, zeg je? Nou, dat is inderdaad onheilspellend, maar ik kan niet zeggen dat het me bijzonder verrast, al was het maar omdat niets aangaande de oorlog me verbaast. Een alziende eenogige Bletch als baas van het Klooster? Dat is gewoon gekkenwerk. Het is een en al gekkenwerk en ik probeer er niet aan te denken....

Liffy's maag bleef luidruchtig knorren. Joe vroeg hem of hij wel eens had gehoord van de twee vrouwen over wie Bletchley het had gehad en die bekendstaan als de Zusters.

Gehoord van, zeker, zei Liffy, maar daar heb je weinig aan. Iedereen die een tijdje in Caïro heeft doorgebracht heeft wel eens gehoord van die sociale leeuwinnen uit het recente verleden die beiden zo oud en beroemd zijn dat het gerucht gaat dat zij ooit intieme betrekkingen hebben gehad met de Sfinx voordat hij versteende, wat zo vaak gebeurt met goede ideeën. Maar dat was vroeger, en nu wonen de legendarische Zusters op een woonboot in de Nijl en kijken ze hoe de tijd verstrijkt, als contrapunt tegenover de Sfinx in de woestijn... Maar, zeg eens, waar leidt dit allemaal toe? Heeft Bletchley plotseling besloten de filosoof uit te hangen? Heeft hij zijn greep op de werkelijkheid verloren en besloten dat het duisterste uur van een duistere oorlog de aangewezen tijd is om eens serieus na te denken over het raadsel van de Nijl en de Sfinx? Op de een of andere manier lijkt dat onwaarschijnlijk.

Joe knikte.

Dat lijkt het inderdaad, maar Bletchley kan soms de indruk wekken dat hij weinig zegt, terwijl hij eigenlijk heel veel zegt. De laatsten over wie in het Klooster was gesproken waren de oude Menelik en de Zusters, nagenoeg in één ademtocht, maar waarom? En wat is de band tussen hen en wat heeft dat vandaag de dag met Stern te maken?

Liffy verzonk in gepeins.

Vandaag de dag, mompelde hij. Het hier en het nu... Dat is altijd een verwarrende kwestie, nietwaar, want wie weet wat hier en nu in de geest van een ander is...?

Plotseling glimlachte Liffy en floot.

Zeg, wacht eens even. Toen jij en ik Stern zagen in het oog van de Sfinx, was dat in een uitkijkpost die de oude Menelik in de vorige eeuw voor zichzelf had ingericht. Maar dat was niet de enige geheime plaats die de oude denker dierbaar was, is het wel? Er is ook nog zijn crypte aan de Nijl hier in Caïro, dat oude mausoleum onder het gemeenteplantsoen waar hij de laatste jaren van zijn leven heeft gesleten. Hoe zit het dáármee, Joe?

Joe wreef in zijn ogen en staarde naar de fles gin die op tafel stond.

Dat klinkt goed. Wat is daarmee?

Ach, nou ja. Achmed gebruikt die crypte als stiekeme werkplaats, de plek waar hij zijn drukpers en zijn graveerspullen en zo heeft staan. Daar kom ik nog op. Maar eerst iets anders: maakte Bletchley niet de een of andere opmerking toen hij het over de oude Menelik en de Zusters had? Iets wat ze gemeen hadden? Je zinspeelde erop... wat was dat ook weer?

Joe fronste zijn voorhoofd.

Bedoel je het feit dat de oude Menelik in zijn tijd ook nogal een societyfiguur was?

Liffy's hand schoot naar voren en hij wees naar Joe.

Precies. En die toevalligerwijs ook nog een expert is op alles wat met het maatschappelijke leven in het verleden van Caïro van doen heeft...? Wie bedoel je? Achmed, natuurlijk, Achmed en geen ander. De societypagina's van dertig jaar oude kranten vormen zijn specialiteit... Zo zie je maar. Wat Bletchley lijkt te zeggen is dat je, als je de waarheid omtrent Stern wilt vinden, eerst achter de waarheid omtrent de oude Menelik en de Zusters moet zien te komen. En de sleutel daartoe moet een uitstapje naar het verleden van Achmed zijn, want Achmed is degene die vandaag de dag de sleutel tot Meneliks crypte bewaart. Natuurlijk. Wie anders? Dit is Achmeds clandestiene werkplaats waar we het over hebben, zijn ondergrondse waarheid.

Liffy lachte.

Is het je te ingewikkeld? Te omslachtig en obscuur? Nou, dat zou het niet zijn voor Bletchley en zijn Monniken, durf ik te wedden. Want per slot van rekening blijft het feit bestaan dat jij, afgezien van Achmed, de enige gast in Hotel Babylon bent en dát is geen toeval. Dat moet op de een of andere manier zo zijn bekokstoofd, door Bletchley uiteraard. Dus wat het enigma ook mag zijn waar Bletchley over inzit, het begint hier in Hotel Babylon met onze hier residerende kluizenaar. En op dit punt op onze reis naar het oosten is het zo klaar als een klontje dat alle wegen naar Achmed voeren.

Liffy knikte nadenkend.

Ja. Dat is precies wat Bletchley op zijn cryptische Monnikachtige manier lijkt te zeggen... Jouw reis heeft nu betrekking op tijd, mijn zoon, niet op ruimte. Niet rivieren en bergen en woestijnen moeten worden doorkruist, maar herinneringen moeten worden verkend. Want het moment is aangebroken om stil te staan en te luisteren terwijl je je ophoudt in grotten en open ruimten, die van het verleden, en terwijl je de plaatselijke aforismen goed in je opneemt. Die van Achmed nog wel. Voorlopig moet je het concept van deze bouwvallige kluizenaarshut waarin je je bevindt zelf aanschouwen, dit mythische Babylonische toevluchtsoord ergens diep in een achterbuurt van Caïro, dat je deelt met slechts één ander menselijk wezen... Kortom, wat ís Hotel Babylon, mijn zoon? En wie ís Achmed en wat in de wereld *doet* iemand in deze gammele puinhoop terwijl een vreselijke oorlog de wereld teistert?

Liffy lachte en werd toen weer ernstig.

In zekere zin benijd ik je, Joe. Ik heb Achmed nooit goed leren kennen, maar ik heb altijd het gevoel gehad dat daar hele werelden te verkennen zijn, misschien zelfs een heel geheim universum. En het zou best zo kunnen zijn dat de oude Menelik zich ergens in het centrum van dit verre hiëroglyfische verleden bevindt, als een soort zwarte zon waar vele levens ooit op een mysterieuze ondergrondse manier omheen draaiden. En hoewel Achmed over het vreemde vermogen beschikt om zich van deze wereld naar andere en terug te verplaatsen, misschien wel juist om die reden, kun je geen samenhangend verhaal verwachten voor wat jij zoekt. Want het is immers Achmeds geheugen dat jij hoopt te onderzoeken en herinneringen hebben toch nooit een begin, een midden

en een eind? Die zijn altijd van voorbijgaande aard, allemaal, en die bestaan uitsluitend uit glimpen en flarden of scherven, zoals Menelik ze
zou kunnen hebben genoemd. Fragmenten, met andere woorden. Grillige stukken en beetjes waaruit we moeten trachten de bokaal in zijn
oorspronkelijke staat te reconstrueren, het breekbare voorwerp dat ooit
de wijn van andere levens in andere tijdsgewrichten bevatte... Fragmenten, scherven, ja. De ongrijpbare materialen van de egyptoloog.
Maar per slot van rekening zijn we in Egypte, dus dat is niet meer dan
logisch, veronderstel ik. Dat moet men voor lief nemen, stel ik me voor.

Joe keek naar hem. Hij glimlachte.

Mijn God, Liffy, jouw verbeelding heeft op deze zondagmiddag heel
wat voor mij te doen gevonden.

Liffy keek op en knikte geestdriftig.

Waar? Terwijl ik een totaal ander soort werkelijkheid onderzoek? Maar
laten we ons eerst eens met jouw zaken bezighouden, want jouw zaken
zijn echte zaken en mijn plannen behelzen niets meer dan ordinaire los-
bandigheid, puur erotisch gestoei op z'n zachtst gezegd... Welnu, hoe
kan ik helpen? Wat kan ik je over Achmed of over Hotel Babylon of
over de muziek van onze tijd vertellen? Maar wacht, ik heb een idee.
Waarom zou een pianola niet net zo geschikt zijn als wat dan ook om
de zaak op de rails te zetten...?

Liffy snoof. Hij lachte.

Je hebt haar gezien, ik weet het zeker. Daar staat ze onder decennia
stof aan de andere kant, de donkere kant, van de gang beneden, een
waarachtige pianola. En wat had ze daar in godsnaam te zoeken?

Joe deed alsof hij aanstalten maakte op te staan en Liffy's blik schoot
onmiddellijk in de richting van de fles gin op tafel.

Zit er een geest in die fles opgesloten? vroeg hij.

Dat zou best eens kunnen, mompelde Joe.

En wil je hem eruit laten? Hem in vrijheid stellen?

Dat leek me niet eens zo'n gek idee.

Liffy fronste zijn voorhoofd en schudde heftig zijn hoofd.

De zaken gaan voor, Joe. De pianola heeft prioriteit. Nu dan. Elke
zondagochtend wandelt Achmed, nadat hij op zijn hoge kruk achter de
toonbank zijn koffie heeft gedronken en zijn sesamwafels heeft gegeten,
daar in het halfduister weer heen en speelt een uurtje of wat verwoed

op de pianola. Venten met het verleden, noemt hij dat, wellicht omdat de pianola maar één boek heeft. *Home Sweet Home.* Je zou kunnen zeggen dat Achmed een aandoenlijke nostalgische hang naar voorbije tijden heeft.

Liffy keek nadenkend.

Natuurlijk heeft Achmed ook nog het handeltje dat hij in het mausoleum van de oude Menelik, zijn huidige geheime atelier, drijft. Daar beneden is Achmed een meestervervalser zoals er geen tweede bestaat, en naar men beweert de beste in Egypte. Geld is zijn specialiteit, gigantische hopen valse valuta die kunnen worden gebruikt door fanatieke Monniken die de gelofte van armoede hebben afgelegd. Pseudo-miljoenen ten behoeve van de schone schijn, voel je wel, ongeveer zoals het leven zelf. Maar Achmed produceert ook identiteitspapieren en andere ditjes en datjes, zoals tegoedbonnen voor gratis drankjes. Herinner je je niet dat ik op het vliegveld met zo'n ding liep te zwaaien. *Zeg slechts dat u door Achmed bent gestuurd en u zult er nooit spijt van hebben?*

Bedoel je dat die coupons echt iets voor elkaar krijgen? vroeg Joe.

Altijd. Overal in Caïro.

Waarom?

Liffy smakte met zijn lippen.

Ik dacht dat je het nooit zou vragen. Ze werken omdat Achmeds vader, ook een Achmed, ooit een beroemde dragoman was in Caïro, de meest vooraanstaande gids en tolk voor toeristen in deze contreien en in zekere zin een beschermheilige voor hen die werkzaam zijn in de prostitutie en de alcoholbranche. Het schijnt dat ze zijn naam nog steeds respecteren omdat hij een van de voorlopers van het moderne Egyptische nationalisme was, door middel van de liefdadigheidsvereniging van dragomans die hij in het leven riep. Afijn, Achmed *père* hield zich in de vorige eeuw vaak op rond de veranda's van toeristenhotels om klanten te lokken en op een winter had hij bij toeval een gepassioneerde affaire met een jonge Duitse vrouw die daar op vakantie was en Achmed *fils*, onze Achmed, is sindsdien een fel anti-Duitse vegetariër.

Hoezo?

Omdat die jonge Duitse vrouw zijn moeder werd. Kort nadat Achmed *fils* was geboren liet zij beide Achmeds in de steek en keerde terug naar Duitsland. Ze dacht dat dat voor alle betrokkenen het beste was, maar bepaalde politieke vijanden van Achmed *père* verspreidden het gerucht dat ze terug naar huis was afgetaaid omdat ze niet kon leven zonder een dagelijkse homp van de lange dikke bloederige worsten uit haar vaderland. Onze Achmed hoorde dat kwaadaardige gerucht toen hij nog een sensitieve jongeling was en vatte het op als een persoonlijke beledi- ging, daar hij de een of andere seksuele toespeling zag in zijn moeders hunkering naar lange bloederige Duitse worsten. Hij heeft zijn moeder nooit vergeven dat zij daaraan de voorkeur gaf boven hem. Eigenlijk heeft hij dat vrouwen in het algemeen nooit vergeven, en Duitsland in het algemeen evenmin, en vlees... Opnieuw speelt de kwestie van het vlees een belangrijke rol in het menselijke doen en laten, zou ik zeggen, dat doet het op de een of andere manier altijd weer, nietwaar, ouwe reus? Vlees, bedoel ik. *Vlees*, dat is alles. Het *vlees* in de kuip, puur en simpel. Zelfs als iemand zo spiritueel is als Achmed, is het gewoon buitenge- woon hoe vaak vlees ten grondslag ligt aan wat ons mankeert... Ja, *vlees*, mijn zoon. Vergeet dat niet als je vertoeft in geestelijke grotten en open ruimten...

Liffy zuchtte.

En ik kan het weten. Even goed als wie dan ook... Maar hoe dan ook, onze Achmed wordt in de omgeving aangeduid met de naam Achmed de Dichter, hoewel niemand hem ooit een gedicht heeft zien schrijven. Een kwestie van instelling, wellicht. En ik kan veilig stellen dat Achmed daarenboven *erg* verzot is op de Beweging.

Welke beweging mag dat wezen? vroeg Joe.

Mijn beste kerel, dé Beweging. Is er ooit meer dan één geweest? Dé Beweging zou je kunnen definiëren als dat wat de geschiedenis aan de persoon die het betreft verklaart. De Beweging is naar zijn aard revolu- tionair, een imposante innovatie die nooit eerder bij iemand is opgeko- men, met uitzondering van de persoon die het betreft. De Beweging raast door de oude orde der dingen als een soortement politieke trol- leybus die lieden vervoert van hun jeugd en onbenulligheid naar rijp- heid en persoonlijkheid. Ik weet zeker dat je hebt gehoord van mensen die hun hart hebben verpand aan de Beweging, ook al ben je er de laat- ste tijd geen tegen het lijf gelopen. *L'homme engagé*, bijvoorbeeld, her- inner je je hem nog uit de jaren dertig? Een drieste Fransman met een baret op en een ostentatieve kettingroker? Die in tijden van crisis op- dook achter de intellectuele barricades en alles samenvatte in uitspraken als *Het leven is absurd* of *Het leven is een Cambodjaan*, dat soort dingen? Maar als dit alles verwarrend lijkt om over na te denken, waarom ont- spannen we ons dan niet en laten het denken aan Achmed over? Ik weet zeker dat hij je over de Beweging alles kan vertellen wat je ooit zult wil- len weten, en als ik zeg alles dan bedoel ik ook alles. Zo zijn aanhan- gers van de Beweging... Maar wat is het geheim van de piramiden, mees- ter? *Alles*, mijn kind...

Liffy knikte in zichzelf, zijn gelaatsuitdrukking bedachtzaam.

Ik moet eraan toevoegen dat Achmed adequaat is beschreven als een Egyptische heer met een platte strohoed op, die enigszins schuin staat ten opzichte van het universum.

Wie heeft hem zo beschreven? vroeg Joe.

De voormalige buikdanseres verderop in de straat, antwoordde Liffy. Die alleraardigste vrouw die malse jonge gebraden kippetjes verkoopt om in haar levensonderhoud te voorzien en tevens fungeert als de officiële historica aangaande de pijpnummertjes in de Rue Clapsius. Ze zegt dat *altijd* over Achmed.

O, aha.

Ja. En de reden dat Achmed zijn matelot, zijn hoed, nooit afneemt, zegt ze, is dat het een souvenir is aan een vroeger en rustiger tijdsgewricht, toen Achmed dienstdeed als de slagroeier en aanvoerder van een roeiteam samengesteld door de liefdadigheidsvereniging van dragomans die de strijd aanbond met de Britse marine. In die dagen was er een verwoede roeicompetitie die bekendstond als de Jaarlijkse Slag om de Vleespotten van de Nijl, en in 1912, als ik me niet vergis, wón Achmeds team, dat was de enige keer dat de Britse marine ooit op haar eigen terrein in de Nijl is verslagen, en dan ook nog eens door tuig van de richel. Eindelijk hadden de scharrelaars en de pooiers het geflikt... En nimmer, merkt de voormalige buikdanseres op, werd er in de Rue Clapsius met zo veel *verve* gepijpt als die avond. Het was uiteraard een bemoedigende zege voor alle rechtgeaarde inwoners van Caïro en een mooie dag voor het Egyptische nationalisme. De matelot die Achmed op heeft is dus een dierbaar aandenken aan die legendarische overwinning van vroeger.

Liffy fronste zijn voorhoofd.

Maar dat wás vroeger en nu is hij *stil*, Achmed, bedoel ik. Hij is net een reusachtige ernstige kat die in stilte zijn herinneringen likt. Dus hoewel alle paden, volgens Bletchleys aanwijzingen, naar Achmed voeren, zou ik oppassen met het noemen van Sterns naam. Jaren geleden waren ze als twee handen op één buik, maar er gebeurde iets wat met verraad van doen had en het is nog steeds een teer punt. Het fijne ervan ben ik nooit te weten gekomen.

Liffy stond op. Zijn gezicht klaarde op.

Afijn, ik moet je zeggen dat ik gisteravond, in de hoop op een verzoening, Cynthia heb opgebeld en zij zei dat ze misschien weer aandacht aan me zou willen schenken als ik vanmiddag in een passende uitmonstering bij haar voor de deur zou staan. Ik dacht erover de rol van officier van de Vrije Fransen op me te nemen. Je weet wel, zo'n donkere aantrekkelijke Algerijnse cavalerie-officier. Die dragen van die wervelende rode mantels... Onweerstaanbaar op een zondagmiddag, denk je niet?

Verpletterend, zei Joe met een glimlach.

Als je bent hersteld, uiteraard, en me niet nodig hebt... En, tussen haakjes, Bletchley schijnt iemand te hebben die jou in het oog houdt. Ik zag een jonge gozer in de straat rondlummelen. Hij mist een groot aantal vingers en is misschien alleen maar op jacht naar een mals jong kippetje voor de lunch, maar voor hetzelfde geld is hij dat niet. Ben je geïnteresseerd?

Nog niet, zei Joe. Het is mij nog te vroeg.

Liffy lachte.

Echt waar? Merkwaardig, maar dat is precies wat Cynthia altijd zegt als we in bed stappen. *Het is nog te vroeg. Praat eerst wat met me.*

En doe je dat?

Liffy knikte energiek.

Zeker wel, ik vertel haar erotische verhalen over mijn omzwervingen. Ik zal haar toch zeker de talloze seksuele wapenfeiten die de Algerijnse cavaleristen in de loop der jaren in de woestijn op hun naam hebben gebracht niet onthouden? Onder de wervelingen van een rode mantel zondags?

Ha, en nu ga ik eropuit om van het avontuur te proeven, bulderde Liffy, en hij spoedde zich uitgelaten de deur uit en liep kletterend de wankele trap af.

Onder aan de trap, verscholen achter de kleine toonbank in de schaduwrijke gang die naar de straat voerde, zat de raadselachtige Achmed zwijgend patience te spelen, met een dertig jaar oude krant opengeslagen naast zijn elleboog. Voor zover Joe gezien had leken patience en dertig jaar oude kranten de enige tijdpasseringen van de man, als hij niet zijn beroepsbezigheden uitvoerde als receptionist in Hotel Babylon of als vervalser in Meneliks mausoleum.

Achmed was een grote man, een bizarre verschijning, zelfs naar de maatstaven van de Rue Clapsius. Naast de gehavende platte strohoed die hij altijd op zijn hoofd had, droeg hij een bril met grote ronde glazen en een schildpadmontuur, die met stukken rood draad in identieke lussen stevig aan zijn oren bevestigd was. Zijn haar was eveneens felrood, duidelijk geverfd naar zijn eigen recept, want de kleur was te fel en te vlekkerig om het werk te zijn van een professionele kapper.

Hoewel zijn massieve gezicht verre van jong was, was het glad en rimpelloos gebleven en werd het overheerst door een enorme vooruitstekende neus. Het formaat van zijn handen was opmerkelijk en de algemene indruk die hij wekte was er een van grote fysieke kracht in ruste. Hij had zelfs een uitdrukking van kinderlijke geestdrift op zijn gezicht, alsof de indrukken van het leven nog vers en niet geheel gevormd waren, met als gevolg dat hij minder op een oude man en meer op een jongen op jaren leek.

Tot die zondag had Achmed zich altijd afzijdig gehouden in Joe's aanwezigheid, en nooit meer gezegd dan noodzakelijk was. Maar volgens Joe had dit te maken met een aangeboren verlegenheid van Achmeds kant, en eigenlijk veranderde Achmeds houding, zoals Joe al had gehoopt, volkomen toen Joe zich over de toonbank boog en langs zijn neus weg opmerkte dat hij ooit in Jeruzalem heel wat verhalen had gehoord over de meesterlijke egyptoloog en vermaarde zwarte wijsgeer die de wereld niet kende als Menelik Ziwar, nu al vele jaren dood.

Natuurlijk was het feit dat het noemen van de naam van Menelik Ziwar alleen al de aard van die middag, van elke middag, ingrijpend kon veranderen, niet verbazingwekkend. Toegegeven, slechts enkelen hadden, zelfs toen hij nog leefde, ooit van deze mythische negentiende-eeuwse inwoner van Caïro gehoord. Maar voor die weinige uitverkorenen zou hij voor eeuwig een verbluffend mens met ongeëvenaarde talenten blijven, een held van legendarische omvang.

En onvergetelijk in alle opzichten. Joe wist alleen wat hem tien jaar tevoren in Jeruzalem over Menelik Ziwar was verteld. Maar Achmeds band met de oude Menelik was veel persoonlijker, zo bleek, en onlosmakelijk verstrengeld met zijn eigen intiemste sores.

Menelik Ziwar was zijn leven begonnen als een zwarte slaaf die Boy heette, en die in het begin van de negentiende eeuw in de Nijldelta was geboren. Op vierjarige leeftijd werd hij in een katoenveld gesmeten met de opdracht te plukken, en onder normale omstandigheden zou hij dat de rest van zijn leven, twee decennia op z'n hoogst, hebben gedaan, om vervolgens te overlijden aan dysenterie, cholera of tyfus. Maar op de een of andere manier slaagde Boy erin een paar woorden te leren schrijven, waaronder ook *Ziwar*, de naam van de rijke katoenvette familie die hem bezat, en al snel schreef hij die naam als een soort graffiti op elk beschikbaar oppervlak op de plantage waar hij woonde.

Het duurde niet lang of een van de Ziwars merkte dit alomtegenwoordige eerbetoon aan zijn naam op en voelde zich erdoor gevleid. Hij liet Boy van het veld overbrengen naar zijn woning om dagelijks zijn opiumpijp te verzorgen. Nu had Boy tijd om te dromen, en daar zijn verbeelding werd geprikkeld door de beloning van alfabetisme, leerde hij al snel net zo goed lezen als hij kon schrijven. Toen hij dat had bereikt vond Boy dat hij het recht op een betere naam had verdiend en koos zich onmiddellijk de naam *Menelik*, naar de mythische eerste keizer van Ethiopië, het enige land in Afrika dat toentertijd niet door Europeanen werd geregeerd.

Eenmaal bevrijd was Meneliks succes nog verbluffender. Als jonge man verhuisde hij naar Caïro en leerde de Europese talen om in staat te zijn het hoofd als dragoman boven water te houden, en zich tussen privédiensten aan toeristen te wijden aan zijn studie van de hiëroglyfen. Vervolgens richtte hij zijn aandacht op de archeologie en tegelijkertijd verwierf hij zich het monopolie op de opiumhandel in Caïro om zijn kostbare opgravingen elders te bekostigen, en in korte tijd groeide hij uit tot de meest vooraanstaande egyptoloog van de eeuw, een duizendkunstenaar van het ondergrondse leven.

Maar hij bleef trouw aan de anonimiteit die hij zich in zijn jeugd eigen had gemaakt en Menelik stond altijd toe dat de losbandige jongelingen van de Ziwar-clan met de eer van zijn opmerkelijke vondsten gingen strijken, terwijl hij er de voorkeur aan gaf op de achtergrond te blijven en anderen wijze raad te geven aangaande de plaatsen waar zij moesten graven en hoeveel opium zij moesten roken terwijl ze daarmee bezig waren, opdat ze deze wondermooie schatten die eeuwenlang verborgen waren gebleven beter naar waarde zouden kunnen schatten.

Meneliks carrière van ongeëvenaarde genialiteit hield stand tot hij ver in de negentig was, maar lang daarvoor was hij volkomen ondergronds gegaan om de hem resterende dagen in nog grotere obscuriteit te slijten, waarbij hij een van zijn vondsten, een ruime oude graftombe die zich nu onder het gemeenteplantsoen aan de Nijl bevindt, als rustplaats koos. Daar ontving de oude Menelik tot aan zijn dood de weinigen die van zijn bestaan af wisten gastvrij. En het was ditzelfde mausoleum onder een gemeenteplantsoen in Caïro dat Achmed nu gebruikte als geheim atelier, waar hij talloos veel miljoenen voor de Monniken vervalste, zoals Liffy had gezegd.

En zo was er een einde gekomen aan een verbazingwekkend leven dat lang geleden zo eenvoudig was begonnen met de graffiti van een kind, op die gedenkwaardige dag in de negentiende eeuw toen een kleine zwarte slaaf die Boy heette het waagde, wet en gezag daarmee uitbundig tartend, zijn blik te richten op de katoenplantage waar hij werkte, en op een muur die houterige brutale woorden durfde te kalken die de magie van zijn smachtende ziel voor immer zouden bevrijden.

HOJ.
OGEN MOE FAN GESLEP MET KETOEN.
KETOEN SNIET OP,
IC WEL.
(w.g.) ZIWAR FAN DE DELTER.
IC, DAS ALS.

10 Achmed

Maar het was slechts een heel klein deel van de loopbaan van de oude Menelik dat Achmed leek aan te spreken, niet zijn fenomenale carrière als zodanig.

Achmeds intense bewondering voor de oude egyptoloog was volledig geconcentreerd op die buitengewoon korte periode van één winter in Caïro, waarin de jonge Menelik de hiëroglyfen begon te bestuderen en als dragoman werkte om in zijn onderhoud te voorzien. Want het was tijdens deze winter, lang, lang geleden, dat Menelik en Achmeds vader de eerste liefdadigheidsvereniging van dragomans, een voorloper van het twintigste-eeuwse nationalisme, in het leven hadden geroepen.

Wat een visie, zei Achmed tegen Joe. En wat een dappere veldslagen hadden ze moeten voeren om de strijd te verplaatsen van de kroegen naar de straten. Toentertijd kon een dragoman uitsluitend in het winterse toeristenseizoen emplooi vinden. De rest van het jaar was hij berooid, evenals zijn verwaarloosde noodlijdende kinderen, de arme stumpers. Voor een dragoman was het in die dagen een kwestie van hollen of stilstaan. In de winter schreeuwden rijke Europeanen om de diensten van een dragoman en waren zij bereid nagenoeg elke prijs te betalen om er een te pakken te krijgen. Maar dan?

Wat kwam er dan? vroeg Joe.

De lente, bulderde Achmed. Het wreedste seizoen. En niet alleen de lente, maar de lente, de zomer en de herfst. De toeristen kwamen niet langer naar Caïro omdat het te warm was, en dezelfde dragomans die het meest gevraagde product in de stad waren geweest, werden opeens genegeerd. Hoewel voorheen een dodelijk vermoeide dragoman nauwelijks een voet op de veranda van een toeristenhotel kon zetten zonder te worden lastiggevallen door welgestelde Europeanen op zoek naar de wijd en zijd gefluisterde verdorvenheden van de Levant, werden deze arme slaven van de lusten van buitenlandse uitbuiters nu pardoes met de nek aangekeken. Uitgejouwd. Het mikpunt van grove Italiaanse gebaren, en abrupt van hotelveranda's gesmeten alsof ze nutteloze ballast waren geworden.

Maar daar brachten *zij* verandering in, bulderde Achmed. En als je denkt dat Trotsky en Lenin de wereld op zijn kop hebben gezet, dan zou je eens moeten zien wat de oude Menelik en mijn vader tientallen jaren eerder hier in Caïro hebben bewerkstelligd. Onversaagd togen zij van café naar café om hun collega-dragomans ervan te overtuigen dat de tijd rijp was om in opstand te komen, om de stem te verheffen, om zich uit te spreken tegen deze onaanvaardbare gedwongen vakanties die zich uitstrekten van de lente, de zomer door en tot en met de herfst. O, het was een heftige tijd, dat staat. Een tijd waarin de lucht elektrisch geladen was.

Ik begin het te voelen, zei Joe. Het klinkt alsof er een voorjaarsonweer boven Caïro losbarst, met intellectuele bliksem te over.

Achmed draaide zich met een ruk en vonken schietende ogen naar hem om, waarbij zijn stem van emotie oversloeg.

Dat zit geramd, bulderde hij. Tot dan waren de dragomans nooit meer geweest dan rammen die 's winters te huur waren, terwijl ze alle andere seizoenen werden geminacht. Maar toen niet meer. Niet nadat de oude Menelik en mijn vader *de Beweging* op touw hadden gezet. En hoe begon dit denkbeeld voor deze grootse revolutionaire kruistocht gestalte te krijgen? Deze seculiere *jihad* om de zwoegende massa's dragomans te bevrijden?

Kleinschalig, durf ik te wedden, zei Joe. Zo schijnt altijd alles te beginnen.

Zou je me geloven als ik je vertelde dat het kleinschalig begon? Maar mijn vader hamerde altijd vurig op hetzelfde bezielende thema... Je moet de cafés uit en de straten op, zei hij. Als je wilt dat je macht wordt gevoeld, dan moet je *organiseren*. Als je wilt dat ze naar je luisteren, dan moet je *organiseren*. Er is maar één manier om de geschiedenis te veranderen. Door te *organiseren*.

Dwars door de eeuwen heen, zei Joe. Maar was de oude Menelik in zijn jongensjaren echt zo geïnteresseerd in politiek? Ik heb altijd gehoord dat hij maar een paar winters dragoman was om de eindjes aan elkaar te knopen zolang hij zich met de hiëroglyfen vertrouwd maakte. Heb ik dat bij het verkeerde eind?

Achmeds gezicht betrok onmiddellijk.

Menelik ging ondergronds, dat is alles. De graftomben in. Maar hij ging door met de strijd.

O, zo zit dat dus.

En zijn hart was altijd bovengronds bij mijn vader en de zaak, zei Achmed, die vervolgens een overvloed aan verontschuldigingen aandroeg om Meneliks overhaaste vertrek uit de Beweging te verklaren, die Joe duidelijk maakten dat hij het in het geheel niet bij het verkeerde eind had.

Hoewel het idee voor een liefdadigheidsvereniging van dragomans oorspronkelijk van Menelik was, had de zwarte geleerde nagenoeg eensklaps zijn belangstelling voor caféopstanden verloren, ten gevolge van zijn toenemende fascinatie voor begraven graffiti en vergeten feiten en ondergrondse werkelijkheid in het algemeen, het alledaagse pionierswerk van de egyptologie. Waar Achmed op had gedoeld toen hij bekende dat de zwarte geleerde ondergronds was gegaan.

Maar het was eveneens duidelijk dat Achmed niet stil wilde blijven staan bij dit ondergrondse aspect van Meneliks leven. En de reden dat Achmed deze ondergrondse waarheden niet kon aanvaarden en zelfs hun aanwezigheid onder de verschuivende zandvlakten van Egypte weigerde toe te geven, lag besloten in het feit dat hij zo wanhopig wilde geloven dat de stichting van een liefdadigheidsorganisatie voor dragomans in Caïro de meest dramatische gebeurtenis van de negentiende eeuw was en daarom de belangrijkste zaak waarvoor iemand zich kon hebben ingezet.

En allemaal omdat dat was wat zijn vader had gedaan.

Democratie in actie, bulderde Achmed, met hernieuwd enthousiasme. Mijn vader en zijn mededragomans bespraken alles wat er te bespreken was toen ze hun uren sleten in cafés en er werden voortreffelijke redevoeringen en levendige proclamaties afgestoken, om nog maar te zwijgen van al de aangrijpende waargebeurde verhalen die voortdurend werden verteld en herhaald. Het was toen een *zinderende* tijd, en er was zelfs sprake van een nieuwe natie of een nieuwe wereldorde gewijd aan zuivere dragomanse idealen.

En zo hadden we het *verandaïsme*, bulderde Achmed. En we hadden radicaal nocturnalisme en revolutionair hotellobbyrestructuralisme, en een revisionistisch humanistische vleugel zonder meubilair, en de onvermijdelijke achterkamer vol sigarenrook, voor gehandicapten... O het was er *allemaal*. En elke groep had haar eigen moment van snerpende suprematie naarmate de laatste waarheid gestalte kreeg, en ten slotte klonken de woedende kreten op en werden de strijdleuzen ontvouwd, en stonden de onderdrukte dragomans van Caïro als één boze man op, marcheerden de cafés uit en de straten in. Ze pikten het gewoon niet langer en zo werd de Internationale Broederschap van Dragomans en Tipgevers geboren. Of eenvoudigweg *de Broederschap*, zoals zij bij hun aanhangers bekendstonden. Of de *DT's*, zoals hun lasteraars hen zo boosaardig noemden.

Er is nooit enig respect geweest voor minderheden, zei Joe.

De gaten van Achmeds massieve neus werden opengesperd. Hij zuchtte en balde zijn krachtige vuisten samen.

Ik moet je zeggen dat het voor mijn vader niet goed is afgelopen, zei hij op gedempte toon. In zijn latere jaren werd mijn vader steeds verbitterder en uiteindelijk wilde hij zelfs niemand meer zien, zelfs Cohen en de Zusters niet, en dat is stuitend als je er goed over nadenkt. Want was hun middernachtelijk zeilen op de Nijl niet ooit hét gespreksonderwerp in Caïro? Die schunnige zoete nachten, wanneer zij zich gevieren in kostuums hadden uitgedost en liederlijk champagne uit albasten roemers van zuiver maanlicht drinkend op de golfjes van de grote rivier dobberden? En hun liederen zongen voor de sterren en de nacht streelden met sensueel gelach?

O ja, zij vieren waren ooit vermaarde vrienden, en toch brak er een tijd aan waarin mijn vader ophield uit te gaan en zelfs weigerde hen te zien...

Achmed sloeg zijn ogen neer.

Ondergoed was tijdens zijn professionele leven altijd het handelsmerk van mijn vader geweest, het fijnste erotische ondergoed dat uit Europa werd geïmporteerd. Maar toen hij zijn vertrekken niet meer uitkwam, hield hij ook op met het dragen van ondergoed. Thuis, met alleen mij om zich heen, weigerde hij überhaupt iets aan te trekken. De verbeelding is verdwenen, placht hij te zeggen. Mijn illusies zijn heengegaan, als een oud opgerold geschrift.

Achmed liet zijn hoofd hangen.

En dat kwam allemaal omdat hij het gevoel had dat de Beweging hem had verraden. Ze is vadsig geworden, placht hij te zeggen. Ze is gewoon niet meer dezelfde, ze is niet meer wat ze was. En in zijn verbittering begon hij steeds meer wiet te roken, wat zijn eetlust bevorderde zodat hij steeds meer at en *hijzelf* dik werd.

Achmed keek vertoornd.

Opgezwollen. Weerzinwekkend. Het anathema van de dragoman.

Achmeds frons verdiepte zich.

Mijn vader had zijn hele leven een baard gedragen, vanaf de tijd dat hij een blozende jongeling was. Maar wat trof hij aan, verborgen onder zijn baard, bij wijze van wrede beloning voor zijn tientallen jaren onzelfzuchtige opoffering ten behoeve van de Beweging, toen hij die dertig jaar later plotsklaps besloot af te scheren?

Mijn god, zei Joe, wat trof hij aan?

Kwabben, bulderde Achmed. Abominabel. *Ik heb kwabben*, vertrouwde hij me op een avond toe, zijn gezicht helemaal verbonden om dat feit te maskeren, zo zwaar verbonden dat hij eruitzag als een mummie. In latere jaren nam men de gewoonte aan hem Achmed de Dikke te noemen, en begrijpelijkerwijs noemden ze mij Achmed de Dunne. En omdat alle anderen die namen gebruikten, namen we zelf die gewoonte ook over.

Hoe voelt de dikke zich vandaag? vroeg ik dan. Verbitterd en eenzaam, antwoordde hij dan, en hoe voelt de dunne zich...? Daarmee op mij doelend.

Achmed schudde bedroefd zijn hoofd.

Soms, als je je verslagen voelt, is het net alsof de wereld op je drukt, je beledigt en kleineert. Ik zag dat met mijn vader gebeuren en het was verschrikkelijk. Hij werd een kluizenaar en er was niets wat ik kon doen om het hem iets meer naar de zin te maken. Hij speelde patience en las oude kranten en hield zijn gezicht in het verband als een mummie, en hij rookte wiet en droeg nooit ondergoed en ging nimmer de deur uit. Een potje patience kan me tenminste niet verraden, placht hij te zeggen. Dertig jaar oude kranten kunnen tenminste niet liegen.

Achmed zeeg zwaar ineen tegen de toonbank en zijn stem verflauwde.

Tegen het einde was het enige wat hem nog genoegen verschafte het luisteren naar ezelsbellen. Het stikte in die dagen in Caïro van de ezels en hij vond het heerlijk om te luisteren naar het vrolijke getingel van hun belletjes. Verder was er niets wat zijn gruwelijke eenzaamheid kon verlichten.

Achmed keek de andere kant op.

Het einde kwam in de herfst. De Nijl was nog rood van het bovenste stof van de Ethiopische hooglanden, en de nachten waren koel en niet langer vol van woestijnzand. Maar het waterpeil van de grote rivier daalde snel en daarmee ebde ook het leven uit mijn eenzame, verslagen vader. Hij was inmiddels aan zijn keel geopereerd en kon niet spreken, dus krabbelde hij aantekeningen op een blocnote die hij bij de hand hield.

Til me omhoog uit de kussens, schreef hij de laatste avond. *Laat mij nog eenmaal luisteren naar de lieflijke belletjes...*

En dat was het einde. Hij stierf in mijn armen.

Langzaam sloeg Achmed zijn ogen op, de uitdrukking op zijn enorme jongensachtige gezicht gekweld, zijn stem een fluistering. Begrijp je het niet? Ik doe alleen maar *alsof* de Beweging belangrijk was, ten behoeve van mijn vaders nagedachtenis, zelfs als ik diep in mijn hart weet dat het niets meer was dan een lachwekkende curiositeit, die ooit door iemand werd gebruikt om zijn leven te rechtvaardigen... Ieder leven heeft zijn Beweging, dat spreekt vanzelf. Maar wat doet het er uiteindelijk toe? *Wie kan het wat schelen...?* Maar wat ik echt niet kan begrijpen is waarom mijn vader zijn leven niet heeft gewijd aan ezelsbelletjes. Waarom vervaardigde of verkocht hij ze niet of deed hij onverschillig wat terwijl hij rondreed op een ezel, als hij meer van dat vrolijke getinkel hield dan van wat ook op aarde?

Achmeds lippen trilden. Het leed stond op zijn massieve gelaat te lezen.

Waarom doen mensen niet wat hen gelukkig maakt? Waarom laten ze zich door dingen weerhouden? Waarom doen ze niet gewoon...?

Maar Achmed was niet bij machte verder te gaan. Zijn hele lichaam zeeg ineen en hij sloeg zijn handen voor zijn gezicht en begon zachtjes te huilen.

Luidruchtig snoot Achmed zijn neus.

Vergeef me alsjeblieft die uitbarsting van realisme, mompelde hij. Vanwege hun aard probeer ik ze tot een minimum te beperken.

Achmed snoot nogmaals zijn neus en hees zich op zijn hoge kruk. Zijn gezicht klaarde op.

Maar kijk eens hier, mag ik je op een aantrekkelijke plek misschien een aperitiefje aanbieden, bij wijze van schadeloosstelling?

Jij kunt vast gedachten lezen, zei Joe. Zit je dienst er dan op?

Nee, dat niet precies. Maar mijn huis in de stad is zo gunstig gelegen, dat mijn werk totaal geen probleem is, zei Achmed, terwijl hij van zijn hoge kruk af gleed en achter de toonbank verdween. Joe dacht dat Achmed zijn sandalen pakte, dus verhief hij zijn stem.

Een huis in de stad, zeg je? Betekent dat dat er ook nog sprake is van een huis op het platteland?

Nu niet, riep Achmed omhoog. Maar vóór de oorlog had ik een optrekje aan de rand van de woestijn. De vorige oorlog bedoel ik, niet de huidige. *Mijn* oorlog. Het huisje was een heerlijk klein toevluchtsoord waar ik in de weekeinden tot mezelf kon komen. In die dagen schreef

ik niet alleen gedichten en speelde ik tennis, maar ik was ook lands-
kampioen op de driewieler. Ik bezat een van de eerste racedriewielers in
Caïro, een van die snelle karretjes die je tegenwoordig niet meer ziet,
met een voorwiel dat bijna manshoog was. En daarmee scheurde ik op
de vreemdste uren van de dag en de nacht door een straat in de buurt
van de rivier, terwijl mijn ranke racebril het licht van de zon of de maan
weerkaatste, terwijl ik voortjoeg, een ware Sfinx op drie wielen, ik *vloog*
gewoon... O ja, ik was de vleesgeworden snelheid in die dagen. Hou
vast je pet, daar heb je Achmed, placht men te zeggen.

Placht men dat echt te zeggen? riep Joe uit.

Altijd. Langs de oever van de rivier. Maar je moet je voorstellen hoe
de horden vakantiegangers hun geroosterde duiven en hun tehina-sala-
des verorberden in de cafeetjes die je aantreft in de verwaarloosde tuinen langs de Nijl, waar stuntelige blauwe en grijze vogels voor je over
de rode aarde hippen en pas op het allerlaatste moment boos krijsend
het luchtruim kiezen. Waar haviken en kraaien zwart en langzaam aan
de opgepoetste hemel hun rondjes draaien, waar de rode flamboyanten
in bloei staan en de heilige witte reigers doodstil op de takken van de
doorgebogen takken zitten. Met andere woorden, een ras van vakantiegangers, van de piramiden tot aan de Nijl. En stel je de opwinding voor
die door de menigten langs de rivier gaat en hoe elk hoofd in elk café
zich omdraait en de triomfantelijke kreet die geuit wordt als de eerste
driewieler uit de woestijn opdoemt. En het geschreeuw en de toevloed
van kreten wanneer het daverende gejuich uit alle kelen opklinkt.

Hou vast je pet, daar heb je Achmed.

Ik zie het helemaal voor me, zei Joe.

Snelheid, mompelde Achmed. Kracht. Steeds meer snelheid en steeds
meer kracht, ik kon er nooit genoeg van krijgen.

Hij zweeg even.

Ik besteedde ook heel veel zorg aan mijn kleding in die dagen. Mijn
voorkomen was van belang want ik was niet alleen een binnenhuisarchitect maar ook een leider van een beau monde, wat inhield dat allerlei soorten mensen altijd een beroep op me deden voor raad en advies. Er was een gezegde dat in die dagen in Caïro de ronde deed. *Ben
je niet zeker, raadpleeg dan Achmed.*

Achmed was nog steeds weggedoken achter de toonbank en had klaarblijkelijk moeite met het vinden van zijn sandalen. Terwijl Joe luisterde, zag hij een grote sjofele kat die vlak buiten de voordeur op de kei-

en had plaatsgenomen. De rossige kat likte zijn pootjes en koesterde zich in het zonnetje. Plotseling hield hij daarmee op en keek Joe recht in zijn ogen.

Jouw toevluchtsoord in de woestijn was vast prachtig, riep Joe omlaag.

Nou en of, riep Achmed omhoog, met gedempte stem. *Cool nights and hot days*, precies als in dat liedje dat Liffy zingt. Maar toen kwam er een ongebruikelijk hevige zandstorm voorbij en die blies alles weg, en toen ik op een weekeinde aankwam bij mijn toevluchtsoord merkte ik dat er niets meer van over was.

En je hebt toen besloten het niet weer op te bouwen?

Die keuze was mij niet vergund. Het gebeurde tijdens de oorlog, de vorige, en smaken veranderden en alles veranderde en met mijn praktijk als binnenhuisarchitect ging het steeds beroerder. Eigenlijk verdiende ik geen cent meer. Er verschenen nieuwe mensen op het toneel en ik was uit de mode.

Joe sprong op.

Achmeds hoofd, enkel zijn hoofd, was boven de toonbank opgedoken. Hij staarde Joe een ogenblik ernstig aan van onder zijn gehavende platte strohoed en zonk toen weer uit het zicht, terwijl zijn stem opsteeg van achter de toonbank.

Ik weet dat het moeilijk voorstelbaar is als je me nu ziet, riep hij omhoog, maar ik was heel modieus voordat ik in de problemen raakte. Een tijdje wist ik met de steun van vrienden de schijn nog op te houden, maar het leven veranderde voor hen ook drastisch, net als voor iedereen. Sommigen van hen begonnen iets nieuws terwijl anderen gewoon de aftocht bliezen om nooit meer iets van zich te laten horen. En een paar, waaronder ikzelf, bleven de oude plekken bezoeken in de hoop een bekend gezicht te zien... Zo gaat dat in oorlogstijd, zelfs als de veldslagen op vele duizenden kilometers afstand plaatsvinden. Opeens is de wereld die je kende er niet meer en bevind je je in een of ander hoekje waar niets helemaal deugt, waar niets helemaal is zoals het hoort te zijn, en een droevige eenzaamheid bekruipt je hart. Bedroefd, omdat je altijd had gedacht dat jouw wereldje nooit zou ophouden te bestaan. Omdat je nooit goed had begrepen hoe breekbaar het was... hoe breekbaar alle belangrijke dingen zijn, want een groot deel ervan bestaat altijd alleen maar in je verbeelding. Maar dan valt die droom opeens aan gruzelementen en blijf je zitten met een paar brokstukken en scherven in je hand, en een zo uitgestrekte leegte als de nacht sluipt je ziel binnen...

Een zucht steeg op van achter de toonbank.

Vroeger voerde ik lange gesprekken met een vriend van me die Stern heette... Mijn leven was simpelweg een mislukking en ik wist niet wat ik moest beginnen. Een eenzame tijd en lang geleden...

***

Even was het stil achter de toonbank, toen vervolgde Achmed zijn verhaal, maar nu op een luchtigere toon.

En wat *deed* ik dus? In het kort gezegd, ik zocht mijn heil in recht-voor-zijn-raapkapitalisme. Gewin was mijn enige doel, dat was het enige wat ertoe deed. Wezen en creperende weduwen konden de kolere krijgen. Laat die jammerende stuntels zelf maar zien hoe ze hun maaltjes bij elkaar scharrelen, net als de rest van ons. Als Carnegie de armen kon uitknijpen en tien miljoen per jaar kon opstrijken terwijl hij de massa's een paar grijpstuivers toesmeet en daarom werd bewonderd, waarom zou ik dat dan niet kunnen...?

Instinctief sprong Joe weg van de toonbank. Plotseling was de bovenkant van Achmeds hoofd opgedoken en bleef daar roerloos hangen, zijn enorme neus rustend op de rand van de toonbank. Hij had zijn strohoed afgezet en hield die omhoog bij wijze van groet, terwijl nog steeds alleen de bovenkant van zijn hoofd zichtbaar was.

Vis en friet was de branche, zei Achmed. Vette vis en Levantijnse friet. Heb je die oude bestelwagen wel eens gezien waar Liffy in rijdt?

Natuurlijk, zei Joe. De Achmedmobiel.

Precies. Nou, die bestelwagen was vroeger van mij, voordat hij werd overgenomen door een niet nader te noemen geheime dienst. Oorspronkelijk was het een ziekenwagen in de Eerste Wereldoorlog, goedkoop in aanschaf omdat het overtollig oorlogsmaterieel was, net als ikzelf. Nou, ik had die bestelwagen heel handig uitgerust met een vat om in te frituren en een vrieskist voor de vis, en mijn bedoeling was er een selfmade succes van te maken. Een puur eenmansbedrijfje dat gestaag naar de top slentert, de Carnegie van vette vis en nog vettere friet. En toen alles in gereedheid was gebracht, zette ik koers door de doorploegde achterafstraten van Caïro en omstreken, waarbij ik vrolijk mijn ziekenwagenbel luidde, klaar om de avondlijke kookverplichtingen te verlichten met smakelijke bestellingen die ter plekke werden bereid. Je moet weten dat ik de grondlegger ben van de moderne fastfoodbranche in het Midden-Oosten.

Dat is verbazingwekkend, zei Joe.

Tja, een poosje had ik de indruk dat de Achmedmobiel wel eens een standaarduitdrukking zou worden in de achterbuurten van Groot-Caïro. Maar hoe luidt die Latijnse uitdrukking die duidt op de onvermijdelijke grillen van het lot? *Sic semper Ahmadus?*

Er verscheen een uitdrukking van oprechte minachting op de bovenste helft van Achmeds gezicht, het deel dat boven de toonbank uitstak. Zijn geweldige neus trilde, alsof hij door een weerzinwekkende stank werd getroffen.

Wat een *ranzige* manier om in je onderhoud te voorzien, zei hij. Als je er met je neus bovenop gaat zitten is *kapitalisme* eigenlijk helemaal een *heel ranzig* concept. Poëzie en bakolie verdragen elkaar niet. Maar ik veronderstel dat jullie Europeanen dat al moeten hebben ontdekt, in ieder geval tegen de tijd van de Inquisitie.

Bedoel je dat het je niet erg meezat?

Ach, ik reed luidend met mijn ziekenwagenbel rondjes, deed mijn uiterste best om mezelf te zien als een onweerstaanbare Rattenvanger, en ik haalde van alles uit om de kosten zo veel mogelijk te drukken. Ik heb zelfs weken achtereen in die stinkende kar gewoond en dan sliep ik op het veldbed als een gewonde van het slachtveld, in de hoop meer greep te krijgen op het kapitalisme. Maar wat er ook gebeurde, ik voelde me alleen maar *ranzig*, en tussen het veldbed en die geuren werd mijn geest gebroken. Verstikt. Ondanks de olie die ik uit al mijn poriën zweette, moest ik het feit onder ogen zien dat ik nooit een tweede Carnegie zou worden.

Achmed wuifde aarzelend een laatste maal met zijn strohoed en verdween weer uit het zicht achter de toonbank. Joe haalde een aantal malen diep adem om zijn longen schoon te maken. De grote rossige kat zat hem nog steeds vanaf de keien aan te staren.

Mijn visionaire instincten hadden het bij het rechte eind, riep Achmed omhoog, maar daar zij visionair waren, waren zij hun tijd vooruit, hetgeen betekende dat ik het bij het verkeerde eind had. De mensen voelen zich vertrouwd met de wijze waarop de dingen vroeger werden gedaan, maar ongemakkelijk over wat er morgen zou kunnen worden gedaan. Daarom loont visie nooit, en daarom levert poëzie geen cent op. Als je geld wilt verdienen, kun je maar het beste anderen herhalen. Wat ze ook zeggen, blijf ze gewoon napraten. Dat vinden anderen prettig en daar betalen ze je voor.

Of nog beter, zei Achmed, in zichzelf mompelend, herhaal iets wat heel lang geleden is gedaan. Drie- of vierduizend jaar geleden, bijvoorbeeld, zoals Gekke Cohen deed. Daar kun je echt goed aan verdienen.

Pardon? riep Joe omlaag.

Ik zei, riep Achmed, dat mijn ware probleem met vis en friet was dat ik niet bij machte was me het geheim van kapitalistisch succes in dit deel van de wereld eigen te maken.

Wat is dat? vroeg Joe. Het geheim?

Glibberige argwaan, brulde Achmed. Onderhandsheid als de hoogste gedragscode.

Opnieuw dook er plots een deel van Achmeds hoofd op. Hij steunde met zijn neus op de toonbank en zijn bril danste op en neer. Hij leek stilletjes te lachen.

Omdat elke Levantijn diep in zijn hart weet dat als de rest van de wereld half zo doortrapt is als hij, de rest van de wereld zorgvuldig in de gaten dient te worden gehouden. Met andere woorden, we hebben veel gemeen met de grote wereldleiders, zowel in het Westen als in het Oosten. Hitler, Stalin, Dzjengis Kahn...

Achmed zonk grinnikend uit het zicht.

Joe bewoog zich rusteloos heen en weer in de schimmige gang en vroeg zich af waarom er maar geen einde kwam aan dit merkwaardige gesprek met Achmed onder de toonbank. Verbazingwekkend genoeg leek Achmed praatgraag genoeg. Maar waarom verstopte hij zich daaronder? Was hij echt zo verlegen dat hij alleen maar met iemand kon praten als hij het grootste deel van de tijd uit het zicht bleef?

Wat gebeurde er na die vettige mislukking? riep Joe omlaag.

Heel weinig, riep Achmed omhoog. Ik zat in de schulden en er kwam geen geld binnen, en het duurde niet lang voor ik besefte dat er geen toekomst in zat. Dat werd me vooral duidelijk toen ik op een avond een café waar ik vaker kwam binnenliep en geen mens me herkende. Het was altijd ons bijzondere plekje geweest en Cohen en ik en Stern kwamen daar altijd bijeen, samen met ons groepje. En om dan door niemand meer te worden herkend? Ik voelde me niet alleen opgelaten, ik voelde me beschaamd en vernederd. Ik was niets en ik wist dat ik niets was. Achmed kreunde van onder de toonbank.

Nou, de volgende ochtend nam ik een tijdelijk baantje dat ik normaliter een lachertje zou hebben gevonden, maar de grap bleek vaste vormen aan te nemen en de inleiding te zijn van mijn Grote Depressie, die een voorbode was van die van de wereld. Zoals gewoonlijk was ik mijn tijd vooruit.

Opnieuw leek Achmed onder de toonbank tot stilte te zijn vervallen.

Wat was dat voor een baantje? vroeg Joe.

Een functie als bediende in een armetierig bordeel in verval dat later door een anonieme geheime dienst werd aangekocht, dit rottende karkas dat wij nu om ons heen zien en dat de belachelijke naam Hotel Babylon heeft gekregen.

Achmeds hoofd dook plotseling weer op boven de rand van de toonbank. Hij steunde zijn kin erop en keek Joe aan, zijn gezicht uitdrukkingsloos, zijn gehavende strohoed een beetje schuin op zijn neus.

Sindsdien heb ik me echter met mijn lot verzoend en zo nu en dan kan ik er zelfs wel even de grap van inzien. Maar alles in aanmerking genomen is het hier voor mij een lange periode van gevangenschap. Mijn eigen vorm van Babylonische Gevangenschap, zoals ik mij lang geleden bewust werd.

Hij glimlachte en zijn hoofd zakte weer uit het gezicht.

Meer tijd ging voorbij.

Dit is onmogelijk, dacht Joe, en uiteindelijk boog hij zich over de toonbank heen om te zien wat Achmed uitspookte. Achmed zat op zijn handen en knieën met zijn rug naar hem toe en draaide schroeven los van een paneel in de wand. Het paneel was overdekt met smerige vingerafdrukken en de randen waren erg afgesleten. Joe trok zijn hoofd terug.

Je vraagt je misschien af, riep Achmed omhoog, waarom ik nooit met vervalsen in mijn levensonderhoud heb voorzien. Dat had ik kunnen doen, want daar ben ik goed in. Vraag maar willekeurig wie in de stad en die zal je vertellen dat niemand meer opstrijkt dan Achmed de Poëet. Strakke, heldere lijnen en keurig uitgewerkte details, accurate portretten en kunstige voorstellingen...

Joe maakte een sprongetje. Opnieuw was Achmeds hoofd plotseling, ditmaal grinnikend, boven de toonbank opgedoken, met de strohoed achter op zijn hoofd.

Vroeg je je dat af? vroeg Achmed. Waarom ik niet al lang geleden een immens vermogen bij elkaar heb vervalst?

O, ja, zei Joe, eerst naar Achmed kijkend en toen naar de grote rossige kat die nog steeds onbeweeglijk in de zon zat en hem aanstaarde.

Achmed knikte geestdriftig.

Dat dacht ik al. Maar weet je, voor mij is wat vervalsen oplevert enkel ten behoeve van de kunst en ik zou het niet prettig vinden zulk geld uit te geven. Dus het lot dat de voorzienigheid mij in deze wereld heeft toebedeeld is armoede te midden van vervalste rijkdommen. Fatsoenlijke armoede wanneer ik in staat ben in mijn muziek ontspanning te vinden en smadelijke armoede de rest van de tijd. En dat schetst in grove lijnen het leven van Achmed de Poëet.

Hij keek Joe aan; zijn kin rustte op de toonbank.

Nu dan, het is tijd voor ons aperitiefje, dus daal alsjeblieft af naar mijn niveau van leven.

Pardon?

De draaideur onder de toonbank, fluisterde Achmed. Je staat nu op de drempel van de lagere diepten, of wat in griezelromans *Het geheim achter de muur* wordt genoemd. Kom nu alsjeblieft hier onder bij me.

Joe keek Achmed aan en kroop toen onder de toonbank. Het paneel met zijn verweerde randen was van de wand verwijderd en onthulde een opening die groot genoeg was om een volwassene door te laten. Achmed had een kaars aangestoken en hield die voor het zwarte gat. Een jongensachtige grijns speelde om zijn lippen toen hij begon te fluisteren.

Deze mysterieuze kast die je nu op het punt staat te betreden is overgebleven uit de oude tijd toen het hotel nog een bordeel was. Noem het maar de plaatselijke schatkamer, als je wilt, en volg me, maar wees gewaarschuwd. Laat alle hoop varen hij die hier binnentreedt. En buk je ook anders kost het je je kop.

Achmed lachte.

Avanti populo, fluisterde hij, een weg terug is er niet. De afdaling in de onderwereld vangt aan.

Achmeds geheime kast had, zo bleek, een belangrijke rol gespeeld in de geschiedenis van de Beweging in de negentiende eeuw.

Een van de eerste door de dragomans verworven rechten, fluisterde Achmed, zijn kaars in het duister houdend. Hier begonnen dragomans van over de gehele wereld hun langdurige strijd om zichzelf te bevrijden uit de slaapkamers waar zij feitelijk gevangenen waren geweest.

Hoe ging dat in zijn werk? vroeg Joe op fluistertoon.

Nou, als de politie een razzia hield in de wijk, liep de Nubische portier in de hal naar de pianola en hamerde daar met volle kracht *Home Sweet Home* op, waarmee hij de dragomans waarschuwde die boven in de slaapkamers aan de arbeid waren, waarop zij onmiddellijk hun klanten van zich afsmeten en gebloemde nachthemden grepen en zich hierheen haastten om een veilig heenkomen te zoeken achter deze muur, waar zij de tijd doodden met gin en parcheesi totdat het sein werd gegeven dat alles veilig was. Zo konden zij niet worden gearresteerd onder een of ander gefabriceerd voorwendsel.

En vonden de klanten het niet vervelend om in hun eentje te worden gearresteerd?

De klanten waren rijke buitenlandse toeristen, fluisterde Achmed, dus lieten de overheidsdienaren hen uiteraard ongemoeid. Glimlachjes voor toeristen met poen en de bruinjoekels kunnen de kolere krijgen. De gebruikelijke dubbele moraal.

Achmed grinnikte en kroop door de opening. Joe ging achter hem aan. De ruimte bleek behoorlijk groot voor een kast, hoewel het toch niet meer was dan een kamertje zonder ramen. Achmeds gebruikelijke onderkomen bevond zich in de kelder, legde hij uit en dit was een persoonlijke schuilplaats die hij gebruikte om naar muziek te luisteren en zijn oefeningen te doen. Tegen de muren van zijn kamertje lagen grote stoffige stapels kranten, de meest recente uit 1912, voor zover Joe kon zien. Overal lag het vol met spullen, tientallen en tientallen stoffige victoriaanse en oosterse voorwerpen in alle vormen en van allerlei afmetingen. Een vage geur van lavendel bezwangerde de holte, en aan het plafond hing een rekstok. Tussen de stapels stoffige kranten was net voldoende plaats voor een uit de kluiten gewassen man om zich uit te strekken en opdrukoefeningen te doen.

Achmed glimlachte voldaan.

Mijn eigen holletje, zei hij, terwijl hij twee piepkleine canvas-krukjes tevoorschijn haalde voor hen beiden om op te zitten. Joe knikte, verbluft over de overweldigende rotzooi in de kamer. Ondertussen schraapte Achmed zijn keel, klaarblijkelijk als voorbereiding op wat hij ging zeggen. Hij leek nerveuzer dan toen hij boven was en toen hij ten slotte begon te spreken, klonk er een halfslachtige poging tot vastberadenheid door in zijn stem.

Nu dan, jij komt toch uit Amerika, is het niet?

Ja, mompelde Joe en zijn ogen dwaalden als in een trance de kamer door.

Nu dan, is dat geen merkwaardig toeval? De wereld is echt heel klein. Het geval wil dat ik ooit eens een volledige editie van de verzamelde brieven van George Washington cadeau heb gekregen, alles bij elkaar meer dan dertig delen, en die leverden beslist heel wat fascinerend leesmateriaal op.

Is het werkelijk?

Wis en waarachtig. Laat eens zien. Wist jij bijvoorbeeld dat Washingtons valse gebit gemaakt was van nijlpaardentanden? Hij gebruikte ook gebitten gemaakt van walrusslagtanden en olifantenivoor en zelfs koeientanden, maar aan het nijlpaard gaf hij de voorkeur. Hij beweerde dat die het beste beten en kauwden. Met nijlpaard, zei hij, is zelfs het nuttigen van pinda's en gomballen mogelijk.

Zelfs pinda's en gomballen? mompelde Joe. President Washington?

Dus hield hij het waar mogelijk bij nijlpaard.

En gelijk had hij, mompelde Joe, die nog steeds zo verbijsterd was over de rommel in de kamer dat hij zich niet kon concentreren op wat Achmed zei. Opnieuw schraapte Achmed zijn keel.

Het toerisme nam in Egypte ernstige vormen aan rond 700 voor Christus, mompelde Achmed, dus het is alleszins begrijpelijk dat je hier wilt komen om de attracties te bekijken. Maar weet wel, nostalgie is bedrieglijk. Bijna iedereen in het negentiende-eeuwse Europa had syfilis, en als we dat vergeten worden het flauwvallen en de schaarse verlichting in de victoriaanse tijd niet meer dan een koddige curiositeit.

Koddig, zei Joe. Dat is waar.

Of, om het anders te zeggen, voegde Achmed eraan toe, de Vikingen waren ooit de meest meedogenloze plunderaars ter wereld, maar nauwelijks een millennium later lijken de meeste Denen eerder balletdansers te zijn.

Een nostalgische dans, mompelde Joe. Dat is waar.

Achmed schraapte snel zijn keel en er verscheen een zweem van paniek op zijn gezicht.

En over ballet en dans gesproken, vroeg jij je soms af waar de beste buikdanseres ter wereld te vinden was? Natuurlijk zijn mijn gegevens enigszins verouderd, maar vóór de laatste oorlog was de beste buikdanseres te vinden in de, hoe zal ik het zeggen, de *buik* van de vismarktwijk...? Nou ja, in de buurt van de vismarkt dan maar, in de kleine kroegen daar. In die dagen ging buikdansen altijd gepaard met de geur van vis. Dat werd beschouwd als suggestief...

Achmed grijnsde breed, maar plotseling vervaagde die grijns. Hij wreef over zijn enorme neus en sloeg beschaamd zijn ogen neer.

Het is *hopeloos*, mompelde hij. Ik kan het gewoon niet meer.

Joe bewoog zich en keek naar deze grote vriendelijke man die ineengedoken op het andere vouwstoeltje zat.

Vergeef me, zei hij, ik ben bang dat ik werd afgeleid door al die spullen hier, het is bijna alsof je je binnen in iemands hoofd bevindt. Maar wat kun je niet meer? Wat lijkt je onmogelijk?

Achmed maakte een wegwerpend gebaar.

Een praatje aanknopen, fluisterde hij. Iets zo simpels als beleefd zijn en maken dat jij je op je gemak voelt. Ik ben heel blij dat je hier bent, de kwestie is alleen dat ik niet schijn te weten wat ik moet zeggen, hier, omringd door mijn spulletjes. Het is niet wat ik gewend ben, niet hetzelfde als buiten achter de toonbank. Dit hier is alles wat ik bezit en ik denk dat ik niet gewend ben dat met een ander te delen. Niet dat ik het niet wil, ik wil het heel graag. Maar ik lijk in de loop der jaren een verschrikkelijke kluns te zijn geworden en alles wat ik zeg komt verkeerd over, niet precies wat ik werkelijk bedoel. De kwestie is gewoon dat het zo lang geleden is dat iemand... nou ja, wat ik bedoel is...

Achmed balde zijn vuisten en staarde naar de grond en zijn stem stierf weg. Joe stak zijn hand uit en legde die op zijn arm.

Ik ken het gevoel maar al te goed, zei hij, maar er is altijd wel iets om over te praten. Zelfs hier, waar alles zoveel voor jou betekent.

Achmeds gezicht vertrok van pijn en de woorden spatten uit zijn mond.

Maar *wat?* Ik wil niet de zoveelste dwaas zijn die in het verleden opgesloten zit. Waar kan ik in hemelsnaam over praten dat voor jou van belang kan zijn? Voor wie dan ook? *Wat?*

Achmed begroef zijn vuisten in zijn schoot.

Besef je wel, fluisterde hij, dat de avonturen in mijn leven nu beperkt zijn tot uitstapjes naar de groentewinkel? Dat ik waarachtig mijn dagelijkse reis om groente te kopen moet plannen en dat ik me moet voorbereiden op eventuele complicaties die zich zouden kunnen voordoen? En dat ik, als ik eindelijk weer veilig thuis ben, een dankgebedje prevel omdat ik ongedeerd ben teruggekeerd? En dat, als ik mijn kleine hoopje groenten voor het avondeten was en snijd en kook, die groenten de som vertegenwoordigen van alles wat ik die dag heb bewerkstelligd?

Achmed staarde naar zijn schoot.

Groentespionage, zou je het kunnen noemen. En als dat resultaat mager lijkt, dan kan ik alleen zeggen dat voor sommigen van ons een tochtje naar de groentekraam bij daglicht zelfs een gevaarlijke tocht is, een kwellende onderneming die alle moed vereist die wij in ons hebben.

Achmed schudde zijn massieve hoofd.

Om dezelfde reden ga ik alleen 's nachts de stad in om mijn vervalsingen te maken. Want dan zijn de straten verlaten en kan ik mij ongezien door de mislukkingen die mijn leven bevolken door de schaduwen voortbewegen.

Achmed maakte een iel geluidje achter in zijn keel.

Maar ik weet zeker dat je mijn toestand inmiddels begrijpt. En waar zou ik, alles in aanmerking genomen, mogelijkerwijs over kunnen praten wat voor jou van enig belang kan zijn?

Ach, er waren die tijden vóór de laatste oorlog, zei Joe. Dat is een hele wereld die nu verdwenen is, net zoals er op dit moment weer een andere wereld wegkwijnt en dat heb ik altijd intrigerend gevonden, hoe de dingen veranderen en waarom. Zou je daar wat meer over kunnen vertellen? Over de tijd dat je met Stern omging?

Achmed haalde zijn schouders op.

Ik denk het wel, als je daar echt belang in stelt... Eigenlijk waren we met z'n drieën en in het begin onafscheidelijk. Wij vormden de kern, maar toen begon Stern van tijd tot tijd uit het zicht te verdwijnen. Je zag hem een dag of twee steeds rustelozer worden en dan, op een ochtend, was hij verdwenen. Waar is Stern? vroeg iemand dan, en het antwoord was altijd hetzelfde. Die is de woestijn in, maar hij komt wel weer terug. En zoals de dag volgt op de nacht kwam Stern altijd weer terug. Er ging nog een ochtend of een avond voorbij en daar zat hij weer aan een van de tafeltjes in ons cafeetje, glimlachend en lachend en zich op zijn gebruikelijke extravagante manier gedragend.

Achmed wachtte even.

Dat was voordat hij zo opging in politieke idealen, begrijp je. Voordat hij in het kader van zijn politieke activiteiten op reis ging. De periode waarover ik het heb was toen hij nog een student was, toen hij net uit Jemen, waar hij opgroeide, was aangekomen.

Maar sprak hij met jou over die plotselinge verdwijningen? vroeg Joe.

O ja, omdat we zo dik bevriend waren, en ook vanwege mijn kleine toevluchtsoord aan de rand van de woestijn. Hij vroeg me wel eens of hij daar, gedurende de week, als ik er geen gebruik van maakte, een tijdje mocht verblijven en natuurlijk was ik blij hem daar onderdak te kunnen bieden. Hij had in die tijd niet veel geld, en het was wel het minste wat ik voor een vriend kon doen.

In die tijd? mijmerde Achmed. De waarheid is dat Stern nooit geld heeft gehad, hij kan het niet verdragen. Als hij een klein beetje op zak heeft, geeft hij dat onmiddellijk uit aan vrienden, zo is hij altijd geweest. Achmed glimlachte en staarde voor zich uit.

Lege handen en ogen die fluisteren van hoop, zoals Cohen placht te zeggen. En Stern heeft nooit in mijn huisje overnacht als hij daar verbleef. In plaats daarvan trok hij over de duinen en kampeerde in de woestenij als een bedoeïen, bijna zonder iets mee te nemen. Maar toch is er aan Stern nooit iets eenvoudigs geweest. Mensen dachten dat ze hem begrepen, maar dat was niet zo, want er zijn dingen in Stern die elkaar niet verdragen. Zo is het altijd geweest...

Opnieuw pauzeerde Achmed even en ditmaal leek hij te aarzelen, alsof hij bang was zichzelf in het verleden te verliezen. Hij wierp zelfs een steelse blik op Joe, die glimlachte in een poging hem aan te moedigen.

Dat was dus Stern, zei Joe. En wie was het tweede lid van jullie vriendenkring?

Achmed knikte enthousiast.

Nou, dat was natuurlijk Cohen. Niet die van de generatie van mijn vader, niet degene die midden in de nacht met de Zusters en mijn vader ging zeilen, maar zijn zoon. Hij was ongeveer van Sterns leeftijd.

En wat was hij voor iemand?

O, hij was een kleurrijke deugniet. Heel charmant en ad rem en een favoriet van de dames die die lange donkere wimpers van hem niet konden weerstaan. Hij was ook een heel talentvol schilder, zo nu en dan een tikkeltje stuurs, maar dat maakte hem nog aantrekkelijker bij de dames. De knappe en wispelturige jonge kunstenaar, voel je wel.

En dan was jij er ook nog, zei Joe.

Ja, en dan was ik er ook nog. Veel stunteliger dan zij in bijna alle opzichten, eigenlijk in alles behalve op het gebied van de muziek, maar op de een of andere manier was ik in staat een soort schraal bindmiddel aan hun mysterieuze beslag toe te voegen. En mysterieus was het, magisch zelfs, als wij gedrieën bijeen waren. Iedereen maakte er opmerkingen over en wij werden altijd in één adem genoemd, want we leken onafscheidelijk. En o, wij gingen er in grootse traditie tegenaan en stroopten de boulevards af met een woordje hier en een glimlachje daar, alle drie in onze wapperende mantels en hoeden met opgeslagen randen op theatrale wijze, zoals die van Verdi, onze ogen sprankelend uitkijkend naar willekeurig welke schalksheid zich plotseling aandiende of welke joligheid over de trottoirs van het leven op ons toe kwam snellen.

Achmed glimlachte beleefd.

Later verliet Cohen ons groepje omdat hij ging trouwen en een gezin wilde stichten. Het merkwaardige was dat de mannen in zijn familie dat altijd leken te doen.

Achmed lachte en wreef van plezier over zijn knieën.

En dat was me de familie wel, die beruchte Caïro Cohens... Maar kijk
nu toch eens aan, wat ben ik eigenlijk voor een gastheer? Waar is jouw
aperitiefje en waar is onze muziek? Vergeef me, ik schijn mezelf te zijn
vergeten.

Achmed sprong lachend op. Hij dook achter een stapel kranten en
kwam tevoorschijn met een stoffige fles bananenlikeur, die ogenschijnlijk net zo oud was als de kranten. Na een beetje gescharrel op een andere plek vond hij twee glaasjes en vervolgens boog hij zich over een
stoffige stapel primitieve grammofoonplaten, die allemaal in de loop van
de tijd waren kromgetrokken. Toen hij de plaat die hij zocht had gevonden, legde hij die op een ouderwetse pathefoon met een opwind-
mechanisme en een conische geluidshoorn. Hij draaide verwoed aan de
slinger en van verre klonk een vage stem op. Achmed ging onmiddellijk gehurkt zitten, met zijn strohoed schuin, en één oor bijna in de ga-
pende mond van de toeter.

Wat schitterend, zei hij met oprechte voldoening. Het is Gounods
Faust, en de Bulgaar die de partij van Mefistofeles zingt is voortreffelijk.
Hoe denk je dat het hem is vergaan...?

Aan de muur tegenover Joe hing een heroïsch aanplakbiljet uit de Eerste Wereldoorlog dat leden wierf voor de Liga van Jonge Moslimman-
nen.

WE WANT YOU, zei de autoritaire mullah die met een knokige vinger
naar de toeschouwer wijzend op de affiche stond afgebeeld. Achter de
mullah stond een groep gezette moslimjongeren onder een bloeiende
boom op de binnenplaats van een denkbeeldige moskee in Caïro tevreden elkaars grote gouden horloges te bewonderen. In de verte stootten
rijen robuuste fabrieksschoorstenen dikke witte rook uit, terwijl daarboven een primitieve driedekker over de piramiden richting Caïro aan
kwam scheren met de ochtendpost. Al met al was het leven op de affiche bedrijvig en uitzonderlijk schoon.

Achmed keek op uit zijn gehurkte positie naast de geluidshoorn. Een
ogenblik bestudeerde ook hij de affiche.

Wat is het dat de kunst ons *schenkt* dat ons zo obsedeert? riep hij.

Ik ben er stellig van overtuigd, riep hij opnieuw, dat de meeste abstracties eenvoudigweg onze pseudoniemen zijn, en dat wij daarom de tijd vormen. Want het is wel degelijk in onze fantasie, en niet in de realiteit, dat de basis van onze levens kan worden gevonden...

Hij lachte.

Wat alleen maar kan betekenen dat de werkelijkheid, naast al het andere, ook onwerkelijk is.

Eindelijk was de krakerige aria ten einde. Achmed zette de pathefoon uit en hield een fles lavendelvloeistof omhoog die hij ergens had opgediept, met bovenop een verstuiver. Hij drukte op het pompje en een zoet riekende nevel spoot alle kanten op.

Ontsmettingsmiddel, zei hij, terwijl hij weer ging zitten. Die oude gebouwen, weet je. Maar om je de waarheid te zeggen kan het me geen moer schelen of de heerser over de wereld Antonius of Octavianus wordt genoemd. Wat me wel kan schelen is waar ik altijd naar heb gestreefd, een zuiverheid van het hart dat vergeeft en rechtvaardigt en alles omvat, omdat het begrijpt... Ja, maar zoals alle mensen die over het leven nadenken, ben ik vaak bang en eenzaam.

Achmed keek naar de grond en verviel in stilzwijgen.

Schrijf je nog steeds gedichten? vroeg Joe.

Achmed zuchtte.

Nee, ik vrees van niet. Ik heb lange tijd geprobeerd mezelf voor het lapje te houden, maar de woorden kwamen nooit meer tot leven, ongeacht hoezeer ik mijn best deed. Vervolgens besloot ik genoegen te nemen met het op een na beste, dus begon ik aan een poëtisch woordenboek. Maar ik heb niet eens de letter *A* afgemaakt. Het laatste lemma waaraan ik werkte was *Alexander de Grote*. Op de een of andere manier was het gewoon te pijnlijk om avond na avond achter die toonbank te zitten en na te denken over alles wat Alexander in zo'n korte levensspanne had gedaan.

Achmed keerde zich naar Joe toe. Hij glimlachte bedroefd.

Ik denk dat ik weet hoe ik ervoor sta. Ik ben een poëet die geen poëzie kan schrijven. Ik heb de ziel en de gevoeligheid ervoor gekregen, maar niet het talent. Dus alles welbeschouwd blijft mijn professie het solitaire beroep dat door de eeuwen heen bekendstaat als de *poète maudit*. En er moeten heel wat lieden zijn die net als ik alleen in hun hoekjes wonen en weten dat ze nooit iets anders dan middelmatig zijn geweest, en het gaat er niet om dat we niet op de een of andere onbeduidende wijze kunnen bijdragen aan de wereld, want dat kunnen we natuurlijk wel.

De droefenis schuilt in het feit dat we niet kunnen bijdragen zoals we dat zouden willen en zelfs geen enkel moment van schoonheid kunnen creëren dat in iemands hart voort zou kunnen leven... Maar weet je wat het werkelijk tragische van het beroep is? Dat is dat we eraan gewend raken. Dat we aan het zelfmedelijden en de schoonheid voorbijgaan en er ons eenvoudigweg doorheen slaan in onze kleine holen.

Achmed keek ernstig het kleine kamertje rond.

Zoals altijd omringd, mompelde hij, door een klein universum van dingen die we begrijpen...

Hij verviel opnieuw in stilzwijgen.

Ik heb me vaak afgevraagd, zei Joe, hoe het moet zijn om te zijn opgegroeid te midden van deze wonderen uit de oudheid, de piramiden en de Sfinx en al dat andere. Welke invloed heeft dat op jou?

Het beïnvloedt je smaak, zei Achmed.

Bedoel je dat je geneigd bent minder aandacht te schenken aan voorbijgaande modegrillen?

Tja, dat zou ik niet weten, ik bedoelde het in specifiekere zin. Waar ik op doelde is de smaak in je mond.

O.

Het feit dat je nooit weet wie of wat je het volgende moment in je mond zal blazen.

O.

Ja. Dan loop je de straat door en opeens zwermt er een warme, droge stofwolk je mond in en bedekt je tong, maar wie of wat is het? De een of andere afgelegen uithoek van de woestijn die op de wind naar je toe is gezonden zodat je zijn verlatenheid kan proeven? Alles wat er over is van een eeuwenoude grafkelder? Of is deze aanslag op je tanden het laatste overblijfsel van een eenhoorn uit de Zeventiende Dynastie? Of is dat nieuwe smerige laagje op je tong de allerlaatste herinnering aan de Hyksos, die altijd een duister volk vormden?

Achmed glimlachte.

Van stof zijt gij en tot stof zult gij wederkeren, zei hij. In de woestijn wordt slechts een deel van het verleden begraven en vergeten. Een ander deel wordt voortdurend opgegeten, en hoewel we graag doen alsof we dat deel ook kunnen vergeten, kunnen we dat in feite niet.

Achmed fronste zijn wenkbrauwen.

Dus het verleden vergezelt ons overal en dat is nooit duidelijker dan tijdens een oorlog, als zoveel van het verleden lijkt te worden vernietigd. Kijk maar eens naar die oude kartonnen koffer in de hoek. Ik heb die koffer op een avond dertig jaar geleden haastig gekocht toen ik op weg was naar Alexandrië voor een nacht van genot. Toen was ik jong en sterk en nog niet lelijk, en die onbenullige koffer zal mij altijd weer herinneren aan een jongen in een kaneelkleurig kostuum, sjofel omdat hij zo arm was, die toen versteld ondergoed en een volmaakt lichaam onthulde.

En weet je wat er nu in die koffer zit? Twee bundeltjes van mijn waardeloze gedichten, een verzameling schrijfsels die ooit een diepere bedoeling hadden, een vergeten voetnoot bij het geweten van het ras. Mijn leven, met andere woorden...

Ach Caïro, *Caïro*, dit zwoele oord in het tweeduister, waar het grootste deel van het jaar de luiken tot zonsondergang voor de ramen moeten blijven, waar witbetegelde terrassen de hitte heftig weerkaatsen en de hoefslag klinkt van paarden die oude rijtuigen geruststellend in het duister voorttrekken. Dit Caïro met zijn schitterende winkels en zijn stralende lentes met hun winden uit de woestijn die de verschrikkelijke hitte van de zomer brengen, maar ook de koele nachten en de briesjes van de rivier...

Ja, mijn Caïro, mijn leven. Uiteindelijk zijn alle grootse filosofische systemen privé, en hebben alle systemen die wij voor universeel laten doorgaan slechts de afmetingen van mijn kast. En daarom vinden we nooit nieuwe plekken, noch een andere rivier, want de stad volgt ons en we worden oud langs die zijpaden waar we ook onze jeugdjaren verspilden.

Achmed staarde in de verte.

Verspilden... zoveel dingen op zoveel plaatsen. En nu is er alleen nog dit lijf, dit afgesleten en bezoedelde medaillon dat op mijn ziel drukt. Hoeveel duizenden malen heb ik de glorie van zijn schatten en het wonder van zijn gave, de zegen... de last geroemd? En zeker ook betreurd. Hoeveel malen heb ik op die zijwegen mijn jeugd vergooid...?

Joe keek hem aan. Hij schudde zijn hoofd.

Vergooid, Achmed? Dat is niet wat ik hier heb gezien. Dat is helemaal niet wat ik heb gehoord.

Achmed bewoog zich.

Wat bedoel je? Wat heb je gezien, wat heb je gehoord?

Joe lachte. Hij spreidde zijn armen wijd uit om het kleine overvolle hol te omspannen waarin zoveel van Achmeds leven in stoffige stapels lag opgehoopt.

Ach ja, Achmed, een wereld die je zelf hebt geschapen, dat is wat ik heb gezien en gehoord, en welke poëet kan op meer hopen dan dat? En als ik in het hart van die wereld kijk, dan zie ik een grootse brede boulevard met drie jonge mannen die daarover voortstappen. En hun gesprekken dartelen de nacht in, want zij waren geduchte metgezellen in die dagen en ze deden altijd samen hun ronden, elegant en ad rem en weergaloos in hun vreugde en gelach, drie onverschrokken types uit de oude Oriënt. En een van hen was een schilder en een ander een dichter en de derde een extravagante dromer uit de woestijn. En de mensen stroomden toe om die drie koningen van vroeger te horen, om een glimp op te vangen van hun ongehoorde optredens. Want zij waren *Cohen en Achmed en Stern* en zij lachten en weenden met de goden zelf, want de wereld was een opera en de trottoirs van het leven waren vol van poëzie en kleur en liefde, en zij waren in die dagen de meesters van de boulevards en iedereen wist het. *Wist het...* Iedereen die hen ooit had gezien.

En dat is wat ik heb gezien, zei Joe. En dat is wat ik heb gehoord.

Achmed staarde voor zich uit, zijn gezicht ernstig achter zijn grote bril met het schildpadmontuur, zijn enorme hoofd weerbarstig heen en weer bewegend in een denkbeeldige windvlaag, waarbij zijn gehavende strohoed enigszins scheef stond ten opzichte van het universum. Toen knikte hij gewichtig naar links en vervolgens naar rechts, alsof hij de kompanen uit zijn jeugd verwelkomde, zijn hand al die tijd dwalend langs de muur waar een oude gedeukte trombone rustte tussen de schaduwrijke hopen rotzooi. Ernstig trok Achmed het stoffige instrument naar zich toe en streelde het, blies aarzelend een noot en ging rechtop staan.

En bracht een melancholieke stoot op de trombone ten gehore, een krachtig glissando, waarbij zijn hand langzaam omlaag schoof in een langgerekt saluut aan de grandeur van een vergane wereld.

11 Trombone

Toen de nacht viel verplaatsten ze zich van Achmeds hol naar de binnenplaats achter Hotel Babylon, waar Achmed een klein kampvuur aanlegde en een vegetarisch avondmaal bereidde, en bedreven granen en kruiden en groenten combineerde tot een aantal gerechten die Joe, na zijn drie dagen en twee nachten koorts, verrukkelijk vond. Achmed, op zijn beurt, vond het heerlijk om weer eens een voorwendsel te hebben om voor een gast te koken, wat hij, zo zei hij, eigenlijk niet meer had gedaan sinds zijn kleine huisje aan de rand van de woestijn in de windstormen van de vorige oorlog, gelijk met de rest van zijn vroege leven, was weggevaagd.

En zo kampeerden zij als nomadische bedoeïenen op de kleine binnenplaats waar klimplanten en bloemen onder de ene palm die er stond wortel hadden geschoten, en fluisterden zij getweeën bij de gloeiende kooltjes van hun kleine kampvuur, in de afgelegen oase die zij voor zichzelf hadden geschapen in een achterbuurt van de grote stad onder de sterren, en dronken een eindeloze reeks kopjes sterke zoete koffie, terwijl de nacht zich verdiepte en Achmed dierbare herinneringen ophaalde die zich ver uitstrekten in het stille spel van schaduwen dat andere levens suggereerde voorbij de kleine lichtkring en in alle rust de oude uithoeken van zijn geheugen bezocht in de geruststellende duisternis, in de uitgestrektheid van die heldere Egyptische nacht.

Behalve over de bizarre toevalligheden van zijn eigen leven, praatte Achmed vooral over Menelik en de Zusters en de clan die bekendstond als de Caïro Cohens. Op de een of andere manier hadden zij in het verleden allemaal een hechte band gehad met Stern, en al vrij snel begon Joe een netwerk in Sterns leven te vermoeden. En het was, toen Joe zich herinnerde dat Liffy had voorspeld dat voor hem het moment was aangebroken om een reis door de tijd te ondernemen, misschien niet zo vreemd dat dit netwerk van Stern meer dan een eeuw omspande en de spelers daarin niet uitsluitend tot de levenden behoorden, maar hun aanwezigheid toch nog zo krachtig was dat zij rusteloos doorklonk in de andere levens in een schemerig web van doen en voelen, het meest diepgaande van alle geheime menselijke codes.

En zo bleef Achmed maar gedaanten oproepen uit de schaduwen van het kampvuurlicht, in de duisternis, en de volgende avond keerden zij terug om tot het aanbreken van de dag in hun piepkleine oase te zitten, waar ze samen nogmaals door lange eenzame stiltes reisden en Achmed zijn geheugen afspeurde naar bochten in het pad en Joe in het vuur staarde en de relaties met Stern probeerde te achterhalen, terwijl Achmed zich fluisterend een weg terug door de decennia zocht.

Want er leken aanwijzingen verborgen in alles wat Achmed zei, gedempte voetafdrukken en onverwachte hints die pas later konden worden herkend, toen Joe in zijn poging de waarheid omtrent Stern te achterhalen verder had gereisd. Toen de dag was aangebroken om terug te kijken en na te denken over het patroon van Sterns zwerftochten, het netwerk dat uiteindelijk zou onthullen waar Stern op uit was geweest, het unieke spoor dat elke mens in het oneindige landschap van de tijd aflegt.

Alleen en uitgeput in zijn kamer toen de grote stad ontwaakte, dacht Joe, voor hij in slaap viel, soezerig na over deze odyssees door de nacht.

Achmed...? Stern?

Een reis door de tijd, zoals Liffy had gezegd. Geen bergen en woestijnen die moesten worden doorkruist, maar herinneringen die moesten worden verkend.

Van begin af aan had hij de veranderingen opgemerkt die over Achmed waren gekomen toen zij verhuisden van de duistere gang van Hotel Babylon, klaarblijkelijk Achmeds positie in het leven... naar Achmeds geheime, benauwde hol weggestopt achter een muur... en ten slotte naar de in bloei staande binnenplaats buiten het hotel, zo naakt in de immense Egyptische nacht... Achmed, die zijn hart meer opende bij iedere nieuwe afdaling in de duisternis, iedere avond als de laatste stralen zonlicht wegstierven en voor hen het moment terugkeerde om zich opnieuw onder de sterren te installeren.

Maar waarom was Achmed plotseling zo openhartig? vroeg Joe zich af.

En hoe meer hij erover nadacht, hoe meer er maar één verklaring voor leek te zijn... *Stern*. Achmed wist hoeveel Joe om Stern gaf en het was duidelijk dat hij de behoefte voelde om over Stern te spreken, om Joe iets te vertellen. Maar waarom voelde Achmed die behoefte nu zo hevig? Wat had hem er plotseling toe overgehaald zijn gewoonte van jaren, zijn decennia van stilzwijgen, prijs te geven?

Herinneringen, dacht Joe, het verleden... Fragmenten en scherven van de reis, zoals Liffy had gezegd. Om achteraf te worden onderzocht in een poging de kelk te reconstrueren die ooit... het vat waarin ooit de wijn van andere levens in andere tijdsgewrichten had gezeten.

Ja, na verloop van tijd, dacht Joe. Op zijn eigen excentrieke manier, via indrukken en inblazingen en zijn eigen merkwaardige ritmes, zal Achmed erachter komen waar we heen moeten.

En ondertussen luisterde Joe nachtenlang en sliep en overpeinsde hij Achmeds fragmenten overdag, waarbij hij probeerde zich te verdiepen in Achmeds herinneringen met het doel de reikwijdte van Sterns netwerk over de decennia te doorgronden.

De tijd... wat ongrijpbaar is hij toch, dacht Joe. En Sterns leven is zo veelomvattend geweest, en nu met de oorlog en alles ontwricht, op zijn eind lopend...

Uiteindelijk bleek dat hij en Achmed niet meer dan een paar nachten samen zouden doorbrengen op de met vuilnis bezaaide binnenplaats van Hotel Babylon, het voormalige bordeel dat onder de sterren verloederde. Maar als Joe terugkeek op die paar nachten, dan spatten zij uiteen in vele werelden die zo ver en afgelegen waren dat het leek alsof zij door een universum waren verstrooid.

Achmeds geheime universum, zoals Liffy het ooit had genoemd.

Joe vernam dat Achmed Stern voor het eerst had ontmoet via Menelik, toen Stern een jonge student Arabische Studies in Caïro was, voordat Stern naar Europa was geweest en zijn levenslange droom had gehad van een grootse nieuwe natie in het Midden-Oosten die gelijkelijk werd bevolkt door Moslims en Christenen en Joden. En dat Achmed getuige was geweest van die vroege, zo jongensachtige en exuberante tekenen van gewetensnood in Stern, die hem later hadden gemaakt tot een zeer toegewijde revolutionair.

Joe was gefascineerd. Hoe goed hij Stern ook kende, de vroege stadia in Sterns leven waren altijd een mysterie voor hem geweest. En na Stern al die jaren op een bepaalde manier te hebben gekend, vond hij het vreemd om hem zich voor te stellen als een stuntelige jongeman die de grootste moeite had zichzelf te vinden, door anderen in de war werd gebracht en stomme fouten maakte. Of de jonge Stern die zit te mokken omdat hij gekwetst is in zijn kinderlijke ijdelheid. Of zich van bespottelijke grootspraak bedient terwijl overduidelijk is dat hij in iets onbenullig tekort is geschoten. Joe luisterde hoe Achmed die taferelen van lang geleden schetste, en zelfs toen hij ze met Achmed aan het kampvuur zittend meebeleefde, was hij nooit in staat geweest ze ter harte te nemen, want de Stern die hij kende was zo'n totaal ander mens.

Het is vreemd, dacht hij, dat het verleden van iemand die ouder is, van iemand die wij liefhebben en respecteren en bewonderen, zo vaak mysterieus en onbereikbaar voor ons lijkt. Alsof zij een duidelijker beeld hadden van het leven dan wij en niet zo verward en bang waren als wij dat zijn. Alsof het leven méér voor hen was dan de eindeloze futiliteiten, het wentelende rad van kleine ogenblikken dat het onze is.

Een ingeboren verlangen, leek het Joe, binnen het universele mysterie dat de naam geschiedenis kreeg. Het verleden van de mens. Die kleine momenten van oneindige schoonheid en oneindige droefenis die achteraf verkeerd zijn gerangschikt om het leven een schijn van continuïteit te verschaffen, een voordracht van eindige ogenblikken die in werkelijkheid nooit hebben bestaan.

En toen bekroop Joe een nog vreemdere gedachte.

Stel nu eens dat het datzelfde verlangen in de mens was dat zijn voorstelling veroorzaakte van God... van alle goden in de mens? Wreed en profaan en boosaardig zowel als heilig?

***

De oorlog? mijmerde Achmed op een avond. Eerlijk gezegd let ik daar weinig op. Er woedt er altijd wel eentje in dit deel van de wereld.

Wat de Duitsers betreft, het is onmogelijk om die anders te zien dan als de barbaren van onze tijd, de hedendaagse Mongoolse horden. En helaas lijken barbaren een bepaald doel in de geschiedenis te dienen, want zolang wij hen als vijanden voor onze poorten hebben hoeven we zelf niet te oordelen. Heel even staat onze ingeschapen wreedheid veilig daar buiten de stadswallen en kunnen we ons verblijden over onze eigen goedheid en ingenomen zijn over onze kleinburgerlijke deugdzaamheid.

Maar *verfijnde* barbaren? Mannen en vrouwen die naar Mozart luisteren tussen het moorden door?

We zouden kunnen denken dat het een innovatie is van onze moderne gevoeligheid, maar dat is het niet. Het beest heeft altijd in ieder van ons geleefd, is daar miljoenen jaren geleden geboren. De meesten van ons maken het zichzelf zo gemakkelijk mogelijk door te foeteren op de barbaarse monsters voor de poorten die ons voortdurend bedreigen, maar ik persoonlijk ben blij dat ik nooit een machtspositie heb bekleed. Met mijn angsten en neurosen zou dat gevaarlijk zijn, en dat besef ik.

Achmed glimlachte.

Met andere woorden, moge de hemel ons beschermen tegen mensen die dromen, vooral gemankeerde kunstenaars, die zijn het ergste van het zooitje. Alle tirannen schijnen op de een of andere manier gemankeerde kunstenaars te zijn... Maar ach, dat zijn de meesten van ons in onze harten ook.

Mensen *veranderen* zozeer, zei Achmed op een andere avond. Het verbaast me altijd hoezeer mensen kunnen veranderen. Stern sprak vroeger over poëzie en opera en de belangrijke dingen in het leven, maar toen kwamen die veranderingen over hem en nu lijkt hij voor altijd door andere zaken in beslag genomen. Druk bezet. Nu rent hij van de ene plek naar de andere zonder tijd om na te denken.

Zie je hem dan nog steeds?

O ja, hij stuurt soms een briefje en dan ontmoet ik hem in de crypte en dan drinken we samen een glaasje arak en praten over de goeie ouwe tijd. Maar die plek lijkt nu zo leeg als we daar samen zijn. Ik vind het niet erg om er alleen te zijn, eigenlijk vind ik dat juist wel prettig. Maar als Stern daar op een zondag binnenstapt, stemt dat me op de een of andere manier bedroefd en moet hij ook voelen, dat weet ik zeker. Hij praat over Rommel en codes en de dingen die hem in beslag nemen, en het is gewoon niet hetzelfde. Het is eenzaam voor ons allebei.

Bedoel je de crypte van de oude Menelik? vroeg Joe.

Ja, de grafkelder van Menelik, die nu mijn werkplaats is. De plek waar ik mijn drukpers bewaar en mijn vervalsingen maak. Uiteraard heeft Stern nog steeds de sleutel van de crypte en heeft hij mij niet nodig om binnen te komen, en soms gaat hij daar 's zondags op eigen houtje naartoe. Ik merk het altijd als hij er is geweest want dan ligt er een kleinigheid niet op zijn plaats, een of ander klein dingetje waar alleen Stern aan zou denken. Het is zijn manier om mij te laten weten dat hij langs is geweest... zijn manier om mij te zeggen dat hij het ook niet is vergeten.

Wat niet is vergeten? vroeg Joe.

Achmed zuchtte. Hij staarde in het vuur.

Die zondagen lang geleden. Die prachtige middagen als we allemaal samen waren.

Allemaal?

Ja. Cohen en ikzelf en Stern en de Zusters en nog zo wat mensen die kwamen opdagen. In die dagen hadden mensen van Meneliks kaliber altijd een periode dat ze, zoals wij het plachten te zeggen, thuis gaven, een tijd dat er vrienden op bezoek kwamen. Nou ja, Meneliks bijeenkomsten waren zondagsmiddags en de gasten waren altijd jong. Menelik was inmiddels natuurlijk heel oud, maar hij had graag jonge mensen om zich heen. De Zusters vormden een uitzondering, maar die waren in alles wat ze deden altijd een uitzondering.

Er verscheen een jongensachtige grijns op Achmeds gezicht.

Elke zondag was er open grafkelder, een verrukkelijke receptie met alle bijbehorende plichtplegingen. Ik zie Menelik nog steeds majestueus zitten in zijn reusachtige sarcofaag, die in latere jaren ook als zijn bed dienstdeed, nadenkend thee en wijsheid schenkend, terwijl wij in een kring om hem heen zaten. Het was voor ons allemaal het hoogtepunt van de week.

En jullie hadden allemaal je eigen sleutel tot de crypte?

Achmed begon meteen te gniffelen.

Sleutels? O ja, degenen onder ons die tot de intimi behoorden. Menelik had artritis en vond het niet prettig om zijn sarcofaag uit te moeten klauteren om de deur open te doen.

Achmed bleef gniffelen. Joe glimlachte.

Wat is er? Waar zat je zojuist aan te denken?

Ik dacht terug aan een van Meneliks ondergrondse verhalen, zei Achmed. Die waren echt behoorlijk gewaagd, weet je, schunnig zelfs. Hij beweerde dat hij die had aangetroffen in de hiëroglifische graffiti die hij zijn hele leven in leeggeroofde tomben had gezien. Met andere woorden, Meneliks schuine bakken waren vier- of vijfduizend jaar oud. Hij was ook zo uitgekookt om er ter verontschuldiging van zichzelf aan toe te voegen dat de verhalen in de vertaling iets aan charme inboetten. Maar als dat zo was, hebben wij daar nooit iets van gemerkt. Om heel eerlijk te zijn, hij was een buitengewoon geestige man. Beslist aan de vuilbekkerige kant, maar geestig.

Joe glimlachte. Hij knikte.

Onfatsoenlijke hiëroglyfen van duizenden jaren geleden, dacht hij. Onontkoombaar inmiddels een tikkeltje platvloers. En sleutels tot de crypte van het verleden die ooit in handen waren van een clubje intimi. En Stern had nog steeds een van die sleutels in zijn bezit. En de anderen?

Achmed versomberde, zijn geheugen opgeschrikt door zijn herinneringen aan die zondagmiddagen lang geleden in Meneliks ondergrondse woning.

In de crypte, mompelde hij, terug bij die heerlijke middagen in de grafkelder. En na een uur of zo pakte Stern zijn viool uit en dat was voor ons allemaal het teken dat we ons gereed moesten maken. Stern gaf ons onze noot en dan stemden we onze instrumenten, terwijl Menelik in zijn sarcofaag de plooien van het doodskleed dat hij graag droeg gladstreek, met een verrukte glimlach op zijn stokoude gezicht, want dat was waar hij eigenlijk al die tijd op had gewacht, zo dol was hij op muziek. En dan pakte Stern de oude morsesleutel die hij altijd bij zich droeg, zijn talisman, en daarmee tikte hij tegen de sarcofaag om ieders aandacht te trekken en vervolgens speelde hij de eerste noten en vielen Cohen en de Zusters en ikzelf en de anderen in, en zo begonnen we aan een van onze zondagse soirees...

Prachtig, mompelde Achmed. Harmonieus en intens toen, voor de oorlog. De vorige.

Achmed rilde. Hij stookte het vuurtje op.

Maar zie je hoe de tijd roet in het eten gooit? Hoe had iemand van ons ooit kunnen denken dat Stern streken zou blijven uithalen die hem in de gevangenis zouden doen belanden? Of dat hij zijn leven in de waagschaal zou stellen door uit de gevangenis te ontsnappen?

Wanneer was dat? vroeg Joe op gedempte toon.

In de zomer van 1939, vlak voordat de oorlog uitbrak. En die roekeloze ontsnapping was de inleiding tot wat ik altijd heb beschouwd als Sterns Poolse avontuur. Volgens mij een verhaal dat niet alleen Stern maar de oorlog als zodanig definieerde. Hopeloos. Onbegrijpelijk. Een soort waanzin...

Achmed begon op zijn plaatsje bij het vuur te schuiven en te draaien, alsof hij bij een onaangename waarheid over zichzelf was aangekomen, een onherroepelijke bekentenis.

Het zou kunnen, zei hij, dat ik jou de indruk heb gegeven dat de mislukkingen in mijn leven van materiële aard waren, maar dat is niet zo. Mijn mislukkingen van geestelijke aard zijn veel heftiger en pijnlijker. En waar doel ik dan op?

Achmed balde zijn vuisten in een theatraal gebaar van verbetenheid.

Op Stern, natuurlijk. Alles verwijst toch immers uiteindelijk naar hem?

Achmeds knokkels zwollen op en er klonk wanhoop door in zijn stem.

Ik heb een misdaad begaan, fluisterde hij. Ik ben altijd een gevoelig mens geweest en ik weet dat er bepaalde dingen zijn die je nu eenmaal niet doet, vooral tegenover iemand van wie je houdt. Als je iemand behandelt zoals ik Stern heb behandeld, dan maak je iets diep in zo iemand kapot. En als je dat doet...

Achmed aarzelde en balde zijn vuisten nog krachtiger.

Wat ik bedoel is, je kunt iemand die je na staat niet vernederen, dat kun je niet maken, want dat is meer dan wij mensen kunnen verdragen. Wij kunnen voor altijd worden verslagen maar we kunnen ons niet laten beledigen door iemand van wie we houden, en het onvermogen liefde te geven als die nodig is, echt nodig, zal altijd een van onze zwartste zonden zijn. Want als we daarin tekortschieten doen wij afbreuk aan de ware essentie van ons bestaan als menselijk wezen en dan diskwalificeren wij onzelf en mogen ons niet langer mens noemen...

Opnieuw aarzelde Achmed, en ditmaal leek het alsof hij niet in staat was door te gaan. Hij hield zich bezig met het gooien van houtjes op het vuur, zette vervolgens zijn platte strohoed op een andere manier schuin en veranderde toen van gespreksonderwerp.

Rustig aan, rustig aan, dacht Joe. Maar Achmed begon uiteindelijk heen te draaien om het verboden onderwerp dat Liffy een soort verraad had genoemd, de reden van de onherstelbare breuk met Stern, die nu op de een of andere mysterieuze wijze verband hield met een belevenis die Achmed met een stem trillend van emotie, stelselmatig Sterns Poolse avontuur bleef noemen.

Ik weet waarom ze jou naar Caïro hebben gehaald, zei Achmed op een avond fluisterend. Niemand heeft me iets verteld, maar ik weet het.

Joe keek hem aan en zei niets. Achmed had een zorgelijke uitdrukking op zijn gezicht terwijl hij het vuur op bleef stoken en nieuwe schaduwen wierp op hun bloeiende oase in de duisternis. Een regen van vonken schoot één, twee, drie keer omhoog. Achmed keek hoe ze uitdoofden en begon uiteindelijk weer te fluisteren.

Het is zo duidelijk als wat, Joe, in ieder geval voor mij. Het Klooster heeft je laten overkomen omdat ze bang zijn voor Sterns geheime connecties met de nationalisten in het Egyptische leger, de Vrije Officieren die de Engelsen uit Egypte willen weren.

Achmed keek zenuwachtig naar de met vuilnis bezaaide binnenplaats om hem heen. Een poosje luisterde hij aandachtig naar de nacht en boog zich toen dichter naar Joe toe.

O, daar weet ik al enige tijd alles van, en ik heb altijd aangenomen dat het Klooster er ook van wist en het uit eigen belang door de vingers zag omdat Stern zo waardevol voor hen was. Maar nu zijn ze bang geworden dat Stern te ver is gegaan en zich in de een of andere Egyptisch-Duitse samenzwering bij de nationalisten heeft aangesloten, een complot om de Britse codes over te dragen aan de Duitsers. Tja, het heeft geen zin om te ontkennen dat Stern waarschijnlijk de hand zou kunnen leggen op zulke gegevens. Na al die jaren het werk te hebben gedaan wat hij deed, heeft Stern connecties in elke laag van de Egyptische samenleving, en Sterns karakter in aanmerking genomen, moeten heel wat mensen bij hem in het krijt staan. Maar zelfs als dat niet zo was, is Sterns mensenkennis zo groot dat hij met gemak een manier zou weten te vinden om te krijgen wat hij hebben wil.

Opnieuw speurde Achmed zenuwachtig de kleine binnenplaats af, en ditmaal waren zijn fluisteringen in het licht van het kampvuur nog zachter.

Luister naar me, Joe. In de afgelopen maanden heeft Stern het tegenover mij een of twee keer over de Zwarte Code gehad. Ik heb geen idee wat het is maar ik neem aan dat het een hoogst geheime Britse codesleutel moet zijn, want Stern suggereerde ook dat veel van Rommels succes te danken is aan het feit dat de Duitsers deze Zwarte Code kunnen ontcijferen. Nu zegt mij dat allemaal niets, maar jij bent een vriend van Stern en jij geeft om hem, dus wil ik je waarschuwen dat het ingewikkelder is dan je denkt, misschien zelfs ingewikkelder dan het Klooster weet. De zionisten willen ook dat de Engelsen uit het Midden-Oosten verdwijnen, en hoezeer Stern zich ook in Palestina voor hun zaak heeft ingezet, toch zijn er nog steeds Joodse extremisten die blij zouden zijn als Stern uit de weg is geruimd, omdat zij Sterns samenwerking met de Arabieren wantrouwen. En wat de Duitsers betreft... en het Klooster...

Achmed schudde mismoedig zijn hoofd.

Het is gevaarlijk, Joe, de hele toestand. Monniken... Rommel... Arabische dwepers en Joodse dwepers... ze hebben allemaal hun redenen om Stern dood en van het toneel verdwenen te wensen, en hij kan geen kant op, begrijp je?

Dus misschien maakt het niet uit wat jij nu onderneemt. Ik vind het vreselijk om te zeggen, maar het is waarschijnlijk al te laat om nog iets uit te richten.

Achmed keek Joe bedroefd aan, huiverde en wendde zijn blik af. Joe raakte zijn arm aan en hield zijn hand erop.

Dat weet ik, Achmed. Echt. Maar zoals Stern zelf placht te zeggen, we moeten het in ieder geval proberen. Zelfs als het geen verschil uitmaakt, zelfs als het niets oplevert, toch moeten we het proberen... Want wat kunnen we anders, Achmed? Wat... ooit?

En er waren ogenblikken van onverwachte openbaring als Achmed op de proppen kwam met een opmerking die opeens een ander licht wierp op zijn hele leven.

Soms probeer ik terug te denken aan mijn moeder, zei hij eens, als het eenvoudige persoontje dat zij was. En dan vraag ik me af of de ziekelijke bezorgdheid die ik altijd jegens haar aan de dag heb gelegd, over wat ze van mij zou vinden, genoeg is geweest om al die jaren eenzaamheid die ik heb gekend, die tientallen jaren van zonderling gedrag, te rechtvaardigen.

Iedereen is het erover eens dat zij een eenvoudige vrouw was, een ongeletterd boerenmeisje dat de stoute schoenen aantrok en op een winter als dienstbode bij een Duitse familie afreisde naar Egypte, en het waagde zwanger te raken en toen de zaak zo snel mogelijk rechtzette door terug te keren naar huis en voor een regelmatig leven te kiezen. In geen enkel opzicht een opvallende persoonlijkheid en in wat zij deed school ook al niets uitzonderlijks. En het was beslist verkeerd geweest als ze mij had meegenomen. Een bruine baby op een kleine boerderij in Duitsland zou beslist een vreselijk leven voor ons allebei hebben betekend. Maar omdat dit meisje mijn moeder was en als gevolg van wat er gebeurd was, had mijn hele leven een bepaalde wending genomen.

Het is net alsof het leven, diep binnen in ons, begint met de misvatting dat onze verschijning in de wereld van kolossaal gewicht is, en dus hechten wij universele betekenissen aan de draden en kleuren van onze vroege levens, en zien wij die eerder als een uniek tapijt van mysterieus belang, dan als louter het zoveelste menselijke broddelwerk in een van de vele uithoekjes van de wereld. Er is niets rationeels aan de manier waarop wij ertegenaan kijken, en wellicht kost het ons, omdat die opvatting volstrekt irrationeel is, een groot deel van ons leven voor we daarvan zijn teruggekomen. Maar tegen de tijd dat we van dat beeld zijn verlost, kan die kleine alledaagse ironie wel eens zijn uitgegroeid tot monsterlijke proporties. Want tegen die tijd zijn we allang op een bepaalde manier een leven in geblunderd en zou de koers die wij hebben uitgezet wel eens oncorrigeerbaar kunnen blijken te zijn.

Denk je eens in.

Als ik vandaag de dag iemand als mijn moeder zou ontmoeten, of zelfs mijn moeder in eigen persoon, zoals ze was toen ze mij in de steek liet, de ultieme oorzaak van mijn obsessie, zou ik mij dan plotseling in gezelschap bevinden van een zo krachtige persoonlijkheid, dat ik me kan voorstellen dat die iemands gehele leven bepaalt?

Achmed schaterde en bulderde van het lachen, toen zat zijn gezicht opeens onder de groeven.

Nee, een belachelijke gedachte... maar ik ben er het slachtoffer van. Je hoeft alleen maar naar me te kijken om dat te weten. En zou je, ziende wat je voor je ziet, ooit durven stellen dat een of ander boerenmeisje uit de binnenlanden van Duitsland, wier gedachten niet ingewikkelder zijn dan de bloedworst waarvan wij aanstaande zaterdag zullen smullen, in staat zou kunnen zijn dit complexe tobberige schepsel op de wereld te zetten dat je nu diep in deze Hangende Tuinen van Babylon toefluistert?

Achmed schudde zijn hoofd.

Nee. Pure onzin. Wat we hier hebben is een eenvoudig voorbeeld van dat grootse vunzige belang dat we ten onrechte hechten aan de ouder van de andere sekse... Besef je wel dat ik waarschijnlijk duizenden uren heb zitten zieden van wrok jegens mijn moeder, en waarom? Waarom heb ik heimelijk zo'n groot deel van mijn leven aan haar gewijd? Waarom heb ik dat absurde concept van haar overweldigende belang in het wereldplan gekoesterd?

Het is een verschrikkelijke ironie, dat concept, en in ieder geval is het een ironie die te laat werd ontdekt. Want deze moeder van bovenmenselijke proporties, deze mythische vrouw die allerlei dingen op de wereld heeft bekokstoofd en een massa zwartgallige demonen binnen in mij heeft losgelaten, deze vrouw heeft zelfs nooit bestaan. En toch heb ik mijzelf een groot deel van mijn leven in verwarring laten brengen door een schim die ik zelf heb gecreëerd... Een gruwelijke ironie, maar eentje die op mijn leeftijd niet meer ongedaan kan worden gemaakt.

Ik had geen zelfbeheersing, weet je, geen zelfbeheersing. Ik was net een boom die meewaaide met de wind. De meesten van ons zijn bang omdat iemand anders ons leven beheerst en omdat we vrezen alleen te zullen falen. Dus wachten we en wachten we tot er iets gebeurt en denken we dat we iets kunnen bereiken door geduld te oefenen, maar de tijd verstrijkt en we worden oud en het enige wat we bereiken is dat we uiteindelijk toch eenzaam eindigen.

Achmed staarde in het kampvuur.

Het lot, mompelde hij, mijn lot. Wat is het leven toch een zonderling fenomeen. Dit mysterieuze en genadeloze logische gedrocht dat nergens toe dient.

Een heel lange tijd, voegde hij eraan toe, heb ik deze plek zo zelden mogelijk verlaten. Menigten brengen me in verwarring, dus blijf ik hier bij mijn spulletjes.

En zo onvermijdelijk als de echo's van het verleden zich zachtjes verzamelden in de hoeken van hun kleine binnenplaats en er steeds dichterbij aan het nachtzwerk van die woestijnhemel een verschrikkelijke oorlog woedde, keerde Achmed steeds opnieuw terug tot wat hij gewoon was Sterns Poolse avontuur te noemen.

> *... de wanhopige ontsnapping uit een gevangenis in Damascus... de informant in Istanbul wiens lijk drijvend in de Bosporus was aangetroffen... Sterns onbesuisde reis naar Polen op een mysterieuze missie van groot gewicht... en ten slotte de geheime bijeenkomst in het huis in het bos in de buurt van Warschau, luttele dagen voordat Hitler Polen binnenviel om de oorlog te ontketenen...*

Achmed staarde in het vuur.

Later probeerde Stern het tegenover mij te rechtvaardigen, Joe. Wij bevonden ons op een zondagmiddag in de crypte en wat hij in werkelijkheid probeerde te rechtvaardigen was zijn leven. Hoe hij in de loop van de jaren was veranderd en waarom hij het gevoel had dat het allemaal noodzakelijk was geweest. En ik kon zien hoe belangrijk het voor hem was dat ik het begreep, hoezeer hij zijn best deed om mij de redelijkheid ervan te doen inzien. Per slot van rekening kende ik hem, en ik was van begin af aan zijn vriend geweest.

Maar ik kon er gewoon geen vrede mee hebben, begrijp je? Niet daar, op een plek waar we zoveel van wat mooi is in het leven hadden gekend. Dus had ik het gevoel dat ik hem moest zeggen op te houden omdat het pijnlijk voor me was, zoals hij was veranderd en zoals ik was veranderd, zoals alles was veranderd. Natuurlijk was het verkeerd van me om dat te doen, faliekant fout. Ik had hem zijn gang moeten laten gaan en het hem zo goed mogelijk moeten laten uitleggen en daarna had ik het gewoon moeten accepteren, ongeacht hoeveel pijn me dat zou doen, ik had het gewoon moeten aanvaarden als een soort waarheid, Sterns waarheid. En misschien de waarheid van de wereld van vandaag, wat die dan ook mag wezen.

Maar dat heb ik niet gedaan, Joe. Daar had ik de moed niet toe. Ik dacht alleen aan mezelf en ik was kwaad om alles in de wereld dat ik had verloren, en Stern leek dat tegenover mij te vertegenwoordigen omdat hij altijd zo'n belangrijk deel had uitgemaakt van de wereld die ik had liefgehad en was kwijtgeraakt, misschien zelfs het belangrijkste deel... Wie weet. Wie zal het zeggen.

Dus ik had hem moeten aanhoren, of ik wilde of niet, en dan had ik hem moeten omhelzen zoals we dat lang geleden deden, toen we vrienden waren die geen schroom kenden, die lachten en huilden en elkaar omhelsden.

Achmeds stem verzwakte tot een gefluister.

Maar dat heb ik niet gedaan. In plaats daarvan zei ik hem op te houden omdat ik niet wilde horen wat hij zei en toch bleef hij, op zijn haperende, onhandige manier, verwoed zoeken naar de juiste woorden om het mij duidelijk te maken. En toen...

Achmed liet zijn hoofd hangen. Er stonden tranen in zijn ogen.

... en toen heb ik me tegen hem gekeerd. Houd je bek, schreeuwde ik. Houd je bek. En toen trok alle kracht uit hem weg en zeeg zijn hele lichaam ineen en er kwam een uitdrukking van kwijnende droefenis in zijn ogen die niemand ooit zou moeten ervaren, een gruwelijk verdriet voorbij alle hoop op verlossing.

Ik heb hem teleurgesteld, Joe, en je moet goed begrijpen wat dat betekende. Vergeet dat nooit. Ooit waren er drie jonge vrienden die onafscheidelijk waren en die ieder gevoel en iedere droom deelden, Cohen, ikzelf en Stern. En Cohen was al jaren dood en toen keerde ik Stern de rug toe en liet hem in de steek. Dat heb ik gedaan. Ik had een prachtig deel van zijn leven vernietigd door het enige weg te nemen wat een arme man heeft, zijn herinneringen, en ik had hem meedogenloos neergesabeld door hem toe te schreeuwen dat die herinneringen dood waren. Weg. En hij was niets en volslagen alleen...

Achmed deed er een poosje het zwijgen toe.

Nee, ik realiseerde me de monsterachtigheid daarvan niet, maar langzaam begon die tot me door te dringen. Langzaam bekroop me het besef. En nu we hier in het vuur zitten te staren, hier met de duisternis die ons omringt en de macht van de nacht die in zijn domein geen grenzen kent, wij tweeën ineengedoken naast dit sprankje licht, twee nietige onbeduidende wezens voor een fractie van een seconde opgehouden in een sfeer van oneindigheden en zwartheid, hier in deze vlammetjes voor ons zie ik zijn gezicht helderder dan ooit. Een brandend menselijk gelaat dat voorbijgaat en spoedig verdwenen zal zijn, en ik heb hem in de steek gelaten.

Door hem niet te accepteren zoals hij was. Door niet de moed en het fatsoen te hebben om dat te doen en mij, in plaats daarvan, van hem af te wenden. Mij volledig bewust van de gekwelde uitdrukking in zijn ogen, heb ik mij toch van hem afgewend, me van hem afgewend en hem alleen gelaten in zijn lijden, alleen in zijn smart, een vriend van wie ik altijd heb gehouden. Een vriend en meer, een medemens.

Achmed huiverde.

En dat is Sterns Poolse avontuur, een verhaal dat begon op een zondagmiddag in een crypte aan de Nijl; aangevangen en nooit tot afronding gekomen. En het is mijn falen en het falen van de wereld, en daar zullen wij allebei mee moeten leven.

Toch weet ik beter dan de wereld verwijten te maken, want de wereld is een metafoor en een abstractie die niet bestaat. Wij hebben allemaal ons moment om de wereld te zijn, om te doen wat juist is en liefde te geven als geven onmogelijk lijkt en liefde een onduldbare aanfluiting lijkt. Wij hebben allemaal ooit dat moment, en ik had het en ben tekortgeschoten.

Achmed opende zijn krachtige handen en keek ernaar in de schaduw.

Het is het kortste moment in ons leven, en het eenvoudigste. Toch bouwen we daarmee voor eeuwig onze hemels en onze hellen...

Wie weet wat Stern werkelijk uitspookt? mompelde Achmed op een nacht, niet lang voor het eerste ochtendlicht, net toen ze aanstalten maakten de binnenplaats te verlaten en naar binnen te gaan.

Hoe bedoel je? vroeg Joe.

Achmed boog zich over het smeulende vuur en tuurde erin, zijn gezicht heftig in beroering.

Ik bedoel alleen maar, wie weet dat werkelijk? Natuurlijk heeft hij overal connecties en natuurlijk heeft hij zich tot op zekere hoogte op de een of andere manier voor veel zaken ingezet en natuurlijk werkt hij voor de Britten. Maar zou daarachter nog iets anders kunnen schuilen, een hoger doel voor Stern? Een nog geheimere strijd die dient te worden gevoerd... in zijn ogen? Iets wat wellicht zo diepgaand is dat er niet over mag worden gesproken behalve tegen God?

Kijk, eigenlijk heeft hij sinds de oorlog is uitgebroken tegenover mij op bepaalde dingen gezinspeeld, en de laatste tijd heb ik een lijn ontdekt in die fragmenten en brokstukken van wat hem bezighoudt, die hij zonder opzet voor me laat vallen. De Joden in Europa zijn bijvoorbeeld zelden of nooit uit zijn gedachten. En misschien...

Opeens werd Achmed opstandig en de woorden spatten uit zijn mond.

Nu, heeft hij dan soms de een of andere verraderlijke verstandhouding met de nazi's? Met die Mongoolse horden die de poorten van de beschaving bestormen...? Stern zegt dat er hele gemeenschappen van Joden in Europa verdwijnen en hij zinspeelde op onzegbare wreedheden en net als Liffy wordt hij geobsedeerd door beelden van verlaten treinstations 's avonds laat, waarvandaan mensen werden afgevoerd naar de vergetelheid en erger. En hij zegt dat de Geallieerden er niets tegen doen omdat het bewijs in hun ogen nog niet geheel sluitend is. En hij zegt dat er geen tijd meer is om te wachten op documentatie des doods, een soort rijmelarij van statistieken die onze boekhouders op hoge posities zal overtuigen.

Nu weet ik niets van statistieken, maar dat is niet de manier waarop ik mensenlevens bezie. Maar heel wat soorten spionnen hebben sinds het uitbreken van de oorlog Hotel Babylon aangedaan en sommigen van hen waren vluchtelingen uit Europa en sommigen van hen waren Joden. En ik heb hun dingen gevraagd en hen in de ogen gekeken om antwoorden te vinden en wat ik heb gezien was inktzwarte duisternis.

Als Stern zich dus inlaat met de nazi's, dan weet ik zeker dat het iets van doen moet hebben met het uit Europa bevrijden van Joden. Er kan geen andere reden zijn waarom iemand als hij zo'n verschrikkelijk verbond met de duivel zou sluiten... Maar God mag weten wat hij de nazi's in ruil daarvoor teruggeeft. Ik moet er niet aan denken... Zijn ziel, waarschijnlijk.

Achmed zonk ineen op de grond en sloeg zijn handen voor zijn gezicht. Grote snikken deden zijn lichaam schokken.

Begrijp je het niet, Joe? Het is niets voor Stern om zulke dingen tegenover mij aan te stippen, die flarden en brokstukken over Zwarte Codes en Rommel en al die andere dingen. Daar is hij te gewiekst en ervaren voor. En als hij dat tegenover mij doet, tegenover wie dan nog meer? En hij moet toch hebben geweten dat het Klooster er vroeg of laat lucht van zal krijgen...? En zijn maatregelen zal treffen.

Achmed staarde in het gedoofde kampvuur.

Maar ik weiger te geloven dat Stern zich zo gedraagt omdat hij weet dat het hem de kop zal kosten. Ik ben bang dat hij doordraait, en dat beangstigt me want Stern heeft voor mij altijd hoop betekend. Alleen al te weten dat hij daar buiten ergens is en ooit zal terugkomen, zoals hij deed toen we jong waren en hij de woestijn in trok, alleen dat betekent alles voor me.

In het duister van de kleine binnenplaats stak Achmed zijn hand uit naar het gedoofde vuur.

Hoop... hoop. We kunnen het geschenk van het leven in zijn geheel verspillen en er kan ons zelfs nog meer worden afgenomen. Maar hoop niet. We moeten hoop hebben, anders zullen de hemelen in stilte rondwentelen en zal het zijn alsof we nooit hebben geleefd... een leegte vol niets.

·

🌾

In de stilte van de kleine uurtjes bewoog Achmed en hield zijn hoofd schuin, terwijl hij luisterde naar een klok in de verte die elk uur sloeg.

Het is moeilijk om hierover te praten, mompelde hij. Met stilte kan ik het beste overweg, terwijl Stern...

Achmed zweeg en verschoof zijn platte strohoed.

Wat ik bedoel is dat wij tweeën zulke uiteenlopende levenspaden hebben gekozen. Uit onvermogen koos ik voor de geheime avonturen van orde en de fletse troost van de eenzaamheid, zoals mijn vader dat voor mij deed. Maar ook al waren Sterns mislukkingen, omdat hij meer op het spel durfde te zetten, veel groter dan de mijne, toch heeft hij zich nooit afgewend van de chaos en de doelloosheid van het leven... Wat ik heb verloochend heeft hij nu juist omarmd.

Achmed keek Joe aan.

Ik ben niet gewend met mensen te praten, daar komt het uiteindelijk op neer. Ik ben niet gewend te proberen een zinnig betoog te houden, omdat we dat, als we alleen met onszelf zijn, nooit hoeven te doen. Maar toch blijft het lastig om te praten over alles wat is, zelfs als we slechts één enkel ogenblik pogen te beschrijven, zoals ik tegenover jou heb gepoogd. Die lange nachten, Joe, die uren diep in de woestijn in deze kleine oase die we voor onszelf hebben gecreëerd... en alles wat ik tegen jou heb gezegd sinds je je vervoegde bij mijn schamele toonbank in Hotel Babylon, een tussenstation op je reis, en mij vroeg hoe je bij de crypte van de oude Menelik moest komen, elk woord dat ik tegen jou heb gesproken... Maar zeg eens, heb je inmiddels in de gaten dat dit alles betrekking heeft op slechts één enkel moment? Eén bepaald moment in de tijd?

Joe zag iets bewegen in Achmeds ogen, een glinstering, een spel van licht... Misschien is dit het, dacht hij.

Ja, Achmed, ik denk dat ik dat heb begrepen. Want één moment kan zo ontzettend veel dingen in zich hebben en met zich meebrengen, om het te maken tot wat het is, nietwaar? Net als wijzelf zoals jij net zei. Ik probeer al die dingen die zich in één moment voltrekken te lokaliseren en die volume en vorm te geven, zonder iets achterwege te laten... Nou dat is wat je noemt een immense taak. Zo immens als de hemel boven ons.

Achmed knikte ernstig.

Ja, dat is het, en dus waag ik nog een poging. Maar ditmaal zal ik voor één keer niet beginnen met alle dingen in en achter dit moment waarover ik keer op keer heb gesproken en dat ik op duizenden aarzelende manieren heb benaderd omdat het me meer obsedeert dan wat ook. Ditmaal begin ik met het moment zelf. Zonder omhaal. Het naakte feit.

Er verscheen een glimlach op Achmeds gezicht.

Maar eerst moet je me vertellen, Joe, of ik er enigszins in ben geslaagd er iets van aan te stippen, want zelfs een gemankeerde dichter kan ergens diep verborgen nog een sprankje ijdelheid bezitten... Dus dat moment van mij. Is er bij jou al een waar of een wanneer of een wat gaan dagen?

Ik geloof het wel, zei Joe, ik geloof dat ik daar ook enig idee van begin te krijgen... En het waar zou de crypte van de oude Menelik kunnen zijn, en het wanneer zou een tijdje geleden kunnen zijn, niet vorige maand maar ook niet al te veel jaren geleden. En het wat, tja, dat moet Stern wel zijn en het zou Stern met zijn Poolse avontuur kunnen zijn. Maar bovenal ben jij het wat. Want dat is het zenith, het middelpunt van het universum waar we het hier over hebben gehad... waar we het nu over hebben. Jouw moment, Achmed. Jij.

Achmed staarde Joe aan. Na een poosje wendde hij zich naar het vuur en zette zijn hoed weer een beetje anders schuin op zijn hoofd. Als in een trance, waarbij zijn woorden in golven opwelden, begon hij te fluisteren.

... het was net na het begin van de oorlog, tegen het einde van 1939. Stern en ik waren in de crypte en het was die middag dat hij trachtte zichzelf tegenover mij te rechtvaardigen en ik hem zo hardvochtig heb afgebekt... We sterven allemaal alleen en zonder rechtvaardiging, schreeuwde ik, listig zijn woorden tegen hem gebruikend, het arme gewonde schepsel om zijn oren slaand met iets wat hij zelf ooit had gezegd. En de rest ervan, alles wat daarvóór gebeurde, was precies zoals ik het je heb beschreven. Het moment kwam daarná.

... toen hij die zomer uit de gevangenis van Damascus ontsnapte had hij zijn duim bezeerd, hem vreselijk opengereten. Die middag in de crypte was het genezingsproces al enkele maanden aan de gang en veranderden de donkerpaarse japen in zijn vlees in littekens. Lelijke littekens. Diep. Ik had Stern toen al enige tijd niet gezien, maar een nieuwe verwonding baarde geen opzien. Stern had altijd wel wat... een wond en een buil van een nieuwe afranseling, weer een stukje van hem dat beschadigd was, een nieuwe onhandigheid veroorzaakt door een arm of een been dat niet goed functioneerde... er was altijd wel wat. Maar hij besteedde daar nooit veel aandacht aan, en ik evenmin. Zo leefde hij nu eenmaal, dat was gewoon zo, dus er was niets ongewoons aan het feit dat hij die middag verscheen met een gescheurde duim. Niet voor hem, niet voor mij. Het was louter het zoveelste teken van zijn geheimzinnige reizen. Simpelweg een klein aandenken aan zijn laatste uitstapje, dat Poolse avontuur van hem. Een vage voetnoot, wellicht, bij het begin van de Tweede Wereldoorlog.

... hoewel er, naast de toevalligheid dat het Polen was waar de oorlog uitbrak, ook nog het incident in Damascus had plaatsgevonden. Een waarlijk ingrijpende gebeurtenis in Sterns leven sinds de laatste keer dat ik hem had gezien, maar niet op de weg naar Damascus, maar eerder bij het wegvluchten uit Damascus. Vergeef een geletterd man zijn grillen, maar de ironie van die parallel is mij ook niet ontgaan. Achteraf gezien, uiteraard.

... hoe dan ook, op onverklaarbare wijze viel mijn blik die middag toevallig op de kleine wond en daar bleef hij op rusten. Al die tijd dat hij aan het woord was bevonden die donkerpaarse strepen zich ergens aan de periferie van mijn gezichtsveld... afzichtelijk, diep vereeltend tot littekens net voorbij mijn bewuste gedachten. En hij praatte en ik schreeuwde hem mijn walgelijk zelfzuchtige verwijten toe, en hij zeeg ineen en deed er het zwijgen toe en toen leek de ontmoeting ten einde. Schoorvoetend maakte hij aanstalten om te vertrekken... gebroken, vermoeid, eenzaam. En vanbinnen raasde ik van woede en ik voelde me vreselijk, toen al overweldigd door spijt en schaamte, het gevoel hebbend dat ik met wat ik had gedaan mezelf had verdoemd... Toen bleef Stern opeens vlak bij de deur stilstaan. Bij de deur aangekomen maakte hij een soort gebaar. Iets onbeduidends, ik denk dat hij zijn hand opstak naar een oud symbool dat daar hangt.

... en dat was het moment. Op de een of andere manier was die duim van hem voor ons en onze blikken kruisten elkaar en we begrepen het allebei. We wisten het allebei...

Achmed zat bewegingloos bij het kampvuur, een grote sombere gestalte, volkomen onbeweeglijk. De stilte om hen heen zwol steeds meer aan en opeens was Joe bang dat Achmeds stemming zou omslaan.

Jullie wisten het? fluisterde hij.

... we wisten het, zeg ik je. Onze blikken kruisten elkaar en we wisten het. En toen stak Stern zijn arm uit en greep me bij mijn schouder en zijn hand drukte krachtig op me, als de goede betekenis van zijn naam, krachtig en resoluut en onverzettelijk ten overstaan van wat in het leven niet kan worden omzeild of vermeden. Onverzettelijk, sterk, zelfs nu kan ik de greep van die hand nog voelen... de hand met de gescheurde duim. En hij keek in mijn ogen en toonde die glimlach van hem, zo indrukwekkend en standvastig ondanks het feit dat we ons allebei ellendig voelden, een bedroefde, mysterieuze glimlach die ik diep in mijn hart altijd heb gevoeld, altijd, en hij knikte... Ja, zei hij... Alleen dat ene woord. Meer niet. En toen was het moment voorbij en hij liet zijn hand zakken, de deur van de crypte ging open en dicht, en hij was verdwenen.

Achmed huiverde hevig, alsof hij door een windvlaag uit een donkere uithoek van de woestijn was getroffen. Hij boog zijn hoofd en zijn stem trilde, maar het lukte hem zijn relaas te vervolgen.

... hoeveel tijd zou er daarna nog overblijven? Zouden er nog weken verstrijken? Maanden? Misschien zelfs een jaar of twee? ... Het maakte niet uit. Het was besloten en de teerling was geworpen en we begrepen het allebei... Stern zou sterven. Stern moest sterven. Stern was degene geworden die sterven moest. Het was besloten en we wisten het allebei.

Opnieuw verviel Achmed in stilzwijgen. Joe was net als eerder bang om zijn stemming te verstoren, maar hij was al even bang om het moment voorbij te laten gaan. Hij fluisterde op gejaagde toon.

Maar wat maakte dat jullie zoiets voorvoelden, Achmed? Wat is er met Stern gebeurd in Polen?

Achmed bewoog en raakte, nog steeds met gebogen hoofd in het vuur starend, zijn neus aan. Zijn ogen fonkelden terwijl hij de vlammen afspeurde naar gewaarwordingen, geluiden, gedaanten en toen hij ditmaal sprak was zijn stem verbluffend helder en welluidend.

... wat er gebeurde was dat onze wereld aan zijn einde was gekomen. Wat er gebeurde was dat we hadden geprobeerd één oorlog te veel te overleven en we hadden verloren. Uiteindelijk waren de barbaren ons de baas geweest. Met hun zwartheid en hun krachten der duisternis hadden de barbaren ons belegerd, en ze hadden de poorten van de beschaving bestormd, ons overweldigd en uiteindelijk gezegevierd... Voorheen hadden we ons weten te redden. Ooit wisten we ons te redden. Maar dat was vanaf dat moment verleden tijd. Stern en ik hadden afgedaan en het was voorbij. De poorten zouden openslaan en daar zouden we vallen, onze kracht geweken, onze meelijwekkende wapenrusting gescheurd en afgerukt, het leven uit ons wegsijpelend. En overal om ons heen zou je boosaardig en meedogenloos het holle gelach horen van grijnzende barbaren, het primitieve, loze gelach van jakhalzen die ons maar beschimpten en beschimpten terwijl we lagen te sterven.

Achmed hief zijn hoofd op. Hij bewoog zijn hand voor het kampvuur, alsof hij zijn gekwelde onthullingen aan de vlammen prijsgaf.

... een visioen, dus. Een visioen van wat was en wat zou komen. Een visioen dat ons allebei overweldigde, geboren in dat ene moment toen onze blikken elkaar kruisten en hij Ja zei en we het allebei wisten... Maar toen *wij* het wisten, begrijp je wel, verder niemand, want Stern leek toen nog steeds zichzelf. Hij zag er nog hetzelfde uit en gedroeg zich hetzelfde en er was nog niets te merken van die verontrustende symptomen die zich de laatste tijd hebben geopenbaard. De afgelopen maanden zijn de tekenen van Sterns vertwijfeling voor iedereen die hem kent maar al te duidelijk geworden, maar toentertijd, aan het prille begin van de oorlog...? Nee, totaal niet. Zelfs de Zusters, hoe goed ze Stern ook kennen, hadden zo lang geleden niet kunnen vermoeden dat hij begon ineen te storten... te breken... kapot te gaan.

Het vuur knisperde en Achmed keek, opnieuw in beslag genomen door de vlammen. Opnieuw zweeg hij en Joe wachtte ongedurig, terwijl er een gevoel van wanhoop in hem opwelde. Uiteindelijk fluisterde Joe iets, terwijl hij probeerde zijn kalmte te bewaren.

Maar Achmed, wat is er dan toch gebeurd in Polen? Wat heeft Stern daar gedaan? Wat was dat precies?

Achmed wendde zijn blik af van het vuur, zijn trance gebroken. Hij verplaatste zijn benen, zette zijn hoed anders op. Met de punt van zijn wijsvinger raakte hij zijn neus aan.

Precies, zeg je...? Zeg, Joe, wat krijgen we nu? Wat zijn de details van de dood, bedoel je, is dat wat je van me wilt weten? Wat de bepalingen en de subbepalingen zijn van het pact dat Stern wellicht met de nazi's heeft gesloten? Hoeveel stukjes van de Zwarte Code, of van iets anders wat het ook zijn mag, staan gelijk aan hoeveel Joodse levens op de eerste van elke maand? Op de vijftiende van elke maand?

Nee, Joe, ik weet niets van die door de boekhouders van deze wereld opgevoerde macabere, ambachtelijke uitspattingen, van die verachtelijke ontwijdingen van de ziel die als enige in staat lijken de barbaren van ons tijdsgewricht te behagen, en erger, die voor hen het hele leven lijken te bepalen. Deze verstarrende banaliteit van hen die uitsluitend behagen kunnen vinden in een idylle van het grootboek en een idylle van het reglement, waar abstracte getallen zich kunnen opstapelen met de Duitse Gründlichkeit, met dat welbekende Duitse oog voor detail, met een genadeloze en nijvere Duitse inachtneming van categorieën en van de kaders van categorieën... de kadavers van de geest die vaak historische theorieën worden genoemd.

Nee, nee, Joe, daarover kan ik je niets vertellen, Stern heeft nooit over dergelijke zaken gesproken. Het enige wat ik weet is dat hij naar Polen is gegaan om iets belangrijks te doen en dat hij dat heeft gedaan, en dat de uitkomst voor hem en voor mij is beslist. Maar wat betreft de bijzonderheden waarnaar jij op zoek bent, daarvoor zul je ergens anders te rade moeten gaan. Ik ben geen boekhouder die menselijke zielen in cijfers kan uitdrukken, en ik ben al evenmin een politiek filosoof die pienter kan voorwenden alweer een andere nieuwe en niet bestaande supermens, of sovjetmens, in het leven te roepen, die langs zijn neus weg een logische verklaring ophoest voor massamoord. Stern kan zich staande houden tegenover die ondingen van abstracte theorieën, maar ik niet. Er is een wereld die ik zie en voel en waarneem, maar dat is niet die wereld. Stern en ik hebben de barbaren altijd op geheel verschillende manieren bestreden. Hij op vele, ik op maar eentje... in mijn ziel. In mijn ziel. Weet je, Stern is echt meer dan ik. Ik ben altijd maar één man geweest, terwijl Stern altijd vele mannen was.

Joe luisterde. Hij knikte. Het had geen enkele zin, dat wist hij, om aan de oude poëet te ontfutselen wat er niet in zat. Achmeds kennis was immens, maar het was voornamelijk zelfkennis en Stern bezat kwaliteiten die nu eenmaal niet de zijne waren.

Tja, nu begrijp ik, zei Joe, wat die nachten van ons tot doel hadden. En ik wil dat je weet hoeveel het voor me betekent dat jij Stern, je gevoelens jegens hem, je liefde, hier met mij hebt gedeeld. Maar evengoed, ik...

Achmed viel hem in de rede.

Ja, ik weet wat je nu denkt. Waarom, vraag je je af, bepaalt wat Stern in Polen heeft gedaan, zowel mijn einde als het zijne? Dat wilde je toch vragen, Joe, of niet soms...? En wat kan ik zeggen om je min of meer tevreden te stellen, om je een klein beetje wijzer te maken? Zelfs de wijze waarop ik tegenover Stern tekort ben geschoten, misschien vind je zelfs dat moeilijk te bevatten. Want we zijn nog steeds broeders, Stern en ik. Dat ogenblik heel wat jaren geleden toen we opkeken van zijn duim en onze blikken elkaar kruisten en we beiden wisten welk lot ons wachtte, dat was nadat ik hem verrot had gescholden, toch? Met andere woorden, zelfs na onze onherstelbare breuk waren en zijn wij nog steeds broeders.

Maar weet je, Joe, ik heb hem teleurgesteld omdat ik het gevoel heb dat ik hem heb teleurgesteld. Onverschillig wat anderen ervan vinden, onverschillig wat hij ervan vindt. Wat we voelen is altijd waar voor ons, het is werkelijk voor ons en waarachtig, het bestaat, en dat is ons universum.

Ik ben altijd alleen op de wereld geweest, Joe. Mijn vader stierf toen ik jong was en mijn moeder heb ik nooit gekend, en broers en zusjes had ik niet, maar toen opeens waren er Cohen en Achmed en Stern, hier op deze zijpaden die mijn leven vormen. En door onze aderen vloeide dezelfde muziek en we waren onafscheidelijk, en ik maakte deel uit van hen en elke daad en elk gevoel dat ik had resoneerde in hen, zoals de hunne in mij. En toen werd Cohen gedood en ging Stern weg, maar toch...

Achmed boog, luisterend naar de geluiden van de nacht, zijn hoofd. Hij glimlachte minzaam.

Joe? Ik ben uiteindelijk een gemankeerde poëet, en ik ben bang dat ik het niet beter kan uitleggen dan ik heb gedaan. Maar misschien kan ik er iets aan toevoegen dat een glimp van wat ik jegens Stern voel duidelijk maakt... Ik heb het gehad over de hoop die Stern me altijd heeft gegeven, gewoon door daarbuiten ergens te zijn en zichzelf te zijn, gewoon door er te zijn. En die hoop heb ik nodig omdat het altijd een onuitgesproken deel van mijn leven is geweest, een nabootsing van de rijkdom in de mens, in alle mensen. En als die hoop is vervlogen, dan is ook het leven voorbij... voor mij.

Wat is dus Sterns Poolse avontuur, vraag je? Tja, ik kan alleen voor mezelf antwoorden, en voor mij is het antwoord eenvoudigweg dit. Drie zomers geleden, toen de oorlog op uitbreken stond, nam Stern zijn lot in eigen handen in een gevangenis in Damascus en hij woog wat hij daar vond in zijn handen en brak onmiddellijk uit de gevangenis en ging naar Polen. En in Polen deed hij wat hij vond dat gedaan moest worden, hij gedroeg zich zoals alleen hij zich maar kon gedragen, omdat hij nu eenmaal was die hij was. Maar omdat ik ben die ik ben, en om wat ik jegens hem voel en hoe wij door de jaren heen met elkaar verbonden waren... tja, deed hij wat hij deed, zo zou later blijken, ook voor mij. En bijna zeker zonder zelfs maar één gedachte aan mij te wijden. Stern is per slot van rekening belangrijk in deze wereld. Zo belangrijk als maar heel weinig mensen ooit zullen weten.

Maar Joe? Ik ben trots op wat hij deed, wat het ook was. Ik ben trots dat hij ook namens mij is opgetreden. Op eigen houtje zou ik in het leven nooit veel hebben bereikt. Ik droomde ervan anderen schoonheid te schenken maar dat was me niet gegeven. Dus ik faalde in wat ik wilde doen en niet ver hiervandaan is een grot waarvan de stoffige inhoud getuigenis zal afleggen van de veelheid aan teloorgegane desillusies en teloorgegane dromen.

Maar wacht, luister. Zelfs hier in het donker, zelfs hier te midden van de chaos van een verfoeilijke oorlog, zelfs nu zou Gods hand wel eens rusteloos binnen in me kunnen bewegen en mijn ziel aanraken. Want heb ik niet, alleen al door Stern te hebben gekend en een deel van hem te zijn geweest, ook deelgehad in het via hem schenken van schoonheid aan heel veel levens, door wat hij is? Zou dat ook niet zo kunnen zijn? En als dat misschien zo is, wie zal het dan zeggen...?

Achmed knikte langzaam. Hij glimlachte, met een vredige uitdrukking op zijn gezicht en liet zijn blik over de binnenplaats dwalen.

Een duim... en een moment. Zo klein, onze wereld, en toch zo uitgestrekt. Vanuit het hol dat we maar al te goed kennen naar deze mysterieuze hemel waaronder we dromen. En Stern...? En ikzelf? Tja, om volkomen eerlijk te zijn, heb ik geen flauw idee of Stern het gevoel heeft dat zijn leven gerechtvaardigd is door wat hij heeft bewerkstelligd. Dat kan alleen hij beslissen. Maar nu moet je eens goed naar me luisteren, Joe, en de wonderbaarlijke wending van ons majestueuze universum met zijn ogenschijnlijke contradicties voelen.

Want in het ene moment waarover ik heb gesproken, één enkel moment in de tijd die tevens mijn leven is, heeft Stern mijn bestaan voor mij gerechtvaardigd... En dat is het mooist mogelijke geschenk van alle. Want zonder dat vervallen wij tot stof. Maar met dat nemen we onze plaats in tussen de dromende schepselen in de grootste orde der dingen en worden we één met de poëzie van het universum.

Later diezelfde nacht hield Achmed zich bezig met het bestuderen van de hemel in het oosten. Boven de muur van de binnenplaats was nog geen spoor van grijs of dageraad te bekennen, maar ze wisten allebei dat die niet lang meer op zich kon laten wachten. Toen moet Achmed ook hebben beseft dat zijn reis door het verleden met Joe haar einde naderde en waarschijnlijk met die zonsopgang.

Op dit uur, zei Achmed, zijn mijn gedachten altijd bij Stern, maar niet om de redenen die jij misschien denkt. Ik weet dat dit het uur is waarop hij naar de morfine grijpt... helaas. Maar die aandoening is pas de laatste tien jaar of zo een last, en ik denk terug aan hoeveel hij heeft geleden en ik herinner me ook de vele andere facetten van Stern en hoe hij er, in een of ander duister hoekje binnen in me, altijd is geweest, me met zijn zachte stem toefluisterde of simpelweg luisterde en me op zijn zachtmoedige manier vergaf.

Ik heb van al die jaren zoveel beelden van die man. Van de boulevards en de cafés, van de liederlijke avonden, toen hij en ik en Cohen uren achtereen dronken en fuifden en brasten en ons een weg naar de eeuwigheid droomden. Toch zal er altijd één beeld zijn van Stern dat mij boven alle andere dierbaar is. Een verbluffend beeld van langgeleden dat spreekt van een man in het universum, een visioen dat in de eenvoud van zijn mysterie altijd zal blijven verbijsteren.

Het is een herinnering aan Stern toen hij nog een jongeman was die in tijden van doffe ellende en grote blijdschap de woestijn in trok en in de laatste duisternis voor de dageraad, alleen en zich verheffend door middel van zijn krachtige sombere muziek, die ontzagwekkende opwellingen van tragiek en verlangen die alleen aan een menselijke ziel kunnen ontspruiten, zijn viool bespeelde in het oog van de Sfinx.

Sterns gekwelde lofzang in de woestijn op de ondergegane maan... met als enige metgezellen de onkenbare Sfinx en de vluchtige sterren.

En toch was er nog een plechtig ritueel waaraan Achmed zich hield, ter nagedachtenis aan alle legendarische dromen uit zijn jeugd.

Iedere zaterdag aan het einde van de middag verontschuldigde hij zich, nam eerst een bad en kwam dan tegen zonsondergang tevoorschijn in een gestopt overhemd en het enige pak dat hij bezat, beide pas gestreken en glimmend, een smoezelige das om zijn nek en zijn enige paar afgetrapte schoenen bedekt met een nieuwe laag schoensmeer, zijn geverfde rode haar nat gemaakt en achterovergekamd en zijn gehavende platte strohoed vreemd schuin op zijn hoofd, zijn verrekijker in zijn ene en zijn oude gedeukte trombone in zijn andere hand, een elegant toonbeeld van stille waardigheid, een onbemiddelde heer.

Dan beklom hij langzaam, omdat het hem grote moeite kostte, de trap naar het dak van het hotel, om daar in de zachte avondbries uren te zitten en in het donker door zijn verrekijker naar de stad te turen en op zijn trombone te spelen. Hij beweerde dat hij de kleine drukbevolkte pleinen kon zien, waar hij in de avonden van zijn jeugd had geflaneerd. Hij beweerde zelfs dat hij de cafés kon zien waar hij ooit met succes het hoogste woord had gehad en tot diep in de nacht zijn vrienden had vermaakt met heroïsche coupletten en plotselinge uitbarstingen van fragmenten van zijn favoriete aria's.

Dat beweerde Achmed, nu alleen op het smalle dak van het wegrottende Hotel Babylon met de melancholieke klanken van zijn trombone, boven de flonkerende lichtjes van de grootse rusteloze stad.

En natuurlijk maakte het totaal niets uit, wist Joe, of Achmed in het donker echt die kleine cafés kon zien of zich alleen maar verbeeldde dat hij ze zag, opnieuw sprankelend van vrolijkheid en zinderend van muziek en poëzie, met een onuitputtelijke voorraad glazen wijn en vriendschap en daarenboven een mateloze liefde, terwijl de zachte lucht van zijn stad weergalmde van die avonden van lang geleden toen de hele wereld zich, zoals hij zei, voor hem leek uit te strekken, en hij nog jong en nog niet lelijk was.

12 Bedelaar

Joe stond vlak bij een gebouw aan de overkant van de straat en observeerde het kleine restaurant waarover Liffy hem had verteld. Er was niets ongewoons aan maar hij stond er toch gefascineerd naar te turen.

Het was een rustig buurtje weggestopt achter drukkere straten. Een ogenblik tevoren had hij zich nog een weg gebaand tussen schreeuwende mannen in mantels met tulbanden op, toeterende taxi's en schapen en kamelen en ratelende vrachtauto's en Griekse kooplieden en Koptische handelaren, geiten die op kruispunten bijeen werden gedreven en Albanese planters en dronken Australische soldaten, Italiaanse bankiers en Indiase soldaten en Armeniërs en Turken en Joden, karren die vruchtensap, noten en fruit verkochten, arbeiders op blote voeten gebukt onder enorm zware zakken en overal armen die doelloos ronddoolden, de namen van goden en verlossers aanriepen en zich bezighielden met de voorbereidingen van een denkbeeldig avondmaal.

En toen was hij een hoek om geslagen en bevond hij zich plotseling hier in een rustig buurtje waar alledaagse mensen woonden en de oorlog ver weg was. Zo leek het.

Er was niet veel te zien. Een vrouw die met groente naar huis ging. Een oude vrouw die mopperend haar hoofd schudde, een groepje pratende vrouwen. Mannen die aan de tafeltjes van een cafeetje de krant zaten te lezen. Een pleintje en smalle klinkersteegjes, een waterpomp waar kinderen flessen vulden. Schaduwplekjes en bloemen, grijze kleren die te drogen hingen. Balkonnetjes en open trappenhuizen en halfopen luiken, vreemde geluiden die door elkaar heen klonken. Een bedelaar die alleen in het stof zat.

Joe liep voor het kleine restaurant langs, het soort gelegenheid waar de klanten waarschijnlijk met naam en toenaam bekend waren, mannen met karige inkomens die alleen leefden of niemand thuis hadden die voor hen kookte.

Hij keek naar binnen. Sommige klanten voor het avondmaal waren al gearriveerd, sjofele waardige mannen die talmden bij elk gerecht, probeerden te wachten tot ze hun soep op hadden alvorens ze uit verveling, uit eenzaamheid, hun krant opensloegen. Een kleine man in een grijs pak groette een ober omstandig, waarbij hij zijn rode fez afnam en een ritueel afwerkte waarbij hij voorwendde een tafeltje te kiezen, waarschijnlijk hetzelfde tafeltje waaraan hij de afgelopen twintig jaar al had gezeten.

Terwijl Joe zich in de schaduwen bewoog, merkte hij dat hij zich afvroeg of dit het soort plek was waar hij verwachtte dat Maud en Stern elkaar aan het einde van de dag zouden treffen om samen een eenvoudige maaltijd en een karaf wijn te delen. Om later naar een cafeetje aan de overkant van het plein te gaan voor een zoete lekkernij, want Maud was dol op zoetigheid na het avondmaal. Om samen aan een van die piepkleine tafels te zitten en koffie te nippen en te praten, en ook gewoon om samen alleen te zijn onder de sterren.

En nee, hij was niet verbaasd. Het was het gevoel van alledaagsheid op het pleintje dat hem raakte, dat en de gezegende stilte die zo zeldzaam leek in Caïro. Hij kon zich voorstellen dat die hen aansprak.

Ver van de oorlog houden komende en gaande mensen zich onledig met alledaagse bezigheden. Linzen en gerst en sigaretten, een glas wijn, kleine kopjes zoete koffie. Een man die tweedehands kleren verkoopt. Lachende kinderen. Vrouwen die handenvol water op de klinkers sprenkelen om aan het einde van de dag het stof laag te houden. Een gedruis van verre kreten. Een eenzame bedelaar met neergeslagen ogen.

Nee, veel had het allemaal niet om het lijf en niets ervan baarde hem opzien. Het eigenaardige aan Stern was per slot van rekening dat hij in zoveel opzichten een gewone man leek. De flamboyante figuur die in Achmeds verbeelding leefde was met de jaren al lang geleden verdwenen, en Joe wist dat als hij Stern hier op straat voor de eerste maal zou zien, hij hem waarschijnlijk niet eens zou hebben opgemerkt. Want Stern zou er net zo hebben uitgezien als ieder ander in het kleine restaurant, hetzelfde als de man die zich uitstrekte om zijn kleine voorraad tweedehands pakken neer te halen, hetzelfde als de man die een praatje maakte in het cafeetje of de boekhouder die een steeg insloeg, hetzelfde als al die mensen die eenvoudigweg in hun onderhoud voorzagen, meer niet.

In je onderhoud voorzien.

Sterns woorden, realiseerde Joe zich. Sterns woorden lang geleden uitgesproken in Jeruzalem, in antwoord op Joe's dringende vragen. Wat Stern nu eigenlijk precies uitvoerde. Woorden uit een geheel ander tijdsgewricht en een andere plaats, gesproken toen Joe net in Jeruzalem was aangekomen en op de tast zijn weg in de wereld zocht, terwijl Stern al een man was geweest met jaren harde ervaring achter zich.

Natuurlijk was daarmee niet alles gezegd. De man die voorkwam in Bletchleys dossiers en onder andere namen in vele dossiers, was ook totaal anders dan wie dan ook in deze straat. Met de rustige leventjes die deze mannen en vrouwen leidden, zouden ze geen idee hebben van Sterns reizen en zijn doen en laten. Toch dekte in een ander opzicht deze straat de lading helemaal, want Stern had dezelfde gevoelens van angst en hoop als deze mensen. Hij wilde dat de dingen beter zouden worden en hij deed zijn uiterste best ze beter te maken. Hij had zijn kleine successen en zijn grotere mislukkingen, en op een dag, als hij zou zijn heengegaan, zou er eigenlijk niets zijn veranderd. En in de tussentijd bezocht Stern dit kleine restaurant om aan het einde van de dag te ontsnappen aan het lawaai en de menigten en om een oude vriendin te ontmoeten en te praten over alles en niets en in stilte de minuten te laten verstrijken, even te genieten van de rust.

En Maudie?

Nee, het kostte hem ook geen moeite haar zich hier voor te stellen. Haar leven was in vele opzichten zo ongewoon geweest, maar in andere opzichten was het dat helemaal niet. Want zij had beslist nooit iets anders gewild dan zichzelf zijn, zich om anderen bekommeren en ten volle van het leven genieten.

Bescheiden, net als deze mensen. Haar uiterste best doend lering te trekken uit de verschrikkelijke vergissingen in het verleden. Zo vaak een vreemdeling in de eindeloze uitglijers van levens, de onverenigbare reizen van hoop en behoefte waar mensen elkaar ontmoeten en uiteengingen. Proberend de demonen van het verleden onder ogen te zien, niet aan hen te ontsnappen, omdat het verleden nooit wegging. Maar proberend zichzelf goed genoeg te kennen zodat die demonen haar niet langer zouden kwellen. Worstelend om zich alleen staande te houden en – uiteindelijk – toch ook lief te hebben, de verklaring voor al haar omzwervingen. Van de kolenmijnen van een kleine stad in Pennsylvania tot aan de bergen van Albanië, en Athene en Jeruzalem en Smyrna, en Istanbul en Kreta, en nu hier. Een leven lang op zoek, proberend haar plekje te vinden.

Joe keek het nauwe straatje in. Hij keek naar het tanende licht en op de een of andere manier leek alles in orde. Na al die jaren was dit de plek waar Maud en Stern elkaar ontmoetten voor een rustige avond samen, hier in dit alledaagse buurtje met zijn bescheiden beslommeringen, zijn kleine mislukkingen en triomfen. Na al die jaren van strijd en leed en liefde, van vallen en weer opstaan, was dit de aangewezen plek waar twee mensen samenkwamen om midden in een afschuwelijke oorlog het leven te loven. Om te praten en stil bij elkaar te zitten, om te glimlachen en te lachen en heel even die dromen te delen die nooit helemaal konden worden vergeten, om samen te komen in dit eenvoudige oord, terwijl om de hoek de wereld woedde en elke keer een beetje meer stierf... voorbij de eenzame bedelaar die aan het einde van de straat in het stof zat, eenzaam in het tweeduister, bewegingloos.

Een bedelaar die uit elke periode kon zijn gekomen, dakloos en stateloos en voor niemand van enig nut, een bedelaar voor het leven die nergens vandaan kwam en ooit zou terugkeren naar waar hij vandaan was gekomen. En merkwaardig genoeg ook de man om wie de oorlog werd uitgevochten, de prijs voor alle grote legers, de eenzame man die hun gruwelijke overwinningen en hun legioenen slachtoffers zou overleven.

Anoniem in zijn lompen in het stof in het tweeduister, een bedelaar die zijn grenzeloze koninkrijk overzag...

❦

Joe schoof naar de zijkant, uit het zicht, en wachtte tot zij, zoals Liffy had gezegd, zou komen. En toen kwam ze opeens de straat in lopen, een kleine vrouw met een haastige tred, zoals hij die zich zo goed herinnerde. Dat was in het geheel niet veranderd.

Ze bleef even staan om een winkelier te groeten, haar gezicht klaarde op, en ook dat was in het geheel niet veranderd. Haar glimlach was nog even enthousiast en had dezelfde zorgzaamheid als ze haar hoofd schuin hield en de winkelier aan het lachen maakte met een terloopse opmerking.

Joe glimlachte ook, hij kon het niet helpen. Toen hij haar vroeger kende, had zij een poging gedaan serieus aandacht te schenken aan haar kleding, ook al leek dat op de een of andere manier nooit enig effect te hebben gesorteerd. Maar nu had ze het klaarblijkelijk maar gewoon opgegeven. Toch was ze mooi, Joe kon niet geloven hoe mooi ze in de loop der jaren was geworden. Zo'n krachtig gelaat en haar ogen zo expressief, zo openhartig en glimlachend.

Ze ging het restaurant binnen en Joe wendde zich af, opgewonden en in verwarring gebracht, angstig. Twintig jaar was het geleden, en waar was die tijd gebleven sinds ze samen waren geweest? Ze leek nu een vreemde en toch kon ze dat nooit zijn, daarvoor kenden ze elkaar te goed. Ze hadden een zoon die in Jericho was geboren. Ze hadden elkaar ontmoet en waren naar de Sinaï gegaan, naar een oase aan de oever van de Golf van Akaba. Twee decennia geleden en minder dan een jaar samen... maar evengoed.

Hij wilde haar van achteren benaderen en haar naam fluisteren en haar glimlach zien en haar in haar ogen kijken.

Maudie, ik ben het... Maudie.

In plaats daarvan wendde hij zich af, hij kon niet anders. Hoe kon hij haar uitleggen wat hij hier deed? Wat kon hij zeggen over Stern? Nee, hij wist nog niet voldoende over Stern. Hij wist nog nergens voldoende over.

Joe liep snel verder de straat in, opgewonden en bang, in verwarring. Ze leek een vreemde, maar dat kon ze niet zijn. Hij kende haar, natuurlijk kende hij haar, en zij kende hem.

De bedelaar op de hoek hield zijn hand op toen Joe voorbijsnelde, een lange slanke hand, vereelt en hard en mooi, even mysterieus als een oude landkaart van een verloren woestijn. Joe keek naar het in schaduwen gehulde gezicht van de bedelaar, gaf hem een muntje en liep door, zijn gedachten over elkaar struikelend en voortsnellend. Hij was al een aantal straten verder voor hij plotseling te midden van de wervelende menigte stokstijf, alleen en zonder in de warme avondlucht iets te horen, bleef stilstaan.

De bedelaar.

Het was mogelijk. De bedelaar aan het einde van die stille straat was Stern geweest.

Stern...?

Joe had geen flauw idee hoe lang hij daar, midden op dat drukke trottoir, zich totaal niet bewust van wat er om hem heen gebeurde, had gestaan. Hij keerde zich om.

Nee, het had geen enkele zin om terug te keren op zijn schreden, Stern zou nu allang weg zijn. Maar wat deed hij daar? Waarom hield hij Maud in de gaten? En waarom was hij terug in Caïro, terwijl Bletchley had gezegd dat hij twee weken weg zou blijven?

Bletchley?

Nee. Joe was er zeker van dat hij over Sterns vertrek niet kon hebben gelogen. Dan zou er helemaal geen touw meer aan vast te knopen zijn. Stern moest dus naar Caïro zijn teruggekeerd zonder medeweten van Bletchley, in strijd met Bletchleys orders, en eigenlijk begon Joe de indruk te krijgen dat Stern nagenoeg overal heen kon gaan zonder dat Bletchley het wist. Hij was net Liffy met al zijn vermommingen, alleen nog erger. Bij Liffy hoorden de vermommingen altijd bij een rol, maar bij Stern waren zij simpelweg een ander deel van hemzelf, een ander gezicht op zijn kronkelige levenspad.

En nu wist Stern dat Joe in Caïro was, wat betekende dat hij ook moest weten waarom iemand als Joe erbij was gehaald, en dat maakte alles onzeker, omdat Joe zelf eigenlijk niet wist waarom hij hier was. Hoe kon hij, zolang hij niet wist wat Stern deed, laat staat waarom hij het deed...? Tenzij Achmed op iets reëels had gezinspeeld toen hij het had over Stern die zijn ziel had versjacherd aan de nazi's. Tenzij er meer achter dat ene theatrale zinnetje had gestoken...

Joe liet zich meevoeren door de stroom mensen en voelde zijn reddeloosheid met de minuut toenemen. Alles gebeurde te snel, en hij moest zich zien los te maken van die netwerken uit het verleden die Stern in de ogen van anderen steeds mysterieuzer leken te maken...

Met Bletchley praten dan maar? Er Bletchley rechtstreeks mee confronteren?

Nee, dat was te gevaarlijk. Hij wilde niet degene zijn die Bletchley vertelde dat Stern terug was in Caïro. Niet zoals de zaken er nu voorstonden, niet zolang de redenen van Sterns terugkeer niet bekend waren.

Met Liffy praten?

Ja, en ook om nog andere redenen. Sinds zijn band met Achmed zo hecht was geworden, bekroop Joe het ongemakkelijke gevoel dat Liffy wellicht niet alles wat hij over Stern wist had verteld, dat hij misschien iets achterhield omdat hij zich zo om Stern bekommerde, een effect dat Stern vaker op mensen had. Ze wilden hem intuïtief beschermen, de breekbare kern die Stern in zich droeg zeker stellen, misschien tegen ieder ander. Joe had dat gevoel zelf altijd gehad en er was geen reden waarom Liffy het niet zou hebben, maar hoe eerder hij met Liffy sprak, hoe beter het was.

Joe bleef stilstaan bij een openbare telefooncel, terwijl hij de jonge Egyptenaar aan de overkant, die hem in opdracht van Bletchley schaduwde, in het oog hield. Het kon hem niet schelen dat Bletchley zou weten dat hij naar het restaurant was geweest waar Stern en Maud elkaar vaak ontmoetten, of dat hij had gewacht om een glimp van Maud op te vangen. Bletchley zou inmiddels wel hebben verwacht dat hij iets dergelijks zou ondernemen. En hij maakte zich evenmin zorgen om zijn gedrag sindsdien, want daar viel alleen maar uit op te maken dat het zien van Maud hem in verwarring had gebracht.

Hij draaide Liffy's nummer, liet de bel één keer overgaan en hing toen op. Hij bleef demonstratief nummers draaien, belde opnieuw Liffy's nummer en liet de bel twee keer overgaan voor hij ophing. Nu viel er niets anders te doen dan wachten en zien of Liffy binnen een uur kwam opdagen waar hij geacht werd dat te doen.

Niets dan één enkel onbeduidend probleempje. Joe hield zich enige tijd bezig met het van zich afschudden van de jonge Egyptenaar, en toen hij er zeker van was dat hij niet langer werd gevolgd, zette hij koers in de richting van de kroeg waar hij hoopte dat Liffy hem zou opwachten. Het was aan de oever van de rivier en hij was er nog niet eerder geweest, maar het werd geacht een veilige plek te zijn waar maar zelden Europeanen kwamen.

Louter een pleisterplaats voor het grootste tuig, had Liffy gezegd.

Een van die platvloerse keldertenten, Joe, waar het uitschot van de riviermaatschappij en andere zware alcoholisten elke avond een beetje meer in de schaduwen wegkwijnen. Maar ook het soort hol waar een bezield acteur die nooit succes had gehad, en een voormalige sjamaan van een onbekende Amerikaanse indianenstam, behaaglijk samen konden mompelen in gebarentaal en rooksignalen de lucht in konden blazen, zonder dat iemand er erg in had. Een zichzelf respecterend lid van onverschillig welk superieur ras zou daar beslist nooit zijn neus laten zien, dus is het geknipt voor ons, Joe. Een tent die ons accepteert zonder onze vervalste identiteitsbewijzen te bestuderen, een soortement thuis voor hen die niet meer thuis zijn geweest sinds de Babyloniërs Jeruzalem veroverden, pakweg 586 voor Christus...?

Joe glimlachte inwendig terwijl hij zich tussen de menigten voortbewoog. Wat doen die mensen in hemelsnaam allemaal? Weten zij niet dat er een oorlog woedt...? En zo was de avond in een alledaagse rustige buurt gevallen en barstte Joe bijna in luid gelach uit toen hij terugdacht aan Stern die daar was. Een soort opluchting, wist hij, van de spanningen die zich in hem hadden opgestapeld. Maar evengoed was het verbluffend... Stern verkleed als bedelaar? In lompen in het stof zittend in het tweeduister aan het eind van een klinkersteeg?

Een wonder, dacht hij, *die* bedelaar is niet veranderd. Op het moment dat hij me zag, besloot hij waarschijnlijk te proberen me een muntje af te troggelen. Dat vindt hij leuk, Stern wel, typisch iets wat hem een zacht gegrinnik ontlokt. Daar moet ik hem ooit nog eens naar vragen.

Maar de frivole stemming hield geen stand. Bijna onmiddellijk voelde hij de spieren in zijn maagstreek verkrampen.

Angst, dacht hij. Klinkklare angst en waarom niet, deze hele toestand jaagt me de stuipen op het lijf. Niets ziet er nu eenvoudig uit, integendeel en het wordt alleen maar erger.

Codes, dacht hij, Achmed zegt voortdurend dat Stern codes aan zijn hoofd heeft. Nou ja, Stern zal na al die jaren zijn codes wel kennen, vooral die codes die we mensen noemen en hoe je hun betekenis moet doorgronden, want dat is Stern altijd geweest... een meester-cryptoloog, een meester-ontcijferaar van de menselijke ziel. Nu misschien zelfs nog meer daar de inzet hoger is. Dus we moeten er gewoon achter zien te komen waarom Stern vanavond een bedelaar in het stof was die zijn grenzeloze koninkrijk overziet, ach ja...

Liffy bevond zich in de kroeg. Hij stond aan de toog. Hij glimlachte toen Joe naar hem toe kwam lopen.

Goedenavond, meneer Gulbenkian, riep Liffy uit, de naam gebruikend die op het valse paspoort stond dat Bletchley Joe had gegeven, dat deel uitmaakte van zijn vreemde dekmantel als genaturaliseerde Libanese staatsburger van Armeense afkomst, een handelaar in Koptische kunstvoorwerpen, *op doorreis.*

Een heel goedenavond, zei Liffy nogmaals, en welkom in de wereld van de paria's. Hoe vaart de jacht op Koptische kunstvoorwerpen op deze klare avond?

Kom mee naar buiten, dan maken we een ommetje, zei Joe.

Ze verlieten de kroeg, verwijderden zich van de menigten en vonden hun weg langs de paden van een gemeenteplantsoen aan de Nijl.

Rampspoed? fluisterde Liffy ongerust, terwijl hij recht voor zich uit staarde.

Zo erg is het nog niet, antwoordde Joe. Het is geen wodkatijd. Alleen maar een crisis.

Wat is er gebeurd?

Stern is terug in Caïro. Ik heb hem gezien in de buurt van het restaurant waar hij en Maud heen gaan. Ik heb geen kans gezien met hem te praten omdat ik me te laat realiseerde dat hij het was. Hij was vermomd als een bedelaar. Maar Bletchley zei dat Stern twee weken weg zou blijven en nu is hij terug zonder dat Bletchley het weet, in strijd met Bletchleys orders. Waarom? Alles gaat heel snel, en opeens heb ik geen paar weken meer de tijd me te oriënteren, daar is geen sprake van. Ik weet nog niet voldoende om naar de Zusters te gaan, maar misschien zal ik toch moeten proberen hen binnenkort te ontmoeten. Daar wilde ik met je over praten.

Bij wijze van antwoord knikte Liffy alleen maar. Terwijl ze doorliepen staarde hij recht voor zich uit, in zichzelf teruggetrokken op een manier die niet bij hem paste. Joe kreeg een inval.

Het lijkt voor jou geen nieuws te zijn, Liffy. Wist je soms al dat Stern terug was in Caïro?

Liffy zei niets. Een poosje liepen ze zwijgend voort.

Ik was er niet zeker van, fluisterde Liffy ten slotte.

O god, dacht Joe... Luister, zei hij bedaard, ik hoef jou niet te vertellen dat Bletchley van begin af aan geen open kaart met me heeft gespeeld, en nu zal Bletchley er zeer binnenkort wel achterkomen dat Stern niet is waar hij geacht wordt te zijn, en dat gaat allerlei problemen opleveren. Dat maakt het allemaal opeens een hopeloze toestand, want er rest ons geen tijd meer en ik ben nergens en zo kan ik Stern niet helpen. Dus als er iets is dat jij me kunt vertellen...

Liffy kreunde. Hij keerde zich om.

Tja, zie je, Joe, ik voel me erg met jou verbonden en ik voel me erg met Stern verbonden, maar dit is niet mijn soort werk. Ik begrijp er eigenlijk niets van en dat wil ik eigenlijk ook niet. Ik ben niet meer dan een rekwisiet, dat heb ik je gezegd.

Dat weet ik. En ik eerbiedig het feit dat je niet in Sterns en in mijn zaakjes betrokken wilt worden.

Alleen omdat ik er voor jullie allebei een puinhoop van zou maken, zei Liffy, omdat ik van dit soort dingen niets terechtbreng. Je zou denken dat ik er, na al die tijd dat ik in de weer ben geweest met vermommingen en toneelspelen, wel handigheid in zou hebben gekregen, maar meer heeft het niet om het lijf. Wat de Monniken en de Waterjongens uitspoken is voor mij niet echt en ik kan het niet ernstig nemen. Een spelletje spelen en erom lachen is prima, maar hoe hard ik ook mijn best doe, ik kan mezelf er niet van overtuigen dat het enig doel dient. Misschien is dat omdat ik zo'n groot deel van de tijd een belachelijk kostuum draag en een belachelijke rol speel. Het is vreemd, maar voor mij is het net als wanneer ik met Cynthia samen ben.

In welk opzicht, Liffy?

Ach, je weet dat als ik haar bezoek ze graag wil dat ik doe alsof ik iemand anders ben, omdat ze dat romantisch vindt, en ik vind het niet erg omdat het uiteindelijk toch maar een spelletje is, en dat weet ik en zij weet dat ook.

En dit is dat niet? Is dat het?

Tja, dat is het punt. *Dit* is voor mij een spel maar niet in de ogen van andere mensen. Andere mensen lijken het serieus te nemen. Voor mij is Cynthia echt. Als we elkaar 's avonds laat omhelzen, dan is *dat* echt. Maar niet de rode mantel waarin ik eerder op de avond voor haar ronddans. Dat was gewoon een lolletje, niets, een spelletje.

Ik weet het, zei Joe. Ik denk er net zo over.

Echt waar?

Natuurlijk, Liffy. Niets in deze wereld is ooit zo echt als een vrouw die je in je armen houdt. Dichter bij de waarheid over hoe het is om te leven komen we nooit, het *weten* en het niet alleen maar denken, want dat is altijd een tweederangs bezigheid.

Maar hoe krijg jij het dan voor elkaar? Hoe doe je dat?

Ik breng er weinig van terecht, zei Joe. En ik weet dat ik er weinig van terechtbreng, daarom heb ik het lang geleden opgegeven. Maar ik ben hier gekomen omdat ik in Stern geloof en voor zijn bestwil moet toch iemand de waarheid omtrent hem achterhalen, opdat hij niet zal sterven met de idee dat het allemaal voor niets is geweest. Iemand moet daar nu van getuigen en het doet er niet toe of jij dat bent of ik of Maud of iemand anders, maar ik weet wel dat het nu of nooit is. *Nu,* God sta ons bij.

Ze zaten aan de oever van de rivier en staarden naar de weerspiegeling van het licht op het water. Liffy beefde en toen hij sprak was zijn stem zo zwak dat Joe hem nauwelijks kon verstaan.

... iemand liet gisteren doorschemeren dat Stern zojuist was teruggekeerd naar Caïro... Iemand die me vertrouwt, die nooit zou hebben gedacht dat ik daar ooit tegen iemand anders met een woord over zou reppen.

Is die man betrokken bij clandestien werk?

Ja, fluisterde Liffy, niet zoals wij, niet bij ons. Dat denk ik tenminste, ik ben nergens helemaal zeker van.

Weet die man wat jij doet? Voor wie je werkt?

Ja.

Kent hij Stern goed?

Ja. Zo heb ik hem oorspronkelijk leren kennen. Via Stern.

Waarom denkt hij dat je er niets over zou prijsgeven?

Liffy keek Joe aan.

Omdat ik een Jood ben en hij me kent. Verbaast je dat?

Nee, ik had er al zo'n vermoeden van. Dus hij werkt voor de Joodse Dienst?

Liffy maakte een nerveus gebaar met zijn hand, alsof hij iets weg-veegde dat op zijn gezicht zat.

Ik denk niet dat het de bedoeling is dat iemand dat weet. Dat weet ik wel zeker.

Joe knikte.

Weet je aan welke afdeling hij is toegewezen? Is het de politieke af-deling?

Deels, veronderstel ik. Zou Stern daarbij betrokken zijn?

Dat is niet onwaarschijnlijk, zei Joe.

Opnieuw maakte Liffy dat nerveuze gebaar en streek hij met zijn hand over zijn wang.

Joe? Ik weet niet meer hoe ik moet handelen, ik heb geen idee wat juist is... Ach, waarom kunnen de dingen niet eenvoudig zijn? Waarom kunnen ze niet zo zijn als op die oorlogsaffiches? *This is the job, let's get the job done.* Waarom kan het leven niet zo in elkaar steken...? O, ik weet gewoon niet wat ik moet doen. Kun jij me niet uitleggen dat er dit is en dat er dat is, zo dat ik kan kiezen en proberen te doen wat juist is?

Bedroefd schudde Joe zijn hoofd.

Ik wou dat ik het kon, Liffy, maar jij weet net zo goed als ik dat nie-mand dat voor ons kan doen, niet als er zoveel van afhangt. Wij zijn al-tijd verantwoordelijk voor onze eigen beslissingen, en daar valt niet aan te tornen. Het misbaar in de wereld gaat maar door en houdt niet op en toch moeten we ons erin begeven en onze naam opzoeken in het boek des levens, hoe onmogelijk dat ook is, en niemand kan dat voor ons doen, en als we het niet zelf doen is het alsof onze naam er nooit is geweest, alsof we helemaal nooit hebben bestaan. En ondertussen gaat het misbaar rondom ons gewoon door en het zegt altijd hetzelfde, dat niets er iets toe doet, dus waarom zouden we iets beslissen? Stern, ik, jij... wat maakt het allemaal uit? Hoe kan één persoon ook maar enig verschil maken? ... Maar je weet dat dat niet waar is, Liffy. Je weet dat wij tweeën, hier, nu, de hele wereld uitmaken. Behalve wij is hier nie-mand, zo is dat nu eenmaal en wij zijn *alles dat ertoe doet*... Maar dat hoef ik jou niet te vertellen. Dat weet jij beter dan ik.

Opnieuw was er stilte tussen hen. Weer een langgerekt ogenblik van stilte terwijl Liffy's mond bewoog en hij over de rivier uit staarde.

Die man heet Cohen, fluisterde Liffy. Je zou vanavond kunnen proberen hem op te zoeken. Hij is heel jong. Ik zal je vertellen wat ik van hem weet.

En toen wendde Liffy zijn hoofd en greep Joe's arm, de smart op zijn gezicht zo aandoenlijk dat Joe die nooit meer zou vergeten. Lang nadat ze voor de laatste keer afscheid van elkaar hadden genomen was dat beeld van Liffy nog steeds bij hem, een aandenken aan dat ene ogenblik aan de oever van de Nijl, een herinnering aan een verschrikkelijke oorlog en vele dingen.

Joe...? O God zij genadig.

Ja, Liffy, ik weet het, en ik zou oprecht willen dat ik niets te weten hoefde te komen over Cohen en wat hij uitvoert, en ik hoop van harte dat het allemaal goed komt voor hem en voor ons allemaal.

Liffy schudde zijn hoofd. Zijn handen vielen langs zijn lichaam. Er stonden tranen in zijn ogen.

Maar het zal niet goed komen, dat kan niet. We zitten er te diep in en ik bedoel niet alleen Stern en jij en ik, of Cohen of Achmed of een van de anderen. Er zijn opeens te veel kleine lichtpuntjes op deze weidse rivier, te veel reflecties van de sterren gebroken door deze gigantische stromingen van de tijd aan onze voeten. Te veel geluidjes in de wereld die voor eeuwig verloren gaan in de maalstroom, te veel kleine echo's die uit het boek des levens zullen worden verwijderd. Ditmaal is Stern niet de enige die het niet zal overleven... Velen van ons zullen dat niet en veel dingen evenmin.

Ik weet het, fluisterde hij, en hij sloeg zijn handen voor zijn gezicht.

Joe zei niets. Hij sloeg zijn armen om Liffy heen en drukte hem met alle kracht die in hem was tegen zich aan en Liffy huilde in de schaduwen.

Deel drie

13 Cohen

Het was een donkere klinkersteeg met kleine winkeltjes tegen elkaar aan geperst, het smalle straatje nauwelijks verlicht door zwakke lampen die een flauwe gloed verspreidden. De bovenverdiepingen van de huizen staken uit over het straatje om overdag voor schaduw te zorgen, maar 's nachts onttrokken zij de hemel aan het gezicht, sloten de steeg in en gaven haar het benauwende voorkomen van een tunnel.

Op dat late uur was de steeg verlaten, waren de etalages duister. De meeste winkels in deze kleine wijk handelden in antieke munten en halfedelstenen en diverse kunstvoorwerpen uit de oudheid. Hier en daar schenen dunne strepen geel licht tussen de gesloten luiken boven door, en wierpen een zwak licht uit de slaapkamers die aan de voorkant van de huizen lagen.

Joe zocht zich zorgvuldig een weg over de ongelijke klinkers. Het voelde griezelig aan om je daar door het duister voort te bewegen, wetende dat er zoveel mensen vlak in de buurt waren en de geluiden te horen die ze maakten, zonder ergens een zichtbaar teken van leven te bespeuren.

Een pot die op een stenen ondergrond werd geplaatst. Een gedempte stem. Een grendel die op zijn plaats werd geschoven.

En zijn eigen voetstappen verbazingwekkend luid en weergalmend in het duister van de smalle steeg. Honderd ogen zouden hem in de gaten kunnen houden en er was geen manier waarop hij dat ooit te weten zou kunnen komen. Maar toen stond hij plotsklaps tegenover een kleine winkel met een oud houten uithangbord in de vorm van een gigantische bril, waarvan de gouden letters waren afgebladderd en verschoten.

COHENS OPTIEK

Hij boog zich naar voren en tuurde door de kleine winkelruit, waar een lange koperen verrekijker aan onzichtbare draden was opgehangen, met daarbeneden een bordje met een tekst in drukletters.

Lenzen op bestelling.
Zuivere lenzen voor alle doeleinden.

Links bevond zich een houten deur, niet de toegang tot de winkel, maar de afzonderlijke toegang tot de woning erboven. Joe hief de bronzen hand van Fatima op die in het midden aan de deur was bevestigd en liet die drie keer vallen, waarbij het gebonk weergalmde door de steeg. Hij had zich voorgenomen een aantal minuten te wachten alvorens hij nogmaals aanklopte en stond net op het punt de gracieuze bronzen hand nogmaals te pakken toen het opeens tot hem doordrong dat er voor zijn ogen een luikje in de deur was geopend.

Wat is er? fluisterde een vrouwenstem in het Arabisch door het luikje.

Joe kon in het donker niets onderscheiden. Hij boog zich naar voren.

Ik moet meneer Cohen spreken, fluisterde hij in het Engels.

Kom morgen maar naar de winkel, fluisterde de vrouw, ditmaal in het Engels. Het was de stem van een jonge vrouw, dacht hij.

Dit gaat om iets anders, zei hij. Zegt u hem alstublieft dat Liffy me heeft gestuurd.

Het luik ging geluidloos dicht en een ogenblik later ging de deur al even geluidloos open. Grendel, slot en scharnieren waren allemaal zorgvuldig geölied, dacht Joe. Een man die van wanten weet, zoals Liffy had gezegd, en dan moet dit zijn jongere zuster zijn.

Hij stapte naar binnen en de deur werd achter hem gesloten. In de duisternis kon hij vaag de bovenkant van haar gezicht onderscheiden.

Droeg ze een sjaal? vroeg hij zich af. Is ze uit geweest en zojuist pas teruggekeerd?

Ik ken geen Liffy, fluisterde de jonge vrouw. Wie bent u en wat wilt u?

Ik heb iets bijzonders te bespreken met uw broer, mevrouw Cohen. Gulbenkian is de naam. Ik haal donaties op ten behoeve van de Armeense vluchtelingen van de massamoorden in Klein-Azië.

Dan bent u twintig jaar te laat, fluisterde de jonge vrouw.

En dat is precies wat ik tot een uur of twee geleden zou hebben gezegd, fluisterde Joe, tot Liffy me vertelde dat ik dat verkeerd zag. Die slachting vond al een aantal decennia in het verleden plaats, zei ik te-

gen Liffy, en de wereld heeft zich verplaatst naar grotere en indrukwekkendere slachtingen, dus hoe kan jouw vriend Cohen of wie dan ook,
nu geacht worden zich vandaag de Armeniërs nog te herinneren? Maar
Liffy glimlachte en haalde zijn schouders op, je weet wel hoe hij dat
doet, en hij zei dat uw broers kommernis met vluchtelingen er op de
een of andere manier in slaagt om zo te zeggen de tijd te overstijgen.
Hij zei dat uw broer een geheugen als een pot heeft als het om goede
doelen gaat, net als de andere Caïro Cohens. Dus, mevrouw Cohen, als
u alleen maar zo vriendelijk zou willen zijn hem te zeggen dat Liffy me
heeft gestuurd, dan zal hij vast beamen dat Liffy niet iemand is die zonder reden loze bezoekers in het holst van de nacht op zijn dak stuurt,
tenzij het belangrijk is.

Ik zei u al dat ik niemand ken die Liffy heet.

Dat bedoel ik nou. Als u hem zelfs niet kent, dan is het toch zeer onwaarschijnlijk dat zijn bezoekers hier niets te zoeken zouden hebben.
Natuurlijk kan ik ook met de deur in huis vallen en zeggen dat ik een
oude vriend van Stern ben, maar dat zou al te direct zijn en niet de manier waarop het er in de Levant aan toe pleegt te gaan. Nu dan. Ik blijf
hier gewoon in het donker staan wachten totdat u even met hem hebt
gesproken, als u het niet erg vindt.

Hij hoorde haar ademen. Hij begon haar ook iets beter te zien. Ze
was een lange jonge vrouw die kaarsrecht stond en onder haar sjaal hing
haar haar omlaag. Ze maakte de indruk zojuist ergens vandaan te zijn
teruggekeerd.

Maakt u zich over mij maar geen zorgen, voegde hij eraan toe, ik doe
dat al bijna mijn hele leven. Wachten in het donker, bedoel ik, tot een
of ander antwoord me bereikt. Ooit heb ik zelfs zeven jaar doorgebracht
in een woestijn in Arizona, waarvan meer dan de helft in de duisternis,
om na te denken over Stern en de vele facetten van die man. Verbazingwekkend, als je er goed over nadenkt, over hoeveel verschillende
facetten hij beschikt. Vindt u het goed als ik een sigaret opsteek terwijl
ik wacht?

Joe pakte een sigaret en streek een lucifer af zodat ze in staat was zijn
gezicht te zien. Hij paste er wel voor op haar aan te kijken. Ze aarzelde
maar heel even.

Mooi zo, dacht hij. Kijk goed naar wat je geboden wordt en maak
een keuze. Dat is onvermijdelijk als je alleen werkt.

Een ogenblikje, alstublieft, zei ze.

Hij blies de lucifer uit.

Ze zaten samen in de achterkamer op de benedenverdieping, in de kleine werkplaats waar zuivere lenzen voor alle doeleinden werden geslepen, zoals het bord aan de voorzijde beweerde.

Cohen was lang en mager en hoekig en een generatie jonger dan Stern. Over zijn voorhoofd schoof een donkere lok haar die hij herhaaldelijk naar achter duwde. Zijn houding had onmiskenbaar iets bevalligs, ook al was hij in hemdsmouwen en op versleten sloffen, werd hij omringd door de polijstschijven en schalen en slijptollen van zijn professie. Deels lag dat aan de gracieuze wijze waarop hij zich presenteerde, vooral de wijze waarop hij zijn handen bewoog. Hij was zo knap dat vrouwen waarschijnlijk zouden zeggen dat hij mooi was.

Cohen glimlachte vriendelijk en streek met een lange slanke wijsvinger langs zijn voorhoofd. Dat, dacht Joe, zouden de jongedames in het café fantastisch hebben gevonden, als hij ooit tijd had om naar het café te gaan.

Tjonge jonge, zei Cohen. Het is al na middernacht en eindelijk krijg ik eens kans kennis te maken met een man die Gulbenkian heet. Mijn zus vertelde me dat u het nieuwe hoofd bent van de Engelse Geheime Dienst in het Midden-Oosten of van de afdeling A.M., voor Asia Minor of voor After Midnight of wat het ook wezen mag. Wie kan in godsnaam al die vage inlichtingeneenheden bijhouden die in dit deel van de wereld als paddenstoelen uit de grond komen? Ik in ieder geval niet. Zoals je vriend Liffy zegt: het lijkt een kwestie van vervormde beelden en brekingen die terugwijken tot in de oneindigheid. Allemaal heel mysterieus en ondoorgrondelijk, volgens Liffy.

Wat zegt u me nu, meneer Cohen? Ik geloof niet dat Liffy me dat al eens heeft gezegd.

O nee? Nu ja, hij zinspeelde op de glans van de zon op de woestijn. Die veroorzaakt een veelheid van kleine werelden, zegt hij, die allemaal los van elkaar staan. Reflecties, noemt hij ze. Maar welke wereld zou die van u kunnen zijn, en wat zou dat met mij te maken kunnen hebben?

Tja, om u de waarheid te zeggen, zei Joe, ben ik gekomen om te praten over een vergrootglas dat uw overgrootvader in de negentiende eeuw heeft gemaakt.

Cohen lachte opgelucht.

Is dat alles?

Ja. Dat is alles, stel u eens voor. Maar het was een heel krachtig vergrootglas, ziet u, zo krachtig dat het ons door de jaren heen liet kijken, van heel lang geleden toen het werd gemaakt, tot aan de dag van vandaag. Zo krachtig dat het ons kan vertellen wie u bent en wie ik ben en waarom we op dit late uur in een klare nacht in Caïro met elkaar zitten te beraadslagen.

Ik was me er niet van bewust dat we beraadslaagden.

O ja, zei Joe, dat leidt geen twijfel. Afijn, dat vergrootglas waarvan ik spreek is zo krachtig, let wel, dat als iemand het voor zijn oog houdt, zijn oog daarachter minstens vijf centimeter groot wordt, en dat is zo'n groot oog dat je daar waarschijnlijk heel wat mee ziet. Uw overgrootvader nu, die Cohens Optiek precies hier waar we zitten, is begonnen, heeft dat vergrootglas vervaardigd voor een vriend van hem, een Engelse botanicus die in de negentiende eeuw toevallig in deze contreien rondbanjerde, en die Strongbow heette. Alles tot zover duidelijk?

Cohen glimlachte.

Ja.

Mooi zo. En deze Strongbow was bepaald geen alledaagse kerel, net zo min als zijn vriend Cohen, maar die komt later aan de beurt. Strongbow begon weliswaar als botanicus, maar het duurde niet lang of zijn omzwervingen namen hem te zeer in beslag en hij werd een ontdekkingsreiziger, hij ontdekte ongeveer alles in dit deel van de wereld en gebruikte zijn krachtige vergrootglas om de bezienswaardigheden onderweg wat nader te beschouwen. Na dat ongeveer veertig jaar lang te hebben gedaan besloot hij dat het tijd was voor wat anders en hij werd een Arabische heiligman, waarop hij al zijn aardse bezittingen weggaf, zoals heiligmannen geneigd zijn te doen, aangezien zij daar op het pad dat zij bewandelen niets aan hebben. En omdat zijn vergrootglas hem altijd zo dierbaar was geweest, besloot hij dat door te geven aan weer een van zijn beste vrienden, die tevens een goede vriend was van uw overgrootvader, een zwarte egyptoloog die Menelik Ziwar heette. Nog steeds alles duidelijk?

Ja.

Mooi zo. Deze Ziwar nu, had bijzonder veel praktisch nut van het krachtige vergrootglas en gebruikte het om het antieke gemompel in steen te ontcijferen dat hij altijd ondergronds onderzocht, hiëroglyfen worden die genoemd. En dat deed hij tot hij doodging en het vergrootglas op zijn borst werd gelegd, in de sarcofaag in een crypte onder een gemeenteplantsoen aan de Nijl, hier in Caïro, waar genoemde Ziwar van plan was eeuwige rust te vinden. Deze Ziwar, ziet u, deze oude Menelik, was ten gevolge van zijn levenslange professie gewoon met mummies te praten, maar omdat zijn gezichtsvermogen het in zijn latere jaren liet afweten, leek het hem wenselijk zijn eeuwige reis te maken met een vergrootglas stevig in zijn hand, om beter tot in de eeuwigheid te kunnen kijken, zonder één detail te missen. Zo gezegd zo gedaan, en dat ligt nu nog op zijn borst, dat uitstekende en prikkelende instrument dat hem lang geleden cadeau werd gedaan door zijn oude vriend Strongbow, dat oorspronkelijk was ontworpen door een andere goede vriend van hen beiden, een voortreffelijke ambachtsman die Cohen heette... uw overgrootvader.

Cohen glimlachte en streek langs zijn mondhoek. Juist, dacht Joe, verwoestend voor de dames als hij maar tijd voor ze zou hebben.

Uitstekend en prikkelend? vroeg Cohen. Is dat geen merkwaardige manier om een vergrootglas te beschrijven?

Inderdaad, zei Joe. Maar dit vergrootglas was uitstekend omdat uw overgrootvader, zijn eerste eigenaar, het zo had gemaakt. En bovendien was het prikkelend omdat zijn tweede eigenaar, de botanicus annex ontdekkingsreiziger annex heiligman Strongbow, en zijn derde eigenaar, die voormalige zwarte slaaf annex archeoloog Menelik Ziwar, omdat alle drie van deze drie goede vrienden op ongebruikelijke wijze de tijd wisten te beroeren om te genieten van een nieuw resultaat van eigen makelij, wat om zo te zeggen een Ierse stoofschotel van geschiedenis was, hoewel geen van hen Iers was.

Maar u bent wel Iers, is het niet, meneer Gulbenkian?

Inderdaad, en bij sommige gelegenheden meer dan bij andere. Het weer lijkt er invloed op te hebben, net als bij een oude wond. Als het buiten heel donker wordt, voel je de stijfheid vanuit de onderkant van je schedel optrekken, en niet veel later trekt hij door naar je ogen, een soort voortkruipende verlamming van de geest, en drank lijkt de enige manier om dat te ondervangen.

Wilt u soms iets drinken? vroeg Cohen.

Ach, nu u het toch vraagt, dat sla ik niet af.

Cohen reikte in een muurkast en haalde er een fles en een glas uit. Is arak goed?

Dank u. Arak is op zichzelf uitstekend.

Cohen schonk in en zette de fles naast Joe op een tafel.

Een Ierse Gulbenkian, mompelde Cohen. Dat is opmerkelijk.

Joe trok tijdens het drinken zijn wenkbrauwen op en er verscheen een vage uitdrukking van hoop op zijn gezicht.

Vindt u? Evengoed zijn we veel beter in het wensen en dromen van dingen dan in het bewerkstelligen ervan. Zoals de meeste mensen, neem ik aan.

U bent dus niet werkelijk charitatieve bijdragen aan het ophalen voor Armeense vluchtelingen uit Klein-Azië?

Ach, dat doe ik in zekere zin ook, op lange termijn, maar ik moet toegeven dat het vannacht slechts een goedmoedige uitvlucht was om binnen te komen. Een dekmantel, noemt Liffy het. Volgens hem maken geheim agenten altijd gebruik van een of andere dekmantel. Wederom, zoals de meeste mensen. Maar u bezigde het woord *opmerkelijk* en dat is waar, dat waren ze allemaal, alle drie. Strongbow, de oude Menelik, uw overgrootvader Cohen. Gewoon een opmerkelijk triumviraat toen ze nog jong waren, voordat ze ieder hun eigen weg gingen. Toen ze ongeveer zo oud waren als u nu, moet het zijn geweest.

Joe nam nog een slokje, zijn gezicht nadenkend.

In die dagen, zei hij, hadden die drie vrienden de gewoonte elke zondagmiddag bijeen te komen in een goedkoop Arabisch restaurant dat ze voor zichzelf hadden ontdekt aan de oever van de Nijl, een aangenaam smoezelig etablissement dat hun voorliefde had verworven, en daar aten en dronken ze uitbundig en vertelden elkaar van alles dat er in deze wereld gaande was. En als de middag op zijn einde liep en ze zo dronken waren als meloeten, doken ze over de balustrade van het restaurant pardoes de Nijl in om zich met een tevreden uitdrukking op hun gezichten te laten meevoeren door de sterke wervelende stromingen, te genieten van de laatste zonnestralen en naar hartelust te boeren en te spetteren en te dutten en gewoon moeiteloos hun problemen om zo te zeggen weg te pissen, heel even in hun leven vorsten van de edele Nijl...

Cohens lange smalle handen tekenden gracieuze vormen in de lucht. Hij glimlachte en schudde zijn hoofd.

Het spijt me, maar u moet zich vergissen, zei hij. U moet drie andere mannen in gedachten hebben, want ik weet toevallig heel zeker dat mijn overgrootvader op zondag altijd thuis dineerde. Dat was een familietraditie.

Dat klopt, zei Joe, dat heeft hij allemaal nooit gedaan. Cohen begon de middag weliswaar met zijn twee vrienden in het restaurant, maar omdat hij toen al een huiselijke man was, bracht hij de middag daar niet slempend door, maar ging hij naar huis om het avondmaal te gebruiken met zijn beeldschone jonge vrouw en zijn zoontje, net zoals u zegt.

Na het zondagse diner stelde hij voor een aangenaam wandelingetje te maken langs de rivier en tijdens dat aangename wandelingetje kwam het gezin dan langs een aangemeerde feloek die klaar lag om te worden verhuurd, en dan smeekte de zoon om een zeiltochtje en stemde Cohen daar welwillend in toe en ging het hele gezin aan boord voor een heerlijke boottocht in de vooravond.

Nu wil het toeval dat Cohen, als zij daar over de Nijl zeilden, een paar boerende en spetterende lichamen in de grote rivier voorbij zag drijven, zijn goede vrienden Strongbow en Ziwar stomdronken op de stromingen van de tijd, en dat de feloek dan een beetje laveerde en Cohen zijn twee vrienden uit het water plukte en hen op het dek legde om hun roes uit te slapen. En dat was maar goed ook, want als Cohen dat niet had gedaan dan zouden Strongbow en Ziwar wellicht helemaal door de Nijl zijn meegevoerd naar zee en dan waren ze voor eeuwig voor de geschiedenis verloren gegaan, wat voor ons allemaal een groot verlies zou zijn geweest. Zo ging dat er dus aan toe op die zondagen en dat was de zondagse rol van Cohen, een essentiële rol, want zonder hem zouden die twee de maandag niet hebben gehaald... Dat was uw overgrootvader. Een trouwe vriend.

Hij was een goede huisvader, mompelde Cohen.

O, dat was hij wis en zeker, zei Joe, net als alle mannen van de Caïro Cohens. En hij was ook op zijn prijzenswaardige manier op weg om, na eerst als gek te zijn beschouwd, zowel de patriarch van zijn familie als een immens vermogend man te worden. Want het schijnt dat hij op één nacht twee mysterieuze dromen had, eentje waarin zeven vette stuks vee uit de Nijl komen en worden opgegeten door zeven magere stuks vee die hen volgden, en meteen daarna nog een droom, ditmaal over zeven volle maïskolven die worden verorberd door zeven schrale kolven.

Cohen glimlachte, ontspande zich en kreeg er plezier in.

Hoor ik daar een weerklank uit de bijbel? vroeg hij.

En of u dat hoort, antwoordde Joe, en natuurlijk werden boodschappen van God in die dagen vaak tweemaal gezegd opdat niemand ze verkeerd zou verstaan. Gezien het feit dat hij, evenals uw vader, het boek der boeken en de geschiedenis van zijn volk in Egypte en al die dingen kende, en gezien het feit dat hij zich in Egypte bevond, had hij geen profeet nodig om hem te vertellen wat deze twee dromen behelsden. Meteen de volgende ochtend legde deze Cohen dus de lenzen van zijn métier terzijde en liep de velden van Egypte in om koren te kopen. Hij had besloten op te houden met het polijsten van glas, ziet u, ten gunste van het malen van koren.

Cohen tekende een paar vormen in de lucht en op zijn gezicht verscheen een vragende uitdrukking.

Welnu, vervolgde Joe. En toentertijd was er een overvloed aan koren in Egypte, maar toch stak deze Cohen zich steeds dieper in de schulden door alles te kopen wat hij te pakken kon krijgen en dat op te slaan in pakhuizen. En dat bleef hij zeven jaar lang doen en natuurlijk maakte iedereen in het land zich de gewoonte eigen hem *Gekke Cohen* te noemen, want waarom zou iemand die bij zijn volle verstand was steeds meer pakhuizen volstouwen met koren terwijl dat zich al ophoopte op de velden?

Nou ja, een normaal mens zou dat dus nooit doen, dat staat. De enige die dat zou doen was een *Gekke Cohen*, een beschermeling van God die boodschappen uit de ijle lucht had geplukt en dacht dat hij was uitverkoren om ze te horen. Maar Gekke Cohen volhardde in zijn wanen en vergat geen moment zijn gekoppelde dromen in zevens, en nee maar, wat heb ik jou daar, plotseling keerde het tij van de oogsten in Egypte radicaal en kwam niet meer goed, met als gevolg dat er zeven jaar achtereen bijna geen koren in Egypte groeide. En tijdens die tweede periode van zeven jaar, de schrale jaren, was het enige wat stond tussen Egypte en de hongerdood Gekke Cohen, met zijn krankzinnige vrome vooruitziende blik en zijn pakhuizen.

Joe leunde achterover en glimlachte.

Het schijnt dat hij uitverkoren was. En door zijn geloof trouw te blijven en mijn naamgenoot in gedachten te houden, verdiende hij een kolossaal fortuin... Een gelovige gokker. Uw overgrootvader.

Cohen knikte nadenkend.

Heet u Joseph?

Zeg maar gewoon Joe. En ook nog O'Sullivan Beare. Maar mijn jasje is niet veelkleurig, zoals je ziet.

Cohen knikte opnieuw.

Heb jij ook elf broers, Joe?

Meer, vrees ik. Die had ik in ieder geval. In de loop der jaren lijken er een heleboel, toen ze dronken waren, in de Nieuwe Wereld van daken te zijn gevallen. Ze dachten dat ze naar de sterren reikten, weet je wel. Zonderling oord, die Nieuwe Wereld. Sommige mensen denken echt dat het dat is.

Cohen keek Joe aan en trok een cirkel in de lucht.

De geschiedenis herhaalt zich dus, zei hij, en dat is allemaal verleden tijd. Maar ik zie niet in wat dat allemaal met ons te maken heeft.

Juist, zei Joe, de geschiedenis verbergt haar ware bedoeling onder een dekmantel, net zoals geheim agenten en de meeste mensen. Laten we in gedachten terugkeren naar die drie jonge heren die in de negentiende eeuw zulke goede vrienden waren, genoemde Strongbow en Ziwar en Cohen. Van hen drieën was Ziwar een Christen en Cohen een Jood, en Strongbow, hoewel een geboren Engelsman, was op weg een heiligman van de Moslims te worden. Voor degenen met een religieuze instelling hebben we dus iets van een representatieve vertegenwoordiging voor dit deel van de wereld.

Cohen lachte. Beminnelijke kerel, dacht Joe, en tot dusver geen vuiltje aan de lucht. Hij schonk zichzelf meer arak in terwijl Cohen wees op de polijstplaten en slijptollen in de werkplaats.

Spreken deze instrumenten, religie buiten beschouwing gelaten, volgens jou van grote rijkdom?

Nee, dat doen ze niet, zei Joe. Maar er was vroeger een gezegde in Caïro, heb ik me laten vertellen, dat het verklaart. *Een beetje gekte is een gevaarlijk ding. Denk maar aan de Cohens...* En dat gezegde sloeg de spijker op zijn kop, want wat er in die dagen in Caïro gebeurde was dat de zoon van de oude Gekke Cohen, die deels praktisch en maar een klein beetje geschift was en daarom bekendstond als Halfgekke Cohen, het hele familiefortuin erdoorheen joeg in gezelschap van een goede vriend van hem die Achmed heette en van twee beeldschone jonge vrouwen die bekend stonden als de Zusters. Een deel van het vermogen ging naar de renbanen en de casino's en een deel ging op aan champagne om de albasten bokalen van zuiver maanlicht te vullen wanneer het viertal, zo lang geleden, op de Nijl ging brassen... Met andere woorden, jouw grootvader, genoemde Halfgekke Cohen, leefde er zo roekeloos op los, dat het volledige Cohen-kapitaal over de balk werd gesmeten. Dat was de reden waarom je vader, toen hij de jaren des onderscheids bereikte, een ambacht moest vinden om in zijn onderhoud te voorzien, en welk ambacht leende zich daar beter voor dan het ambacht waarmee voor de Cohens in Egypte alles überhaupt was begonnen? Lenzen. Niets van groot gewicht maar evengoed een eerzaam beroep, dus keerde jouw vader terug naar ditzelfde huis waar jouw overgrootvader was begonnen en rakelde een verschoten oud uithangbord op in de vorm van een reusachtige bril, een symbool van ogen die kunnen zien, het uithangbord dat we vanavond buiten aantroffen... En dat is, geloof ik, in essentie het sprookje van de Caïro Cohens, dat vier generaties en meer dan honderd jaar omspant. Het gaat van armoede naar rijkdom naar armoede, en degene die ooit heeft gezegd dat we allemaal met evenveel beginnen en met evenveel eindigen wist waarover hij het had.

Cohen glimlachte en klapte een zilveren sigarettenkoker open. Hij hield hem Joe voor, die een sigaret pakte en voor hen beiden een lucifer afstreek.

Ben jij ook een rondreizende Ierse historicus, Joe?

Bij sommige gelegenheden meer dan bij andere, maar eigenlijk gaat mijn belangstelling uit naar het heden, dus laten we die kant op gaan en eens terugdenken aan de tijd voor de Eerste Wereldoorlog, toen jouw vader een jonge man in Caïro was. Toentertijd woonde de oude Menelik in afzondering in een crypte onder een gemeenteplantsoen aan de Nijl, waar hij een gigantische, van binnen met kurk beklede sarcofaag als zijn slaapkamer gebruikte, waar hij, zoals men placht te zeggen, op zondagmiddagen *thuis* gaf, waarmee werd bedoeld dat hij dan bereid was vrienden te verwelkomen en hun een kop ondergrondse thee voor te zetten. En omdat sowieso maar heel weinig mensen ooit van de oude Menelik hadden gehoord, moet het ons geen opzien baren dat het merendeel van zijn gasten kinderen van voormalige vrienden waren.

Op Cohens voorhoofd toonde zich een zweem van een frons, ook al glimlachte hij nog steeds. Joe deed alsof hij het niet opmerkte.

Zo was daar onder anderen de kleinzoon van zijn oude vriend Gekke Cohen, jouw vader. En dan was er de zoon van een oude vriend en wapenbroeder-dragoman die Achmed heette, en de zoon eveneens. Dan was er de zoon van de grote ontdekkingsreiziger Strongbow, het kind dat werd geboren uit de Joodse herderin die Strongbow laat in zijn leven huwde, de jonge Stern. En natuurlijk de Zusters op hun vreemde woonboot, ouder dan de andere gasten en de enigen die Menelik in de bloei van zijn leven hadden gekend, die voor lange tijd op de Nijl woonden en nooit iets leuks in de omgeving van de rivier wilden missen en dat ook zelden deden. En dat was de kleine kring van vertrouwelingen rond de met kurk beklede sarcofaag van de oude Menelik op zondagmiddagen voor de Eerste Wereldoorlog. Er waren nog een paar anderen die zo nu en dan binnenvielen, maar daar hoeven we ons vannacht niet mee bezig te houden.

Voor de eerste keer hield Cohen op met glimlachen. Maar zijn zelfbeheersing was nog steeds opmerkelijk en Joe bewonderde dat in hem. De invloed van Stern, dacht Joe. Geen twijfel aan.

En nadat die vrienden hun thee naar binnen hadden gegoten, vervolgde Joe, pakten ze hun muziekinstrumenten uit en maakten zich klaar voor het wekelijkse concert dat de oude Menelik zo na aan zijn hart lag. Want zoals die wijze levende mummie in zijn vijfduizend jaar oude graftombe placht te zeggen: ik zou er niet over prakkiseren de eeuwigheid te betreden zonder de muziek van het leven. De eeuwigheid, placht de oude Menelik te zeggen, functioneert gewoon niet zonder muziek. Kijk eens naar ieders voorstelling van het grote onbekende, zelfs de vaagste, en je hoort melodieuze strijkers oprijzen op de achtergrond, of op zijn minst een luit waarop wordt getokkeld... Vandaar de concerten die die vrienden als ze op bezoek kwamen altijd uitvoerden voor de oude Menelik en die logischerwijs door Stern werden geleid. Stern stemde zijn viool en tikte met zijn oude morsesleutel op Meneliks sarcofaag om iedereen tot de orde te roepen, de oude Menelik zelf opgetogen bij het vooruitzicht en de muziek aanzwellend als iedereen in zijn eigen afzonderlijke stemming inviel... Stern en Achmed en jouw vader en de Zusters... Jouw vader die nadenkend op zijn hobo speelde, dezelfde hobo die we nu op een ereplaats in zijn foedraal tegen de muur achter je zien staan.

Joe wachtte even.

Maar jouw vader heeft nooit de kans gekregen jou erop te leren spelen, is het wel, David?

Nee, zei Cohen. Die kans heeft hij nooit gehad.

Joe nam een slokje arak. Cohen was nog steeds even kalm als altijd, zo kalm zelfs dat hij Joe onvermijdelijk terug deed denken aan Stern. En eigenlijk had Joe vanaf het moment dat hij het huis betrad Sterns onzichtbare aanwezigheid gevoeld en dat gaf hem moed. Het betekende dat Stern geliefd was en dat men zich hier om hem bekommerde en daar was Joe dankbaar voor. Maar hij moest nog steeds zorgen dat Cohen hem voldoende zou kunnen vertrouwen om een boekje open te doen over Stern, en dat was geen sinecure want Cohen kon nooit iets zeggen dat Stern ook maar de minste schade zou kunnen berokkenen. Daar was Joe van overtuigd en dat vergrootte zijn respect voor Cohen alleen maar.

Tja, dacht hij, ik heb alle verbanden die ik met het verleden kon leggen gelegd en nu zit er niets anders op dan ons bezighouden met het hier en nu en hopen dat hij me een kleinigheid wil toevertrouwen. Ik kan alleen maar bidden.

Joe pakte de lederen koker die hij had meegebracht. Hij ritste hem open, haalde Achmeds verrekijker tevoorschijn en schoof hem uit tot zijn volle lengte.

Verbluft keek Cohen naar de verrekijker en vervolgens naar Joe.

En nu, zei Joe, komen we bij een ander uitstekend en prikkelend instrument, eveneens vervaardigd hier in Cohens Optiek. Gebruikt voor de vergroting van zijn tegendeel, en eveneens nuttig om dingen gewoon te kunnen zien... hoop ik.

Joe drukte het brede uiteinde van de kijker, de verkeerde kant, tegen zijn oog. Hij keek erdoor naar Cohen.

Het is waar, zei hij, dat de wereld er op deze manier uitzonderlijk netjes en opgeruimd uitziet. Heb je je ooit afgevraagd waarom?

Waarom? vroeg Cohen.

Omdat kleine dingen er altijd netjes uitzien. Daarom doen we zo hevig ons best dingen te reduceren en in categorieën in te delen en er etiketten op te plakken, zodat we kunnen doen alsof we ze kennen en ze ons niet hinderen. Orde noemen ze dat, *de* verklaring of *een* verklaring, de reden tot en de reden waarom. Het stelt ons gerust, dat is niet meer dan natuurlijk, wie wil er per slot van rekening de hele tijd in chaos leven...? Dat wil toch nagenoeg niemand, want het suggereert dat we het niet in de hand hebben en niet alles kunnen begrijpen. Dus is er dit spelletje dat we spelen, net als kinderen die op een regenachtige middag hun speelgoed op een rij zetten en elk speeltje een naam geven en ze dan bij die verzonnen namen noemen en zeggen wat ze zijn en waarom... En soms doen we alsof we dat ook met het leven kunnen doen, mensen naar onze willekeur op een rijtje zetten en onszelf wijsmaken wat ze doen en dat noemen we dan geschiedenis. Net als kinderen met hun speelgoed, maken we het ons gemakkelijker door *te doen alsof* we orde brengen in de chaos als we hun een naam geven.

Joe liet de verrekijker zakken, schoof hem in elkaar en stopte hem terug in de leren koker.

Zal ik je eens wat zeggen, David?

Nou?

Zo zit het leven niet in elkaar. Zo is het leven helemaal niet en Stern en wat hij uitspookt evenmin. In het geval van Stern heb je niets aan een etiket. Tien of twintig onderling tegenstrijdige adjectieven zouden accuraat kunnen zijn, maar hoeveel hebben we daaraan als we hem willen definiëren?

Joe schudde zijn hoofd.

Bepaald niet veel, want de waarheid is dat Stern even complex en chaotisch is als het leven zelf. En hij is een mens en hij zal sterven.

Joe keek Cohen doordringend aan. Hij glimlachte.

En toch weet *ik* dat er nooit een eind aan hem zal komen.

♦

Joe keek naar de verrekijker die op de grond lag.

Degelijk vakmanschap, dat daar. Gemaakt door je vader voor zijn vriend Achmed. Dezelfde Achmed die nu een vergeten receptionist in een bijbelse bouwval is die Hotel Babylon wordt genoemd.

Cohen staarde verbaasd, in verwarring, onzeker van zichzelf naar de verrekijker.

Maar waarom...?

Waarom jouw vader die voor Achmed heeft gemaakt, bedoel je? Omdat Achmed in die dagen de onbetwistbare koning van de boulevards was, en een koning over de middelen hoort te beschikken om zijn koninkrijk te overzien. De verrekijker was toentertijd een grap, maar nu gebruikt Achmed de verrekijker als hij op zaterdagavonden het dak van Hotel Babylon op gaat om te zoeken naar zijn verloren thuisland, net als de Joden in vroeger tijden. En hij neemt zijn trombone mee en hij draagt zijn enige pak, met een bloem in zijn knoopsgat en een lik schoensmeer op zijn schoenen en zijn roodgeverfde haar met water achterovergeplakt, en dan tuurt hij door zijn dierbare verrekijker en doet alsof hij de grote stad kan zien waarover hij eens als koning heerste, daar eenzaam in de nacht van zijn gevangenschap, een wanhopig hunkerende en gekwelde gevangene van het verleden.

Cohen sloeg zijn ogen neer. Joe sprak op heel zachte toon.

Jouw vader is in de Eerste Wereldoorlog gesneuveld, dat weet ik. Hij zat in het Britse leger. De veldtocht om Palestina in te nemen?

Ja, fluisterde Cohen.

Toen nog een jonge man. Ongeveer van jouw leeftijd?

Ja. Het was een bizar ongeval. De Turken hadden zich teruggetrokken uit Jeruzalem, maar een deserteur die zich in de heuvels schuilhield vuurde een kogel af. Eén schot en toen hief hij zijn geweer omhoog en gaf zich over. Een analfabeet, een boer. Hij wist niet dat zijn leger de stad allang had verlaten.

Waren jouw vader en Stern van dezelfde leeftijd?

Ja.

En nadien heeft Stern zorggedragen voor jouw opvoeding, is dat juist?

Cohen sloeg zijn ogen op en keek Joe aan.

Waarom zeg je dat?

Omdat dat typisch iets is wat Stern zou doen. Dat is Sterns manier.

Cohen sloeg zijn ogen neer. Hij sprak met diepe bewogenheid.

Als hij er niet was geweest hadden we nooit bij elkaar kunnen blijven. Hij ondersteunde mijn moeder en maakte het ons mogelijk de winkel te behouden, en toen mijn moeder eenmaal dood was, ontfermde hij zich over Anna en mijn opleiding... Gewoon over alles.

Cohen pakte de zilveren sigarettenkoker op.

Die is van mijn vader geweest. Hij had hem bij zich op de dag dat hij werd gedood. Stern heeft hem aan mij gegeven toen ik nog een kind was. Ik weet niet hoe hij hem ooit terug heeft weten te krijgen.

Cohen hield Joe de koker voor. In een hoekje stonden Hebreeuwse letters gegraveerd.

Het was een cadeau van Stern aan mijn vader op de dag dat hij dienst nam. Spreek jij Hebreeuws?

Nee, maar dat kan ik lezen. *Leven*, of de voornaam van je vader. Of beide.

Cohen pakte de koker terug. Hij keek Joe angstig aan.

Zou je me niet moeten zeggen waarom je hier bent?

Ja, dat zou ik, zei Joe, en ik denk dat ik maar het beste bij het begin kan beginnen, toen ik nog veel jonger was dan jij nu en nog geen fractie wist van wat jij weet van de wereld. Toen Stern en ik elkaar voor het eerst ontmoetten in een mythische stad.

Cohen keek naar hem. Hij glimlachte.

Waar zei je dat je Stern had ontmoet?

Joe knikte.

Dat klopt, je hebt het goed gehoord. Ik heb hem ontmoet in een mythische stad.

Toen glimlachte Joe ook.

En zullen we die stad nu, net als een kind met zijn speelgoed doet, een naam geven? Zullen we haar Jeruzalem noemen?

Joe sprak snel. Toen hij was uitgesproken leunde hij achterover en nam een slokje van zijn glas arak om Cohen de tijd te geven het allemaal tot zich te laten doordringen. Cohen steunde met zijn ellebogen op een werkbank, zijn kin gedragen door zijn handen, diep in gepeins verzonken.

Ik vind hem aardig, dacht Joe, die steeds weer kleine trekjes herkende die hem aan Stern herinnerden. Ik vind hem aardig en waarom ook niet, hij zou bijna Sterns zoon kunnen zijn.

Ten slotte bewoog Cohen zich.

Maar waarom neem je geen contact met hem op? Waarom richt je je niet rechtstreeks tot hem?

Zou jij dat kunnen regelen?

Ja. Hij was hier gisteren nog, maar dat was vanwege een privéaangelegenheid. Maar ik kan hem een boodschap sturen en dan neemt hij binnen vierentwintig uur contact met me op. Is dat snel genoeg?

Het zou kunnen, zei Joe, maar ik vraag me af of dat wel de juiste aanpak is. Je weet hoe Stern is. Als ik nu met hem sprak zou hij me waarschijnlijk bedanken voor de informatie over Bletchley en er dan weer als een haas vandoor gaan omdat hij verder geen overlast wil veroorzaken. Hij houdt zijn problemen voor zichzelf tenzij ik bij hem kan aantonen dat ik al deel uitmaak van het spel.

En vertrouw je die Bletchley? vroeg Cohen.

Ik vertrouw erop dat hij zijn werk doet. En zijn werk is momenteel Stern.

Maar je weet niet in welk deel van Sterns werk hij geïnteresseerd is.

Dat is waar, zei Joe. Het enige wat ik weet is dat Bletchley doodsbang is voor iets wat Stern weet, of iets wat hij vermoedt dat Stern weet, wat op hetzelfde neerkomt. Toch heeft Stern jarenlang met Bletchleys mensen samengewerkt, dus waarom dan opeens deze argwaan? Wat heeft die teweeggebracht?

Joe haalde bij wijze van antwoord op zijn eigen vraag zijn schouders op.

Doet er niet toe. Er is een aantal mogelijkheden en een informant is er daar slechts één van, maar daar kopen we nu niets voor. Bletchley heeft er geen misverstand over laten bestaan dat hij niet van plan is mij aan mijn neus te hangen wat hij tegen Stern heeft, en dat is iets wat Stern me evenmin zal vertellen. Dus moet ik daar op een andere manier zelf achter zien te komen, anders zal ik Stern niet kunnen helpen omdat hij me daartoe de kans niet geeft. Hij zal proberen me erbuiten te houden, en daarvoor ben ik niet hiernaartoe gekomen.

Maar waar is Bletchley op uit? vroeg Cohen. Zou het iets te maken kunnen hebben met het werk dat Stern voor ons doet?

Joe schudde zijn hoofd.

Niet in engere zin, niet rechtstreeks met Palestina of de Joodse Dienst. De Britten maken zich zorgen over de oorlog en het heeft iets te maken met de Duitsers. Laten we ons om te beginnen maar eens buigen over Sterns Poolse avontuur.

Cohen keek verbaasd.

Bedoel je toen hij vlak voor het uitbreken van de oorlog verdween?

Ja. Ik neem aan dat jij weet dat hij toen uit een gevangenis in Damascus is ontsnapt om naar Polen te gaan, maar wist je ook dat die ontsnapping hem bijna zijn leven kostte?

Nee, ik had geen idee dat het zo gevaarlijk was geweest.

Dat was het wel. Heb je later, toen hij was teruggekeerd, zijn duim nooit gezien? Zoals die gehavend is?

Ja natuurlijk, maar dat was een of ander ongelukje. Hij heeft het me uitgelegd, maar ik kan het me niet goed meer herinneren...

Dat was geen ongeluk, zei Joe. Hij heeft zich een weg uit die gevangenis geklauwd en het vreemde is dat hij vierentwintig uur later toch al zou worden vrijgelaten. Maar Stern neemt nooit risico's zonder reden. Heeft hij ooit met je gesproken over die reis naar Polen? Waarom hij zo'n vreselijke haast had?

Cohen fronste zijn voorhoofd.

Het enige wat ik me herinner is dat hij heel opgewonden was.

Opgewonden?

Ja. Alsof hij had deelgenomen aan iets heel belangrijks, bijna alsof er sprake was van de een of andere onschatbare doorbraak. Je weet hoe zwijgzaam Stern is over zijn bezigheden. Afijn, toen hij die keer eindelijk terugkwam, kon hij zijn opwinding nauwelijks bedwingen. Ik herinner me nog dat Anna het erover had en zei hoe heerlijk het was om te zien dat hij weer zijn oude zelf was. Zo uitbundig en opgewekt, zo enthousiast. Zo hadden wij hem voorheen altijd gekend.

Voorheen?

Ja. Voordat in de afgelopen jaren al die veranderingen over hem kwamen. Voordat alles als een zware last op hem begon te drukken.

Ach ja, dacht Joe, toen Stern nog zo opgewekt en uitbundig was. Toen hij nog *zijn oude zelf* was...

En heel even ondervond Joe hoe zijn eigen herinneringen terugglipten naar jaren geleden.

Natuurlijk was Stern niet de enige die was veranderd sinds de tijd dat David en Anna jonger waren. Het was ook zo dat zij tweeën waren opgehouden kinderen te zijn en hadden geleerd dieper te kijken, zich bewust te worden van Sterns complexiteit en de tegenstrijdigheden in wat hij deed, waarin hij geloofde.

Toen zij kinderen waren konden zij ook niet hebben geweten van zijn morfineverslaving en wat daar allemaal mee gepaard ging. Toen zij kinderen waren zagen zij alleen Sterns zachtmoedigheid en liefde, niet de vertwijfeling die daarbij hoorde in de kale huurkamers in de ene achterbuurt na de andere waar hij zijn nachten doorbracht. Niet de afgetrapte oude schoenen, treurige herinneringen aan reizen naar nergens, of de gehavende koffer waarin al zijn aardse bezittingen zaten, jaar in jaar uit dichtgebonden met hetzelfde oude stukje touw dat eindeloos met zorg werd vastgeknoopt en met zorg weer losgepeuterd, als het voor de zoveelste keer weer tijd voor hem was om te gaan. Toen zij kinderen waren hadden zij een andere Stern gekend, net als Joe's eigen zoon Bernini dat had. Toen Joe hem in New York had gesproken had Bernini zijn mond vol gehad over Stern, zoals hij dat altijd had, en op een heel eigenaardige manier herinneringen opgehaald aan zijn jeugd...

Stern?

Bernini had onbedaarlijk gelachen.

Een grote beer van een kerel die altijd glimlachte en lachte als ze elkaar op zijn schip in Piraeus ontmoetten. De loopplanken kletterend en overal herrie en verwarring terwijl mensen heen en weer ijlden, en dan was daar plotseling Stern te midden van al die schreeuwende passagiers, lachend en wuivend en zich over de loopplank een weg banend met zijn armen vol geschenken, Sterns wonderbaarlijke geschenken van overal. Snuisterijen en amuletten en wierook en een klein sjeikkostuum voor Bernini om te dragen, en de Grote Piramide gemaakt van bouwsteentjes, compleet met geheime gangen en verboren schatkamers. En ook met prachtige cadeaus voor Moeder, had Bernini gezegd, zeldzame wijnen en delicatessen en een schitterende dunne gouden armband, een armband die een bijzondere indruk had gemaakt op Bernini omdat Maud zo geroerd leek te zijn door zijn eenvoud. En dan die middag, toen ze weer terug waren in hun huisje en alle cadeaus waren bewonderd, opende Stern de eerste van de flessen champagne en darde rond in de keuken terwijl hij de aanzet gaf tot het feestmaal dat ze altijd aanrichtten op de avond van zijn terugkeer, waarbij Stern lachte en hier en daar kruiden rondstrooide terwijl de geur van zijn kookkunst het huis vulde met heerlijke aroma's uit alle landen in het Middellandse Zeegebied.

Bernini had gelukzalig geglimlacht.

Sterns feestmalen? Die hadden hun weerga niet. En zo ging het dan twee of drie dagen door, niets dan champagne en delicatessen en de ene traktatie na de andere, totdat er ten slotte een einde was gekomen aan het hectische bezoek en Bernini voor de zoveelste keer met Maud op de kade van Piraeus stond en de menigten nu ernstig waren toen ze de passagiers die aan de reling stonden vaarwel wuifden, Stern een beetje terzijde van de anderen maar evengoed wuivend en glimlachend als immer... lachend als immer.

En dat was wat Bernini zich herinnerde. Zich niet bewust van alle dingen die Stern en Maud 's avonds laat bij kaarslicht in de kleine tuin aan zee hadden besproken. Zich er evenmin van bewust dat Stern voor de zoveelste maal al zijn geld had verbrast, en het weinige dat hij had aan anderen had besteed, zoals hij altijd deed...

Stern?

O ja, Bernini kende Stern. Hij was een grote joviale man wiens plotselinge verschijningen altijd pret en speelgoed en feestmalen en bovenal magie beduidden. De verfijnde magie van sprookjes die handelden over de oneindige wonderen die een kind ooit zou ontdekken en zich eigen zou maken... Dus keek Joe niet vreemd op van de wijze waarop Cohen en zijn zus zich Stern uit hun jeugd herinnerden, uit de tijd dat Stern, zoals Cohen had gezegd, zelf uitbundig en opgewekt was en nog niet onder het gewicht van zijn verantwoordelijkheden tot somberheid was vervallen. Want Stern had altijd gepoogd de donkere spelonken van zijn hart verborgen te houden, en David en Anna hadden nooit een vermoeden gehad van wat achter die vriendelijke woorden en tedere handen verborgen lag. Maar nu, in de laatste jaren, was het hen beginnen te dagen, en tot hun droefenis, stelde Joe zich voor. Onwillig...

Joe keek op.

Onschatbaar, zei je? Stern gedroeg zich alsof hij een onschatbare doorbraak in Polen had bewerkstelligd? Maar er is maar één ding dat Stern als onschatbaar beschouwt. Het leven zelf. Niets anders.

Ja, mompelde Cohen, nog steeds diep in gedachten verzonken.

Maar kun je je echt niets herinneren van die reis naar Polen? vroeg Joe. Zegt het Pyry Woud je niets? Een plaats die bekendstaat als *het huis in het bos*, in de buurt van Warschau? Helemaal niets?

Het spijt me. Niets.

Aha. Tja, laten we Polen dan maar even buiten beschouwing laten, daar schijnen we toch niet verder mee te komen. Laten we het over codes hebben.

Codes? zei Cohen, plotseling alert en op zijn hoede.

Ja, codes. Daar heb je toch geen bezwaar tegen, of wel soms?

Nee, natuurlijk niet, antwoordde Cohen, wellicht iets te snel.

Joe knikte en dacht terug aan Achmeds angst dat Stern wel eens tegenover anderen over verboden zaken kon hebben gesproken, omdat hij wist dat het hem zijn kop zou kosten, omdat hij wist dat hij de kracht niet meer bezat om door te gaan.

Nu dan, zei Joe... Weet je, ik weet al dat Stern de laatste tijd zijn mond vol heeft over codes, maar ik weet ook dat hij er altijd door werd gefascineerd en we hebben zoveel verschillende soorten, nietwaar? Juridische codes en morele codes en gedragscodes en codes die betrekking hebben op geheime denkpatronen en ga zo maar door. Eigenlijk zou je zelfs kunnen zeggen dat codes een metafoor zijn voor wat wij zijn onder de oppervlakte der dingen. En sommige lijken zo universeel dat we denken dat ze in steen kunnen worden gegrift, terwijl andere zo duister zijn dat behalve wijzelf misschien niemand ooit zal weten dat ze bestaan. Zo persoonlijk, als het ware, dat *wij* misschien niet eens weten dat ze bestaan omdat er doorgaans geen noodzaak voor ons is om het te weten. Omdat de meesten van ons ons hele leven kunnen leven zonder dat zo'n soort situatie zich voordoet.

Cohen schoof onrustig heen en weer op zijn stoel.

Wat voor soort situatie?

Ach, ik weet het niet. Iets extreems, zeg maar, iets wat meer dan louter ambigu is. Iets wat boven elke notie van goed en kwaad uitgaat, iets in een soort moreel niemandsland waar niets herkenbaar is, waar alleen de vaagste indicatie is van beter of slechter of van gruwelijk en minder gruwelijk. Gewoon voorbij waar een mens alleen en nergens is, met niets dan het diepste deel van zichzelf als gezelschap.

Cohen bewoog ongeduldig.

Dit is te abstract, ik weet niet wat je me probeert duidelijk te maken. Kun je niet wat duidelijker zijn?

Joe knikte.

Ik denk dat ik dat wel kan en ik denk dat ik bezig ben me daarop voor te bereiden. Ik denk dat ik me zo'n godverlaten oord niet eens voor de geest wil halen want het beangstigt me, zonder overdrijven, David. Soms wil ik me liever niet herinneren waar ik ben geweest...

Joe zweeg. Cohen zat rusteloos heen en weer te schuiven en raakte al evenzeer in de war als Joe. Maar Joe wist dat hij moest doorgaan, er was geen ontkomen aan.

Ik zal proberen duidelijker te zijn, David. Stel nu eens dat je persoonlijke code gebaseerd zou zijn op een eerbied voor het leven. Op het nimmer schaden of aantasten en al helemaal nooit het nemen van leven. Maar toen brak er een tijd aan, een moment dat je door enkelen ter dood te laten brengen, de levens van veel meer mensen kon redden. Wat zou je dan doen?

Hun dood gelasten, zei Cohen onmiddellijk, opgelucht. Maar dat is in alle soorten oorlog toch het geval? Waarom kom je daar nu mee aanzetten en breek je daar je hoofd over? Nemen mannen niet voortdurend zulke vreselijke beslissingen in Caïro en in de woestijn? In Europa? Waar dan ook?

Ja, zei Joe. God sta ons bij, *ja*. Maar wat als de situatie hetzelfde zou zijn, maar niet helemaal hetzelfde? Wat als je alleen over een meisje gebogen stond dat verminkt en stervende was en er geen hoop bestond haar te redden en haar pijn ondraaglijk was en ze *Alsjeblieft* fluisterde en er een mes voor je lag en er verder niets in de wereld bestond omdat de wereld verdwenen was en jij alleen was en niets werkte en niets telde en er niets was dan gekrijs en lijden en sterven en het verwrongen lichaam van een klein meisje en haar ogen in ondraaglijke pijn en haar fluisteringen, *Alsjeblieft*, en een mes, en als jij het mes oppakte en haar hoofd achterovertrok en haar keel zich voor je bevond, even broos als al het leven en het *was* het leven. Zou jij het, God sta ons bij, dan doen? *Nou?*

Cohen ging gespannen naar voren zitten alsof hij het uit wilde schreeuwen, zo wrang en meedogenloos was Joe geworden, zijn stem en zijn ogen, elke deel van hem. En Cohen zou het misschien hebben uitgeschreeuwd als Joe niet plotseling had gehuiverd en gekreund en zijn handen in een woest gewelddadig gebaar samengeknepen. Een ogenblik leek Joe volkomen uitgeput en niet in staat zijn relaas te vervolgen, maar toen fluisterde hij opeens weer, vooroverleunend en voor zich uit starend, alle wrangheid terug in zijn stem.

Cohen verschoof in zijn stoel. Hij keek naar de grond.

Het is afschuwelijk, fluisterde hij, *afschuwelijk*. Hoe kan iemand op zoiets antwoord geven? Het is niet eerlijk om daar in abstracte zin over te praten.

Cohen maakte een loos gebaar voor zijn gezicht alsof hij iets wegveegde.

Eigenlijk is het allemaal te abstract. Er woedt een wereldoorlog en het leed is onafzienbaar en dat weten we allemaal, dus wat heeft het voor zin? Dat gepraat over een klein meisje...

Plotseling voelde Cohen iets. Hij keek op, zag de harde blik waarmee Joe hem aanstaarde en er ging een angstige huivering van twijfel door hem heen.

Dat is waar, zei Joe op zachte toon. Er zijn niet veel mensen op aarde die Sterns vertrouwen bezitten, en het was een enerverende nacht aan het einde van de wereld toen ik zag hoe hij twintig jaar geleden in Smyrna dat mes oppakte. Een nacht van dood en geschreeuw diep in de duisternis van nergens, en Stern was alleen en ik was alleen en het kleine meisje lag tussen ons in en ik had de kracht niet om het mes aan te raken en die zou ik nu nog niet hebben. Maar ik kan in veel opzichten niet aan Stern tippen en jij kunt dat evenmin, noch de meesten van ons. En verder valt er niets over te zeggen, hoe je het ook wendt of keert. In het leven doen we allemaal wat we kunnen. We pogen tevergeefs en we doen wat we kunnen en wat we niet kunnen, dat doen we niet...

Er trilde een zenuw in Joe's gezicht. Hij wendde zijn blik af, sloeg zijn ogen neer.

Hij leek nu enigszins gekalmeerd, maar Cohen zelf zat nog steeds te beven. Nooit eerder was hij getuige geweest van iets als de intensiteit die hij zag in Joe's ogen en die hij hoorde in Joe's stem, een angstaanjagende blik in een wereld die hij nooit met eigen ogen zou willen zien. En terwijl Cohen daar naar Joe zat te kijken, viel hem plotseling op hoe klein Joe eigenlijk was. Het was hem niet eerder opgevallen omdat Joe niet klein oogde, helemaal niet zelfs. Maar nu zag Cohen het en op de een of andere manier bevreemdde het hem... Zo'n kleine, magere man, zelfs tenger om te zien.

Joe zat stil en staarde naar de grond. Langzaam keek hij weer op.

Codes, zei Joe. Het kunnen namen zijn in wat zij ons vertellen over mensen en wat zij niet vertellen... Neem nou Rommel. Iedereen noemt hem de Woestijnvos vanwege de mysterieuze wijze waarop hij elke beweging van de Britten vóór is. Hij heeft nog niet de helft van het aantal manschappen dat de Britten hebben, maar op de een of andere manier slaagt hij er steeds weer in zijn pantservoertuigen op het juiste moment op de juiste plaats te hebben om de Britten de zoveelste schrobbering te geven. Maar is hij echt zo geslepen? Of ontcijfert iemand de Britse codes voor hem?

Geschrokken wendde Cohen zich met een ruk om.

Waar heb je het nu over?

Over codes. Misschien zoiets als de Zwarte Code. Maar wacht eens, één stapje tegelijk. Laten we nu eens even aannemen dat Stern een overwinning door de Geallieerden onvermijdelijk acht.

Maar die *is niet* onvermijdelijk, flapte Cohen eruit.

Dat weet ik, maar laten we nu eens aannemen dat Stern om welke reden dan ook dat standpunt huldigt. Omdat hij denkt dat Hitlers legers in Rusland zullen sneuvelen net zoals Napoleons legers dat deden. Omdat hij weet dat het onvermijdelijk is dat de Amerikanen zich in de oorlog zullen mengen en het tij zullen doen keren ten gunste van de Geallieerden. Of simpelweg omdat hij niet gelooft dat het beest in ons uiteindelijk zal zegevieren, zelfs niet met de Zwarte Code. Omdat hij gelooft in de Heilige Stad van mensen en zijn geloof onwankelbaar is.

Hou op, siste Cohen.

Nee wacht, langzaam aan. Het is mogelijk dat een man dat allemaal gelooft, het is mogelijk dat Stern dat kon. En als hij dat deed en als hij er diep in zijn hart van overtuigd was dat Hitler zou verliezen, laten we dan een stapje verdergaan en zeggen dat...

Stern is een Jood, schreeuwde Cohen. Zijn moeder was een Jood en hij is een Jood en de nazi's slachten duizenden Joden af.

En laten we vervolgens zeggen dat er een manier bestond, vervolgde Joe op bedaarde toon, om een groot aantal Joden te redden door de Duitsers iets daarvoor in ruil te geven...

Cohen sprong overeind.

Een manier, fluisterde Joe, om te voorkomen dat die duizenden en nog eens duizenden Joden veranderden in... miljoenen.

Cohen staarde Joe aan. Hij stond met zijn armen langs zijn lichaam en keek Joe vol afschuw aan en kon zijn woede eindelijk niet meer beteugelen.

Miljoenen? *Miljoenen?* Ben je *krankzinnig?* Waar heb je het in *hemelsnaam* over? De nazi's zijn beesten en Hitler is geestelijk gestoord, maar het land is Duitsland. *Duitsland.* Mijn eigen familie is Duits, we hebben daar eeuwen gewoond. De nazi's zijn monsters maar de Duitsers zijn geen brullende barbaren op paarden. Zij zijn geen Mongolen en dit is niet de dertiende eeuw.

Dat is waar, zei Joe. Het is de twintigste eeuw en de Duitsers zijn systematisch en bedrijvig en ordelijk. En ze kunnen goed organiseren en ze werken hard en ze hebben oog voor details en ze administreren alles deugdelijk en ze gaan heel grondig te werk. Het zijn geen Mongoolse horden die ronddraven op paarden.

De aderen in Cohens nek zwollen op.

En dus?

En dus moet ik meer te weten zien te komen over Stern en de Zwarte Code, zei Joe bedaard.

Eruit, krijste Cohen, bleek en bevend van woede, terwijl hij met gebalde vuisten boven Joe uittorende.

Je bent stapelgek. Maak dat je wegkomt.

En toen explodeerde Cohen van woede en hij bukte zich, greep de verrekijker en haalde uit.

De klap raakte Joe pal aan de zijkant van zijn hoofd en sloeg hem van zijn stoel. Hij smakte tollend tegen de grond en nam een dienblad in zijn val met zich mee, zodat overal om hem heen glas aan scherven viel. Hij was versuft en lag op zijn buik, zich niet echt bewust van wat er was gebeurd, omdat hij de klap niet had zien aankomen. Hij stak zijn hand uit en sneed zich aan een glasscherf.

Stuntelig richtte hij zich op, eerst op zijn knieën en toen ook op zijn handen. Het raasde in zijn hoofd en de pijn was hevig en zonk dieper. Hij verslikte zich, spuugde bloed uit. Blindelings tastte hij om zich heen en pakte iets vast, een werkbank, schoof zijn voeten onder zich en trok zich op. Daar stond hij, steun zoekend, proestend en bloed ophoestend te tollen op zijn benen en probeerde te zien. Ergens bij hem in de buurt was Cohen, een lange gestalte, een waas. Het geraas in zijn hoofd was oorverdovend en hij kon niet nadenken. Een hand draaide zijn arm om en duwde hem de kamer door.

Joe struikelde, liep mank en botste tegen dingen op. Een scherpe metalen hoek werd in zijn dijbeen gedreven en er klonk een luide klap van kapot vallend glaswerk. Zijn hoofd bonkte tegen de deur en hij viel er met een luide smak tegenaan en bleef daar hangen. De verrekijker werd onder zijn arm geklemd.

Cohen had hem verlaten. Cohen bevond zich ergens achter hem in de kamer en door een andere deur hoorde hij dat hij iets tegen zijn zuster zei. Eindelijk vond Joe de deurknop, draaide die om, strompelde de gang in en viel in het donker bijna op zijn gezicht. Hij wist zich te herstellen, voelde een muur, leunde tegen de koele stenen en drukte zijn voorhoofd ertegenaan in een poging niet te vallen, adem te halen.

Het is alweer in orde, ik zal je helpen. Deze kant op.

Joe liet zich in het duister door de gang leiden. Toen ze bij de buitendeur aankwamen bewoog ze dichter tegen hem aan. Ze leek iets te willen zeggen.

Mijn rechteroor, mompelde Joe. Met het andere kan ik niks horen. Hij voelde haar adem.

Het spijt me, fluisterde ze. Mijn broer heeft veel zorgen en Stern is altijd als een vader voor hem geweest. Misschien kun je morgen terugkomen.

Nee. Het zou geen verschil maken.

Ze leek het met hem eens te zijn. Ze fluisterde opnieuw.

Ik heb geluisterd, ik heb gehoord wat je zei. Ik denk dat je je vergist waar het Stern betreft maar ik wil je ook helpen.

Ze aarzelde.

Ik zeg het je maar zoals het is, fluisterde Joe. Als ik niet achter de waarheid kom, dan komen anderen om ernaar te zoeken en die zullen zich niet om Stern bekommeren.

Hij voelde haar adem tegen zijn oor. Ze aarzelde nog steeds.

O zeg het, fluisterde hij, lieve God, zeg het gewoon. Moet de stilte van deze wereld altijd doorgaan?

Hij wankelde, botste tegen haar aan, viel terug tegen de muur.

Alsjeblieft, Anna, luister naar me. Ik mag je broer graag en ik weet dat Stern voor jullie allebei als een vader is geweest, maar wat ik zei is niet ondenkbaar, omdat niets dat is, nooit en te nimmer. Kijk de nazi's maar. En ik weet dat je broer te jong is om dit allemaal te beseffen en jij ook, en het is niet iets wat iemand met gezond verstand ooit zou moeten aanhoren want het is onverenigbaar met de menselijke soort, God sta ons bij...

Joe tastte radeloos om zich heen en greep haar bij haar arm.

Maar luister in hemelsnaam naar me, Anna, want hij zal sterven, en binnenkort. Er zijn diepten in de menselijke ziel die elk voorstellingsvermogen tarten en jij denkt dat je Stern kent en je kent hem ook op jouw manier, maar hij is ook meer dan dat en *ik* weet het, *ik* heb het gezien. En ja, hij zou zijn ziel kunnen versjacheren en dat zou wel eens precies kunnen zijn wat hij heeft gedaan, God wees genadig...

Probeer alsjeblieft een beetje te kalmeren, fluisterde ze.

Ik *doe* mijn best, *heus*. De kwestie is alleen dat ik niet kan zien en niet kan horen en er klinkt gepiep in mijn hoofd en ik ben verblind door de duisternis en ik *weet* wat er gaat gebeuren en ik ben bevreesd... bang...

Hij verslapte zijn greep op haar arm maar liet haar niet los. Daar, ineengedoken tegen de stenen, niet in staat iets te onderscheiden, een hele kant van zijn hoofd doortrokken van pijn, durfde hij haar niet los te laten.

Anna? Vergeef me de dingen die ik daarbinnen heb gezegd. Het spijt me dat ik ze moest zeggen maar Stern is wat hij is en er is geen enkele manier waarop...

Anna? Ik ben bang dat hij op instorten staat en ik wil de waarheid omtrent hem achterhalen. Als er nu maar een kleinigheid was, Anna, gewoon iets wat me een beetje houvast biedt nu er nog tijd is...

Joe snakte naar adem en was niet langer in staat zich te beheersen en liet zich gaan, net zoals Cohen dat vóór hem had gedaan. Hij hoorde de grendel op de deur wegschuiven, en voelde hoe haar handen zich spanden om de zijne. Haar lippen waren vlak bij zijn oor.

Hij heeft nooit met een enkel woord gerept over een Zwarte Code, fluisterde ze, maar een paar weken geleden zei hij wel iets. We zaten met zijn drieën te ontbijten en Stern was goedgeluimd. Mijn broer liep even de kamer uit en opeens schoot Stern in de lach. Ik herinnerde me de opmerking omdat het zo vreemd leek...

Ja?

Hij zei dat Rommel die ochtend vast zat te ontbijten met zijn *kleine vellers*. Aanvankelijk dacht ik dat hij *fellahs* zei en doelde op de Egyptische boeren, maar dat was niet zo. Hij zei *kleine vellers*. Hij legde het niet uit en ik weet niet wat het betekent, maar het zou ergens naar kunnen verwijzen. De Amerikaanse militaire attaché is kolonel Fellers.

O?

David heeft die opmerking niet eens gehoord. En probeer Stern alsjeblieft te helpen, probeer hem te helpen. Adieu.

Joe had geen gelegenheid om haar te bedanken. Ze kneep in zijn hand en de deur ging achter hem dicht en opeens was hij alleen met de griezelige geluiden van de nachtelijke stad. Hij keek naar weerskanten de steeg in en probeerde zich te herinneren van welke kant hij gekomen was.

14 Bletchley

Bletchleys zelfgenoegzame lachje was monsterlijk in zijn minachting. Zijn mond zakte open en zijn ene oog puilde buitensporig uit.

Bletchleys bezorgde gezicht bracht Joe zichzelf in herinnering... Bletchleys medelevende gezicht.

Een ander zou uiting hebben gegeven aan zijn gevoelens door zijn uitdrukking te verzachten, maar dat zou Bletchley nooit kunnen. Niet met die verbrijzelde bouwval van een gezicht van hem met zijn doorgesneden zenuwen en zijn ontbrekende botten. Op Bletchleys halfdode gezicht maakte iedere uitdrukking een verkeerde indruk. Bezorgdheid leek een minachtende glimlach, medeleven een grijns van walging.

Geen wonder dat kleine kinderen op straat voor hem wegrenden, dacht Joe. Geen wonder dat vreemden vol afschuw hun blikken afwendden. Bletchleys verwoeste gezicht kon de waarheid niet spreken en hij kon die niet elke dag van zijn leven uitschreeuwen. Dus glimlachte hij naar de wereld, of probeerde hij te glimlachen en kwam er nooit een einde aan zijn vernedering.

Hij keek naar Joe's met verband bedekte oor.

Je hebt niet kunnen zien wie het waren?

Nee, zei Joe. Gewoon dieven in de nacht, neem ik aan. Ik weet zelfs niet eens of ze met z'n tweeën of met z'n drieën waren of dat het er maar één was.

Bletchley zuchtte.

Nou, loop 's nachts voortaan alsjeblieft nooit meer verlaten steegjes in. Als je zo nodig een ommetje moet maken blijf dan in een buurt waar enige bedrijvigheid is, waar wordt gepatrouilleerd. Het heeft geen zin om je zo te laten aftuigen.

Bletchley gebruikte een zakdoek om de huid rond zijn ooglapje schoon te vegen. Als hij dat deed, herinnerde hij Joe soms aan een verfomfaaide straatkat die zich probeert te wassen om er, gehavend en getekend door zijn vele gevechten, toch nog presentabel uit te zien. Uiteraard was Bletchley niet oud, hij maakte alleen die indruk vanwege zijn halfdode gezicht dat niemand ooit had weten te repareren.

Ik had wel meer op mijn hoede kunnen zijn, zei Joe, maar ik vond dat ik er de laatste tijd toch niet zo welgesteld uitzag.

Bletchley tuurde over de rand van zijn zakdoek en zag dat Joe glimlachte, de spot dreef met zichzelf. Hij lachte, een snuivend geluid dat vergezeld ging van een idiote scheve grijns.

Nou zo welgesteld zie je er ook niet uit voor een Europeaan. Maar welstand is relatief, nietwaar? Hoe dan ook, je begint nu steeds meer op de rest van ons te lijken. Net als de rest van ons, dat is het hem.

Bletchley bleef luidruchtig doorsnuiven. Joe glimlachte.

Is het werkelijk? Hoe bedoel je?

Je oor, zei Bletchley. Het ziet eruit alsof het onder dat verband zou kunnen ontbreken, alsof je het aan het front hebt verloren. Misschien kun jij je het vraaggesprek met Whatley niet al te duidelijk meer herinneren, maar Whatley heeft maar één arm.

O. Nee, dat herinner ik me niet al te goed. Een eenarmige Whatley, zeg je, ooit de snelste revolverheld van het westen maar nu niet meer dan een herinnering? Lijkt wel een van die liedjes van Liffy.

Bletchley snoof.

Het is raar als je erover nadenkt, maar alle Monniken lijken een onderdeel of een ledemaat te missen. Invalide, dat is het hem.

Joe hoorde een gegons in zijn oor.

Is dat zo? Denk je dat dat betekent dat er een soort geheime wet bestaat die voorschrijft dat je invalide moet zijn om bij *intelligence* te werken?

Bletchley snoof.

Om intelligent te zijn, bedoel je? Tja, daar zou je wel eens gelijk in kunnen hebben, zo heb ik het nog nooit bekeken.

Bletchley was klaar met het betten rond zijn ooglapje en borg zijn zakdoek op. De uitdrukking van minachting keerde terug op zijn gezicht. Bezorgdheid, bracht Joe zichzelf in herinnering.

Vind je niet dat we daar even een arts naar moeten laten kijken?

Nee, nergens voor nodig, zei Joe. Het stelt eigenlijk niets voor en Achmed lijkt uitstekend met verband overweg te kunnen.

Ja, een man met onvermoede talenten. Als ik me goed herinner was hij vrijwilliger bij de medische troepen in de vorige oorlog. Zat voornamelijk achter het stuur van een ziekenwagen. Mannen met een zwak voor literatuur vonden dat leuk, naar het schijnt.

Dat klinkt meer als de Spaanse Burgeroorlog, zei Joe. Ben jij wel eens in Spanje geweest?

Bletchley leek zich niet goed raad te weten met die vraag.

Nee. Toen heb ik een paar operaties ondergaan.

Het jeukt, zei Joe met een grimas, wijzend op zijn oor.

Zoals gewoonlijk zaten ze in de kleine kelderruimte aan de andere kant van de binnenplaats achter Hotel Babylon. Eén enkel kaal peertje hing aan het lage plafond, een elektrisch draadje leidde omlaag naar het kookplaatje op tafel waar de ketel stond te dampen. Tussen hen in stonden ook de afgeschilferde theepot en de twee gedeukte metalen kroezen. Zoals altijd lag er een krant bij Bletchleys elleboog, en het gesprek werd 's avonds gevoerd, de gebruikelijke tijd voor de Monniken om zaken te doen, zoals Liffy had gezegd.

Is er nog nieuws dat niet in de krant staat? vroeg Joe.

Niets goeds, zei Bletchley. Niets dan de ene ramp na de andere. Bir Hacheim is met zijn Vrije Fransen en zijn Joodse Brigade met de grond gelijkgemaakt en nu ziet het ernaar uit dat Rommel in staat zal zijn Tobruk te isoleren. We moeten proberen bij El Alamein stand te houden.

Kan Tobruk een beleg doorstaan?

Vorig jaar is dat zeven maanden lang gelukt. Nu is het minder sterk, maar als het goed is weet Rommel dat niet.

Bletchley keek omlaag naar de tafel.

Uiteraard zijn er meer dingen die hij niet geacht wordt te weten, die Woestijnvos die zo'n held is geworden in de ogen van de Egyptenaren.

En de linies bij El Alamein? vroeg Joe.

Dat hangt van verschillende factoren af, bevoorrading onder andere. Aan onze kant en de hunne. Als Rommel over de brandstof beschikt om druk te blijven uitoefenen, tja, dan zetten we de delta onder water en geven het Kanaal prijs en verschepen wat we kunnen naar Palestina en Irak. De implicaties zijn ondenkbaar en daar denken we momenteel over.

Aha.

Joe wierp een blik op de krant.

En hoe zit het met de contactadvertenties? Is daar beter nieuws te vinden?

Bletchleys gezicht vertrok tot een soort nietszeggende blik, waarbij zijn oog opengesperd was. Een uitdrukking van smart, wist Joe.

Dit is nog niet gerapporteerd, dus zwijg erover. Oké?

Ja.

Bletchley aarzelde.

We hadden een operatie op grote schaal achter hun linies op touw gezet, paramilitaire eenheden, speciale commando's, dat soort dingen. We probeerden enkele van de belangrijkere bases te bereiken die ze hebben gebruikt om Malta te plunderen, om onze bevoorrading te dwarsbomen. Nou, dat was van begin tot eind één groot debacle. Ze stonden ons op te wachten... Ze wachtten ons op, dat is het hem.

Bletchley staarde nietszeggend naar zijn metalen kroes en ze zaten een tijdje zwijgend bij elkaar. Joe had gerapporteerd wat hij tot dusverre had achterhaald, maar met geen woord gerept over Cohen en alle details aangaande Achmed achterwege gelaten. Bletchley had hem maar matig geïnteresseerd aangehoord, en zijn vragen leken eerder betrekking te hebben op Joe's indrukken van het Oude Caïro dan op Stern. Dat bevreemdde Joe, maar ach, hij vond Bletchleys aanpak altijd al eigenaardig. Dat had iets van doen met Bletchleys masker, een gezicht dat nooit weerspiegelde wat de man voelde of dacht.

Bletchley bewoog zijn metalen kroes heen en weer, schoof hem eerst een paar centimeter naar de ene en dan weer een paar centimeter naar de andere kant. Het schrapende geluid dat de kroes veroorzaakte was het enige geluid in de kamer.

Avond, dacht Joe. Alles gebeurt onder de dekmantel van de duisternis als je met de Monniken te maken hebt.

Je moet niet zo hard over jezelf oordelen, zei Bletchley ten slotte. Per slot van rekening ben je nog maar ruim twee weken in Egypte en dat is niets voor een zo ingewikkelde opdracht als de jouwe. Niemand verwacht direct resultaten en twee weken is nauwelijks voldoende om je een beetje te oriënteren.

Joe knikte.

Dat weet ik, maar op de een of andere manier lijkt het veel langer. Dat komt waarschijnlijk door waar ik verblijf...

Bletchley keek kwaad. Nadenkend, realiseerde Joe zich.

Het is een raar oud bouwsel, mompelde Bletchley op neutrale toon. Hij keek op van zijn kroes.

Jeukt je oor nog steeds?

Ja.

Zou dat niet kunnen betekenen dat er iemand tegen je praat?

Ik hoop het niet, zei Joe. Ik word geacht een onbekende bezoeker te zijn, gewoon A.O. Gulbenkian op doorreis.

Bletchley bleef woedend kijken.

Een vreemde dekmantel, zei Joe. Wiens idee was dat eigenlijk?

Ik weet het niet goed, antwoordde Bletchley, nog steeds in gedachten verzonken. Maar probeer niet te snel te veel van jezelf te verwachten. Twee weken is niets.

Waarom zegt hij dat steeds? vroeg Joe zich af. Waar heeft hij het over? Rommel maakt zich klaar om Egypte onder de voet te lopen en hij zegt maar steeds dat we alle tijd van de wereld hebben. Het slaat nergens op, of baart het hem geen zorgen meer dat Rommel de Britse codes wel eens zou kunnen lezen? Wat is er veranderd waar ik niets vanaf weet?

Bletchley schoof zijn kroes heen en weer. Het gesprek leek ten einde. Joe stond op en bleef nog even dralen bij de tafel, niet zeker of Bletchley niet toch nog iets te zeggen had.

Nou, dan stap ik maar eens op...

Hij liep in de richting van de trap. Bletchley zat nog steeds naar de tafel te staren, zijn ene oog wijd open, uitdrukkingsloos.

Weet je, Joe, ik zou een andere kamer voor je kunnen zoeken. Dat ongelukje met jou, dit is niet altijd het beste deel van de stad om te wonen. Wat vind je daarvan?

Joe haalde zijn schouders op.

Ach, ik geloof niet dat het iets uitmaakt. We zijn waar we zijn, lijkt me, maar evengoed bedankt.

Joe liep de smalle trap op en de steeg in. Later zou hij vaak terugdenken aan dat verstilde moment in die kleine kale kelder en Bletchleys bezorgdheid, Bletchleys smart, zijn vragen over Joe's welbevinden en zijn aanbod elders een kamer te vinden. Toentertijd had het zo onbeduidend geleken, maar had Bletchley er meer mee bedoeld? Iets wat heel veel belangrijker was?

Zou het zelfs verschil hebben gemaakt en een leven hebben gered? Twee levens? Drie levens?

Zodra Joe de avond in stapte, hoorde hij in de verte het geraas van trucks. Overal in Caïro reden nu vrachtwagens rond, ze stroomden binnen uit de woestijn met gewonde soldaten en achterblijvers die het contact met hun eenheid hadden verloren. Allerlei vuurwapens en RAF-wagens en herstelvoertuigen en pantservoertuigen en talloze vrachtwagens volgeladen met uitgeputte slapende mannen, dromden samen op de wegen buiten de stad, voorbij de piramides en transportkaravanen denderden binnen na de rampspoed van de langdurige veldtochten in de Westelijke Woestijn.

En rook boven de Britse Ambassade, waar documenten werden verbrand. En enorme menigten voor het Britse Consulaat, waar vluchtelingen in stilte wachtten in de hoop op een uitreisvisum naar Palestina. En geruchten dat de Britse vloot al aanstalten maakte vanuit Alexandrië koers te zetten naar de havens van Haifa en Port Said om te ontkomen aan Rommels oprukkende pantserdivisies.

Onmiskenbare voortekenen, dacht Joe. De vingerafdrukken van de oorlog. En overal in Caïro dezelfde gefluisterde vraag.

Wanneer komt hij? Wanneer zal hij hier zijn?

Maar Joe's gedachten waren niet bij Rommel. Hij werd geheel in beslag genomen door Bletchleys melancholieke opmerkingen, de mislukking van de geheime acties achter de vijandelijke linies waarover Bletchley had gesproken. Want dat moest de missie zijn geweest die maakte dat Stern twee weken uit Caïro weg zou blijven, en het fiasco daarvan betekende dat Sterns laatste missie voor het Klooster officieel beëindigd was.

Uren geleden? Dagen geleden?

In ieder geval werd Stern, voor zover het Bletchley betrof, terugverwacht in Caïro, en achter wat Stern ook heimelijk mocht hebben uitgespookt was nu definitief een punt gezet. Daar zou Bletchley wel voor zorgen. Bletchley die zijn werk goed deed en die een nieuw gevoel van berusting leek te hebben ontwikkeld, ongeacht het nieuws van het front. Dus Joe restte nog maar heel weinig tijd. En helaas zou, zoals hij al die tijd al had geweten, de uitkomst voor Stern dezelfde zijn, ongeacht wat hij nu te weten zou komen.

Onuitwisbaar dezelfde, Sterns vlucht, Sterns noodlot, het mysterieuze weefsel van Sterns reis in de loop der jaren. Zelfs Liffy had zich dat uiteindelijk gerealiseerd, toen hij die ochtend, vóór zonsopgang, Joe de steeg door zag strompelen naar Hotel Babylon. Liffy die toesnelde om Joe te helpen nadat hij de hele nacht in de schaduw had gewacht tot Joe zou terugkeren van zijn bezoek aan de Cohens, angstig, zelfs panisch dat er iets faliekant mis was gegaan.

En er was iets misgegaan. Gruwelijk mis. Een zachte kreet ontsnapte aan Liffy's lippen toen hij vernam wat er was gebeurd.

Dat is niks voor David, had Liffy gezegd over de klap die hem zo zwaar had verwond.

Geweld, had Liffy gefluisterd met een huivering. Het is angstwekkend. Zelfs als we het verafschuwen kunnen we in de ban ervan geraken.

En toen had hij Joe daar in de steeg diep in zijn ogen gekeken en hem beetgepakt en dringend in zijn oor gefluisterd en er in alle opzichten uitgezien als een gekwelde profeet uit de oudheid die zojuist een visioen had gehad van de op handen zijnde vernietiging van zijn dierbare Jeruzalem.

Wat Stern ook mag hebben gedaan, Joe, jij moet bewijzen dat het goed is, in het belang van ons allemaal. Het maakt niet eens uit als jij en ik de enigen zijn die ooit de waarheid zullen weten, of zelfs als er maar één van ons die weet, zelfs dat zou voldoende zijn. Want ik heb het angstige gevoel dat alleen als Stern, met alle kennis die *hij* bezit, juist handelde toen hij deed wat hij deed, er in deze monsterlijke oorlog zonder einde voor ons nog enige hoop is.

15 De Zusters

Bloemen, bulderde Achmed... *Bloemen* vormen de sleutel tot dit bijzondere koninginnenrijk, daarom dien je de componenten van je ruiker met buitengewone zorg te kiezen. Die twee oude schatten zijn schaamteloos sentimenteel en dat zijn ze altijd geweest.

Achmed hief zijn hoofd op en snoof ernstig, terwijl hij de zaak nader beschouwde. Of nog beter, neem twee ruikers mee, zei hij tegen Joe. Ze mogen dan een tweeling zijn en ze mogen dan in de negentig zijn, maar dat betekent niet dat ze in alle opzichten altijd evengoed met elkaar overweg hebben gekund. Ze hebben in de loop der decennia de nodige meningsverschillen gehad en ik vermoed dat er nog steeds sprake is van een zekere rivaliteit, vooral als er een man in het spel is.

Bij nader inzien, waarom laat je mij je ruikers niet samenstellen? Hoewel het een tijdje geleden is, ken ik hun voorkeuren en tevens de kleurschakeringen in de woonboot. Ik ben, de laatste keer dat ze het interieur van hun woonboot wijzigden, ik schat dat dat rond de eeuwwisseling was, hun binnenhuisarchitect geweest, weet je. Ik weet niet precies meer wanneer het was, maar één van hen weet dat zeker nog wel. Met z'n tweeën herinneren ze zich alles. Eigenlijk was er een populair liedje in Caïro dat vooral favoriet was onder varensgezellen.

> *Geen angst, niets gaat verloren op de Nijl.*
> *Want wat de Sfinx vergeet, herinneren*
> *zich De Zusters.*

Met andere woorden, zei Achmed nadenkend, ze zien alles... ze horen alles... ze zeggen wat? In sommige opzichten zijn die twee oude schatten net als de Nijl zelf, zou je kunnen zeggen.

En daarmee verscheen de zweem van een majestueuze glimlach op Achmeds massieve gelaat.

Twee ruikers.

Een donkere, vervallen woonark, een ronddobberende plezierboot uit voorbije tijden, waar herinneringen alles omvatten.

Twee piepkleine, stokoude vrouwen, een tweeling, wier schaduwrijke drijvende domein op de Nijl zich geleidelijk aan had ontwikkeld tot Joe's ultieme bestemming in zijn speurtocht naar de waarheid omtrent Stern.

Het vooruitzicht van Joe die een bezoek bracht aan de legendarische Zusters had er zelfs voor gezorgd dat Liffy zijn sombere stemming liet varen. Dat moest het zijn of Liffy had al zijn acteervermogens uit de kast gehaald ten behoeve van Joe en was bezig een voorstelling vol bravoure op te voeren, waarbij hij lachte en grapte en een verscheidenheid aan rollen de revue liet passeren om Joe aan te moedigen.

Achmed en Liffy en Joe hadden met z'n drieën in de namiddag, toen de zon bezig was onder te gaan, afgesproken op de kleine binnenplaats achter Hotel Babylon. Daar, omringd door de klimplanten en de hangende bloemen, de ritselende oude kranten en de hopen vergaand afval in de hoeken, zaten ze onder de enige palmboom, terwijl de schaduwen zich uitstrekten over de achterbuurten van het oude Caïro, en serveerde Achmed ernstig thee in een zwaar zilveren servies dat ooit eigendom was geweest van de oude Menelik en dat speciaal voor deze bijzondere gelegenheid door Achmed was opgediept uit de epische rommel in zijn kleine stoffige bergkast.

Achmed had zich nooit waardiger gedragen. Klaarblijkelijk was een officieel bezoek aan de Zusters, iets wat voor Joe of willekeurig elk ander als een informeel bezoekje werd gezien, een gebeurtenis van het grootste gewicht.

Achmed schonk in.

Theetijd, kondigde hij aan met zijn dreunende stem, wijzend op de kopjes. Thee in de tijd en moet ik er nog op wijzen dat onmetelijke imperiums zijn opgekomen en ondergegaan met zulke zonderlinge ritelen als dit? Nu dan, kameraden, wie wil wat? Melk, suiker, wat?

Voordat Joe iets kon zeggen was Liffy snel, met iets wat leek op een kleine zakflacon, naar Joe's en zijn eigen theekopje toegegaan.

Een nieuwe uitvinding, legde hij snel aan Achmed uit. Een geraffineerde combinatie van essences die de plaats inneemt van de gebruikelijke suiker en zo. Ontdekt, beweren sommigen, in een afgelegen woestijn in de Nieuwe Wereld, waar het bekendstaat als Ierse-Hopithee. Wil jij soms ook een scheutje proberen?

Achmeds gigantische neus trilde boven het tafeltje waar zij bijeenzaten. Hij snoof aarzelend. Hij fronste zijn voorhoofd.

Cognac?

Liffy knikte.

Egyptische cognac?

Liffy knikte opnieuw.

Smerig, mompelde Achmed. Abominabel. Maar drink maar leeg die kopjes met erbarmelijke Ierse hoop van jullie, en laten we ondertussen tot zaken overgaan, tot *sociale* zaken, het enige noemenswaardige soort. Nu dan, voordat Joe zijn bloemen kan overhandigen moet hij eerst zien binnen te komen. En hoe moet hij dat doen, in aanmerking genomen dat hij niet op de woonboot is uitgenodigd?

Achmed glimlachte veelbetekenend bij wijze van antwoord op zijn eigen vraag. Met een zwierig gebaar stak hij een hand onder zijn verschoten lavendelkleurige nachthemd en haalde een haveloos stuk dik, onbuigzaam papier tevoorschijn, dat hij met groot ceremonieel op tafel legde. Het papier zat onder de vlekken, de vage gegraveerde letters waren onleesbaar. Liffy en Joe bogen zich voorover en bestudeerden het.

Wat is dat in hemelsnaam? vroeg Liffy verbijsterd. Is het een soort geheim paspoort? Jouw ultieme vervalsing, overal in een universum van verdwijnende sterren geldig? Zijn daarom de letters zo vaag? Een *carte blanche*, wellicht, verleend door de laatste farao op zijn sterfbed en goed voor rechtstreekse toegang tot alle geheime tomben? Een heruitgave van hetzelfde, afgekondigd door de laatste caesar op *zijn* sterfbed? Of misschien een hooggeschatte uitnodiging voor de geboortedag van koningin Victoria...? Wat is het voor de duivel, Achmed? Wat heeft dit merkwaardige document te betekenen?

Een officiële uitnodiging, kondigde Achmed triomfantelijk aan, voor het grote gekostumeerde galabal, dat werd gegeven in de crypte van de oude Menelik ter gelegenheid van zijn vijfennegentigste verjaardag. *Dat* was nog eens muziek, en als er iets is dat Joe de loopplank over en de woonboot in kan krijgen dan is het dit wel.

Echt waar? vroeg Joe verwonderd. Bestaat de mogelijkheid dat nog iemand het zou kunnen lezen?

Niemand hoeft het te lezen, zei Achmed. Een zo onvergetelijk souvenir als dit hoeft enkel maar te worden herkend aan zijn algemene formaat en vorm en karakter. En het *zal* worden herkend door degenen die het kennen, door degenen die die blijde ondergrondse weg zijn gegaan, zoals de uitdrukking luidt.

Uitstekend, zei Liffy. Uitstekend. Een uitnodiging in de tijd spaart... nou ja, dat spreekt vanzelf. Welnu, Joe, dan zal ik je nu even op de hoogte brengen van de recentere geruchten die rondgaan in de bazaars. Maar eerst een waarschuwing. De Zusters mogen uitsluitend 's nachts worden bezocht. Alle informanten zijn het op dat punt met elkaar eens, faliekant en onvoorwaardelijk.

's Nachts? herhaalde Achmed nadenkend. Dat is juist, veronderstel ik.

Liffy knikte Achmed ernstig toe.

Precies. Vanavond is er een maan en maanfeiten zijn per slot van rekening per definitie maanziek.

Liffy wendde zich weer tot Joe.

Zuiver een kwestie van ijdelheid, wellicht? De zekerheid dat zonlicht ongewenste rimpels zou tonen?

Mogelijk, merkte Liffy op. Of wellicht kan de informatie die deze piepkleine tweeling heeft geërfd uitsluitend worden gevat in de plotselinge intuïtieve indrukken die opdoemen als het maanlicht heerst.

In ieder geval, vervolgde Liffy, is de nacht het milieu voor die toenadering van jou. De nacht met zijn vreemde echo's en zijn kalmerende briesjes van de Nijl. Als iemand op enig ander tijdstip probeert de Zusters een bezoek te brengen, zo zeggen betrouwbare geruchten, dan zijn ze er gewoon niet. Natuurlijk moeten ze er eigenlijk wel zijn, ergens op de woonboot, want die verlaten ze nooit en dat hebben ze al tientallen jaren niet gedaan. Maar het is net alsof die woning evenveel geheime gangen telt als de Grote Piramide, dus als de Zusters zich verschuilen, nou ja, dan zijn ze even ontoegankelijk als Cheops, tenminste waar het de moderne mens betreft.

Cheops, de prototypische *kleine* man geobsedeerd door erecties, mompelde Achmed laatdunkend, terwijl hij in zijn thee roerde.

Precies, zei Liffy, Achmed heftig toeknikkend.

Hij wendde zich weer tot Joe.

Nu dan, wat betreft de woonboot zelf, wat betreft dit schaduwrijke bouwsel dat opdoemt aan het einde van een loopplank, dit drijvende droombeeld dat Achmed zo tactvol omschrijft als *hun* persoonlijke koninginnenrijk... Het schijnt dat deze woonboot enige tijd een heel bijzondere relatie heeft gehad met de Britse inlichtingendienst. Eerlijk gezegd zijn er zelfs lieden die beweren dat er, zonder deze woonboot, *geen* Britse inlichtingendienst in dit deel van de wereld zou bestaan. Niets niemendal, niets dan kletskoek en zand. Ik denk dus dat hij de eerste schuilboot in de Levant kan worden genoemd.

Liffy legde zachtjes de toppen van zijn vingers tegen elkaar aan, de ene hand tegen de andere, en vormde zo een bol. Er verscheen een krankzinnige gloed in zijn ogen.

En nu komen we bij de kern van de clandestiene kwestie. Adem rustig in en uit, alsjeblieft, ontspan de spieren in je nek en denk eens na over het jaar 1911, als je zo goed wilt zijn.

Achmed zuchtte.

Dat is nog eens een jaar dat het vermelden waard is, mompelde hij. Niet zo groots als 1912, maar evengoed een verbluffende prestatie.

Precies, zei Liffy, terwijl hij Achmed opnieuw heftig toeknikte. Dat *was* me ook het jaartje wel. Ik zie dat we hier goed beslagen ten ijs komen. Nu dan.

Hij wendde zich weer tot Joe.

Het jaar waarvoor, vraag je? Nou, om te beginnen was dat het jaar waarin Churchill voor de eerste maal de Admiraliteit kreeg toebedeeld. En tijdens dat eerste jaar in zijn nieuwe functie stelde hij zichzelf die augustus twee doelen. Het eerste was de vloot om te bouwen van kolen op olie en het tweede was een bepaalde wereldvermaarde woonboot op de Nijl te installeren als zijn geheime vlaggenschip.

Bruusk blies Liffy op Churchills bekende stuurse wijze zijn wangen op. Zijn hoofd zonk tussen zijn schouders en hij keek Joe resoluut en nors aan.

Zoals algemeen bekend is, jongeman, bulderde hij, heb ik het eerste doel bereikt. Vanaf 1911 was olie in en steenkool uit. Maar zoals minder algemeen bekend is, bereikte ik ook mijn tweede doel. Die woonboot werd mijn geheime vlaggenschip en bovendien was het altijd een aangenaam onderkomen als ik niet thuis kon zijn. Toen alles eenmaal in kannen en kruiken was, stuurde ik onmiddellijk een gelukstelegram om mijn nieuwe wapenzusters te verwelkomen.

DE ZUSTERS,
DE NIJL.

DAMES:

BLIJ U AAN BOORD TE VERWELKOMEN. DIT WORDT LEUKER DAN DE LAATSTE OPSTAND VAN DE CHINESE GORDON BIJ KHARTOEM IN 85.
JULLIE OUDE MAATJE
WINSTON.

De volgende dag, bulderde Liffy, woest kijkend, met de kaken stram, ontving ik op de Admiraliteit in Londen een telegram terug.

JIJ ENGELACHTIG DRUKTEMAKERTJE. JIJ LIEP NOG IN EEN KOR-
TE BROEK IN 1885, DUS HOE KUN JIJ IN HEMELSNAAM WETEN
WIENS OPSTAND LEUK WAS DAT JAAR, OF HET NU DE LAATSTE
WAS OF NIET?

AFIJN, NU JIJ DE BAAS BENT OVER DE BOTEN VAN HET IMPE-
RIUM, KUN JE MAAR BETER DE BOEL STRAK IN DE HAND HOU-
DEN EN DE ZAAK FLINK AANSLINGEREN, DE KETEL OPSTOKEN
EN HET ANKER LICHTEN.

EN WE ZIJN BLIJ JE AAN BOORD TE HEBBEN, WINNIE, DOET ER
NIET TOE WANNEER.

WIJ.
DE NIJL.

Liffy lachte.
Geweldig, zei hij met zijn eigen stem. Ze schijnen in hun tijd iedereen te hebben gekend. Maar denk eraan, alleen 's nachts.

O, en dan is er nog één ding, voegde Achmed eraan toe.
Pas goed op dat je geen losse opmerkingen maakt over Catherina de Grote of Cleopatra, of over verloren familievermogens of over iemand die oom George heet. In ieder geval niet voordat je goed in het gesprek zit. Ik weet niet zeker of die onderwerpen nog steeds gevoelig liggen, maar het zou best kunnen. Natuurlijk is elke verwijzing naar menselijke lichaamslengte of omvang taboe, en leidt tot onmiddellijke verwijdering uit hun koninginnenrijk, maar dat hoef ik jou niet te vertellen.
Achmed glimlachte tevreden. Hij zuchtte.
Het zijn malle oude schatten, dat leidt geen twijfel. Maar zij zijn een zeldzaam span en in principe heel vriendelijk, en beslist innemend als je ze eenmaal leert kennen.
Precies, beaamde Liffy knikkend. Alle geruchten hadden dat al be-

vestigd, lang voordat Churchill zijn korte broek uittrok en een greep naar het roer deed.

Hij wendde zich weer tot Joe.

Nu dan. Laten we weer bij het begin beginnen en er zorg voor dragen dat we niets overslaan, want herinneringen die alles omvatten kunnen link zijn.

Liffy zweeg even.

In den beginne waren er Egypte en de Nijl en de Sfinx en de piramiden... Maar vreemd genoeg, merkwaardig genoeg, waren er in den beginne ook deze twee piepkleine vrouwen, een tweeling, die Big Belle en Little Alice werden genoemd. En in den beginne zijn die zusters, die *de* Zusters waren...

Bevrijd de slaven, bulderde Big Belle tot niemand in het bijzonder toen ze zich stram door de kamer bewoog, die uitspraak klaarblijkelijk niet meer dan een aardigheidje in plaats van een opmerking over het weer.

Van de twee zusters was Big Belle net de kleinste. Maar ze was ook dikker, wat wellicht verklaarde waarom zij overal bekendstond als *Big* terwijl haar zuster Alice daarentegen als *Little* bekendstond, hoewel dat volgens Achmed bij geen van beiden ooit recht in hun gezicht werd gezegd. Beide piepkleine stokoude vrouwen droegen oude sjaals en katoenen muiltjes.

Big Belle bleef stilstaan voor de stoel waarin Joe zat en hield hem met een ernstig gezicht een glas voor.

Je zei whisky, jongeman. Kan dit ermee door? Het is Ierse, maar ik moet je waarschuwen, het is Protestantse, Jameson's. Kun je daar genoegen mee nemen?

Dat kan ik, zei Joe. Wat mij betreft vallen borrels buiten stammenoorlogen.

Big Belle plantte haar handen in haar zij en straalde. Staande was ze ongeveer even groot als Joe zittend.

Zo mag ik het horen, bulderde ze. Ik heb altijd waardering voor een man die politiek en religie thuislaat als hij een bezoek brengt aan een dame.

Van de andere kant van de kamer, vanuit de stoel waarin Little Alice zat, stegen tjirpende geluiden op.

Dames, kwinkeleerde Little Alice. Als een man een bezoek brengt aan *dames.* Belle, je weet net zo goed als ik dat Joe bij ons allebei op bezoek kwam. Hij heeft *twee* ruikers meegebracht, of probeer je dat te negeren? Little Alice glimlachte Joe van de andere kant van de kamer bevallig toe.

Je moet het mijn zuster maar niet kwalijk nemen, piepte ze. Belle is zo klein, die arme schat, dat ze soms tracht te vergeten dat er grotere dames in de kamer zijn. Maar ik veronderstel dat het niet meer dan menselijk is om te proberen de dingen die ons dwarszitten te negeren. Ik ben bijna een meter vijftig lang, zie je, en ik heb altijd een slank figuurtje gehad.

Big Belle stond nog steeds met haar handen in haar zij vlak voor Joe te stralen.

Jij bent geen centimeter langer dan een meter zevenenveertig, riep ze over haar schouder, en je bent sinds de dag dat je werd geboren vel over been.

Little Alice ging rechtop in haar stoel zitten.

Nou, ik ben tenminste geen een meter vierenveertig zoals sommige anderen, en ik ben nooit dik geweest van alle chocola die ik verorberde.

Dat is altijd nog beter dan die zuivelprut die jij naar binnen lepelt, bulderde Belle over haar schouder.

Yoghurt is heel gezond, riep Alice uit. En die heeft me altijd slank gehouden.

Slank? bulderde Belle. Hoe kan iemand van een meter zevenenveertig nou slank zijn? Trouwens, ik ben er zeker van dat Joe hier niet naartoe is gekomen om te luisteren naar jouw obsessie met je slanke lijn.

Belle glimlachte naar Joe.

Je moet mijn zuster maar vergeven. De reden dat ze alles doet om haar slanke lijn te behouden is dat ze denkt dat ze er zo jonger uitziet. Ze kan haar leeftijd niet onder ogen zien, dat heeft ze nooit gekund. Zo zijn jongere zussen nu eenmaal, veronderstel ik. Ze pogen gewoon wanhopig eeuwig jong te blijven.

Hoeveel jonger is ze? vroeg Joe langs zijn neus weg. De twee zusters hadden elkaar klaarblijkelijk vanuit twee hoeken van de kamer toegeschreeuwd omdat een van hen nogal doof was.

Hoeveel jonger? zei Belle. Om en nabij de acht minuten. Maar als je haar hoort praten zou je denken dat het veertig jaar is.

Sommige mensen fluisteren, riep Alice uit, omdat ze bang zijn dat hun leugens door anderen worden opgevangen. Waar is je breiwerk, Belle?

Belle liep bij Joe weg om ernaar te zoeken, Joe nipte van zijn whisky en liet zijn blik door de kamer dwalen.

Het was een ongebruikelijke salon waar ze hem mee naartoe hadden getroond, een vrolijke ouderwetse zonnekamer aan de zijkant van de boot die uitzicht bood op de rivier. Hoge, smalle ramen reikten, de een naast de ander, van de vloer tot aan het plafond, in het midden onderbroken door een van ramen voorziene alkoof waar een paar grote openslaande deuren, even groot als de vensters, toegang boden tot een smalle veranda aan het water. Op dat late uur was de maan al ondergegaan, maar daar de zonnekamer voornamelijk uit ramen was opgetrokken en alle gordijnen open waren, waren de sterren en hun weerspiegelingen op het water meer dan voldoende om de salon te verlichten. Hier en daar flakkerde een kaars, maar hun enige doel was van romantische aard, om het tafereel van een zacht schaduwspel te voorzien.

De meeste meubels in de kamer waren van licht, ijl rotan, spookachtig, onwerkelijk en wit geschilderd. Zo nu en dan dook er een of ander prachtig oud mahoniehouten meubel op in de droom, stevig geworteld tussen de zwevende rotan vormen.

Een klein portret van Catherina de Grote hing aan de ene kant van de kamer, een portret van Cleopatra aan de andere kant. Beide waren uitgevoerd in pen en inkt, klaarblijkelijk door dezelfde kunstenaar en beide waren ernstig vervaagd. De portretten waren niet realistisch bedoeld, de afgebeelde personen waren streng victoriaans in kleding en concept, de een vorstelijk, weelderig en hautain, een autocratische vrouw aan het hof, de ander speels en op een vaag oosterse wijze zwemend naar sensuele genietingen, geheel in harmonie met de victoriaanse voorschriften, maar toch ook referend aan de geheime uithoeken van een negentiende-eeuwse Turkse harem.

Eigenlijk zouden beide portretten kunnen zijn bedoeld om de onvermoede aspecten te vertegenwoordigen van een giechelige jonge koningin Victoria in de dartele dagen van haar jeugd, voordat ze de lasten van een imperium op zich laadde, de piepkleine toekomstige koningin die op een regenachtige middag in een of ander kasteel heeft besloten haar fantasie de vrije loop te laten en zichzelf over te geven aan de heimelijke geneugten van een verkleedpartij, iets waar kleine meisjes zich wel vaker in verlustigden. Deze indruk werd versterkt door het feit dat de jonge gezichten op de twee portretten genoeg op elkaar leken om de gezichten van een tweeling te zijn. Een piepkleine tweeling. Toch was zelfs op de portretten het meisjesachtige figuurtje van Catherina de Grote waarneembaar gezetter dan het meisjesachtige figuurtje van Cleopatra.

In een hoek van de salon stond ook een prachtig klavecimbel.

Alles bij elkaar genomen vormde de zonnekamer een magische omgeving, ondanks het aantal rotanstoelen en rotan banken waarmee hij was volgestouwd. Joe vermoedde dat er op elk willekeurig moment wel zo'n dertig of veertig mensen een zitplaatsje zouden kunnen vinden, meer zelfs, als er enige intimiteit geoorloofd was. Natuurlijk waren de Zusters beroemde gastvrouwen geweest toen ze jonger waren, dus wellicht zou deze uitgebreide collectie zitplaatsen voor toeschouwers aan de Nijl niemand mogen verbazen.

Maar nu ze slechts met z'n drieën in de kamer waren, ademde de salon ontegenzeggelijk een sfeer van lichte melancholie. Een onvermijdelijk gevoel dat de tijd door de stromen achter de openslaande deuren was weggevoerd en een massa herinneringen aan gelach en uitbundigheid hadden meegenomen en deze ijle lege rotan vormen had achtergelaten als spookachtige herinneringen aan andere werelden en andere tijdsgewrichten, nu elders vergeten, die uitsluitend nog leefden in de harten van deze twee piepkleine oude vrouwen.

Big Belle had haar breiwerk gevonden en nam moeizaam plaats in een rotanstoel onder het portret van Catherina de Grote. Little Alice boog haar hoofd naar het portret van Cleopatra en knikte weemoedig, alsof ze de een of andere echo over het water hoorde scheren. Intussen glimlachte Joe naar hen allebei en keek door de openslaande deuren naar de nacht en de rivier.

Je hebt je oor bezeerd, zei Belle somber. Heb je het te dicht bij iets te luisteren gelegd?

Ik ben bang van wel, antwoordde Joe.

Dat komt ervan, hè?

Ik ben bang van wel.

Belle bleef hem aanstaren.

Jij doet me denken aan mijn oom George, merkte ze plotseling op. Hij had vroeger een korte baard, een overhemd zonder boordje en meestal had hij ergens op zijn hoofd wel een of ander noodverband. Hij had jouw teint en jouw lichaamsbouw en hij moet ongeveer jouw leeftijd hebben gehad toen hij overleed.

Jezus, dacht Joe. En ik durf te wedden dat hij het hele familiekapitaal heeft vergokt en het aanlegde met minderjarige barmeisjes en zich dood heeft gedronken. Het lijkt de stem van het noodlot wel en dit is geen manier om de zaak op de rails te krijgen. Maar het belangrijkste is, mochten ze oom George graag of niet?

Belle keek hem nog steeds strak aan.

O help, dacht Joe, de vloek van oom George rust op mij. Maar zou die dwangmatig geile bok toch niet zo heel af en toe zijn beeldschone jonge nichtjes een klein beetje genegenheid hebben getoond? Misschien een vriendelijke glimlach in hun richting als hij door de sombere winterse gangen van hun familielandgoed strompelde, voordat hij de samovar opwarmde en zichzelf opsloot in de bibliotheek om te prevelen boven Paracelsus en in de weer te gaan met zijn wodkaflessen? Wellicht een oomeigen hartelijk en fatsoenlijk klopje, voordat hij de nacht in stormde om de boerenmeisjes in hun hutjes lastig te vallen? *Voordat* hij alle familiejuwelen en alle eigendomsakten van familielandgoederen stal en met de lentetrein uit Sint-Petersburg wegvluchtte, natuurlijk naar Nice om daar in een monumentale aanval van dronkemanshysterie alles als een gek te vergokken?

Belles gelaatsuitdrukking werd vriendelijker.

De arme schat dronk onmatig maar wij waren altijd zeer op hem gesteld, zei ze, alsof ze Joe's gedachten kon raden.

Drie hoeraatjes voor die schavuit dan maar, schreeuwde Joe bijkans uit, ik heb altijd al geweten dat oom George uiteindelijk aan het langste eind zou trekken. *Natuurlijk* dronk hij onmatig, maar dronken of beminden niet alle grote geesten in Rusland in de negentiende eeuw onmatig? *Natuurlijk* deden ze dat, de arme schatten, maar het feit blijft bestaan dat we nog steeds dol op hen zijn.

Joe glimlachte.

Dat is een mooi klavecimbel daar in de hoek. Speel je erop?

O nee, dat doet Alice. Mijn instrument is dat dingetje dat je boven op het klavecimbel ziet liggen. Het is een soort ouderwetse fagot.

Bekend als een piccolo fagottina in F, riep Alice uitbundig uit. Typisch iets voor Belle om een instrument met zo'n naam op de kop te tikken. Belle drijft *altijd* haar zin door, placht moeder te zeggen. Ze doet precies wat ze *wil*.

Little Alice lachte.

Belle en haar *fagot*tina, tjirpte ze. Haar fagot*tina*, het *piccolo* instrument dat ze bespeelt. Ik bedoel maar, vroeger werden de dingen niet zo recht voor z'n raap gezegd. Je liep niet pardoes een salon binnen en gooide er zulke dingen uit, maar Belle deed dat natuurlijk wel altijd. En dan ook nog *in F*, dus over wat ze zei kon geen enkel misverstand bestaan. Het is me toch wat!

Little Alice gooide haar gekrulde hoofd in haar nek.

Houd jij van herderinnetjes? riep ze Joe toe.

Big Belle snoof en bestudeerde haar breiwerk.

En wat moet die arme man daar nu weer van denken, Alice? Mijn zuster, riep ze Joe toe, doelt op die porseleinen beeldjes op de tafel naast je.

Joe inspecteerde de beeldjes. Hij pakte er een op en bewonderde het.

O die? riep Little Alice uit, een lint om haar hoofddoek bindend. Dat was een paaspresentje van een Servische prins.

Een verjaardagsgeschenk, verklaarde Belle. En een prins kon je hem nauwelijks noemen.

Little Alice duwde haar krullen naar achteren. Ze glimlachte schalks naar Joe.

Belle is zo tegenstrijdig, daar kan ze gewoon niets aan doen. Belle heeft *altijd* wel iets aan te merken. Ze moet en zal obstinaat zijn.

Little Alice keek haar zuster met tederheid aan.

Zou je die gin nu wel puur drinken, schat? Je weet wat de dokter heeft gezegd.

De dokter kan naar de hel lopen, verklaarde Big Belle nadrukkelijk, en Little Alice zuchtte, met een dromerige blik in haar ogen.

Ach, misschien was dat porselein ook wel een cadeautje voor mijn verjaardag, maar ik herinner me die Servische prins nog steeds alsof het gisteren was. Zijn oudere broer had het familiefortuin vergokt, de kastelen en de landgoederen en alles, en toen was hij heimelijk naar Nice afgereisd, waar hij in schande leefde in een kleine zolderkamer die hij had gehuurd en hij schreef te hooi en te gras schetsen over verwikkelingen op de Balkan voor de plaatselijke kranten. Dimitri moest op de effectenbeurs in Caïro werken maar hij kon nooit tippen aan zijn oudere broer. Hij had de gewoonte ieder voorjaar Nice te bezoeken om de leveranciers van zijn broer te betalen. Hij had zijn broer graag geld gegeven, maar hij wist dat zijn broer het toch maar zou vergokken. Uiteindelijk stierf de broer op een donkere winternacht op zijn zolderkamer aan de tering en liet een briefje achter waarop *Vergeef me, broer* stond. Dimitri huilde, maar eigenlijk was het voor iedereen een zegen.

De broer stierf om twaalf uur 's middags tijdens een zomerzonne-wende, verklaarde Big Belle resoluut. Hij kwam onder een rijtuig in Nice toen hij open en bloot op straat achter een jonge Franse matroos aan zat. Wat Dimitri aangaat, die was beslist geen aristocraat. Hij sloeg zijn slag door zich het monopolie op koffie te verwerven, de Piraeus, 1849.

Ik zei dat hij op de effectenbeurs werkte, mijmerde Little Alice, wat eigenlijk hetzelfde is. Hoe dan ook, ik zie hem nog voor me alsof het gisteren was. Een gezette heer in een witte jas die glom van het strijken, die met zijn lange vliegenmepper met het witte ivoren handvat zwaai-de als hij aan de kant van de straat waar de beurs stond de club uit-kwam. De marktkramers renden dan achter hem aan en boden hem vroege asperges en mango's aan en noemden hem graaf of baron. Na-tuurlijk was hij dat niet echt. Hij was een gewone Griek die een ver-mogen had verdiend in de katoen.

Annexeer de Krim, bulderde Big Belle. *Die verdomde Turken kunnen de kolere krijgen. Sticht een kolonie die Alaska heet.*

Maar een gulhartig man, mijmerde Little Alice. Hij gaf me altijd por-seleinen herderinnetjes.

Big Belle keek op van haar breiwerk.

Over wie heb je het daar, schat? Over een van je aanbidders?

Ja, over Dimitri. Die rijke effectenmakelaar uit de Balkan in wiens nationaliteit ik me steeds weer vergis. Het is me nooit gelukt de Balkan geordend in mijn hoofd te krijgen. Was hij nu een Serviër of een Alba-nees of een Kroaat, of was hij iets anders raars? Je herinnert je hem nog wel, Belle.

Nou en of. Ik kende hem waarschijnlijk beter dan jij, hoewel ik slechts de zuster van zijn minnares was. Hij kwam altijd bij me om raad te vra-gen voordat hij weer eens toesloeg op de markt.

Nou, wat was hij, Belle? Was hij een Albanees?

Nee. Hij was een Montenegrijnse boer en hij maakte zijn fortuin in de koffie, de Piraeus, 1849. Hij was een soort piraat en de enige katoen die hij ooit heeft gezien moet het ondergoed van zijn kinderen zijn ge-weest. Hijzelf droeg zijde... Dimitri ja. Laat getrouwd. Een goede par-tij. Iedereen had een oogje op hem. Het advies dat hij van mij wilde liep wel eens uit de hand. Na een poosje was ik genoodzaakt te weigeren hem privé te ontvangen.

Big Belle wendde zich tot Joe.

Je moet het mijn zuster maar niet kwalijk nemen. Ze verzint dingen, dat heeft ze altijd gedaan. Ze is geschift.

Dat ben ik niet, riep Little Alice uit, terwijl ze rechtop in haar stoel ging zitten.

Dikke dijtjes, voegde Alice er binnensmonds aan toe.

Wat zeg je daar? vroeg Belle van boven haar breiwerk.

Dimitri heeft me dat beeldje in 1879 gegeven, mijmerde Alice. Dat weet ik nog want dat was het jaar waarin hij me vroeg bij hem te komen wonen in de villa waar de salon in Turkse stijl was uitgevoerd. Alles erin, de spullen van hout en van fluweel en de lampen van roze en blauw Boheems glas, alles was verschoten en dof en stoffig. En de kamers op de begane grond roken allemaal naar kaneel en Arabisch eten.

Je zit weer dingen uit je duim te zuigen, zei Big Belle. Het jaar was 1878, het jaar waarin Pius de Negende stierf. Je probeert data vooruit te schuiven om jezelf jonger te doen lijken dan je bent.

Dikke dijtjes, fluisterde Alice.

Belle keek haar zuster vol genegenheid aan.

Ik moet je zeggen dat de mannen met wie ik omging altijd de voorkeur gaven aan vrouwen die wat vlees op hun botten hadden.

Tra-la, kwetterde Alice. En dan zeker vooral de botten waar vrouwen op zitten?

En wat bedoel je daarmee te zeggen?

Gewoon dat ze, als ze van tevoren niet al een voorliefde hadden gehad voor dikke konten, sowieso nooit zouden zijn langsgekomen om jou te zien. Per slot van rekening stond je niet voor niets bekend als *Big* Belle.

Belle glimlachte voldaan.

Op dat gebied heb ik van geen enkele man ooit maar één enkele klacht gehoord. Ze waren altijd vergenoegd en vaak in vervoering.

Dat wil ik best geloven, zei Alice. Waarom zouden ze dat ook niet zijn? *Dat* soort mannen gaf altijd de voorkeur aan jou.

Als mannen op oesterjacht gaan, antwoordde Belle, heb je dat soort mannen en dan is er nog dat andere soort. En als ik me goed herinner hadden de laatsten het in de cafés altijd over jou. Die mooie *Little* Alice met haar mooie *little* mondje. O, dat herinner ik me nog heel goed.

O, is dat zo? Maar hoe weet jij wat ze in de cafés zeggen, Belle? Ik dacht altijd dat cafés voor onnozelen waren en dat je daar alleen maar kwam om je effectenmakelaar te ontmoeten?

En dat ik dat deed is maar goed ook. Ik weet niet waar we vandaag zouden zijn als ik dat niet had gedaan. God mag weten wat er van ons zou zijn geworden als onze toekomst in jouw handen had gelegen.

Belle, doe me een lol. Deze woonboot was een geschenk aan wie, als ik vragen mag?

En wie betaalt er al veertig jaar de rekeningen voor, als ik vragen mag? Alice schudde haar hoofd.

Geld heeft nooit iets voor me betekend, dat is maar al te waar. In mijn hart ben ik altijd een zigeunerin geweest. Wie maakt zich druk om geld? Wie *maalt* erom?

Belle snoof.

Dat kun jij gemakkelijk zeggen. Het enige dat voor jou ooit echt iets heeft betekent was een dagdroom.

Dimitri, mijmerde Alice. De vrouw die zijn strijkwerk deed was Koptisch, herinner ik me. Ze had het Koptische kruis op haar polsen getatoeëerd en ze sprak Italiaans omdat ze door nonnen was opgevoed.

Jij kunt het weten, zei Belle. Jij vond het altijd heerlijk om in de personeelsvertrekken rond te snuffelen.

Omdat ik hen altijd interessant vond, daarom. Interessanter dan de mensen die in de salons rondparaderen en zich aanstellen. Bedienden hebben fascinerende dingen te vertellen. Daar heb ik handlezen en tarotleggen geleerd.

Zich aanstellen? Waar wil je daarmee zeggen?

Gewoon dat die Kroaat of wat hij ook geweest mag zijn, die Dimitri, een verschrikkelijke zeurpiet was. Ach, Belle, dat was hij echt. Geef dat nu eindelijk eens toe.

Hij was een Montenegrijn en fabelachtig rijk, en als je ook maar een greintje gezond verstand had, dan had jij hem om die villa kunnen vragen en dan zou hij je die hebben gegeven, in plaats van die kleine porseleinen prullaria.

Geld geld geld, nooit iets anders dan geld. Ik houd van mijn herderinnetjes en ik geef geen zier om geld.

Natuurlijk geef je dat niet, waarom zou je? Ik ben er toch altijd geweest om te zorgen dat we ons natje en ons droogje hadden?

Maar hij was zo'n saaie kerel, Belle. Het enige waarover hij praatte waren zijn langdradige onderzoekingen naar de aristocratie van de Balkan. Ik bedoel maar, wie maakt zich nou druk om zo'n bespottelijk concept? Dat en zijn kladderwerkjes, zoals hij ze noemt, die goedkope schilderijen die hij in Europa had gekocht en bij hoog en bij laag toeschreef aan onbekende leerlingen van diverse zeventiende-eeuwse meesters. Ja hoor, Dimitri. Die *Kroaat*.

Dat kun je nu wel zeggen, maar je moet wel weten dat de aandelen die ik hem heb aangeraden je voor die Kerstmis te geven, al tientallen jaren uitstekende dividenduitkeringen hebben opgeleverd. Tot aan de laatste oorlog, dankjewel.

Nou, dan moet je me dankbaar zijn, Belle, als er dividenduitkeringen waren, dan heb ik die beslist verdiend. Weet je dat hij me daadwerkelijk ooit heeft verteld dat Albanië een gunstige plek was om schilderijen te kopen? Aha, dacht ik, nu komt de aap uit de mouw. Een mysterieus verhaal over gestolen meesterwerken en een geheim kasteel hoog in de Albanese Alpen dat alleen bekend is bij verdorven Russische prinsen en gewetenloze Levantijnse kunsthandelaren. Zo stelde ik het me voor, maar toen ik hem vroeg waarom Albanië een gunstige plek was om schilderijen te kopen, antwoordde hij dat ze goedkoop waren. Dat is toch niet te geloven? Natuurlijk waren schilderijen goedkoop in Albanië, waarom zouden ze dat niet zijn? Wat voor schilderijen kon je zestig jaar geleden in Albanië op de kop tikken? Of vandaag de dag, wat dat betreft? Natuurlijk waren ze goedkoop, wat een onzin. Ze waren volkomen waardeloos.

Houd op met dat gewauwel, zei Belle. Er zijn geen Alpen in Albanië. Raak nu niet meteen over je toeren omdat we toevallig een mannelijke gast hebben, je bent geen vijftienjarige flirt meer. Houd op met dat gekronkel en bedaar een beetje. Wil je een glaasje sherry?

Ik denk dat ik iets hartigers neem. De herinnering aan Dimitri maakt me dorstig... *Arghh*. Altijd weer die kleverige melige smaak die in mijn keel bleef hangen voordat de gasten voor het diner arriveerden. En waar ik nooit van af kon komen. Een uur later, tussen de soep en de vis, net als ik weer een beetje normaal kon slikken, kwam Dimitri naar mijn kant van de tafel toe huppelen en bewoog hij zijn wenkbrauwen snel op en neer en fluisterde hij iets over een korte wandeling met z'n tweetjes naar de bosjes achter in de tuin. Tussen de soep en de vis, let wel, en ik moest zelfs de smoes die we onze gasten opdisten verzinnen. Ja hoor, Dimitri... *Arghh*. Wat een Kroaat. Je hebt gelijk dat er niets aristocratisch was aan de manier waarop hij zich tijdens een diner gedroeg.

Belle had haar breiwerk terzijde gelegd en liep stram, met een wijnkaraf in haar hand, door de kamer naar Alices stoel. Haar linkerarm hing in een vreemde hoek langs haar zij, constateerde Joe, en ze leek bijna met haar linkervoet te slepen. Ze goot iets van de inhoud van de karaf in Alices glas.

Is dat alles wat ik krijg, een halfje? Mijn keel is opeens zo droog als hij maar zijn kan.

Dat zijn je zenuwen, schat. Vergeet niet wat de dokter heeft gezegd.

Hij is een rare domme dwaas.

Dat mag dan zo zijn, maar wij weten wat er gebeurt als je te veel sherry drinkt. Denk maar eens aan wat er die laatste avond is gebeurd toen Dimitri er was.

Dat herinner ik me heus nog wel, Alice. We naderden het einde van het diner en het nagerecht zou juist worden geserveerd, toen Dimitri naar mijn kant van de tafel kwam huppelen, zijn wenkbrauwen op en neer bewoog en met zijn gebruikelijke fluistering op de proppen kwam, en ik stond gewoon op en glimlachte en sprak de gasten, voor het merendeel zakenrelaties van hem, op heldere toon toe.

Verontschuldig ons, schatten, maar Dimitri staat er gewoon op dat we naar een plekje achter in de tuin snellen zodat ik zijn geheel eigen toetje, het kleverige melige soort, tra-la, kan proeven. Maar beginnen jullie maar vast want we zijn over een minuutje alweer terug. Dimitri is altijd heel snel in de tuin, of waar dan ook.

Little Alice lachte.

En dat was het laatste wat ik van hem en van zijn kliekje slaapverwekkende effectenmakelaars heb gezien. Dimitri was er sneller klaar mee dan ooit eerder in zijn leven, zelfs achter de bosjes.

Alice, zei Belle met genegenheid. Probeer je een beetje te gedragen. Ik kan me niet voorstellen wat Joe hiervan moet denken.

Belle keerde stram en traag terug naar haar stoel. Was haar gezicht zo verkrampt van de pijn? vroeg Joe zich af.

Alice leegde haar sherryglas in één teug. Ze glimlachte naar Joe van de andere kant van de kamer.

Ik had die avond te veel sherry gedronken, bekende ze, en ik *ben* nogal snel ontvlambaar. En ik ben impulsief en wisselvallig en niet de meest praktische persoon op aarde, precies zoals Belle zegt. Maar we zijn nu eenmaal wie we zijn, nietwaar? Belle heeft een hoofd voor solide feiten en data en zulke dingen, en ik heb dat gewoon niet. Als ik me dingen herinner, denk ik aan kleuren en patronen en indrukken. Zo ben ik nu eenmaal.

Belle was weer aan het breien geslagen. Joe zag de liefhebbende blik die ze op haar zuster wierp.

Vroeger kon je prachtig schilderen, zei Belle.

O nee, niet prachtig, maar ik had er plezier in en dat was het belangrijkste. Het was een manier om mezelf uit te drukken. Vroeger zei ik altijd dat ik op mijn vijftigste een gewaardeerd schilder zou zijn.

Little Alice sloeg haar ogen neer.

Maar het is anders gelopen, voegde ze er op zachte toon aan toe.

Alice heeft het aan haar handen, zei Belle op zachte toon. Jicht. Het is jaren geleden gebeurd. Het was heel onrechtvaardig.

Ach, nou ja, mompelde Alice, je kunt niet alles hebben. En er is altijd wel een reden waarom iets juist zo gaat en niet anders. Dat heb ik mezelf tenminste altijd voorgehouden.

Ze glimlachte. Een stralende glimlach.

Ik ben een dromer, zei ze, daarin heeft Belle ook gelijk. Toen ik klein was, stond ik 's ochtends vroeg op en ging naar buiten om door de velden te rennen en de wind door mijn haar te voelen en vervolgens klom ik ergens in een boom om mensen te bespioneren. Maar ik bespioneerde ze niet echt, ik vond het gewoon fijn om over muren heen te kijken. Ik haat muren, ik heb muren altijd gehaat. Dus klom ik in bomen omdat er dan geen muren waren en dan keek ik in de tuinen van mensen en verzon verhaaltjes over wat ze aan het doen waren. Als ik naar buiten ging om te rennen lag Belle nog in bed, maar als ik terugkwam zat ze op de veranda een boek te lezen. Als kind was Belle voortdurend aan het lezen. Dat *wordt* me een boekenwurm, placht mijn moeder te zeggen. Die *gooit* straks haar kont tegen de krib en blijft binnen en gaat niet spelen zoals andere kinderen. Je zat altijd met je neus in de boeken, zo was het toch, schat? En dat kon ik nooit begrijpen. Ik wilde altijd buiten rennen en dingen ontdekken en leven als een zigeunerin, en ik begreep nooit hoe iemand de hele dag gewoon kon zitten lezen.

Belle haalde haar neus op en snoof voldaan.

Malle meid. Wat denk je dat lezen inhoudt? Ik kon in boeken de hele wereld bestrijken.

Geschiedenisboeken, zei Alice. Je las altijd geschiedenisboeken. En als ik terugkwam van mijn ochtendloop, dan zaten we op de veranda en bracht moeder ons koekjes en melk en dan vertelde ik je van alle dingen die ik had gezien en dan zei jij dat ik het uit mijn duim zoog. En dan vertelde je mij een paar verhalen uit je geschiedenisboeken en dan zei ik dat je *die* uit je duim zoog.

Alice lachte.

Wat zijn we toch een raar stel. Van begin af aan zo verschillend.

Ja, mompelde Belle. Dat zei oom George vroeger ook altijd. Hij zei dat hij nooit kon geloven dat wij een tweeling waren, zo anders waren we.

En op regenachtige middagen, zei Alice, dan sleepte je een bruine kruk uit de voorkamer en zette die naast de keukentafel en dan klom je erbovenop en deed je alsof je een keizerin was die op haar troon zat, weet je nog? Een geweldige keizerin over alle dingen en ik was jouw hofdame en bracht je sieraden.

Vond je het vervelend? vroeg Belle.

O nee, ik vond het heerlijk. Vooral als je om je kroon vroeg en dan bracht ik die binnen op een kussen, precies zoals jij had gelast en dan wachtte ik in de deuropening totdat al je ministers hun plaats hadden ingenomen en jij me beval naderbij te komen en dan liep ik voor hen allemaal langs, heel voorzichtig, omdat ik altijd bang was dat ik zou struikelen en dan stapte ik op het krukje en was eindelijk het grote moment aangebroken en zette ik de kroon op je hoofd. O, dan was ik zo *trots*. En later, als de hofhouding was weggestuurd gingen wij naar de slaapkamer en dan drapeerde jij voor de spiegel sjaals om me heen en dan danste ik. Ik vraag me af waarom ik me altijd voorstelde dat Cleopatra sjaals droeg en danste.

Ik zou het niet weten, zei Belle. Misschien heb je ergens een afbeelding gezien. Maar dansen in sjaals is leuk en je was zo mooi.

O nee, niet mooi.

Jawel, hoor. Je was een mooie kleine droom in ragdunne sluiers en je zweefde gewoon door de lucht.

Nee, nee, mompelde Alice, ik was gewoon mezelf. Maar nergens in de boeken staat dat Cleopatra mooi was, toch? Er staat alleen dat ze charmant was en een lichtheid over zich had, en dat heeft me altijd aangesproken, de lichtheid, het licht. Iedere dwaas kan met een mooi koppie geboren worden. Dat zegt niets.

Abrupt verstilden Belles handen boven haar breiwerk. Ze had haar ogen neergeslagen en Alice had het onmiddellijk in de gaten.

Wat is er, schat? Heb je weer last van je zij?

Nee, dat is het niet. Ik dacht aan het bruine krukje en klom erop om op de keukentafel te komen, om de grote keizerin van alle dingen te zijn, bijna negentig jaar geleden. Wat dwaas lijkt dat nu. De keizerin van wat, vraag ik je? Van onze kleine veranda?

Belles gezicht stond bedroefd. Ze staarde naar de vloer.

Nou, maar je *was* het wel, zei Alice op gedempte toon. Je was het echt, hoor.

Wat was ik, schat?

De keizerin van onze veranda. Voor mij was je het.

Tja, mompelde Belle. Tja, dat is dan tenminste iets, denk ik.

Dat is het zeker, zei Alice, het *is* zeker iets. Ik ben van mijn leven nog nooit zo trots geweest als wanneer het tijd was om met je kroon de troonzaal te betreden en alle ministers diep bogen, en ik met dat kussen hoog geheven liep en doodsbang was dat ik zou struikelen, en jij me toelachte, Belle, daar ten overstaan van iedereen. En het gaf me vanbinnen een heerlijk gevoel en plotseling wist ik dat ik niet zou struikelen en alles goed zou komen.

Het was het trotste ogenblik in mijn leven, fluisterde Little Alice, en dat zal het altijd blijven. *Altijd.*

❦

Toen drie of vier klokken in de salon het volle uur sloegen, excuseerde Belle zich omdat ze wat medicijnen moest innemen. Zodra ze de kamer had verlaten kwam Alice dichterbij en ging naast Joe zitten. Ze legde haar hand op zijn arm.

Wil je je hoofd buigen, alsjeblieft? Ik wil iets in je oor fluisteren.

Joe deed het.

Het gaat om mijn zuster. Ik weet dat ze soms wat humeurig overkomt maar ze bedoelt het niet zo, het komt gewoon omdat ze zo vreselijk veel pijn heeft. Eerst brak ze de ene heup en toen brak ze de andere, en toen waren er al die operaties waarbij er plaatjes en draden en ik weet niet wat al werden ingezet, en de doktoren zeiden dat ze nooit meer zou lopen omdat er op onze leeftijd niets meer geacht wordt te genezen. Maar ze kenden Belle niet, nietwaar? Als Belle vastbesloten is iets te doen, dan bijt ze op haar tanden en gaat door totdat het haar is gelukt. Het maakt niet uit of mensen zeggen dat het onmogelijk is, ze doet het gewoon. Belle *verdomt* het om naar anderen te luisteren, placht moeder te zeggen. Ze *krijgt* gewoon die uitdrukking op haar gezicht en doet precies wat ze wil.

Little Alice glimlachte liefdevol.

Zelfs oom George, de arme schat, placht hetzelfde te zeggen. Afijn, toen ze al die operaties achter de rug had besloot Belle dat ze weer zou lopen. En ze bleef proberen en nog eens proberen met haar lippen op elkaar geklemd en een krampachtige uitdrukking op haar gezicht en uiteindelijk flikte ze het. De doktoren zeiden dat het een wonder was maar ik wist dat Belle gewoon zichzelf was. Belle doet graag alsof ze niet in wonderen gelooft, zie je. Ze denkt graag dat ze te rationeel is voor dergelijke dingen.

Little Alice lachte vrolijk maar werd toen weer ernstig.

Dus leerde ze weer lopen, en korte tijd later kreeg ze een beroerte. Dat zag je aan haar linkerkant, daar is ze gedeeltelijk verlamd. Gewoonlijk haal ik haar medicijnen voor haar, maar vannacht wilde ze dat niet omdat jij er bent, dat had ik in de gaten. En daarom liet ik haar jou je whisky brengen en mij mijn sherry inschenken, omdat ik kon zien dat ze dat heel graag wilde doen. Belle is daar heel trots in. Ze wilde de schijn ophouden.

Het is maar dat je het weet, voegde Little Alice eraan toe. Zodat je niet slecht over haar denkt.

Dat zou ik nooit kunnen doen, zei Joe.

En ze was altijd zo getalenteerd, vervolgde Little Alice. Iedereen bewonderde haar daarom. Ze schreef vroeger prachtige verhalen in het Frans en in het Russisch, talen die ze zich goeddeels op eigen houtje, uit boeken, had eigen gemaakt, omdat ze zo goed is in talen. En zedenkomedies die geestig en vernuftig waren en je aan het lachen maakten en lang nadat ze voorbij waren nog lieten lachen. Belle zou schrijfster worden, weet je, en ik zou schilderes worden. Heimelijk koesterden we die dromen altijd, tussen ons gezegd en gezwegen.

Little Alice keek omlaag naar haar handen.

Die specifieke dromen zijn voor geen van ons beiden uitgekomen. Maar er waren andere dingen die het goedmaakten, en Belle is nooit opgehouden met schrijven. Het werk dat het meest voor haar is gaan betekenen is een levensgeschiedenis van Alexander de Grote, voor kinderen, waar ze al vele jaren aan werkt. Ze heeft drie of vier delen voltooid maar ze is nog niet aan het einde, en het wordt eenvoudig en direct verteld zodat een kind het kan begrijpen en de grote prestaties naar waarde kan schatten. Niet zozeer de militaire overwinningen maar de reizen naar vreemde landen en die vreemde volkeren die Alexander heeft ontmoet, zodat kinderen begrijpen wat het betekent om hard je best te doen en je eigen leven te leiden. Misschien maakt ze het ooit nog eens af, ik weet het niet.

Verlegen keek Alice op.

Of misschien ook niet? Misschien kan ze zichzelf er niet toe zetten en gaat het verhaal van Alexander de Grote altijd maar door en door, als de Nijl?

Little Alice glimlachte.

Het is waar dat mensen worden beïnvloed door de plek waar ze wonen en wij hebben hier zo lang gewoond dat het bijna een droom lijkt. O ja, we zijn stokoud en dat weten we. Soms denk ik dat we net zo oud zijn als de piramides, zoveel hebben wij hier beleefd.

Ze lachte.

Maar ik zit weer te kwebbelen, hè? Belle heeft gelijk, ik kan het gewoon niet laten. Maar weet je, ik wilde nooit oud worden en zelfs nu *voel* ik me niet oud, ook al zie ik eruit alsof ik zo'n beetje honderd en tien ben. Ik weet dat het vreemd klinkt, maar vanbinnen voel ik me nog net zo oud als toen ik vroeg in de ochtend een eind ging rennen en terugkwam en Belle lezend aantrof op de veranda en moeder melk en koekjes serveerde. Vanbinnen ben ik nog steeds dezelfde.

Little Alice fronste haar voorhoofd.

En ik kon mezelf *nooit* zo zien leven als die oude dametjes die je vroeger overal zag, die nooit in het openbaar verschenen voor de zon onder was. Je zag ze vlak na zonsondergang als oude kraaien bijeenkomen op de hoeken van kleine verlaten straten, met hun oude hoedjes schuddend, kletsend in het Frans met Griekse of Armeense accenten, of met Syrische of Maltese accenten, en vervolgens kuierden ze in groepjes langs de met bloemen versierde balustrades naar hun dagelijkse kaartspelletje in de een of andere vochtige donkere kamer waarvan je weet dat hij vol zou staan met zwaar meubilair in Moorse stijl. Met arabesken en parelmoer dat glinsterde in het halfduister, het fragiele filigraan helemaal door stof verziekt.

Ik haat donkere kamers, fluisterde Little Alice. En ik wil er niet uitzien als een oude kraai met een belachelijk ouderwetse hoed, en ik haat die langdradige kaartspelletjes die oude vrouwen spelen en dat zware sombere meubilair dat ze altijd om zich heen hebben. Ik houd van lichte en luchtige dingen en ik wilde nooit oud zijn, en op de een of andere manier heb ik mezelf nooit zo kunnen zien. Ik weet dat ik zo oud ben als de heuvels maar zo *voel* ik me niet. Ik voel me nog altijd dezelfde.

Plotseling glimlachte Little Alice.

Maar nu zit ik toch alweer te kakelen. Zeg eens, houd jij van Egypte? Het is zozeer veranderd sinds we hier voor het eerst kwamen. Oorspronkelijk waren Belle en ik aan het toneel en dat is de reden dat we nooit zijn getrouwd. In die tijd maakten actrices nooit deel uit van een gezin. Tegenwoordig is dat anders, maar zo was het vroeger.

Jullie moeten heel jong zijn geweest toen jullie naar Egypte kwamen, zei Joe.

O ja, dat waren we. Met witte camelia's in ons glanzende donkere haar. En het was onvergetelijk, die eerste schitterende winter dat we hier waren, bijna driekwart eeuw geleden.

Was het zo lang geleden?

Ja, toen was het. We kwamen voor de opening van *Aïda*, voor de wereldpremière van *Aïda*. Maar we kwamen niet als welgestelde toeristen of als de gasten van iemand die zeer vermogend was. We waren toen arm en we kenden geen mens in Egypte en we speelden slavinnetjes in

Aïda, gewoon twee slavinnetjes achteraan op het podium. *Aïda* ging in première in het kedive operagebouw ter ere van de opening van het Suez-kanaal, en toen waren er genodigden van over de gehele wereld in Caïro en geen van hen hoefde ook maar ergens iets voor te betalen. Alles was gratis, geschonken door de Geweldige, de kedive Ismaël. De winkels en hotels uit heel Egypte zonden hun rekeningen gewoon naar de minister van Financiën, die hen zonder morren uitbetaalde. Dat was de tijd dat de weg naar de piramiden werd aangelegd zodat keizerin Eugénie die in haar rijtuig kon bezoeken.

Little Alice knikte.

En hoewel we bij die opvoering slechts slavinnen waren, begonnen we toch enige aandacht te trekken, ik veronderstel omdat we een tweeling zijn. En het duurde niet lang of we werden uitgenodigd op diners en zeiltochtjes bij zonsondergang op de Nijl en later kwamen ook de prachtige huizen, de villa's die net musea waren vol porselein en tapijten, de zeldzaamste ter wereld. En Belle had haar woonplaatsen en ik had de mijne, en die waren riant, neem dat van me aan. We gingen in onze ruituigen bij elkaar op bezoek of spraken ergens af aan de rivier en 's avonds zaten we in onze afzonderlijke loges in de opera, op de eerste rij, onze borsten behangen met juwelen, en alle brillen in de zaal wendden zich van de een van ons naar de ander om te zien wat we aan hadden en te zien met welke heren we spraken en met hoeveel enthousiasme.

Little Alice glimlachte verlegen.

De mensen praatten toentertijd over ons, maar ik geloof niet dat ze dat nu nog doen. Ik geloof dat de mensen niet eens meer weten dat we nog leven.

Ja hoor, dat weten ze wel degelijk, zei Joe. En er doen allerlei mysterieuze verhalen de ronde over de mysterieuze zusters die wonen op een dolende woonboot in de Nijl.

Little Alice klapte van verrukking in haar handen.

Echt waar? Nog steeds? Ook al zijn we zo'n beetje honderd en tien?

Little Alice werd weemoedig.

Wat voor verhalen? Waar zeggen ze dat we vandaan kwamen?

Ach, dat is nu net het meest mysterieuze van alles. Niemand pretendeert te weten waar jullie vandaan kwamen, maar volgens een van die verhalen waren jullie Russische prinsessen die waren gevlucht voor een familieschandaal. Een oom had alles vergokt in Nice, of iets dergelijks, daarom hadden vrienden jullie tweeën op een koude winter op het Finland Station in Sint-Petersburg in een verzegelde trein gezet en jullie zijn met het mooiste van het oude Rusland in jullie koffers het land uitgereden om nooit meer terug te keren.

Het klinkt als een negentiende-eeuwse roman, fluisterde Alice gelukzalig.

Dat klinkt het inderdaad, hè? En dan is er nog dat totaal andere maar niet minder intrigerende verhaal dat inhield dat jullie twee Hongaarse actrices waren die op jeugdige leeftijd naar Parijs gingen en daar een doorslaand succes werden. En een ander verhaal begint in Venetië, en weer een ander in Wenen en zo gaat het maar door. Er komt eigenlijk geen einde aan, en het ene verhaal is nog buitenissiger dan het andere.

Little Alice keek naar haar handen.

Stel je toch eens voor, mompelde ze. Is dat niet heerlijk... Oom George zou het enig hebben gevonden, voegde ze er geëmotioneerd aan toe.

En wie was oom George? vroeg Joe, als je het niet erg vindt dat ik het vraag.

Nee, dat vind ik niet erg. We hebben veel van hem gehouden en tegenwoordig praten we allebei graag over hem. Vroeger lag dat niet zo eenvoudig... Hij was de broer van onze moeder en hij was het enige familielid dat we hadden. Hij runde een café in het dorp waar wij opgroeiden. Als café was het niet veel soeps maar zo noemden we het. Toen Belle en ik kinderen waren maakten we voor hem schoon. We boenden de vloeren en droegen het brandhout naar binnen en deden de was. We vonden het altijd reuze opwindend om op zo'n volwassen plek te zijn.

Waren jullie toen Engels, oorspronkelijk?

Ja, uit een klein dorpje in de buurt van York. Onze vader werkte in een fabriek en toen wij nog baby's waren kwam hij om bij een ongeluk, dus nam moeder ons mee terug naar haar dorp. Het enige wat wij ooit over onze vader hebben geweten was dat hij arbeider was en veel dronk omdat hij niet gelukkig was. Moeder praatte nooit over hem. Wat wij weten heeft oom George ons verteld. Klaarblijkelijk had onze vader de gewoonte onze moeder te slaan als hij dronken was, daar hebben we moeder en oom George ooit eens over horen praten. En toen hij eenmaal dood was maakte moeder beddenspreien en dat soort dingen om te verkopen, maar eigenlijk was oom George degene die ervoor heeft gezorgd dat wij het hoofd boven water konden houden. Hij was vrijgezel en hij hielp ons aan voedsel en kleren en de cadeautjes die de kerstman ons met de kerst gaf, en de cadeautjes die we op onze verjaardag kregen waren altijd afkomstig van oom George.

Het huisje waarin we woonden was van oom George toen we terugkeerden naar haar dorp. Het was klein en dus verhuisde hij naar de er-achter gelegen schuur en liet ons het huisje gebruiken. Hij maakte prach-tige dingen met zijn handen, voornamelijk voor ons, maar hij moet ook ongelukkig zijn geweest want hij dronk ook heel veel. Hij was een vrien-delijke man en heel zachtaardig en hij was altijd heel goed voor ons. Als oom George er niet was geweest zouden we toen we klein waren nooit Kerstmis hebben gevierd.

Little Alice keek naar haar handen.

Hij verdronk zichzelf in de molenkolk op oudejaarsnacht. Daar is hij in het donker alleen naartoe gegaan en toen heeft hij de verdrinkings-dood gekozen. Op nieuwjaarsdag hebben ze hem gevonden. Hij zou dat jaar veertig zijn geworden. En daarna zei moeder dat ze het dorp voor altijd wilde verlaten, ze zei dat ze daar gewoon niet langer kon leven. Tja, ze had haar eigen dromen, onze moeder, en ze was niet gewoon zo-als andere mensen en er was een klein beetje geld van het huisje en een klein beetje geld van oom Georges aandeel in het café en dat gebruikte ze om met ons naar Italië te gaan, wat in die dagen iets ongehoords was voor mensen als wij, eenvoudige mensen die arm en ongeschoold wa-ren en die niemand kenden. Maar zij was een dappere vrouw en zij wil-de dat haar dochters iets van hun leven zouden maken, dus nam ze ons mee naar Italië omdat ze dol was op de zon, en een Italiaanse man die ze daar had ontmoet gaf ons zangles, Belle en mij, en daar is het voor ons allemaal begonnen. Alles.

Little Alice hield haar hoofd schuin.

Het is vreemd, vind je niet, die buitenissige verhalen die mensen op-dissen over Russische prinsessen en Hongaarse actrices, en Venetië en Parijs en Wenen en al die andere dingen. Natuurlijk zou ik niet geheel eerlijk zijn als ik je niet zou bekennen dat we dat soort dingen wel aan-moedigden toen we hier voor het eerst kwamen.

Little Alice keek Joe aan.

Twee kleine meisjes, fluisterde ze. Twee kleine meisjes die heel lang geleden de vloer boenden in een café in een dorp in York. En dan later de zanglessen, en uiteindelijk hun optreden als slavinnen in de wereld-première van *Aïda*, slechts piepkleine facetten van twee jonge meisjes. En zo was het allemaal begonnen en zo gaat het.

Plotseling was haar glimlach verdwenen en staarde ze Joe op vragen-de wijze met een kinderlijk gezichtje aan.

Dus eigenlijk is het geen wonder dat we nooit zijn vertrokken, niet-waar? Dat we in Caïro, in het verre Egypte zijn gebleven?

Helemaal geen wonder, zei Joe. Per slot van rekening krijgt niet iedereen de kans om Cleopatra aan de Nijl te zijn.

Little Alice keek naar haar verkrampte knoestige handen.

O ja, fluisterde ze, *o ja*. En dat heb ik mezelf altijd voorgehouden toen ik in mijn loge in de opera zat en iedereen naar me keek en me benijdde om mijn diamanten en ik niets dan woede en verdriet voelde omdat ik nooit zou kunnen trouwen. En later, als ik weer thuis was in willekeurig welke villa het was, en de man was vertrokken om terug te keren naar zijn gezin en de bedienden naar bed waren en het heel laat was en ik weer alleen was en huilde en weende in bed omdat ik wist dat ik nooit zou kunnen trouwen, was dat wat ik mezelf voorhield. Tienduizend keer moet ik dat tegen mezelf hebben gezegd terwijl ik me in slaap huilde. We kunnen in het leven niet alles hebben, dus bedenk hoezeer je in je handen mag knijpen. Denk aan de goede dingen die je hebt en denk terug. *Denk terug...* Of, zoals oom George placht te zeggen, je kunt niet alles uit het leven pakken wat je hebben wilt. Daar moet je alleen maar voor betalen...

Joe stak zijn hand uit en plukte een traan van haar wang.

Zo, mompelde hij, zo. En dus denken we terug en dus betalen we. En wat een prachtige nacht is het hier met jullie samen in deze wonderbaarlijke kamer, met de sterren zo helder en betoverend boven de rivier.

Big Belle stond bij de deur en schraapte haar keel, een luidruchtig grommend geluid. Langzaam en met een brede glimlach kwam ze de kamer in strompelen.

Kijk eens aan, wat krijgen we nu? Zitten jullie nu al elkaars hand vast te houden? Ik ben nog geen minuut de kamer uit en mijn zuster zit alweer te sjansen met het herenbezoek?

Helemaal mijn schuld, zei Joe. We raakten aan de praat over vroeger en ik ben hopeloos sentimenteel, dat kan ik niet ontkennen.

Je bent een Ier, bulderde Belle.

Tja, dat is waar.

Nou, dat hoef je niet nog eens te zeggen, we hoorden dat al bij het eerste woord dat je zei. Maar laat ik je glas eerst nog eens volschenken. Het wordt al laat en we hebben nog het een en ander te bespreken.

Alice liep weg van de stoel. Belle keerde terug met een nieuw glas whisky.

Is dat voldoende?

Zeker. Nogal scheutig, net als de vorige, maar ja.

Maar ja, het leven *behoort* scheutig te zijn, bulderde Belle. Wat heeft het anders voor zin? Nu heb jij hier geduldig gezeten en twee oude zusters laten doen wat ze gewend zijn te doen en je hebt nauwelijks een woord gezegd, wat betekent dat je ergens op uit bent. Volgens mij zijn er een paar vragen die je ons wilt stellen. Klopt dat?

Ja, dat is feitelijk juist.

Feitelijk? bulderde Belle. Feitelijk, zeg je? Ach, sinds Alice en ik samen bijna tweehonderd jaar hebben geleefd, en er in Caïro wordt geroddeld zoals er geroddeld wordt, en mannen overal zijn wie ze zijn, hebben Alice en ik in ons leven de nodige feiten de revue zien passeren. Maar vertel me eerst iets anders. Werk jij voor die Bletchley?

In zekere zin, ja. Maar in zekere zin ook niet.

Waar hebben jouw vragen dan betrekking op?

Joe keek van de ene zuster naar de andere. Recht voor zijn raap ermee, dacht hij. Ze drinken hun gin hier puur en ze serveren hun whisky puur en ze noemen een Dimitri een Dimitri, aan de eettafel of waar dan ook, dus dit is niet het aangewezen moment voor subtiliteiten.

Joe keek van de ene zuster naar de andere.

Op Stern, zei hij. Mijn vragen betreffen Stern.

Belles breinaalden hielden op met klikken. De twee zusters waren terstond op hun hoede en de kamer hulde zich in stilte.

Stern is een heel dierbare vriend, zei Alice na een ogenblik op bedaarde toon.

Daar ben ik me van bewust, antwoordde Joe. Daarom ben ik hier.

Ken jij hem goed? vroeg Belle.

Vroeger wel. Ik heb hem in geen jaren gezien.

Waar heb je hem gekend?

Dat was in Jeruzalem.

In welk verband?

Ik heb een tijdje voor hem gewerkt. Later zijn we bevriend geraakt.

Werkte je voor hem? Wat deed je dan?

Ik smokkelde wapens Palestina in. Voor de Haganah.

Big Belle bewoog. Er leek haar een licht op te gaan.

Weet jij iets over scarabeeën?

Over eentje maar, antwoordde Joe. Een reusachtige scarabee met een raadselachtige glimlach op zijn facie. Een geweldige, enorme en holle reus van een stenen scarabee. Daar smokkelde ik wapens in. Stern had me opgedragen me uit te geven voor handelaar in antiquiteiten.

Wanneer was dat precies?

Na de vorige oorlog.

Belle keek Joe doordringend aan.

Wat betekent het Tehuis voor Helden uit de Krimoorlog voor jou?

Dat is een liefdadigheidsinstelling in Jeruzalem, zei Joe, waar ik heb gewoond toen ik net in de stad was aangekomen. Ik was in vermomming op de vlucht voor de Engelsen en daar heb ik gewoond tot ik Stern ontmoette. Ze gaven me een gebruikte kaki deken die ik nog steeds heb. Dat was de standaardbeloning van verdienste.

Little Alice raakte zo opgewonden dat ze nauwelijks stil kon zitten. Op het gezicht van Belle spreidde zich een glimlach uit.

Speel jij wel eens kaart? vroeg Belle.

Tegenwoordig niet meer maar vroeger wel. Poker. Twaalf jaar lang, in Jeruzalem.

Big Belles gezicht straalde plotseling. Ze slaakte een kreet terwijl uit het hoekje waar Little Alice zat tjirpende geluiden opstegen.

Die Joe, bulderde Belle, de Ier die op een dak in de Oude Stad woonde. *Bevrijd de slaven. Annexeer de Krim en de Turken kunnen de kolere krijgen.* Waarom heb je niet meteen gezegd dat je *die* Joe bent en niet zomaar een roeimaatje van de jonge Achmed. Stern heeft ons vroeger een heleboel verteld over *die* Joe.

Uitgelaten greep Belle de fles met gin die bij haar elleboog stond, hief hem omgekeerd op en nam een slok direct uit de fles. De mond van Little Alice viel open.

Belle. Wat krijgen we *nu?*

Big Belle smakte met haar lippen. Ze zuchtte luidruchtig en likte met een enorme grijns haar lippen af.

Ik weet het, schat. Neem me niet kwalijk.

Maar Belle, *nee maar.* Dat heb ik je vijfenzestig jaar niet zien doen.

Belle lachte.

Zevenenzestig jaar, schat.

Niet sinds die keer dat je voor het eerst een nacht zou doorbrengen met Menelik, zei Alice. Niet sinds die middag dat we ergens samen waren en Menelik een briefje stuurde waarin hij je smeekte een avond bij kaarslicht bij hem in zijn sarcofaag door te brengen om zijn pensionering als veldarcheoloog te vieren.

Schat, ik weet nog wat een schitterende uitnodiging dat was voor een jonge vrouw van even in de twintig. Hiëroglyfen gegraveerd op een zware brok steen maar liefst, in Meneliks hoogstpersoonlijke handschrift, met daaronder gegraveerd de bijbehorende vertaling in laat-Egyptisch en Oudgrieks. Meneliks eigen Steen van Rosette van de liefde. Denk je eens in al die tijd en al dat denkwerk dat hij heeft moeten verzetten om van dat zware blok basalt een uitnodiging te maken. Geen jonge vrouw met enig gezond verstand had ooit anders kunnen reageren dan met een welluidend *Ja zei ik Ja graag ik zal er zijn Ja.*

Ik herinner het me, mijmerde Alice dromerig.

En of je je dat herinnert, zei Belle en ik ook. Het gebeurt niet vaak dat een vrijer zich tot een vrouw wendt met woorden die daadwerkelijk in steen gegrift staan.

> *Aan de vrouw van mijn dromen,*
> *de onvergelijkelijke Belle.*

> *Liefste,*

> *Vandaag trek ik me terug uit een leven van actieve archeologie en ga voorgoed en voor eeuwig ondergronds. Zou je me alsjeblieft willen helpen mijn toekomstige leven in de crypte aan de Nijl die mijn nieuwe thuis zal zijn in te wijden? Tot haar vele ver-*
> *rukkingen behoort een uiterst ruime, met kurk gevoerde sarco-*
> *faag, die zowel mijn bed als mijn slaapkamer zal zijn, en die je eenvoudigweg adembenemend zult vinden. Groot, mijn lief, maar tevens tijdloos, en mag ik eraan toevoegen dat ze zo te-*
> *genwoordig niet meer worden gemaakt?*

> *Tot een uur na zonsondergang dan, mijn allerschoonste Belle, voor een samenzijn dat we allebei zullen koesteren als de nacht van ons leven.*

> *Simpel. Duidelijk. En tot het moment dat ik jouw zoete klop op de deur van mijn anonieme crypte hoor, verblijf ik,*

> *De meest vurige en toegewijde aller bewonderaars, boven en on-*
> *der de zanden van Egypte, zowel in het verleden als in het he-*
> *den,*
> *Met de grootste liefde,*
> *(w.g.) Menelik Ziwar.*

> *P.S. Bespaar je de moeite je passend te kleden. Na een leven ge-*
> *wijd aan de egyptologie, staat de gehele geschiedenis tot mijn be-*

schikking en kunnen we overal heen dwalen waar we maar wil-
len, en de kostuums en manieren en methoden aannemen die
onze doelen, onze stemmingen, onze smaken en bovenal onze
grootse plannen voor het liefdesspel in alle eeuwigheid dienen.

Belle zuchtte. Ze smakte met haar lippen.

Nee, zei ze, zulke invitaties zie je tegenwoordig niet meer, net zo min als je nog mannen als Menelik tegenkomt. Menelik was anders, en zijn ongebruikelijke uitnodiging was nog maar het begin van de ongebruikelijke verrukkingen die we die avond samen zouden smaken. Je zou denken dat een sarcofaag een tikkeltje benauwd was voor de reis door de geschiedenis die Menelik voor ogen stond, maar dat was voor ik beter wist. Voordat Meneliks handen in beweging kwamen en de champagne vloeide en hij druiven begon te pellen en hier en daar in te dopen.

Belle. Ik weet gewoon niet wat ik zeggen moet. Ik bedoel, *hemeltjelief.* Wat moet Joe hier wel van denken?

Ik weet het, schat, maar Menelik was een doorgewinterde slangenmens en het heeft geen zin dat te ontkennen. Ik heb zoiets nog nooit meegemaakt, hij was gewoon overal tegelijk. Dat moet zijn gekomen van al die jaren opgraven van oude graven, waarbij hij zich in kleine ruimtes in allerlei bochten moest wringen. Om nog maar te zwijgen van het feit dat hij dat doorgaans in het donker deed, waarbij hij erop moest vertrouwen dat zijn vingertoppen als zijn ogen functioneerden. O, die vingertoppen van Menelik. Zelfs nu moet ik nog huiveren als ik eraan denk.

Belle? Weet je zeker dat het goed met je gaat?

Heel zeker, schat, ik maak het uitstekend, ik heb me in zevenenzestig jaar niet zo goed gevoeld. Het komt ook van dat eerste heerlijke gevoel dat je krijgt als je gin direct uit de fles drinkt, daar kan niets aan tippen. Ik heb nooit kunnen wennen aan dat nippen uit een glas om als een echte dame over te komen. Menelik placht te zeggen dat er maar één manier is om een fles gin aan te pakken. Dezelfde manier waarop je mij aanpakt, placht hij te zeggen. Je pakt de knaap gewoon stevig beet, houd hem ondersteboven en slikt alsof je leven ervan afhangt.

Belle.

Big Belle smakte met haar lippen. Ze lachte.

Hij was een echte man, die Menelik. Wie had zich ooit zo'n opwindende nacht in een sarcofaag kunnen voorstellen? En dan ook nog eens in een sarcofaag die oorspronkelijk had toebehoord aan de moeder van Cheops? O ja, je had geen moment rust als je bij Menelik was en hij zich bezighield met vijfduizend jaar Egyptische geschiedenis. Net als je dacht dat al dat komen en gaan door de eeuwen heen hem wel enigszins zou hebben vermoeid, draaide hij zich weer in de een of andere nieuwe bocht en opeens fluisterde hij dan weer in je oor. Weet je wat ze vroeger deden, fluisterde hij, tijdens de Twaalfde Dynastie? Nee? Nou dat was verdomd slim bekeken. Je hoeft dit been alleen maar daar te doen, en je linkerhand hier... o ja. *O ja. Oooooo...*

Belle. Alsjeblieft.

Big Belle zuchtte. Ze likte haar lippen af en straalde.

En dan was er ook nog die specialiteit die volgens Menelik tijdens een zelfs nog vroegere dynastie was uitgevonden, maar die niets meer was dan een heel uitvoerig pijpnummertje waar een paar sacrale accessoires aan waren toegevoegd... *O, Menelik.* Alleen het denken aan hem is al uitputtend. Misschien moet ik er nog eentje nemen, ik voel me opeens heel dorstig. Die herinneringen.

Abrupt hief Belle de fles gin nogmaals op en dronk. Ze zuchtte en zette de fles terug op de tafel.

Maar waarom heb je ons niet verteld dat je *die* Joe was? Die Joe, stel je toch eens voor... Afijn, het is al goed, het geeft niet. Ter zake.

De breinaalden van Belle begonnen in de stilte te tikken. Alice wierp een blik op haar zuster, trok haar sjaal recht en maakte nog een laatste serie fladderende beweginkjes voor ze een alerte houding aannam. Belle schraapte haar keel.

Ben je klaar, Alice?

Klaar, Belle.

Belle keek Joe aan.

Verkeert Stern in moeilijkheden?

Ja.

Denk je dat het ernstig is?

Ja.

Hoe ernstig?

Joe keek eerst haar en toen Alice aan.

Ik vrees dat dit het einde betekent.

Belles vingers hielden op met bewegen. Ze staarde door de openslaande deuren naar de rivier, haar kaken strak op elkaar geklemd.

Ik weiger dat te geloven, zei ze. Kom op met je vragen, alsjeblieft.

Hier bevind ik me op glad ijs, zei Joe. Ik heb wat stukken en brokken maar ik heb geen totaalbeeld van waar ik naar zoek. Je zou kunnen zeggen dat het net zo is als het vroeger voor Menelik was toen hij het verleden opgroef en alles wat hij vond fragmentarisch en kapot en door de tijd onder het stof was geraakt en hij moest proberen het zo bijeen te voegen dat er iets begrijpelijks ontstond. Om te zien wie de mensen van die bepaalde dynastie waren en wat zij in hun schild voerden. Misschien lijkt het daar wel wat op. Ik geloof dat we zo nu en dan allemaal wel eens als een egyptoloog moeten handelen en er schijnen zelfs hiëroglyfen een rol in te spelen. Een code, om zo te zeggen. Een die ik niet kan ontcijferen omdat er voor deze geen Steen van Rosette is.

Deze? vroeg Belle. Wat is dat, *deze?* Wat is de code? Wat gaat erachter schuil?

Sterns leven, zou je moeten zeggen, lijkt me, ik denk dat het dat is. En omdat jullie Stern zo goed kennen, zullen jullie wel kunnen begrijpen dat het niet eenvoudig een kwestie is van het door je vingers laten glijden van zand en daar een vorm in ontdekken, een samenhang die zich in woorden laat vertalen. Het eindresultaat moet eenvoudig genoeg zijn want Stern is maar een mens. Maar dat gaat pas op als je eenmaal weet hoe je de hiëroglyfen moet lezen.

Een Grieks woord dat *heilige schrift* betekent, mompelde Belle.

Joe knikte.

Ja, Grieks. Zoals een heleboel dingen in dit deel van de wereld.

Maar de geschriften waarnaar het woord verwijst zijn veel ouder, mijmerde Belle.

Veel ouder, zei Joe. Dus is mijn taak een beetje hetzelfde als die van Menelik vroeger. Natuurlijk zou het het beste zijn om met mensen te spreken die hier niet zijn, maar dat gaat nu eenmaal niet. En ook is het zo dat waar Menelik zich mee bezighield vier- of vijfduizend jaar geleden gebeurde, terwijl dat waar ik naar zoek gisteren of een maand of een jaar geleden gebeurde, maar in wezen is het hetzelfde. De geschiedenis van de oudheid begint gisteren, nietwaar?

Of zelfs met je middagdutje, mompelde Alice. Soms lijkt alles wat daarvoor gebeurde een droom, fragmenten van een en ander. En Menelik, God hebbe zijn ziel, zou de eerste zijn om dat te beamen.

Dat is waar, zei Joe. Het bewijs is nooit sluitend, nog niet eens voor de helft. Dus zal ik, evenals Menelik, het stof van de fragmenten moeten blazen en met de brokken en stukken moeten schuiven en zien of ik er een beeld van kan vormen.

Belle is geduldig, zei Alice. Ze is altijd goed geweest in legpuzzels. Ik heb totaal geen geduld maar soms kan ik een patroon onderscheiden. Die komen me gewoon aangewaaid.

Nou? zei Belle.

Joe knikte.

Ja, zo is er bijvoorbeeld dit. Rommel weet dingen die hij niet behoort te weten en dat heeft iets te maken met codes. Britse codes. Het is net alsof Rommel ze kan ontcijferen. De belangrijkste zou de Zwarte Code kunnen heten, en op de een of andere manier is er een kolonel Fellers bij betrokken, hij is de Amerikaanse militaire attaché hier in Caïro. Want Stern heeft onlangs, vroeg in de ochtend, tegen iemand gezegd dat Rommel op dat moment, tijdens het ontbijt, veel plezier had van zijn *kleine fellers*.

Arabische jongetjes? vroeg Alice.

Dat is al te eenvoudig, verklaarde Belle.

O.

De kleine dingetjes aan het ontbijt, zei Belle, moeten slaan op de Amerikaanse kolonel.

O, natuurlijk.

Belle sloot haar ogen om zich beter te concentreren. Een paar ogenblikken later opende ze ze.

Niets. Alice?

Alice staarde dromerig naar de deur aan de andere kant van de kamer. Ze volgden haar blik. Belle snoof nadenkend, zachtjes.

Is het de deur, Alice?

Nee, de deurvanger.

Belle en Joe bestudeerden de deurvanger. Hij was gemaakt van hout en met de hand beschilderd, een klein tableau dat twee vrolijke jonge glimlachende meisjes uit de negentiende eeuw toonde, met lange krullen en bloemrijke hoedjes en volumineuze jurken en parasols. De kleren en de lucht waren in zachte pasteltinten uitgevoerd die nu, na driekwart eeuw Egyptisch zonlicht, waren vervaagd. De geschilderde aarde onder aan het houten blok, het gewicht van de deurvanger, had een warme donkere kleur die in de loop van de tijd bijna zwart was geworden.

We moeten toen wel een twaalftal petticoats aan hebben gehad, zei Alice. Hoe oud waren we toen ik die heb geschilderd?

Veertien, antwoordde Belle. Toen waren we in Rome.

Dat is zo, en één zomer heb ik een heleboel geschilderd om te proberen wat geld te verdienen. Toen ging ik rond theetijd de tafeltjes in het *pensione* langs en probeerde ze te verkopen, weet je nog? Maar dat is de enige die er over is, de enige die we mee hebben genomen naar

Egypte. Kijk die hoeden nu toch eens, Belle, en die belachelijke jurken. Hoe hebben we ons, zo uitgedost, ooit kunnen bewegen?

Het ging gebrekkig. We werden belemmerd in onze bewegingen.

O, nou en of, dat werden we zeker. Ik had vroeger de pest aan die petticoats. En kijk nu toch eens hoe vol en donker de aarde is, niet rood en zanderig zoals hier. Ach, wat is dit vreemd.

Het is inderdaad vreemd, Alice. Ik vraag me af wat je juist op dit moment daaraan doet terugdenken?

Ik heb geen flauw idee, Alice, ik kan het me niet voorstellen. Maar vonden we niet dat we heel volwassen waren toen we ons zo mochten uitdossen?

Ja, met petticoats en al.

Dat is zo. En we waren nog maar veertien jaar oud, en de Italiaanse mannen waren altijd... en had Joe het niet over een Zwarte Code en het zwart in dat schilderij schijnt me aan iets te herinneren, Belle. Iets wat te maken heeft met seks in Rome.

Seks toentertijd, schat? Dat is een nogal veelomvattend onderwerp, vrees ik. Of denk je aan iets wat we korter geleden kunnen hebben gehoord?

Ja, korter geleden. Minder dan een jaar, wellicht. O, dat is om gek van te worden, het ligt op de punt van mijn tong. Waarom zijn wij ook zo oud en hebben wij zoveel dingen om te herinneren? Maar jij moet weten waar ik aan denk, Belle. *Seks. Rome.* Weet je het niet meer?

Er zijn honderden voorvallen om te herinneren, schat, maar welke daarvan speelt op dit moment door jouw hoofd? Misschien helpt het als je het onderwerp wat nauwer definieert. War voor soort seks was het precies?

Italiaanse seks. Verleiding. Rijpheid die zich verlekkert aan gecorrumpeerde jeugd en onschuld. Een arme jonge schoonmaakster nog maar net in het land en een hoffelijke oudere heer die geld aan haar besteedt en haar trakteert op een avond die haar stoutste dromen overtreft, en haar dan meeneemt naar zijn door kaarsen verlichte appartement met uitzicht op het Piazza Navona en *bella bella* fluistert en fantastische beloftes doet terwijl hij haar petticoats uittrekt en in ruil daarvoor enkele concrete toezeggingen terugverlangt. O, denk toch eens na, Belle, *denk*. Ik weet dat je het je kunt herinneren.

Plotseling tikten Belles breinaalden één keer.

Natuurlijk. Dat is het, Alice, je hebt het gevonden.

Little Alice glimlachte verlegen. Big Belle wendde zich met een triomfantelijke uitdrukking op haar gezicht tot Joe.

Is ze niet fantastisch? De Zwarte Code is een soort Amerikaanse sleutel die de Italianen in Rome in handen wisten te krijgen. Ze hebben hem met de hulp van een schoonmaakster die in de nachtploeg zat gestolen uit de Amerikaanse ambassade. Dat was een maand of vijf, zes geleden, in het begin van het jaar, en klaarblijkelijk weten de Amerikanen er nog steeds niets van. Niemand zou denken dat de Italianen hun ontdekking zouden doorgeven aan hun geallieerden, de Duitsers. Wat voor taak heeft een militair attaché precies?

Hij brengt verslag uit over de militaire situatie in het land waar hij gestationeerd is, antwoordde Joe.

Ha, piepte Alice. Zien Belle en ik eruit als militaire geheimen?

Echt, zei Belle, de attachés die wij hebben gekend leken altijd op iets heel anders uit te zijn. Maar laten we nu eens aannemen dat die kolonel Fellers een gewetensvoller man is dan de meesten en zowaar zijn werk doet. Als hij nu eens dagelijks verslag heeft uitgebracht aan Washington? Zijn rapporten bevatten dan natuurlijk ook een synopsis van de Britse intenties, de locaties van Britse eenheden en hun stootkracht en moreel en Britse plannen voor de verdediging en de aanval. Dan zou hij zijn rapporten verzenden via de rijksposterijen, wat inhoudt dat praktisch iedere ambtenaar bij de Egyptische Telegraafmaatschappij daar toegang toe heeft. En ieder ander op de route naar Washington. Bovendien is het waarschijnlijk dat hij zijn rapporten aan het eind van de werkdag, dat wil zeggen op elke namiddag, zou doorbellen.

In de Zwarte Code, tjirpte Alice. Verleiding deed me daaraan denken.

En daarmee, concludeerde Belle, aanleiding zou geven tot enig ontcijfer- en vertaalwerk in de kleine uurtjes, en die timing klopt precies met de wetenschap dat Rommel zijn *kleine fellers* de volgende ochtend aan het ontbijt naast zijn haring heeft liggen. Alles wat nuttig is voor Rommel om te weten, samengesteld door kolonel Fellers.

Belle glimlachte, Alice glimlachte. Joe was stomverbaasd. Hij keek van de ene zuster naar de andere en floot zachtjes.

En dat, zei Belle, is het geheim achter de mysterieuze voorkennis van de Woestijnvos. Hij kan lezen. En dus lijkt het niet altijd verstandig om beroemde mannen te prijzen.

Of, anders gezegd, tjirpte Alice vrolijk, je leert een man kennen aan waar hij 's ochtends vroeg zijn neus in steekt. *Kleine fellers?* Haring...?

Wat zit je te denken? vroeg Belle aan Joe.

Bij wijze van antwoord floot Joe opnieuw, heel zacht.

Ik zit te denken dat jullie tweeën verbazingwekkend zijn, zei hij. En ik zit te denken dat de Zwarte Code op het punt staat zich naast de code van Hammoerabi te voegen als het zoveelste brok oude geschiedenis in het zanderige Midden-Oosten. Van nu af aan is het alleen maar haring voor Rommels ontbijt, en een ooit drieste held ziet er zonder uniform wederom uit als een knorrige schooier.

Kijk eens aan, kwetterde Alice uitgelaten.

Belle tikte overtuigend met haar breinaalden.

Volgende? zei ze.

Joe knikte. Hij fronste zijn voorhoofd.

Het spijt me, maar een aantal dingen zijn me nog steeds niet helemaal duidelijk. Bletchley heeft me bijna niets verteld en ik heb nog geen kans gezien met Stern te praten, dus de hiëroglyfen zijn nog steeds een beetje een raadsel voor me. Om jullie de waarheid te zeggen, ik snap nog steeds niet wat Sterns rol precies is.

Stel dan vragen, opperde Belle. Dat is toch de reden dat je hier bent?

Inderdaad, zei Joe, en ik moet toegeven dat ik me een beetje voel als een oude Griekse reiziger die de Sfinx om raad komt vragen.

Little Alice lachte.

Kom nou, zo ondoorgrondelijk zijn we toch ook weer niet? Twee vergeten oude vrouwtjes met hun kwalen en pijntjes en hun leven achter zich?

Joe glimlachte.

Niemand zou jullie ooit zo omschrijven. Jullie tweeën zijn een legende, dat weten jullie heus ook wel.

Voor anderen misschien, zei Alice, neerkijkend op haar verkrampte handen, haar lach verdwenen.

Moet je die toch eens zien, fluisterde ze bedroefd. Twee lelijke klauwen, dat zijn het.

Kom, kom, zei Belle op zachte toon. We moeten niet blijven stilstaan bij betreurenswaardige dingen, schat. Per slot van rekening is het leven in veel opzichten ons heel goed gezind geweest.

Alice keek op naar haar zuster, die glimlachte en bemoedigend knikte.

Belle zat stijfjes rechtop.

Wat een ijzeren wilskracht, dacht Joe. Twee gebroken heupen en gedeeltelijk verlamd en eigenlijk niets wat haar overeind houdt dan die ontzagwekkende geest van haar, die ijzeren ziel die weigert op te geven omdat ze weet dat haar kleine zus het zonder haar niet zou bolwerken. Omdat ze weet dat Little Alice gewoon zou wegzweven als de prachtige droom die ze altijd is geweest. De wind in haar haar en rennend door de velden en klimmend in bomen om over muren te kijken, een mooie zangvogel die pardoes het luchtruim kiest op de stralen van de zon en voor eeuwig wegdrijft in de zomerlucht als haar oudere zuster niet op haar zou wachten op de veranda waar ze altijd is geweest, betrouwbaar en tastbaar en nu niet meer dan een ziel die weigert zich gewonnen te geven. *Big Belle*, hebben ze haar altijd genoemd en dat is ze, vastbesloten en vurig en nu een en al geest en ziel. En verdomd weinig meer, God sta ons bij.

Belle wendde zich tot hem.

Heb je vragen?

Ja, die heb ik, zei Joe. Ik vroeg me af of Stern al die tijd heeft geweten dat de Duitsers de Zwarte Code in handen hadden?

Niet al die tijd. Hij is er lang geleden achter gekomen, net als wij, dankzij de Italianen. Ze zijn in zoveel dingen zo goed, maar oorlog behoort daar niet toe. Winston heeft dat ooit met zijn gebruikelijke flair voor woorden samengevat. Een *Italiaanse Blitzkrieg* was de uitdrukking die hij bezigde, wat beslist een van de meest hopeloze concepten is, en bovendien een van de redenen dat ik de Italianen altijd graag heb gemogen. Een volk dat niet bij machte is oorlog te voeren is door God gezegend. Hoe dan ook, Alice en ik wisten alleen dat die Amerikaanse sleutel in Rome was gestolen. We wisten niet waarvoor hij kon worden gebruikt, of van die kolonel Fellers hier in Caïro. Maar Stern zal zich daarvan bewust zijn geweest. En wat belangrijker is, de Duitsers moeten hebben geweten dat hij dat was.

Weten jullie dat zeker?

Nu wel. Achteraf gezien is het eenvoudig te reconstrueren. Ik veronderstel dat de Duitsers aanwezig waren toen Stern de waarheid per ongeluk werd geopenbaard. Dus als hij met de Engelsen had gesproken, zouden de Duitsers onmiddellijk hebben geweten wie het geheim had verklapt. Weet je, ik ben ervan overtuigd dat Sterns buitengewone waarde voor de Geallieerden altijd heeft gelegen in het feit dat hij volkomen werd vertrouwd door de andere kant. Het is die uiterst ongebruikelijke gave die hij bezit. Het vermogen vertrouwen te wekken.

Ik weet het, zei Joe.

Dus de wetenschap dat de Zwarte Code was gecompromitteerd bracht Stern in een onhoudbare positie.

Sterns gebruikelijke positie, lijkt me. Maar jullie tweeën vermoedden dit?

Ja, we voelden het allebei. Je kon zien hoezeer hij werd gekweld. Er was duidelijk iets wat aan hem vrat, maar tot vannacht wisten we niet wat het was.

Het is maar loze speculatie, hoor, zei Joe, maar denken jullie dat Stern van plan was het uiteindelijk aan de Engelsen te vertellen?

Dat is noch loos noch speculatie, antwoordde Belle. Dat Stern enkele dagen geleden naar Caïro is teruggekeerd, is precies om die reden. Ook dat is ons pas vannacht duidelijk geworden. Tot een paar dagen geleden hoopte hij dat de Engelsen de waarheid omtrent de Zwarte Code via andere kanalen, andere bronnen, zouden achterhalen. Daar had hij handenwringend en biddend op zitten wachten. Maar toen die laatste missie op zo'n fiasco uitliep, besloot hij dat hij niet langer kon wachten. Zijn missie maakte klaarblijkelijk deel uit van een groter plan dat volkomen de mist inging.

Ja, daar weet ik van, zei Joe. Er waren speciale aanvalstroepen en zo ingezet tegen de Duitse en de Italiaanse bases van waaruit Malta werd bestookt. Daar had Bletchley het over. Stern trad waarschijnlijk op als verkenner, als contact voor een van de commando-eenheden achter de vijandelijke linies.

Hij was geheel van streek toen hij terugkwam, vervolgde Belle. Volslagen kapot. Hij zei dat hij bang was dat het tij nu definitief ten gunste van de Duitsers was gekeerd. Daarom had hij besloten met Bletchley te praten.

Joe was verbluft.

Maar ik ben gisteravond nog bij Bletchley geweest en uit niets was op te maken dat hij zelfs maar wist dat Stern terug was in Caïro.

Nee, Bletchley wist niet dat Stern terug was, of in ieder geval wist hij dat toen nog niet. Uiteindelijk bleek dat Stern niet naar Bletchley hoefde te gaan. Zodra Stern weer opdook in Caïro ontdekte hij dat waar hij zo wanhopig op had gewacht eindelijk was gebeurd. De Engelsen waren er via andere kanalen eindelijk achtergekomen dat de Zwarte Code gekraakt was.

Dat zou Bletchleys hervonden kalmte gisteravond verklaren, zei Joe. Maar tegelijkertijd had Bletchley steeds gesuggereerd dat dit nu precies was wat hem zorgen baarde aan Stern. Die kwestie die nu is opgehelderd door het feit dat kolonel Fellers en de Zwarte Code de bron van alle ellende zijn. Daarom lijkt het toch vreemd dat Bletchley er niets over zei of me de een of andere hint gaf dat de situatie gewijzigd was en

Stern niet langer onder verdenking stond.

Joe knikte in gedachten, opnieuw in verwarring gebracht. Maar Belle zei niets en hij merkte dat ze met een onbewogen uitdrukking op haar gezicht naar haar breiwerk staarde.

Narigheid, dacht Joe, terwijl hij voor het eerst voelde dat de Zusters iets voor hem verborgen hielden.

Wat zou het kunnen zijn? vroeg hij zich af. Het had blijkbaar iets met het beschermen van Stern te maken, maar waarom? Waartegen?

En waarom had Bletchley niets gezegd als de onthullingen over de Zwarte Code Stern van alle verdenking zuiverden? Betekende dat niet dat Bletchley nog grotere zorgen had waar het Stern betrof? Een angst die de Zwarte Code verre oversteeg?

Het teken aan de wand, de hiëroglyfen van Sterns leven, Joe kon ze nog steeds niet lezen, ze vormden nog steeds een raadsel. En hij was er inmiddels van overtuigd dat de Zusters iets verborgen hielden, uit liefde voor Stern een geheim bewaarden. Ze koesterden Stern zoals zovelen dat deden.

En dan had Belle het ook nog over *andere kanalen* gehad. Bletchley, de Engelsen, waren er *via andere kanalen* achtergekomen dat de Duitsers de Zwarte Code hadden gekraakt. Duidde dat op de een of andere nederige informant die in het geheim voor de Engelsen werkte, of was er veel meer mee gemoeid? Was dat de reden dat Bletchley niets tegen Joe had gezegd? Omdat die *andere kanalen* zo vreselijk belangrijk waren dat Bletchley zelfs niet kon zinspelen op hun bestaan?

Belle zat stijf in haar stoel, haar lippen op elkaar geklemd.

Misschien is het de timing die me in verwarring brengt, zei Joe, de volgorde der gebeurtenissen. De Zwarte Code was in het begin van het jaar in Rome gestolen?

Belle knikte.

Niet eerder?

Belle schudde haar hoofd.

Dat klopt niet, dacht hij. Het moment waarop de drie mannen in witte linnen pakken in Arizona waren opgedoken, viel bijna samen met het moment dat de Duitsers de Zwarte Code in handen kregen en daar in Noord-Afrika goed gebruik van maakten.

Het was dus zonneklaar dat Bletchley Sterns dossier had bestudeerd, daar Joe's naam uit had geplukt en om een heel andere reden opdracht had gegeven Joe te rekruteren en naar Caïro te halen. Voor iets wat niets te maken had met een ernstig lek bij de inlichtingendienst in Caïro, en de verdenking dat Stern daarachter zou zitten. Het optreden van de Zwarte Code-kwestie was puur toeval, iets wat zich in de tussentijd had voorgedaan en waar Bletchley handig gebruik van had gemaakt om zijn ware zorg voor Joe te verhullen. Bletchley moest zich al die tijd dus al om iets anders hebben druk gemaakt en zijn bezorgdheid om Stern moest een diepere grond hebben.

En zoals zo vaak moest Joe terugdenken aan een onverklaarbare episode in Sterns leven, een incident dat hem maar niet met rust liet – Sterns Poolse avontuur. Hij vroeg zich af of de Zusters bereid zouden zijn erover te praten. Hij vroeg zich af of ze er zelfs van op de hoogte waren, zo mysterieus werd het in Joe's geest.

Belle zat nog steeds met haar lippen stijf op elkaar te wachten.

Ik wil niet bemoeizuchtig zijn, zei Joe, maar het schijnt dat jullie Stern sinds zijn terugkeer meer dan eens hebben gezien.

Dat is maar al te waar, zei Belle. Het is zijn gewoonte heel vaak hier te komen, dat heeft hij altijd gedaan. Maar het heeft niets te maken met Bletchley of met wat hij voor Bletchley doet. Sterns bezoekjes hier dateren van voor hij met zijn revolutionaire werkzaamheden begon. Uit de tijd dat hij een jonge student in Caïro was.

Aha. Dat wist ik niet. Om eerlijk te zijn, hoewel ik Stern in Jeruzalem goed heb gekend, heeft hij het nooit over jullie gehad.

Belle glimlachte.

Echt iets voor hem, vind je niet? Heel gesloten en beschermend jegens degenen van wie hij houdt. En ik stel me zo voor dat je sinds je hier bent nog wel andere dingen aangaande Stern hebt ontdekt die nieuw voor je waren.

Ja. Veel. En ik heb zo'n gevoel dat de belangrijkste dingen nog moeten komen.

Belle fronste haar voorhoofd. Ze keek Joe aan.

Hoe lang ben je in Caïro? vroeg ze.

Ruim twee weken.

Nog maar zo'n korte tijd... Zeg eens, hoe voel je je aangaande die dingen die je over Stern hebt ontdekt?

Joe haalde zijn schouders op.

Ach, nou ja, dat is moeilijk onder woorden te brengen omdat Sterns leven gecompliceerder is dan de meeste. Maar alle levens zijn geheime tapijten die woest en weerspannig door de jaren wervelen en woelen als de kleuren, de draden. En misschien zijn er kleine knopen van in de war geraakte betekenissen onder het oppervlak waar de kleuren en de draden verstrengeld zijn geraakt, maar de knopen zijn uiteindelijk niet belangrijk, alleen de werveling, het tapijt in zijn geheel. Wat me dus bedroeft aangaande Stern is dat ik misschien nooit zelfs maar een *glimp* van zijn leven zal opvangen. Zelfs geen glimp zal opvangen van het tapijt als geheel... Zo voel ik me.

Diep in gedachten keek Belle hem aan en knikte.

Ze probeert te beslissen wat ze moet doen, dacht Joe. Ze weten precies wat ik nodig heb maar ze beschermen Stern zoals iedereen dat doet.

Little Alice bewoog, een dromerige blik in haar ogen.

En o, wat was hij een knappe jongen, mompelde ze. Ik herinner me nog zo goed de eerste keer dat we hem ontmoetten, precies hier, in deze zelfde kamer. Menelik had hem meegebracht om hem aan ons voor te stellen. Menelik en Sterns vader waren vroeger heel goede vrienden, en toen Stern naar Caïro kwam om te studeren, was Menelik als een oom voor hem. Hij bracht Stern hier, nog dezelfde dag dat hij uit de woestijn in Caïro aankwam...

Hier naar deze kamer. En Stern was zo jong en sterk en zuiver, zo vastbesloten om het leven eerlijk en vriendelijk tegemoet te treden. En die prachtige idealen van hem en dat schitterende enthousiasme. Natuurlijk had hij ook andere eigenschappen, dat kan volgens mij niet anders, als je zoals hij opgroeit in de woestijn, in een tent op een stoffige heuvel in Jemen, waar geen andere kinderen waren om mee te spelen, van begin af aan zo vaak alleen en daaraan gewoon, omdat het nooit anders geweest was. Een soort eenzaamheid die je in zijn ogen kon zien, een teken van droefenis wellicht, een snufje van de kale woestijn diep in hem dat er altijd zou zijn, wat er ook gebeurde. Een gelatenheid, een stilte, en daar ging iets eenzaams van uit. Dat viel niet te loochenen.

Maar hij had ook zoveel hartelijkheid en tederheid in zich, want de mensen waren hem zo dierbaar, vanwege zijn eenzaamheid als kind, stel ik me zo voor. En je hoefde maar een ogenblik naar hem te kijken en hem te horen spreken om van blijdschap te worden vervuld. Je kon er niets aan doen, je raakte gewoon in vervoering. Zo kan het leven zijn, dat voelde je. Deze blijdschap en deze schoonheid en deze vrijheid, deze subtiele muziek ontleend aan de stilte van de woestijn.

Ook al pakt het voor de meesten van ons anders uit in het leven. Ook al gebeuren er allerlei dingen die een streep door de rekening trekken waarbij we, al evenzeer door toeval als door iets anders, ergens in het leven verzeild lijken te raken en daar dan maar blijven. En nooit hebben we alles gedaan wat we hadden willen doen, en nooit hebben we alle dingen gedaan waar we ooit van droomden. Ook al is dat ten slotte de situatie voor de meesten van ons, als we terugkijken.

Ondanks dat alles voelde je iets anders als Stern bij je was. Je hoefde maar naar hem te kijken om te weten dat er zoveel meer kon zijn, echte mooie dingen. Wat hij je gaf was hoop. *Hoop*. Je voelde het. Je wist het gewoon.

En daar stond hij die eerste middag, ik weet het nog precies. Het was zijn eerste dag in Caïro en hij stond daar tussen die openslaande deuren bij de rivier, zijn ogen sprankelend, en hij zei hoe prachtig het was om al dat water te zien, om gewoon naast de Nijl te staan en ernaar te kijken. En hij lachte en hij zei dat het misschien raar klonk in onze oren, maar dat als je was opgegroeid in de woestijn de grootsheid van al dat water gewoonweg miraculeus was, eenvoudigweg onvoorstelbaar. Waarlijk een wonder, zei hij, lachend. Waarlijk een gave Gods. Een gave van Zijn veelzijdigheid en grootsheid.

Hij had toen ook nog een Arabische naam, maar ik ben vergeten hoe die luidde. Menelik zou dat nog wel weten maar Menelik is nu dood. En hij stond daar in die open deuren met glinsterende ogen, lachend naar de Nijl te kijken en zich aan het uitzicht te verlustigen als een hongerig man die een rijk voorziene dis wordt getoond. Hoop. *Hoop*...

Nog zo jong toen, in het begin. Een magere opgewonden jongen met nog een heel leven voor zich, die onze harten deed overvloeien van vreugde, zijn vreugde, de magie van eenvoudig in staat zijn te kijken en te zien en te voelen en lief te hebben. Zo rijk was de wereld voor Stern. Zo wonderbaarlijk en zo onverwacht in zijn gaven, zijn zegeningen...

Ja, dat zeiden we na die eerste middag allemaal. Menelik en Belle en ikzelf, wij hebben het allemaal gevoeld hoewel geen van ons een woord zei. Maar we begrepen de magie van dat moment. Als we naar hem keken, als we naar hem luisterden, wisten we allemaal dat hij deze wereld heel dierbaar was en dat dat altijd zo zou blijven. *Dierbaar*. Een bijzonder mens, een unieke man. Voor altijd...

Dan stilte in de kamer. Een poos stilte.

Ten slotte pakte Belle haar breiwerk op. Het ritmische geklik begon opnieuw.

Is er nog meer dat je wilt weten? vroeg ze.

Misschien een paar dingetjes, zei Joe.

Joe krabde in zijn baard. Hij pakte zijn lege whiskyglas op en zette het weer neer.

Stern heeft ooit eens een reis gemaakt naar Polen, zei hij. Bijna drie jaar geleden, net voordat de oorlog uitbrak. Ik ben ervan overtuigd dat dat feit aan alles ten grondslag ligt, want Stern was die ene keer roekeloos en dat is niets voor hem.

Joe zweeg.

Weten jullie daar soms iets van?

Alice keek Belle aan, wier gezicht niets verried.

Waarom zou Stern dat hebben gedaan? vroeg Belle na een ogenblik.

Om levens te redden, zei Joe. Om de levens van anderen te beschermen. En ik heb begrepen dat hij het gevoel had dat er sprake was van een soort onschatbare doorbraak toen hij in Polen was. Weten jullie daar iets van?

Allereerst, zei Belle, moeten wij iets van je weten. Hoe belangrijk is het voor jou om daarachter te komen?

Heel erg.

Heel erg, ja. Er zijn tal van dingen die op zeker moment belangrijk lijken, maar achteraf bekeken? Je zou vreemd opkijken van wat voor Alice en mij belangrijk is als we terugkijken op ons leven.

Dat denk ik niet, zei Joe.

Alice zuchtte.

Ik evenmin, zei ze, en Belle ook niet. Maar wat ze op haar tactvolle wijze wil zeggen, Joe, is het volgende. Wat als het je je leven zou kunnen kosten?

Ik weet dat dat is wat ze vraagt, en het antwoord moet hetzelfde zijn. Ik ben naar Caïro gekomen om de waarheid omtrent Stern te achterhalen, dat is alles.

Maar waarom is dat van zo doorslaggevend belang voor jou?

Omdat hij daar recht op heeft. Omdat hij zijn einde nadert en hij recht heeft op iemand die kan getuigen van de waarheid over zijn leven.

Maar *waarom*? Waarom voel je dat zo sterk?

Omdat hij dieper tot de menselijke ziel is doorgedrongen dan enig ander die ik ken. Omdat zijn leven niets dan één grote mislukking lijkt, en ik dat niet kan aanvaarden zonder zeker te weten dat het dat werkelijk was. Want lang geleden, tijdens de massaslachtingen in Smyrna, diep in de nacht waarmee ons tijdperk van genociden aanving, zag ik hoe hij het hoofd van een klein stervend meisje naar achteren trok en haar keel doorsneed, en dat ogenblik is me sindsdien altijd bijgebleven. Omdat ik, als zijn leven geen zin heeft, niet inzie hoe iets anders ergens nog zin kan hebben.

En moet er een zin zijn? vroeg Belle.

Nee.

Voor jou of voor anderen?

Nee.

Heb je het gevoel dat het ons recht is, simpelweg omdat we geboren zijn?

Nee. Maar ik vind wel dat we ernaar moeten streven.

En toch vind jij Sterns leven een chaotisch tapijt, Joe. En wat verwacht je te vinden in zo'n uitgestrekt netwerk van woeste en weerspannige kleuren en draden?

Misschien niets.

Maar als je haar zou achterhalen... de waarheid over hem, wat zou die je dan zeggen?

Om te beginnen zou die me kunnen vertellen wat het leven is en hoe het behoort te worden geleefd.

Belle staarde hem aan en wendde toen haar blik af om door de openslaande deuren naar de rivier te kijken. Alice had zich afgewend en keek ook uit over de rivier, en opnieuw heerste er stilte in die vreemde kamer zo vol met spookachtige rotanstoelen, tientallen bleke schimmige vormen met de weerspiegeling van de sterren op het water, gewichtloos zwevend in het zacht gele schijnsel van de paar kaarsen die nog brandden ter herinnering aan andere tijdsgewrichten, nu vaag en zwak door het late uur.

En nu wordt het beslist, dacht Joe. Ze hebben een besluit genomen en weten wat ze gaan zeggen of niet gaan zeggen om het zeldzaam breekbare ding dat zij koesteren te beschermen.

Uiteindelijk was het de zachte stem van Alice die de stilte verbrak. Little Alice staarde uit over de rivier en sprak zachtjes in de stilte.

Wat doen we toch ons best, mompelde ze. Ons *uiterste* best.

De twee oude vrouwen leken ver weg, in gedachten verzonken. Opeens begonnen Belles breinaalden weer te tikken.

Goed dan, zei ze. Goed dan, jonge Joe, we zullen je vertellen wat je wilt weten. Maar alles wat we je nu vertellen is om Sterns bestwil. Het gaat niet over de oorlog, niet deze oorlog noch enige andere oorlog, want met zulke dingen houden wij ons niet bezig. Dus, voor Sterns bestwil, omdat we van hem houden en omdat hij altijd als een zoon voor ons is geweest, en zulke liefde is onvoorwaardelijk.

Belle wachtte even, met in haar handen haar breiwerk. Alice zat recht-op en keek haar aan.

In de loop der jaren, zei Belle, hebben we veel mensen uit veel lan-den gekend die tijdens hun rusteloze omzwervingen hier een tijdje heb-ben verbleven en werden getroffen door de tijdloosheid van deze plek. En er is niets nieuws aan, de mensen hebben dat altijd gedaan. Alexan-der de Grote heeft hier halt gehouden, en zich afgevraagd of hij mis-schien iets zou herkennen voordat hij eropuit trok om de wereld een nieuwe vorm te geven. Maar het was toen al een traditie en lang vóór Alexander waren er al bezoekers geweest op zoek naar het verleden en het wezen van de mens, om de enigmatische piramiden en de enigma-tische Sfinx en de grote rivier die leven schept te bezichtigen. Een Grieks woord, *enigma*. Een raadsel, iets obscuurs. Ken jij de oorsprong van dat woord?

Nee, zei Joe.

Het betekent *duister spreken*, mompelde Alice. Dubbelzinnig spreken. En de oorsprong daarvan is het Griekse woord voor *een verhaal.*

Ja, zei Belle. Vreemd genoeg waren de oude Grieken van mening dat duister spreken de kern was van een relaas over het leven. Een verhaal vertellen, over het leven spreken, was duistere taal bezigen, omdat de hoofdzaken altijd net voorbij het heldere licht van de geest liggen, ver-lokkelijk en dubbelzinnig en onbereikbaar. Volgens hen werd een ver-haal gevoeld en ervaren en werden zijn waarheden op die manier ge-kend. Maar een verhaal kon nooit worden gereduceerd tot louter landschappen en zeeschappen en andere topografieën van de ziel, hoe groots, hoe briljant zij ook werden verwoord. Noch konden de schadu-wen en de echo's van een verhaal bij het vertellen ervan worden wegge-nomen.

Belle keek Joe monsterend aan.

Wij kennen toevallig de naam van hun eerste grote verhalenverteller, nietwaar? Of in ieder geval hebben tijd en traditie deze blinde man die anders anoniem zou zijn gebleven, die ergens in het stof langs de kant van de weg moet hebben gezeten en navertelde wat hij toevallig had opgevangen uit het gebral van degenen die hem voorbijgingen, of wat hij meende te hebben opgevangen, een naam gegeven. En, nu je het toch over Smyrna had, dat was merkwaardig genoeg dezelfde oude Griekse stad in Klein-Azië waar deze onbekende blinde man geboren schijnt te zijn. De blinde Homerus die ver achter zijn dode ogen kan zien, die helder ziet in het stof langs de weg door de eeuwige schaduwen van zijn geest. De blinde ogen van Homerus die altijd en immer spelen over de dansende, glinsterende zeeschappen, over de bikkelharde landschappen van de antieke wereld waar anderen hem op hun reizen passeerden, hem passeerden terwijl zij zich verbeeldden te streven en te strijden in het heldere witte licht van hun dagen. Terwijl eigenlijk hij, en niet zij, de enige was die de reis zag, omdat hij blind was en zij hem slechts beleefden.

En dat oude Griekse beeld van een blinde Homerus die meer zag dan de grote helden van wie hij sprak, meer zag dan zij die ogen hadden, is op zichzelf een enigma. En als enigma fluistert het ons in, verwijst naar dingen en suggereert veel meer dan wij bereid zijn toe te geven, en het blijft een enigma, onaangeroerd door de duizenden jaren, vandaag nog altijd even waarachtig en toch nog even onoplosbaar als het toen, drieduizend jaar geleden was. Een enigma even duister, dubbelzinnig en waar als het ooit is geweest. En daarmee komen we bij de code die jij nu in Caïro zoekt.

Belle wachtte even en keek Joe aan.

Vandaag? Deze eeuw? Stern? Een plotselinge onverklaarde reis naar Polen, vlak voordat de oorlog uitbrak? Een onschatbare doorbraak?

Enigma, zei ze, is de naam van het codeapparaat dat door de Duitsers wordt gebruikt. Vlak voordat de oorlog uitbrak wist een Poolse inlichtingendienst zich een van die apparaten te verwerven. Stern hoorde via zijn connecties van het bestaan ervan en wist dat het apparaat voordat Polen viel moest worden overgedragen aan de Engelsen. Dus vertrok hij onmiddellijk naar Polen en waren er geheime bijeenkomsten in Warschau die uiteindelijk resulteerden in de belangrijkste vergadering van alle, gehouden in een geheim onderkomen van de spionage- en inlichtingendienst ergens ondergronds in het Pyrywoud, een betonnen bunker die *het huis in het bos* werd genoemd. Stern was zelf niet bij die laatste vergadering aanwezig, maar hij speelde wel een rol bij de voorbereidingen. Welke rol kan ik je niet zeggen, omdat Alice en ik dat niet weten. Naast de Polen die de vergadering bijwoonden, waren er ook drie mannen uit Londen, van wie er twee grote deskundigen waren op het gebied van de cryptologie. De derde man uit Londen, eerder een waarnemer dan een deelnemer, was daar vermomd als hoogleraar uit Oxford.

Joe luisterde ingespannen, diep in gedachten verzonken.

Hij breit, zei Joe plotseling.

Belle en Alice staarden hem allebei aan.

Wat zeg je me nu? vroeg Belle, verbluft.

Joe maakte een verwarde, beschaamde indruk. Hij had gesproken alsof hij in trance was. Nu streek hij met zijn hand over zijn wang, een nerveus gebaar, alsof hij iets wegveegde. Terwijl hij die beweging maakte realiseerde hij zich dat het iets was dat hij zowel Liffy als Cohen in de afgelopen dagen had zien doen.

Weet jij daar meer van? vroeg Belle.

Nee, niets, zei Joe haastig. Ik kreeg opeens een ingeving, dat is alles. Ik heb je in de rede gevallen, dat was niet mijn bedoeling.

Wie breit? vroeg Belle, plotseling nieuwsgierig.

Die derde Engelsman die in de bunker was, degene die zich uitgaf voor hoogleraar uit Oxford. Eigenlijk is hij een Schot.

Is hij dat echt?

Ja.

Waar heb je dat uit opgemaakt?

Uit zijn manier van spreken.

En hij breit?

Ja.

Hoe weet je dat?

Ik heb hem ontmoet. Hij breit en luistert en zegt niet veel. En hij rookt een soort zware sigaretten, of liever, hij inhaleert ze zonder ze aan te steken. Hij steekt zijn sigaretten nooit aan. Ze noemen hem *Ming* aan de overkant van de Atlantische Oceaan, aan de Amerikaans-Canadese kant. Hij is een soort opperhoofd, heel hoog, waarschijnlijk aan de top, dat straalt hij uit. Toen ik hem zag, reisde hij samen met een Amerikaan en een Canadees die al even hoog moeten zijn en die luisteren naar de namen Big Bill en Little Bill.

Hoe weet je dat het dezelfde man is?

Dat weet ik niet, ik heb alleen het gevoel dat hij het moet zijn.

Belle staarde Joe aan, nieuwsgierig en meer.

Je klinkt al net als Alice, zei ze op heel eerbiedige toon. En waar heb je die Schot die Ming heet en die breit ontmoet?

Boven op een mesa in Arizona, zei Joe. Ondergronds, in de hemel. In een kiva.

Een wat?

De Hopi-Indianen noemen het een kiva. Het is een gewijde ondergrondse kamer. Toentertijd hield ik mezelf voor de grap voor dat zij de Drie Schikgodinnen waren die hun opwachting maakten. Een schikgodin die de levensdraad spint, een die hem afmeet en een die hem doorknipt. Ik schertste dat hij degene was die spinde, omdat hij breide in de kiva en weinig zei. Toen gaf hij me een sjaal die hij had gebreid, een zwarte sjaal, het was een geschenk. Ze kwamen me in Arizona bezoeken om me over te halen naar Caïro te komen om te onderzoeken wat Stern was overkomen.

Voordat ik de mesa verliet heb ik de sjaal weggegeven, voegde Joe er zonder reden aan toe. Neem me niet kwalijk, het was niet mijn bedoeling je in de rede te vallen. Ga verder, alsjeblieft.

Maar Belle ging niet verder. Ze staarde hem nog steeds gefascineerd aan.

Heb je de sjaal weggegeven voordat je dat oord verliet? Aan wie?

Aan een klein Indiaans meisje in het dorp. Een klein Indiaans meisje.

Ja, en wat gebeurde er toen?

Eigenlijk niets, zei Joe. Ik zat op een namiddag op een rand van de mesa en de zon ging onder en uit de schaduw kwam een klein meisje dat naast me ging staan. Ik pakte haar hand en het begon frisjes te worden en dus gaf ik haar de sjaal en ze is daar een poosje bij me geweest. Ze zei niets, geen van ons beiden zei iets, we keken naar het laatste daglicht. Toen de zon onder was ging ze naar huis en ik ging naar de kiva voor een ontmoeting met de stamoudsten.

Ik gaf haar de sjaal omdat het koud was, voegde hij er eenvoudigweg aan toe. Het was mijn laatste avond voor mijn vertrek uit de mesa, zou later blijken. Ik probeerde te beslissen of ik zou gaan of niet, of ik naar Caïro zou komen.

Je dacht aan Stern, zei Belle, en aan het stervende kleine meisje in Smyrna, twintig jaar tevoren. Het meisje dat Stern...

Belle zweeg. Ze sloeg haar ogen neer.

Ja, je hebt gelijk, zei Joe. Ik heb die nacht heel veel aan Stern gedacht.

Nerveus streek Joe opnieuw met zijn hand over zijn wang.

Alsjeblieft, zei hij, het spijt me dat ik je in de rede ben gevallen. Ik ben ontzettend benieuwd naar de rest van het verhaal. Wat gebeurde er tijdens die geheime ontmoeting in de bossen in de buurt van Warschau? Stemden de Polen erin toe hun *Enigma* af te staan aan de Engelsen?

Belle keek hem aan. Ze leunde achterover in haar stoel.

Ja. Uiteindelijk is het apparaat in Londen aangekomen en sindsdien hebben de Engelsen alles kunnen lezen wat de Duitsers elkaar vertellen. Het geheim is waarlijk van onschatbare waarde en er zijn maar heel weinig mensen binnen de Engelse legerleiding die van het bestaan van de *Enigma* afweten. Maar Stern weet het, en de Engelsen zijn erachter gekomen dat hij het weet en hoe kunnen ze die toestand in hemelsnaam laten voortbestaan als je ziet wat voor leven Stern leidt? Het geheim is veel te belangrijk, het gevaar veel te groot. En dan zijn er ook nog de toekomst en Sterns zionistische connecties om rekening mee te houden. Tegenwoordig komen de Engelse en de zionistische belangen met elkaar overeen, maar vóór de oorlog was dat niet het geval en misschien is dat in de toekomst weer niet zo. Dus, alles bij elkaar genomen vonden de Engelsen dat daar een einde aan moest worden gemaakt.

Aan de keel van Little Alice ontsnapte een kreet.

Een einde, fluisterde ze, terwijl ze uitstaarde over de rivier.

O, een einde, *een einde...*

Joe stond op. Hij liep snel naar de openslaande deuren, keerde zich om en begon rusteloos door de kamer te ijsberen.

Het is zo duidelijk als wat, zei hij. Bletchley heeft me mensen laten opsporen om te zien waar hij zich zorgen over moest maken. Hij had zelf niet de tijd om het na te trekken dus liet hij mij erbij halen om het graafwerk voor hem te verrichten, om uit te vinden welke vrienden van Stern wat weten. Een logische voorzorgsmaatregel voor een professional als hij. Hij wilde niet tegen Stern optreden zolang hij niet zeker wist dat hij de zaak voor eens en altijd kon oplossen. Je kunt je geen losse eindjes veroorloven als het geheim zo groot is als dit, dus liet hij me de stukjes bij elkaar rapen en als hij vond dat hij genoeg had om zich een beeld te vormen...

O mijn God, riep Joe uit, ik heb Sterns graf gegraven. Ik heb in Sterns verleden zitten wroeten zodat Bletchley er greep op kan krijgen en...

Joe zeeg ineen op een stoel, ontsteld over wat hij had gedaan. Hij wrong zijn handen en probeerde zich te beheersen en opeens herinnerde hij zich waar hij zich bevond. Hij keek op en staarde woest van de ene zuster naar de andere.

Er dreigt gevaar, zei hij. Er dreigt gevaar voor alle mensen met wie ik heb gesproken, ik kan het niet duidelijk genoeg zeggen. Klaarblijkelijk heeft Bletchley me veel beter in de gaten laten houden dan ik veronderstelde, want daar draaide het allemaal om. En jullie tweeën verkeren ook in gevaar, en we moeten...

Belle schudde haar hoofd.

Nee.

Maar dat gevaar is er, zeg ik jullie. Als Bletchley vermoedt...

Nee, herhaalde Belle. We wisten hoe laat het was voordat jij hier kwam, Joe, daarom vroegen we hoe belangrijk het voor jou was om de waarheid omtrent Sterns reis naar Polen te kennen. We hebben al die tijd geweten wat de gevolgen daarvan waren, evenals Stern dat wist. Dus voor hem of voor ons is er vannacht niets veranderd, maar voor jou en degenen met wie je contact hebt gehad is er veel veranderd. Want helaas handelen wij nooit in ons eentje, nietwaar? De kleuren en draden van het tapijt zijn daarvoor te zeer met elkaar verweven, dus ongeacht wat we doen, we handelen ook altijd voor anderen, hoewel in het algemeen zonder hun medeweten en vaak zelfs zonder het zelf te weten. Maar zo is de aard van onze zielen en inspanningen, zo is het toch, Joe? Geen daarvan staat ooit op zichzelf en elke daad weergalmt op vele plaatsen, door vele levens.

Joe sprong op.

Maar jullie tweeën, begon hij. We moeten...

Belle hield hem opnieuw tegen. Ze schudde haar hoofd.

Nee, wij niet, Joe. Wij hebben niets te vrezen. Kijk maar om je heen dan kun je het zelf zien. Alice en ik stammen welbeschouwd uit een ander tijdsgewricht. Wij hebben onze levens geleefd en er is niemand die nog iets kan ondernemen dat voor ons iets uitmaakt, dat begrijp je toch zeker ook wel. En zelfs als die er wel was, dan betwijfel ik of Bletchley het zou wagen zo'n beslissing zelf te nemen. Eigenlijk weet ik heel zeker dat hij dat niet zou doen.

Belle knikte traag en vervolgde op gedempte toon.

Maar zelfs dat doet er niet toe. Alice en ik zijn er niet echt bij betrokken, begrijp je dat niet? In het begin heb ik je gezegd dat wat we je zouden vertellen uitsluitend te maken had met Stern, niet met de oorlog, niet met deze oorlog of met enige andere oorlog. En ik zei dat we het je zouden vertellen voor *zijn* bestwil, Joe, omdat we van hem houden en omdat jij uit eigen motieven de waarheid omtrent hem wilde achterhalen. Jouw eigen persoonlijke motieven. Zo is het toch?

Ja... ja, zo is het.

En wij geloven in die motieven van jou, Joe, en dus zijn we het gesprek aangegaan en hebben met je gesproken.

Joe was in de stoel ineengezegen. Hij keek op en zag dat Belle en Alice hem aankeken.

Het spijt me. Het spijt me maar ik...

Het *geeft niet,* fluisterde Little Alice plotseling. Je moet het jezelf niet zo zwaar aanrekenen, Joe, laat Belle nu gewoon haar verhaal afmaken.

Joe wendde zich van de een tot de ander.

Ja, neem me niet kwalijk. Ga alsjeblieft verder.

Belle knikte.

Dit klinkt misschien vreemd in je oren, maar de waarheid is dat Stern belangrijker voor ons is dan de oorlog, deze oorlog of willekeurig welke andere oorlog. Zijn leven betekent meer voor ons dan al het wapengekletter van alle grote legerscharen die de wereld vernietigen ten behoeve van een nobel doel, zegen hen, ten behoeve van een slechte zaak, verdoem hen. En dat is de waarheid, ook al lijden en sterven er immense aantallen onschuldige mensen voordat het pleit op de een of andere manier is beslecht, als het ooit zover komt.

Er speelde een droevige glimlach rond Belles mond.

Dat klinkt in jouw oren misschien bekrompen en zelfzuchtig en het stuit je misschien zelfs tegen de borst. Maar wij zijn geen filosofen, Alice en ik, en zo is het met ons gesteld. Natuurlijk zouden we willen dat het de wereld beter zou vergaan, en we weten wat een verschrikkelijke tragedie het is als die beestachtige nachtmerries de mensen in hun greep houden. Maar wij tweeën zijn oud, Joe. We zijn *oud* en we hebben te lang geleefd om de gehele aarde en iedereen die erop leeft in de armen te sluiten. Deze tijden zijn rampzalig voor de mens, maar wij zijn eenvoudigweg te klein en onze ogen zijn te oud om zo'n groots gebaar te maken. Wij zijn nooit grote keizerinnen geweest over alles, of luisterrijke koninginnen van de Nijl. We zijn gewoon twee zusters die nooit zijn getrouwd en nooit kinderen hebben gebaard, die zijn begonnen met het dweilen van vloeren en later een rol kregen in een opera van het leven, die onderweg een paar onschuldige dromen droomden en toen, nadat we ons uiterste best hadden gedaan, ergens eindigden.

En uiteindelijk is er niets meer te zeggen dan dat, niets behalve één ding. *We houden van Stern, onze zoon.* We zouden alles voor hem willen doen, maar er is niets wat we voor hem kunnen doen dan wenen, en dus doen we dat. Nu het duister zich om ons sluit, wenen we in onze harten om hem en wenen. *Om hem...*

Joe zat met zijn hoofd in zijn handen en luisterde naar de woorden van de Zusters en dacht aan veel dingen. Aan Achmed en Liffy en David en Anna, aan Bletchley en zijn woestijnvesting en zijn groep van anonieme Monniken, aan Maud en Stern en het stille kleine pleintje in Caïro waar zij ooit samen avonden hadden doorgebracht. En aan de jonge Stern jaren geleden, in deze zelfde kamer, staande tussen de openslaande deuren naast de uitgestrekte rivier en lachend, zijn ogen glinsterend... Stern die lachte en genoot van de geneugten van het leven en blijdschap en hoop schonk aan iedereen die hem kende.

Joe voelde twee piepkleine handen op zijn schouders, gebaren van de Zusters toen zij voorbijliepen, beiden even stilstaand om hem een ogenblik aan te raken toen ze zich langzaam door de kamer voortbewogen. Big Belle stram vooraan, Little Alice die even draalde om hem nog iets in te fluisteren.

Het is onze gewoonte onze avonden met muziek te besluiten, zei ze. Dat vinden wij troostrijk en het helpt ons de slaap te vatten, maar we doen het vooral omdat het ons herinnert aan zo vele heerlijke momenten die wij hebben gekend. Dus neem het ons alsjeblieft niet kwalijk, Joe, en vertrek maar wanneer je wilt. Wij weten dat je veel aan je hoofd hebt en over veel moet nadenken. Dat hebben jonge mannen altijd...

Toen vulde een mysterieuze melange van geluiden de schaars verlichte zonnekamer op die merkwaardige woonboot die voor anker lag aan de oever van de Nijl. Little Alice tokkelend op haar klavecimbel en Belle sombere noten blazend op haar kleine fagot. Hun muziek had een tintelende en klaaglijk melodische ondertoon, terwijl Joe uitstaarde over de rivier en luisterde naar hun elegie onder de sterren, hun zinspelende recital aan het einde van de lange nacht.

16 Twee kaarsen

Zodra Joe de woonboot had verlaten, merkte hij een van de mannen op die hem schaduwden. Hij zwaaide naar de man en begon snel te lopen.

Na een aantal keren van de ene bus op de andere te zijn overgestapt was hij ook de tweede kwijt. Natuurlijk moest wat hij deed wel opvallen en zou Bletchley telefoontjes krijgen van het observatieteam, maar daar zat Joe niet mee. Hij was nu heel kwaad, te kwaad om zich te bekommeren om de vraag of het in de gaten liep toen hij dieper in de stad doordrong, op zijn schreden terugkeerde en speurde naar ogen die zijn blikken vermeden, naar een hoofd dat werd afgewend.

Niets. Niemand. Waar was de derde man, of had Bletchley tweespannen ingezet om hem te schaduwen?

Nee, dat zat er niet in. Of zou hij plaatsvervangers hebben laten opdraven? Hadden de mannen opgebeld en een ander hun plaats vóór Joe laten innemen? Stonden ze hem op te wachten en hielden ze zijn spoor op die manier warm?

Nee, daar had Bletchley de mankracht niet voor, niet met al die eisen die er dezer dagen aan het Klooster werden gesteld. Bletchley had misschien wel meer mannen achter hem aan willen sturen, maar pas als hij zeker wist dat Joe op de vlucht was. En Bletchley kon dat nog niet weten, in weerwil van de telefoontjes van zijn observatieteam die hij die ochtend had gekregen.

Monniken, dacht Joe. Bletchleys klotemonniken uit de woestijn. Een geheime orde van ingewijden met hun eigen hiërarchie, die eruitzagen als ieder ander maar helemaal niet waren als ieder ander. Eenlingen die in hun eentje hun missie uitvoerden, die zwijgend beraadslaagden met hun geloofsgenoten door middel van geheime tekens... Zelfs hun geloften hadden iets kloosterlijks. Gehoorzaamheid en stilzwijgen, en armoede in zekere zin, kuisheid in zekere zin. Een geheime broederschap met geheime oogmerken, de anonieme Monniken van de oorlog... die kloterige anonieme Monniken van de oorlog.

Maar waar was nu toch de derde man, de leider van het team?

Joe versnelde zijn pas en sloeg twee keer een hoek om, kwaad dat ergens in de buurt een man hem in de gaten hield en op hem jaagde, een van Bletchleys anonieme Monniken. En toen opeens zag hij hem. Een kleine man die zich aan de overkant van de drukke straat onbeholpen voortbewoog.

Joe voelde het bloed plotseling sneller door zijn aderen stromen. Nu was hij de jager en kon hij toeslaan, verwonden.

Op de hoek bevond zich een café. Hij ging naar binnen en liep door naar achteren waar de telefoons waren, glipte door de achteruitgang van het café weer naar buiten en ging achter een vrachtauto lopen die langzaam langsreed om de straat over te steken. Hij liep traag, hield gelijke tred met de vrachtauto en werd er door aan het oog onttrokken. Het was pas twee minuten geleden dat hij de man voor het eerst had opgemerkt.

Joe bevond zich nu aan de overkant van de straat, tegenover het café, achter de kleine man die zich bij een groepje wachtenden bij een bushalte had gevoegd. De kleine man had een krant opengeslagen en deed alsof hij die las, terwijl hij het café in de gaten hield. Joe ging vlak achter hem staan en legde zijn kin op de schouder van de kleine man, liet hem daar rusten en keek naar de krant die voor hun beider ogen opengeslagen was. De ogen van de man schoten opzij maar hij gaf geen kik.

Uitgekookter dan goed voor hem is, dacht Joe. Ik weet dat ze je hebben geleerd de vijand recht in de ogen te kijken, maar een idioot die zijn kin op je schouder steunt, dat is andere koek.

Joe glimlachte, zijn ogen nog steeds op de krant gericht.

Gulbenkian is de naam, zei hij. Vindt u het heel erg als ik even een snelle blik op de koppen werp om te zien waar Rommel vanochtend tijdens het ontbijt zijn neus in heeft gestoken?

De mensen bij de bushalte bleven stilstaan en keken hen aan. De kleine man herstelde zich en sprak met verontwaardiging.

Pardon? Wilt u iets van mij?

Te laat, klein konijn, dacht Joe. Vergeet dat ze je hebben geleerd geen blijk te geven van emoties. Gekken brengen iedereen in de war.

Joe glimlachte hartelijk.

Het enige wat ik wil is het geheim van Rommels succes, zei hij. Staat er in de krant wat hij bij zijn ontbijt heeft genuttigd?

Pardon, zei de man nadrukkelijk en gebelgd. Hij had zijn krant dichtgeslagen en probeerde zich van Joe te verwijderen, maar Joe hield hem stevig van achteren vast en bewoog met hem mee, zijn kin nog steeds op de schouder van de jonge man. Joe merkte voor het eerst dat hij met zijn been trok. De mensen bij de bushalte hadden een kring rondom hen gevormd. Joe grinnikte zijdelings naar het gezicht van de kleine man op slechts enkele centimeters afstand van het zijne.

Zou je me geloven, zei hij, als ik je vertelde dat ik net de hele nacht op ben geweest en heb geluisterd naar Catherine de Grote en Cleopatra die me hebben uitgelegd waar Rommel 's ochtends vroeg zijn neus in steekt? In kaarten of haring, zouden de meeste mensen wellicht denken, maar daar klopt niets van. Alleen in *schokkende* gegevens, als je het wilt weten.

De kleine man had zich eindelijk van Joe weten los te maken en stond nu tegenover hem, met gebalde vuisten en haat in zijn ogen. Een grote menigte was om hen heen samengedromd en mensen duwden en drongen naar voren in een poging erachter te komen wat er aan de hand was. Joe stak zijn armen omhoog, deed een stap achteruit en schreeuwde de menigte toe.

> *O waardige inwoners van Caïro, o edele zonen en dochters van de Nijl. Vandaag komt een groot bevrijder weer dichter bij Caïro en onderdrukking behoort misschien binnenkort tot het verleden. Maar wat heeft deze vertegenwoordiger van het Britse imperialisme precies bij deze bushalte in mijn oor gefluisterd? Welk een lasterpraat heeft hij mij hier bij klaarlichte dag gewaagd in te fluisteren?*

De menigte verviel in een stilzwijgen dat van alle kanten oprukte. Joe zwaaide met zijn armen en schreeuwde.

> *O waarde inwoners van Caïro. Heeft deze geheim agent het bij het juiste eind als hij zegt dat Generaal Rommel in alle vroegte zijn neus in zijn kleine fellahs steekt? Heeft hij het recht om zulke kwaadaardige dingen te zeggen over een grootse generalissimo pantserbevrijder? Mag de grote Generaal Rommel bij zijn ontbijt niet nuttigen wat hij wil?*

Vertoornd gemompel verspreidde zich door de menigte. Gesis. Gekreun, Opnieuw zwaaide Joe met zijn armen en schreeuwde.

> *En waarlijk, ik zeg u, een groots veldmaarschalk generalissimo*

pantserverlosser, onze hoogst eigen Rommel, mag bij zijn ontbijt
eten wat hij wil en het Britse imperialisme zij verdoemd. En ik
heb het eerder gezegd en ik zeg het nogmaals en ik blijf het zeg-
gen ongeacht wat ze met me doen.

Rommel eet voor zijn ontbijt wat hij wil.
Eet wat hij wil.
Eet wat hij wil...

Voor de hongerige massa's die zich die ochtend in de dwarsstraten verdrongen, was de lichamelijke aantrekkingskracht van Joe's galmende
boodschap immens en onmiddellijk. In slechts enkele woorden was Joe
erin geslaagd uitdrukking te geven aan de grondbeginselen van het verlangen van iedere arme Egyptenaar naar een betere toekomst, voedsel,
de droom zoals gewoonlijk vermomd als huldeblijk aan een verlosser,
het eerste beginsel vermomd als de eerste maaltijd van de dag, het ontbijt. Joe keek dus niet vreemd op toen diverse vermetele stemmen de
revolutionaire kreet van honger overnamen, en binnen enkele ogenblikken was de gehele massa uitgebarsten in een donderend spreekkoor
dat heimelijk een degelijk ontbijt eiste, honderden gebalde vuisten opgeheven naar de blauwe ochtendhemel.

We zeiden het eerder en we zeggen het weer.

Rommel eet voor zijn ontbijt wat hij wil.
Eet wat hij wil.
Eet wat hij wil...

Joe zag dat een aantal politieagenten zich aan de overkant van de straat
opstelden en zich klaarmaakten om, voor er een opstand uitbrak, een
charge uit te voeren op de menigte. De menigte dromde naar voren en
naar achteren in een hels kabaal van gegil, sirenes en getoeter. Joe gaf
Bletchleys kleine Monnik, die nog steeds voor hem vastgeklemd stond,
een knipoog en glipte weg in de menigte. Een blokkade verderop in de
straat, het geschreeuw en de claxons achter zich, bleef Joe plotseling stilstaan en leunde tegen een gebouw. Opeens voelde hij zich duizelig, alsof hij uren achtereen had gerend.

Een stom geintje, dacht hij. Er zouden alleen maar meer anonieme
Monniken in de buurt van het hotel op hem wachten, daar zou het eerste telefoontje van het observatieteam wel voor zorgen. Dus waarom had

hij het gedaan? Waarom had hij zo snel zijn beheersing verloren?

Het was meer dan uitputting, dat wist hij. De nacht was vol geweest van allerhande dingen maar de opwinding was nu verdwenen. Voor het eerst na zijn vertrek van de woonboot had hij het gevoel dat hij de dingen weer scherp kon onderscheiden. En toen luisterde hij naar de dierlijke kreten achter zich en besefte wat er was gebeurd.

Joe kokhalsde, graaide naar de muur en begon heftig te braken.

Toen hij zich voort haastte dacht hij aan de jonge man die hij zojuist had vernederd, een kleine man met een gebrekkig been of geen been, een prothese daarvoor in de plaats. Was hij zijn been in een tank kwijtgeraakt? Er was maar weinig ruimte in een tank en kleine mannen redden het daarin beter, daarom werden ze vaak daarvoor gekozen.

De jongen had het er niet erg goed afgebracht bij de bushalte, dacht Joe, maar natuurlijk was hij nog een groentje. Waarschijnlijk had hij eerst het een en ander over tanks geleerd, vervolgens opnieuw leren lopen en dan een spoedcursus bij de Monniken voordat hij erop uit werd gestuurd om voor Bletchley de straten af te schuimen... In gedachten kon hij zich voorstellen hoe het dossier van de jongen naar Bletchley werd gezonden en hoe Bletchley het bestudeerde en zijn eigen leven zich voor zijn ogen zag ontvouwen. De jongen, opgelapt en uit het ziekenhuis en weer tot lopen in staat, een eerlijke jonge soldaat die nog steeds zijn steentje wilde bijdragen, kon hij Bletchley wellicht van dienst zijn? En Bletchley die naar zijn staat van dienst keek en zijn eigen leven vijfentwintig jaar geleden voor zich zag, zo krijgt iedereen zijn eigen oorlog. Want Bletchley wilde toen ook per se in het leger blijven, het probleem was alleen dat ze mannen met slechts een half gezicht niet lieten blijven, net zo min als één been tegenwoordig zou volstaan. Dus had Bletchley precies geweten hoe de jongen zich voelde en had hij medelijden met hem gehad en hem een voorstel gedaan.

God sta ons bij, dacht Joe, maar zo gaat dat exact. Je meldt je aan voor een heldenrol, je raakt een been kwijt en als je mazzel hebt word je bevorderd tot tippelaar, zo simpel is het.

En dat joch deed daar alleen maar zijn werk, dacht Joe. Hij weet niet wie ik ben en hij heeft nog nooit van Stern gehoord en hij heeft niets met ons te maken, maar ik heb haat in zijn ogen gebracht, dat heb ik gedaan. En die gaat hij vast en zeker doorgeven, maar het ergste van alles is dat ik er plezier aan beleefde, dat ik *wilde* kwetsen, en ik lachte omdat ik zo kien was... Kien, hoor, een kreupel kind zo'n afranseling geven ten overstaan van een massa mensen.

Hij bleef uitgeput stilstaan en voelde zich leeg en beschaamd. Soms leek het allemaal zo nutteloos. Al die jaren en dan kon er plotseling zoiets gebeuren. Het was beangstigend.

Maar hij had geen tijd om erover na te denken. Hij moest door. Er restte hem nog maar zo weinig tijd.

De stegen van het oude Caïro zagen er zoals altijd uit alsof ze 's nachts door de ratten waren aangevreten. Joe was vlak bij zijn hotel. Hij sloeg een hoek om.

Plotseling dook een woeste Arabische gestalte voor hem op en blokkeerde hem de weg. Het haar van de man was lang en samengeklit, zijn smerige mantel een lappendeken van verschoten vodden. De Arabier klauwde wanhopig naar de lucht voor Joe's gezicht, en zijn ogen brandden terwijl hij naar de zonneschijn uithaalde. Maar het was de mond van het wezen die happend en knauwend naar het zonlicht Joe afschuw inboezemde. Joe probeerde achteruit te deinzen maar een striemende klauw kwam suizend omlaag en greep hem, waarbij de knokige vingers van de Arabier in zijn huid brandden. Joe kromp ineen van schrik. Het gezicht van de Arabier bevond zich op slechts enkele centimeters afstand van het zijne... een woest visioen van de een of andere kluizenaar die in de eeuwen de weg was kwijtgeraakt en vanuit de woestijn was komen aanstrompelen om de stegen van de stad onveilig te maken. Maar toen zag hij in de ogen van de Arabier iets merkwaardig vertrouwds.

Liffy?

Een ogenblik bleven de uitzinnig brandende ogen Joe strak aankijken, toen gleed de klauw van hem af en werd de mysterieuze blik doorbroken.

Ik, zei Liffy, naar adem snakkend... een astma-aanval... hierheen.

Hij trok Joe zijwaarts met zich mee een steeg in.

Gaat het?

... nu beter... kan niet terug naar het hotel... Hier.

Hij trok Joe naar een donkere ruimte aan de steeg, die van de steeg werd gescheiden door een armoedig gordijn. Er stonden kleine kale tafeltjes in de ruimte en een toog vol met flessen op een rijtje, opgestapelde stoelen, een spiegel achter de toog. Een Egyptenaar zat omgekeerd, met zijn gezicht naar de spiegel. De vloer glinsterde van het water dat erop was gesprenkeld om te zorgen dat het stof niet opstoof.

De Egyptenaar achter de toog keek in de spiegel naar hen en ging door met het poetsen van glazen. De spiegel was oud en gebarsten en heel gespikkeld van jaren, de randen donker in het duister. Joe vermoedde dat het een soort goedkope kroeg was die, waarschijnlijk voornamelijk 's nachts, door arbeiders werd gefrequenteerd en op de eigenaar na verlaten was. Liffy piepte en hijgde en bestelde koffie.

Joe keek gefascineerd door de vreemde vertekeningen heen die in zijn wazige binnenste dreven. Er schoot een eigenaardige gedachte door zijn hoofd. Als Stern hier toch eens naast hem in die spiegel zat te staren...? Liffy trok hem mee naar een tafeltje achterin, weg van het sjofele gordijn dat de ruimte van de steeg scheidde. Liffy was nog steeds bleek en snakte nog steeds naar adem, Joe hield hem bij zijn arm vast.

Gaat het echt wel? Kan ik iets voor je doen?

Liffy sloot zijn ogen en kauwde op de lucht.

... gaat al beter... gaat al over... een aanval.

Joe keek over zijn schouder naar de toog, waar de eigenaar van de kroeg een piepklein metalen potje op het vuur zette, het er weer afhaalde toen de vloeistof erin begon te borrelen, het vocht tot bedaren liet komen en het potje vervolgens weer op het vuur zette, en zo het mengsel van koffie en suiker in totaal drie maal liet koken. Liffy begon weer een beetje kleur te krijgen. Ten slotte deed hij zijn ogen open en keek Joe aan.

Beter?

Ja, fluisterde Liffy. Ik begon al bang te worden dat je nooit meer zou komen opdagen.

Wat is dat voor kostuum dat je aan hebt?

Niets, zomaar iets wat is overgebleven van gisteravond. Ik moest een karwei opknappen voor de Waterjongens en had geen tijd om me om te kleden. Wacht.

Joe hoorde achter zich iets bewegen. De eigenaar bracht de twee kleine kopjes koffie en plaatste ze op de tafel, een slonzige man met gezwollen ogen. Zodra hij hen alleen had gelaten, leunde Liffy naar voren.

Ik was bang dat ik je was misgelopen. Er is iets gebeurd.

Wat?

Achmed, fluisterde Liffy. Ik wilde je gisteravond laat, toen ik klaar was met mijn werk, komen opzoeken. Ik had niet verwacht dat je de hele nacht zou wegblijven en was van plan in je kamer op je te wachten, maar zover ben ik nooit gekomen. Toen ik binnenkwam zat Achmed niet achter zijn toonbank en er was iets niet in de haak, ik voelde het. Er leek helemaal niemand aanwezig te zijn.

Joe sloeg zijn handen onder de tafel ineen.

Ben je op onderzoek uitgegaan?

Binnen niet, dat beviel me niets. Toen bedacht ik dat hij misschien achter het huis op de binnenplaats zou zijn en liep om en klom naar boven om naar binnen te kijken.

Liffy's handen beefden. Hij sloeg zijn ogen neer. Joe keek hem aan.

Achmed, fluisterde Liffy. Hij lag daar verwrongen en plat op de grond. Het zag ernaar uit dat hij van het dak was gevallen. Zijn verrekijker had hij nog in zijn hand en zijn trombone lag naast hem.

Joe kreeg een wee gevoel in zijn maagstreek.

Dood?

Hij lag er verkeerd bij. Zijn benen en zijn hoofd waren helemaal verdraaid maar zijn strohoed zag ik nergens. Ik ben niet gebleven, ik ben weggegaan en hiernaartoe gekomen om op jou te wachten. Ik wacht al uren, zonder terug te zijn geweest. Ik heb geen idee wat er daar gaande is.

Hoe was hij gekleed, Liffy?

In zijn verschoten lavendelblauwe nachthemd. Dat oude geval dat hij altijd draagt als hij in functie is.

Liffy liet zijn hoofd hangen. Hij haalde zijn handen van de tafel en verborg ze, zijn stem trilde.

Ik weet wat je denkt. Achmed ging nooit het dak op zonder eerst zijn pak te hebben aangetrokken, het was per slot van rekening zijn speciale plekje. En waar was zijn hoed, Joe? Wat is er met zijn oude strohoed gebeurd?

Liffy's stem sloeg over. Hij omklemde Joe's arm in een vragend, een smekend gebaar.

Is hij in een opwelling het dak opgegaan? Besloot hij pardoes daarheen te gaan en heeft hij te ver over de rand geleund... zijn evenwicht verloren?

Joe legde zijn hand op die van Liffy.

Een ongeluk? smeekte Liffy radeloos.

Nee, zei Joe, steviger in Liffy's hand knijpend.

Nee? gilde Liffy bijna uit. Alleen deze ene keer? *Nee?*

Joe greep Liffy's schouder. De tranen biggelden over Liffy's wangen.

Is hij eraf *geduwd?* vroeg hij met een hese fluistering. Een onschuldige man als Achmed? Maar wat heeft dat voor *zin,* Joe? Wat heeft dat voor *zin?*

Joe was opgestaan. Hij gooide een paar munten op tafel.

Er is geen tijd te verliezen, ik moet ervandoor.

Liffy's hoofd schoot achterover.

Waar ga je heen?

Ik moet iemand spreken.

Wie?

De angst stond in Liffy's ogen te lezen.

Wie? Zeg op. Ik weet het trouwens toch al.

David, fluisterde Joe.

Liffy sprong op.

Dan ga ik met je mee. Absoluut.

Dat kun je beter niet doen, Liffy, deze keer niet. Het zou beter zijn als je niet meeging.

Beter? David...? *Beter?*

Goed dan, maar we moeten ons haasten, fluisterde Joe en hij liep de ruimte door in de richting van het sjofele gordijn dat hen scheidde van de steeg, maar toen ze langs de spiegel snelden, viel Joe's oog op een vluchtige schim, een spookachtige verschijning die in het halfduister achter hem aan zweefde, met wapperende haren en een opbollende mantel en een gekweld gelaat dat opgloeide in de schemering... Liffy, vluchtend door de tijd. De onwereldse gestalte van Liffy die door een van de laatste van zijn mysterieuze incarnaties wervelde...

De deur van Cohens Optiek stond op een kier. Er ging een belletje toen Joe haar verder openduwde. Er was niemand in de winkel.

Een andere deur, die ook half openstond, bood toegang tot de werkplaats achterin, waar Joe met Cohen had gesproken. Ook de werkplaats was verlaten en de deur achter in de werkplaats gesloten. Joe klopte, wachtte en draaide aan de kruk. Het was een voorraadkamer, de plaats waar Anna Joe's gesprek met haar broer had aangehoord. Er stonden dozen en stoffige bakken, verwaarloosde slijptollen, een klok aan de wand die niet meer liep. Anna zat starend naar de vloer op een van de dozen. Verbijsterd keek ze op.

Ik heb het zojuist pas gehoord... Waar was jij?

Ze keek Joe uitdrukkingsloos aan en hij schudde zijn hoofd. Ze keek Liffy aan.

Was jij er niet bij...? Was er niemand bij hem?

Nee, zei Joe op gedempte toon. Wat is er gebeurd?

Ach, een vrachtwagen heeft hem aangereden. De politie heeft me net op de hoogte gebracht. Hij was bezig een straat over te steken. Ze zeiden dat het niemands schuld was.

Haar gezicht stond effen. Ze staarde naar de vloer. Joe hoorde een gedempte snik naast zich en opeens zat Liffy op zijn knieën naast Anna en sloeg zijn armen om haar heen en samen wiegden ze heen en weer en jammerden en huilden... huilden en huilden.

Joe keek naar de stilstaande klok aan de wand en voelde zijn knieën knikken. Hij kneep zijn ogen stijf dicht, te zwak om overeind te blijven, zijn hart verpletterd door het eeuwige geluid van hun geween.

Het kleine Griekse kerkje waar ze hun toevlucht hadden gezocht was op hen tweeën na verlaten, de vloer van het schip kaal zoals gebruikelijk. De paar stoelen met hoge ruggen waren achteruit tegen de muren geschoven als tronen bij een bijeenkomst van bezorgde middeleeuwse koningen. Geschreeuw van kinderen drong door in de koele duisternis.

Liffy zat op zijn troon met zijn handen in zijn schoot, alle leven uit hem weggevloeid sinds zij Anna hadden verlaten. Naast hem zat Joe ongemakkelijk op zijn troon te schuiven en te denken hoe grimmig de sfeer in de kleine kerk was zonder haar priester en gelovigen, haar psalmen en wierook, met enkel verdwenen lofzangen om de schaduwen te vullen. Liffy bewoog en fluisterde iets.

Joe? Wat ga je nu doen?

Tja, ik ga proberen op de een of andere manier vanavond Stern te pakken te krijgen, maar tot dan heb ik een onderkomen nodig. In een ander tijdsgewricht zou deze ruimte uitstekend hebben voldaan, maar dat concept wordt helaas niet langer in ere gehouden. Het schijnt dat gewijde plaatsen de neiging hebben in de loop der tijd te verdwijnen, waardoor je steeds weer op zoek moet naar nieuwe, nietwaar... Weet jij misschien zo'n plaats, Liffy?

Een schuilplaats, bedoel je?

Ja.

Liffy keek op naar de lage koepel, naar de fresco die de strenge gestalte van Christus als Albeheerser, de Heilige Geest of Bemiddelaar, verbeeldde, het gestileerde gezicht uitdrukkingsloos, de enorme krachtige ogen op hen neerkijkend.

Je zou het mausoleum van de oude Menelik kunnen proberen, fluisterde Liffy. Daar is het niet minder veilig dan waar ook.

Daar zou je best eens gelijk in kunnen hebben, dacht Joe.

Maar Achmed heeft zijn vervalsspullen daar opgeslagen, fluisterde hij. Zal Bletchley ook niet op dat idee komen?

Liffy ging rechtop zitten.

Er is voor hem geen reden om zich daarmee bezig te houden. Er staat alleen maar een kleine drukpers die met de hand moet worden bediend en zo oud en gehavend is dat alleen Achmed ermee kan omgaan. Ik neem aan dat ze de boel gewoon op slot houden en er verder niet aan denken. Het heeft geen enkele betekenis voor hen.

Klinkt plausibel, dacht Joe.

Maar hoe kom ik daar dan binnen?

Ik heb een sleutel, mompelde Liffy.

Echt waar?

Ja. Ik heb ooit een duplicaat laten maken van die van Achmed. Hij leende me de zijne steeds uit en ik was altijd bang die te verliezen.

Bedoel je te zeggen dat je daar in je eentje heen ging?

Soms, om even afstand te nemen van alles. Achmed kreeg medelijden met me en liet me er gebruik van maken. Ik ging er gewoonlijk heen om te lezen.

Joe keek hem verbaasd aan.

Wat las je daar dan?

Buber, voornamelijk. Het was er heel stil en daar kwam ik tot rust.

Joe knikte. Ik heb aan de Waterjongens zitten denken, fluisterde hij, en me afgevraagd of zij op de een of andere manier zouden kunnen helpen.

Liffy verschoof op zijn troon, zijn ogen nog steeds opgeslagen naar de koepel.

Waarom zij?

Omdat ik betwijfel of zij, gezien de huidige staat van de beveiliging, wel enig idee hebben van wat er gaande is. En omdat er een soort rivaliteit tussen hen en het Klooster moet bestaan, de menselijke aard in aanmerking genomen. En ook omdat Stern in het verleden voor hen heeft gewerkt, wat inhoudt dat ze een hoge pet van hem ophebben. En omdat Maud daar werkt. Ik weet dat zij alleen vertaalwerk doet, maar dat betekent in ieder geval wel dat ze haar vertrouwen. Is er daar een officier in het bijzonder die jij kent?

De majoor, mompelde Liffy. Dat is de aangewezen persoon om contact mee op te nemen. We kunnen het goed met elkaar vinden en ik geloof dat hij direct aan de kolonel, Bletchleys evenknie, verslag uitbrengt. Eigenlijk geloof ik dat hij de persoonlijke assistent van de kolonel is. Ik kan je zijn privételefoonnummer geven en jij zou je voor mij kunnen uitgeven en om een spoedvergadering vragen. Ik heb er nooit eentje ongecodeerd op touw hoeven zetten, maar jij zou het wel klaarspelen. We hebben daar een regeling voor.

Ik zou jouw stem niet kunnen nabootsen, fluisterde Joe.

Dat hoef je ook niet. Elke keer als ik hem opbel maak ik gebruik van een andere stem. Het is een soort spelletje tussen ons tweeën.

Joe knikte. Liffy's blik was nog steeds gericht op de fresco boven zijn hoofd.

Joe? Wat doe je als Meneliks crypte geen uitkomst biedt? Als je een andere plek moet zien te vinden om je schuil te houden? Waar ga je dan heen?

Daar heb ik ook over zitten prakkiseren en ik denk dat ik het dan op de woonboot moet proberen. De Zusters zullen me heus wel onderdak bieden, het probleem is dat Bletchley daar ook wel aan zal denken. Ik weet dat hen geen kwaad zal worden berokkend, ik ben ervan overtuigd dat zij daarin gelijk hebben, dat Bletchley dat niet zou wagen. Maar de woonboot ligt daar maar in het water, en als Bletchleys mannen daar komen kijken, hebben ze me snel genoeg gevonden.

En dus?

En dus moet ik er maar op vertrouwen dat de oude Menelik me daar beneden in zijn vijfduizend jaar duistere geschiedenis verborgen kan houden.

Liffy keek hem aan.

Ik weet het, fluisterde Joe, die hoop is niet erg reëel. De geschiedenis verbergt je niet, integendeel. Als ze iets doet dan is het wel je schuilplaats verraden. Maar wat is er anders voor hoop?

Liffy antwoordde niet.

En als ze je verhoren, voegde Joe eraan toe, denk er dan aan dat je ze simpelweg de waarheid vertelt. Je weet dat ik heel veel met Achmed heb gesproken en dat ik één keer met David heb gepraat en dat ik gisternacht de Zusters een bezoek heb gebracht. Maar je weet niet wie ik verder nog kan hebben gesproken en je weet niet wat de Zusters me zouden kunnen hebben verteld, en dat is de waarheid. Je weet het niet, Liffy, zo zit dat. Het zijn jouw zaken niet. Dit is iets tussen Stern en mij, en Stern en mij en Bletchley, en zo is het van begin af aan geweest. Dus zeg ze gewoon de waarheid, dan zal Bletchley je het vuur niet aan de schenen leggen als hij begrijpt hoe de vork in de steel zit. Er is niets mis met Bletchley, de kwestie is alleen dat hij zijn eigen werk heeft en we verschillende uitgangsposities hebben. Dus gewoon de waarheid, Liffy, dan komt alles in orde.

Liffy knikte verstrooid. Hij opende een leren beursje dat om zijn nek hing en drukte Joe een sleutel in zijn hand.

Van Meneliks crypte?

Ja.

Liffy keek Joe aan en begon toen weer te fluisteren.

Er is één ding dat ik weten moet. Is Stern... is gebleken dat hij... is het goed gekomen? Is hij er uiteindelijk achter gekomen, Joe, had hij het bij het rechte eind? Je moet me de waarheid zeggen om Achmeds wille, om Davids... om ons.

Joe glimlachte.

Daar hebben we nooit aan getwijfeld, Liffy. Diep in ons binnenste heeft geen van ons daar ooit aan getwijfeld. Stern staat aan de enige kant die er is, aan de goede kant. Leven. Hoop. De goede kant. En dat wisten we, Liffy, we *wisten* het. Weet je nog wat jij me, de eerste keer dat je zijn naam noemde, over Stern vertelde? Hoe jullie samen 's avonds laat naar armetierige Arabische kroegen gingen om daar zomaar te zitten en over niets in het bijzonder te praten en al helemaal niet over de oorlog? En jij vertelde dat jouw imitaties bij hem in de smaak vielen en hem aan het lachen maakten. En je zei dat dat heel wat voor jou betekende, een man als Stern aan het lachen maken, als je weet wat voor leven hij achter de rug had. Het maakte je gelukkig, zei je. Weet je nog?

Ja.

En toen zei je nog iets, Liffy. Weet je dat nog?

Ja. Ik zei dat het een ongebruikelijke manier van lachen was. Ik zei dat het zachtmoedig was en ik zei dat hij zachtmoedige ogen had.

Zo is het, zei Joe, en dat heeft hij. En dus is er nu niets meer om bang voor te zijn, want het zal goed komen.

Joe glimlachte. Liffy keek hem aan. En natuurlijk was er die laatste vraag die tussen hen in bleef hangen: wanneer zouden ze elkaar weerzien, en waar? Maar ze begrepen elkaar te goed om zich daar druk over te maken en in plaats daarvan troffen zij hun laatste voorbereidingen en bleven een paar minuten zwijgend zitten, terwijl ze keken naar de kleine kerk om hen heen, met zijn kleine koepel en zijn donker geworden fresco van de Albeheerser, de Bemiddelaar, en genoten samen van de koelte en de rust van die ruimte, een ogenblik van rust voor hen beiden.

Uiteindelijk kneep Joe onwillig in Liffy's arm en gleed van zijn troon.

Ik moet ervandoor, fluisterde hij.

Liffy liep met hem mee tot aan de deur. Er was een klein stalletje met gebedskaarsen en Liffy bleef stilstaan om er twee aan te steken, een voor Achmed en een voor David, en ze keken een poosje naar de kaarsen voor ze elkaar omhelsden. En daar gingen hun wegen uiteen en daar liet Joe hem alleen, een frêle man in een gehavende mantel met zijn klittende haar in strengen rond zijn gelaat, een treurende kluizenaar uit de wildernis die zich boog over de flakkerende kaarsen van vroeger, van liefde.

Stilletjes weende Liffy om Achmed en David, in het sombere licht van die kleine grot, Liffy, voor de zoveelste keer de opgejaagde profeet uit het verleden, een frêle man gebroken door de verschrikkelijke kennis van de namen der dingen... zijn eeuwenoude stoffige gezicht nat van de tranen die glinsterden als piepkleine riviertjes die waren gekomen om de woestijn te bewateren.

17 Memento's

De enorme groepen dakloze pelgrims die ronddoolden in de buitenste kringen van de Irrigatiewerken leken geen vaste werktijden te kennen.

Er werd tevens gezegd dat ze allemaal op zoek waren naar water. Dat beweerden zij tenminste wanneer ze werden aangehouden en gevraagd wat zij kwamen doen, die rondsjokkende groepen Slaven en Roemenen en Denen en Grieken, Belgen en Armeniërs en Hollanders, sommigen vastberaden en sommigen louter verdwaasd, anderen dan weer met wilde blikken en dan weer gedwee terwijl ze hun boodschappen chaotisch uitkraaiden en met hun lange staven op de grond stampten, pelgrims ver van huis, wiegend als korenschoven in de wind, die verwarrende groepen Maltezen en Tsjechen en Fransen en Noren, Cyprioten en Hongaren en Polen, de vele statenloze zwervers en zo nu en dan een eenvoudige Albanees.

Volgens Liffy hadden ze geen vaste kantooruren in de buitenburelen van de Irrigatiewerken. Maar bij de binnenkantoren waar Maud werkte, was het usance in de middag een uur of twee vrijaf te nemen om aan de hitte te ontsnappen, alvorens later op de middag de werkzaamheden te hervatten.

Aldus zat Joe, na heel wat voorzorgsmaatregelen te hebben getroffen, in de zitkamer van Mauds kleine flat, toen de deur die middag openging. Hij hoorde hoe ze haar pakjes neerlegde en zachtjes in zichzelf zingend door de gang liep. De kamer waar Joe zat was met luiken afgeschermd tegen de zon en de hitte. Maud kwam de kamer in en hield op met zingen. Ze staarde hem aan.

Van zo dichtbij leek ze hem kleiner dan hij zich haar herinnerde. Ze bracht geschrokken haar hand naar haar mond en verwondering en verbijstering waren van haar gezicht af te lezen. Joe deed een stap naar voren en stak zijn armen uit.

Ik ben het, Maud. Ik wilde je niet aan het schrikken maken.

Ze staarde, haar hand voor haar mond. In de hoeken van haar ogen verscheen een vertrouwde glimlach.

Joe? Ben jij het? Ben jij het echt?

Hij deed nog een stap naar voren en pakte haar handen, haar groene ogen lichter dan hij zich herinnerde. Sprankelend, magnifiek.

Ik wilde niet zomaar pardoes voor je neus opduiken, Maudie, maar ik kon je niet schrijven en er was geen andere manier om het je te laten weten.

Zijn glimlach verbreedde zich.

Het is een hele verrassing, hè? Twintig jaar later en hier in Caïro, wie had dat ooit gedacht?

Ze keek hem intens nieuwsgierig aan. In zijn verlegenheid liet hij zijn blik door de kamer dwalen.

Leuk, leuke woning heb je. Hoe gaat het met je? Je ziet er uitstekend uit.

Ze stond hem nog steeds aan te staren. Eindelijk wist ze een paar woorden uit te brengen.

Maar hoe...? Waarom...? Wat doe je hier?

Joe knikte glimlachend.

Ik weet het, het is raar, jij komt gewoon thuis en daar zit ik opeens. Het is net alsof we elkaar vorige maand of afgelopen winter of zo nog hebben gezien. Hoe maak je het? Je ziet er uitstekend uit.

Opeens schoot ze in de lach. Hij herinnerde zich haar lach maar niet de verbluffende volheid ervan.

Met mij gaat het best, maar wat brengt jou hierheen? Zit je in het leger? Ik dacht dat je nog steeds ergens in de Verenigde Staten was. Je hebt je oor bezeerd. Kom, laat me eens naar je kijken.

Ze week achteruit en bestudeerde hem, nog steeds zijn handen vasthoudend. Ze lachte en rimpelde haar neus, een prachtig gebaar dat hem aanvankelijk verbaasde, maar dat hij zich toen ook herinnerde. Dat deed ze als iets onverwachts haar blij maakte. De kwestie was gewoon dat hij het zo'n lange tijd niet had gezien.

Hij wendde verlegen zijn blik af. Ze stond hem nog steeds aandachtig te bekijken.

Zou jij me hebben herkend, Maudie?

Jouw ogen, ik denk dat ik jouw ogen overal zou hebben herkend, maar of ik je op straat zou hebben herkend betwijfel ik. Je gezicht is veranderd en je ziet er magerder uit, hoewel je altijd al slank was.

Joe lachte.

Dat komt door de rimpels, de groeven zijn nu dieper. Maar jij ziet er nog precies hetzelfde uit. Ik zou je overal hebben herkend.

O nee, zei ze, één hand losmakend en haar haar naar achteren strijkend. Ik ben totaal veranderd... Maar o mijn hemel, is het echt twintig jaar geleden? Zo lang lijkt het niet, zo oud voel ik me niet... Maar je ziet er wel heel gedistingeerd uit. De jaren zijn je goedgezind.

Gedistingeerd? In deze kleren?

Je gezicht. Ik heb niet gelet op wat je aan hebt.

Ze lachte.

Jouw kleren hebben je nooit gepast, weet je. Herinner je je nog dat malle oude uniform dat je in Jeruzalem gewoon was te dragen? Dat geval dat had toebehoord aan die oude franciscaner priester, die Ierse vriend van jou die in de Krimoorlog had gevochten?

Ja, de bakpriester. Dat droeg hij bij Balaklava.

Precies. De man die de Charge van de Lichte Brigade overleefde omdat hij dronken was. Zijn paard was onder hem uit geschoten en hij was te bezopen om te voet verder te gaan, dus hebben ze hem een medaille voor heldenmoed gegeven omdat hij in leven was gebleven. Naderhand werd hij priester en werd naar Jeruzalem gestuurd om de scepter te zwaaien over de bakkerij in de franciscaner enclave in de Oude Stad. En sindsdien heeft hij brood gebakken, steeds weer in de vier vormen van het Kruis en van Ierland, en van de Krim en van de Oude Stad, de vier belangen van zijn leven, zoals hij zei. Dat uniform dat hij je had gegeven was te groot voor jou.

Joe knikte glimlachend.

Tja, dan ben ik toch niet al te zeer veranderd, ik draag nog steeds afdankertjes. Dit pak behoort toe aan een Armeense handelaar in Koptische kunstvoorwerpen op doorreis, dat is tenminste wat mijn papieren beweren dat hij is.

De Armeniërs, zei ze abrupt, waren de eersten die het Christendom als volk aanvaardden. In de vierde eeuw.

Joe keek haar verbaasd aan.

Dat is een onbekend feit. Hoe weet je dat?

Dat heb jij me verteld.

O.

Ze staarden elkaar aan.

Wil je wat drinken?

Dat lijkt me heerlijk.

Een glas limonade? Ik heb zelfgemaakte.

Dat lijkt me geweldig.

Maar ze bewoog niet. Ze stonden een stukje van elkaar af en zij bleef hem gefascineerd aankijken.

Nee, ik denk niet dat ik je op straat zou hebben herkend, niet als ik je niet in je ogen had gekeken. De rest van jou is anders. Je gezicht heeft een schraalheid die je hele uitdrukking verandert.

Je ziet eruit als iemand die in de woestijn heeft geleefd, voegde ze er op gedempte toon aan toe.

Joe glimlachte.

Ach, dat zal dan wel, want daar heb ik inderdaad gewoond. Niet hier, maar ginder, in Arizona. Eindelijk heb ik een indianenstam weten te vinden die bereid was me op te nemen.

Je zei vroeger al dat je dat ooit nog eens zou doen.

Dat weet ik. En het idee stamt oorspronkelijk uit de tijd dat ik hoorde van jouw indiaanse grootmoeder. Weet je nog dat ik steeds maar vragen over haar stelde...? Ach Maudie, waar is de tijd gebleven? Waar is al die tijd heen gegaan?

Ik weet het niet. Maar opeens ben jij weer hier en je stelt nog steeds vragen zoals je dat altijd hebt gedaan. Je was toen ook altijd op zoek naar antwoorden.

Ik was jong, Maudie.

Ja, dat waren wij allebei. En jij kreeg nooit ergens genoeg van, jij wilde dingen zo graag. En ik vermoed dat ik dat ook wilde en misschien is dat wat er mis mee was. Wij waren allebei zo jong en wilden zoveel zo graag, te veel, ik weet het niet. Ben je nog steeds zo, altijd op zoek naar antwoorden?

In zekere zin wel, geloof ik. Maar in zekere zin is het ook anders.

Ja, dat dacht ik al. En jij hebt een kalmte over je die je eerst niet had en je bent slanker, harder. Op een goede manier, innerlijk. Dat moet je aan de woestijn hebben overgehouden.

Dat zou best kunnen.

Ze keek met een nadenkende uitdrukking op haar gezicht naar zijn handen.

Je hebt je om je ziel bekommerd, hè? Je zei vroeger al dat je dat zou gaan doen en je hebt het ook gedaan. Je bent vertrokken en hebt het gedaan.

Ik denk het.

Ja, het is je aan te zien. Het is af te lezen in je ogen en op je gezicht en ik denk dat we dat allemaal doen, op onze eigen manier, en ik denk dat daar die jaren aan zijn opgegaan... Allemachtig, wat waren we toen jong. Dat waren we, Joe, zo vreselijk jong en we wisten nergens iets van.

Allemachtig. We waren kinderen die speelden in de velden van de Heer en voor ons bestond er geen dag of nacht, geen duisternis of licht, alleen maar liefde en blijdschap dat we bij elkaar waren en bij elkaar wilden zijn...

Ze sloeg haar ogen neer.

Het was heerlijk, fluisterde ze... Het heeft geen stand gehouden, maar het was heerlijk.

Joe ging wat dichter bij haar staan. Hij sloeg zijn armen om haar schouders.

Ik heb een paar kiekjes meegenomen, Maudie, wat foto's van Bernini. Ik heb ze gemaakt voordat ik de Verenigde Staten verliet. Hij is erop aan het honkballen, gekleed in wat ze dragen als ze dat doen. Hem noemen ze de catcher. Kun je je voorstellen dat je zoon zoiets doet, precies als een Amerikaanse jongen. Hij was heel opgewonden toen ik hem vertelde dat ik jou zou opzoeken. Ik moest je zeggen dat hij van je houdt. Dit heeft hij ook voor je meegegeven.

Joe haalde een armband uit zijn zak, een gladde dunne goudkleurige band, gemaakt van een goedkoop metaal.

Hij heeft hem zelf uitgekozen, zei Joe. Ik heb hem gevraagd of ik hem moest helpen iets uit te kiezen maar hij zei dat dit was wat hij wilde. Hij zei dat hij wist dat je dit mooi zou vinden omdat het eenvoudig was, en omdat jij van eenvoudige dingen houdt. En toen praatte hij honderduit over het kleine huis aan zee in Piraeus, waar jullie vroeger woonden. Voor sommige dingen heeft hij zo'n goed geheugen. En hij wilde per se de armband zelf betalen van het kleine beetje geld dat hij had verdiend. Hij zegt dat hij al genoeg heeft geleerd om daar ooit voor te worden betaald. Natuurlijk zal het wel iets zijn dat ze op school doen om hem te stimuleren, daarom betalen ze hem zo nu en dan een kleinigheid, maar het gaat goed met hem, Maudie. Ik ben naar de werkplaats geweest en heb gezien hoe ze horloges repareren en hij leert het al aardig. Dat hij bepaalde dingen niet kan, maakt totaal geen verschil, die zitten hem helemaal niet in de weg. In andere opzichten is hij juist geweldig, de manier waarop hij denkt is geweldig, O, hij is een sieraad, die kleine Bernini.

Maud nam de armband aan, hield hem vast en keek ernaar. Ze vroeg zich af of Joe wist dat Stern haar in Piraeus ooit net zo'n armband had gegeven, hoewel die van goud was. En natuurlijk had Bernini zich die andere armband herinnerd, en nu vertelde hij haar met dit eenvoudige geschenk dat ook hij... Maar natuurlijk moest Joe dat allemaal hebben geweten... en begrepen.

Joe voelde een rilling door zijn schouders gaan toen hij haar vasthield. Opeens leek ze hem kleiner dan ooit, haar schouders smaller dan hij zich herinnerde.

Kom kom, Maudie, wat is dat nu?

Tranen welden op in haar ogen. Ze schudde haar hoofd, alsof ze daarmee het gevoel kon afschudden.

Soms ben ik zo bang, fluisterde ze. Hij is niet klein meer, hij is niet zomaar een kind meer, en soms slaat de schrik mij om het hart als ik eraan denk. De wereld is niet gemaakt voor mensen zoals hij, dat is nu eenmaal zo. Het is al moeilijk genoeg om je hoofd boven water te houden als je over alle normale vermogens beschikt...

Joe drukte haar stevig tegen zich aan. Ze huilde en schudde haar hoofd, niet in staat de echo's van zich af te schudden die ze niet wilde horen.

Ach, Maudie, ik weet hoe jij je voelt en je hebt alle recht je zo te voelen, jij bent zijn moeder en als het anders was zou het niet goed zijn. Maar het is ook waar dat mensen op allerlei verschillende manieren kunnen slagen. Het is gewoon adembenemend hoe ze dat flikken en Bernini is een beste jongen, dat staat vast, en hij zal zich uitstekend weten te redden. Het doet er niet toe dat hij niet kan lezen en schrijven zoals anderen dat kunnen, of dat hij niet bepaald een wiskundeknobbel heeft. Dat betekent alleen maar dat hij nooit een boekhouder, opgesloten in een of ander stoffig kantoortje, zal worden. En wat dat andere betreft, nou ja, Homerus was blind en hij kon niet lezen of schrijven, maar toch zag hij alles wat er te zien was en doorgrondde hij de wereld veel beter dan de meesten van ons. Wat ik bedoel is, Bernini heeft andere gaven en heeft een hele rijke wereld tot zijn beschikking, die overloopt van schoonheid. En het zal een rijk leven zijn dat hij voor zichzelf zal vinden, daar ben ik zeker van.

Maud had haar tranen verdrongen. Plotseling keek ze op en glimlachte.

Mijn God, wat ben je mooi, dacht Joe. Je doet zo je best het hele leven in je op te nemen en er het beste van te maken, zonder je ooit te verschuilen. Het is de moeilijke weg maar die leidt ook naar waar de rijkdommen zijn. Goddank.

Ze stak haar hand omhoog. Joe glimlachte.

In de goeie ouwe tijd zou je je vinger op mijn neus hebben gelegd als je zei wat het ook mag zijn dat je gaat zeggen. Dat is jouw manier om dicht bij mensen te komen, het beste wat God ooit heeft geschapen.

Maud liet verlegen haar hand zakken. Ze keek verward om zich heen.

De limonade, zei ze. Waar is de limonade gebleven?

Ik geloof dat we dat genoegen nog niet hebben mogen smaken.

Ze lachte.

Arme Joe. Jij komt op een hete middag op bezoek en je krijgt nog niet eens iets koels te drinken. Het spijt me, een ogenblikje.

Terwijl zij weg was dwaalde hij door de kamer en bekeek haar kleine schatten, de eenvoudige spulletjes die spraken van jaren proberen een plekje te vinden. Memento's die hij zich herinnerde uit Jeruzalem en Jericho, zelfs een schelp uit een piepkleine oase aan de oevers van de Golf van Akaba. En memento's uit Smyrna en Istanbul en van Kreta en de eilanden en Attica en nu uit Caïro, uit Egypte.

En opnieuw voelde Joe hoe zijn gedachten teruggingen in de jaren. Naar Jeruzalem waar ze elkaar hadden ontmoet, en naar Jericho waar ze in het najaar heen waren gegaan, toen de nachten koud werden, omdat het altijd zomer was in Jericho en Maud in verwachting was van hun kind. Een klein huis met bloemen eromheen en citroenbomen, niet ver van de Jordaan, een koppige citroengeur vlak aan de rivier van belofte en hoop.

Maar ze hadden het samen niet gered in Jericho. Joe was op reis geweest om wapens te smokkelen voor een mythische man die Stern heette en Maud was radeloos geworden, bang dat hij op een dag niet zou terugkeren en de liefde haar opnieuw zou worden ontnomen, zoals het haar voorheen altijd was vergaan. Joe te jong om haar angsten te begrijpen en Maud te jong om ze duidelijk te maken, zij tweeën uit elkaar gedreven omdat ze zo intens veel van elkaar hielden, totdat Maud in haar radeloosheid uiteindelijk Joe had verlaten, zelfs zonder een briefje omdat woorden te pijnlijk waren voor wat prijs werd gegeven... Maud overweldigd door verdriet toen ze over het pad weg sjokte van het kleine huis met zijn bloemen, met in haar armen haar babyzoon die ze Bernini had genoemd in de stille hoop dat hij tenminste ooit van zijn leven nog eens prachtige fonteinen en trappen zou bouwen... Bernini tenminste.

En dus naar Smyrna, en naar de eilanden en Istanbul en Griekenland, meer rusteloze jaren vol onzekerheid, terwijl haar omzwervingen zich steeds verder uitstrekten en het leek alsof er nooit een einde aan zou komen. Stern die toen zijn intree in haar leven deed dankzij een van die mysterieuze wendingen van het lot die zoveel voorkomen in de oude landen rond het oostelijke Middellandse Zeegebied waar iedereen vroeg of laat iedereen leek te ontmoeten, wellicht omdat het allemaal heimelijke dolers waren en het daar het aangewezen gebied voor was, om te zoeken.

Stern en Maud hadden elkaar voor het eerst ontmoet op een grauwe middag aan de Bosporus, waar Maud naar het kolkende water had staan staren en zich te zwak voelde om door te gaan, te moe om zichzelf te vermannen en het nogmaals te proberen, te verslagen en verlaten daarvoor. Het duister was gevallen en uit de regen was een vreemdeling opgedoken die precies hetzelfde dacht als zij dacht, die naast haar aan de balustrade was komen staan en op gedempte toon was beginnen te praten over zelfmoord, in eenvoudige bewoordingen omdat hij die verdrietige oplossing, die kwellende metgezel van de eenzamen, zo goed begreep... Dus had Stern die middag haar leven gered en uiteindelijk was Maud bij machte het nog eens te proberen. Weer was er een klein huis met bloemen, aan zee, ditmaal in Piraeus, waar zij en Bernini samen gelukkig waren en Stern hen af en toe kwam opzoeken.

En dat waren eigenlijk de mooiste jaren, de gelukkigste jaren voor Maud, wanneer zij terugblikte. Bernini nog jong genoeg, zodat het niet hinderde dat hij niet helemaal was als andere kinderen, maar daar was al te snel een einde aan gekomen... De oorlog was uitgebroken.

Stern, die er altijd was om haar bij te staan, had een baantje voor haar gevonden in Caïro en had een school voor Bernini voorgesteld in Amerika, nu hij te oud was om dagdromend op het strand te zitten. Een bijzondere school waar Bernini kon wonen en een vak kon leren, zodat hij ooit op een dag in staat zou zijn op eigen benen te staan en een eigen leven op te bouwen, in Amerika, waar het veilig was. Stern die had aangeboden voor de school te betalen omdat Maud er het geld niet voor had.

Uiteindelijk had ze ermee ingestemd, omdat het voor Bernini's bestwil was. En ze was Stern altijd dankbaar geweest, ook al had ze van begin af aan geweten dat het geld in feite afkomstig moest zijn van Joe. Want Stern had, in weerwil van wat hij haar wijsmaakte, nooit zoveel geld, en Joe was het type man dat daar aan kon komen, Joe die probeerde het haar gemakkelijker te maken door Stern geld te sturen en Stern te vragen haar dat in zijn plaats aan te bieden... En zo had Bernini twee vaders die zich om hem bekommerden, twee mannen wier levens door de jaren heen onlosmakelijk met dat van Maud waren verweven...

Echo's dacht Joe. Echo's van de zon en het zand en de zee en een glorieus voorjaar aan de oevers van de Golf van Akaba... echo's van die korte tijdspanne van een maan boven de Sinaï zo lang geleden...

Joe hield de schelp tegen zijn oor en luisterde en luisterde en legde Mauds kleinood toen terug.

Toen ze terugkeerde uit de keuken was ze in verwarring. Ze ging naast hem zitten en streek haar haar naar achteren.

Wat is er? vroeg ze plotseling, geschrokken opkijkend.

Joe glimlachte.

Niets.

Heb ik iets raars gedaan?

Joe lachte.

Voor zover ik weet niet.

O, de limonade, zei ze. Ik ben de limonade vergeten. Ik moet aan iets anders hebben staan denken en ik heb een glas water genomen en ben gewoon omgekeerd en teruggelopen. Wat stom van me. Het is ontzettend hoe verstrooid ik soms kan zijn.

Onzin. Waar dacht je aan?

Mauds gezicht stond ernstig.

Aan Bernini. Aan wat je zojuist over hem zei. Ik begrijp het, weet je.

Natuurlijk begrijp je het, Maudie. Soms heb ik de indruk dat iedereen altijd alles begrijpt. En dat is eigenlijk ook wel logisch, als je er over nadenkt, want we hebben het hele verleden en de hele toekomst in ons, wat er gebeurd is, dat we worden herinnerd aan dingen in het leven die we al weten en waaraan we op onze beurt anderen herinneren. Dat heeft Stern me geleerd en dat heb jij me geleerd en ik heb er nog wat meer over geleerd toen ik zeven jaar in de woestijn zat. De geluiden in een woestijn zijn klein en je moet heel ingespannen luisteren om het fluisteren van de echte dingen te horen, ook al heb je die al in je.

Joe? Ik weet dat Bernini een bijzonder kind is en het is maar heel af en toe dat ik me verward voel, en op dit moment heeft die verwarring meer te maken met het feit dat jij hier bent.

Tja, er zijn gewoon zoveel gevoelens, nietwaar, Maudie? Wat we hadden en wat we hebben verloren, en wat we sindsdien hebben gedaan en niet hebben gedaan... Het is verwarrend, ik weet het, en het is droevig.

Maar nu speelt er nog iets anders, zei ze op zachte toon. Je hoeft mij niet te vertellen waarom je hier bent. Niemand heeft iets gezegd maar het moet zijn vanwege Stern, iets anders kan het niet zijn. En ik neem aan dat je er niet over kunt praten en eerlijk gezegd wil ik er sowieso niets van weten. Ik weet wat Stern voor me heeft betekent en dat zal ik altijd weten, en niets kan daar verandering in brengen... Maar Joe? Vertel me alleen één ding.

Ze wendde haar blik af en schudde haar hoofd. De tranen begonnen weer op te wellen in haar ogen.

Ach, wat doet het er ook toe, je hoeft me zelfs dat niet te vertellen. Ik weet het antwoord al.

Nee, Maudie, ga door en vraag vrijuit. Het is beter iets ronduit te zeggen dan er alleen maar op te zinspelen, zelfs als we de antwoorden al weten.

Ze sloeg haar ogen neer.

Goed dan... Gisteravond heb ik Stern gezien. We zijn de woestijn in gegaan en hebben de hele nacht vlak bij de piramiden gezeten en hij heeft gepraat alsof alles voorbij was en zei zelfs dat het de laatste nacht van zijn leven was. Ik probeerde hem te zeggen dat we dat soort dingen nooit kunnen weten, maar hij zei dat hij het toch wist en toen, tegen zonsopgang, maakte hij een foto van mij met mijn fototoestel, zodat ik... Maar Joe, is het waar? Is voor Stern alles voorbij?

Joe knikte... Ja.

Bedoel je dat hij heeft afgedaan, zomaar, en is er geen enkele manier waarop... geen enkele kans?

Niet na wat er is gebeurd. Nee.

Ach, ik wilde hem niet geloven. Het is zo moeilijk voorstelbaar bij iemand als Stern die er altijd is geweest en er altijd in is geslaagd weer terug te komen. Op de een of andere manier denk je nooit...

Joe pakte haar handen.

Maar hoe weet hij het? vroeg ze. Hoe kun je zoiets weten?

Ik denk dat het met Stern altijd zo is geweest. Er is geen verklaring voor. Hij weet dingen gewoon, dat is nu eenmaal zo.

O mijn God, ik voel me zo verlaten...

Maudie, probeer naar me te luisteren. Ik heb je hulp nodig. Ik wil hem spreken en er is geen tijd meer. Ik ben helemaal hierheen gekomen om hem te zien en er is bijna geen tijd meer, dus kun jij me daarbij helpen? Het kan je in de problemen brengen met de mensen voor wie je werkt, vanwege de Monniken, ernstige problemen zelfs. Maar zou je dat toch voor me kunnen doen, omwille van Stern, omwille van ons allemaal?

Maud liet haar hoofd hangen. Haar stem klonk van verre.

... Ik kan hem een boodschap sturen.

Waar is hij nu? Weet je dat?

Maud draaide zich om en keek naar het raam met de luiken ervoor. Dunne strepen zonlicht omlijstten een ondoordringbare duisternis.

Daarbuiten, fluisterde ze. Daarbuiten, gekleed als bedelaar in de een of andere naamloze stad waar hij altijd is geweest. Hij heeft zo hard geprobeerd zijn gewijde plaats te vinden en het is hem nooit gelukt, maar hij heeft nooit opgehouden erin te geloven, Joe, en nu is hem iets verschrikkelijks overkomen. Hij is daarbuiten alleen en denkt dat hij heeft gefaald. Hij ziet zijn leven als een verzameling ruïnes om hem heen en hij denkt dat er niets van terecht is gekomen en dat alle pijn en leed voor niets waren. Hij draagt de lompen van een bedelaar en hij is niet bang, maar hij is eenzaam en verslagen en zo zou hij zich niet moeten voelen... O Joe. *O God.*

Maud verdrong haar tranen.

Gisternacht zei hij zoveel dingen die hij nooit eerder heeft gezegd. Sommige wist ik al zonder dat hij ze me hoefde te vertellen, maar andere ook niet. En nu is hij daar ergens buiten en denkt dat hij heeft gefaald en ik kon niets doen om hem op andere gedachten te brengen. Ik voelde me volslagen hulpeloos. Stern, van alle mensen. *Stern.* Hij heeft zoveel voor anderen gedaan en nu heeft hij het gevoel dat niets meer betekenis voor hem heeft...

O Joe, zorg dat hij het inziet. Laat hem *zien.* Laat hem niet doodgaan met dat gevoel...

Maud sprong op.

Wacht, ik haal de limonade. De kleine dingen moeten gewoon doorgaan, dat moet, anders wordt het ons te veel.

Nadat hij was vertrokken, zat Maud te kijken naar de goudkleurige armband om haar pols, en ze draaide hem om en om en bedacht hoe vreemd het leven was, hoe tegenstrijdig. Want de dunne armband deed haar terugdenken aan het ambacht dat Bernini bezig was te leren, horlogereparateur, terwijl Bernini niet eens geloofde in de tijd die door horloges werd aangegeven, en woonde in een ander soort tijd waar het uur van de dag uitsluitend in je hart kon worden gevonden.

En ze vroeg zich ook af wat dit geschenk van haar zoon te betekenen had, nu, op het moment dat ze het kreeg. Bestond de mogelijkheid dat deze eenvoudige armband het laatste memento zou zijn aan al de vele werelden die ze met Stern, met Joe had gekend?

Maud, alleen in het schemerlicht, die de armband om en om draait en nadenkt over de zin van liefde in haar oorsprong, lang geleden... Een wonder dat boven alle andere diende te worden gekoesterd... louter om te worden gevonden en door de jaren heen steeds weer te worden verloren.

18 Crypte/Spiegel

De ruime crypte van de oude Menelik, verborgen onder een gemeenteplantsoen aan de Nijl.

Een geheime en geluiddichte grafkelder, vroeg in de loop van zijn
briljante loopbaan vol anonieme ontdekkingen opgegraven door de grote egyptoloog. Later door de voormalige slaaf en graffitideskundige gekozen tot zijn gepensioneerdenflat, toen hij eindelijk besloot het zonlicht geheel af te zweren en voorgoed en principieel voor altijd
ondergronds te gaan.

In het midden van de crypte de massieve stenen sarcofaag die ooit
had toebehoord aan Cheops' moeder, en die met zijn met kurk beklede binnenkant vele jaren had gediend als de knusse slaapkamer van de
gepensioneerde oude Menelik, nadat hij de verfijnde faraonische maatschappij die hij in zijn jeugd had onderzocht vaarwel had gezegd en zich
in de herfst van zijn leven op een stapel kussens had geïnstalleerd om
in de verkwikkende rust thee te drinken, zo nu en dan een madeleine
op te peuzelen, en na te denken over en terug te denken aan in de loop
der jaren verdwaalde woorden. Een troostrijke toevluchtsschoot die zich
uiteindelijk op heel natuurlijke wijze had ontwikkeld tot graftombe van
de oude Menelik, de enorme stenen deksel nu stevig op zijn plaats neer-
gelaten voor wat wel eens de eeuwigheid zou kunnen zijn.

Aan de andere kant van de crypte een kleine handdrukpers, tot voor
kort de clandestiene werkplek van de melancholieke Achmed, voormalig meestervervalser en regerend nachtportier van een obscuur tussenstation dat bekendstond als Hotel Babylon, een vervallen herberg waarvan de Hangende Tuinen al minstens sinds de eeuwwisseling in een
vergevorderde staat van verval verkeerden, toen zijn smerige kamers altijd beschikbaar waren voor zwoele intermezzo's in de niet gehaaste duisternis van het Oude Caïro, zonder enig voorbehoud van wie dan ook
per halfuur te huur.

Afgezien van de drukpers was de crypte nog precies hetzelfde als zij was geweest in de dagen van de oude Menelik. In een andere hoek stond een fraai klavecimbel waarop Little Alice ooit had gespeeld.

Hier en daar groepjes statig victoriaans tuinmeubilair, waarvan de verf afbladderde, oorspronkelijk Sherwood Forest-groen. Het meubilair bestond uitsluitend uit robuuste parkbankjes die monsterlijk zwaar en nauwelijks verplaatsbaar waren ten gevolge van de massieve gietijzeren ribben die de onderkanten naar onbuigzame victoriaanse welvoeglijkheid verbonden. Die parkbanken waren zodanig opgesteld dat bezoekers gemakkelijk rond konden lopen als Menelik zijn *open graf elke zondag* hield, zoals hij het noemde, en hij rechtop en kwiek in zijn gigantische stenen bed zat terwijl hij vrienden onthaalde op zijn fameuze wekelijkse soirees.

Overal aan de muren van de crypte de exquise hiëroglyfen en faraonische wandschilderingen die getuigden van het ongeëvenaarde succes van de oude Menelik als lid van de beau monde in andere tijden.

Op de parkbank naast Joe lag het boek dat Liffy gewoonlijk op stille middagen in de crypte las. Buber, dacht Joe, een fantastische oude zonderling die daadwerkelijk geloofde dat de mens en God met elkaar moesten praten. Geen wonder dat Liffy graag aan de herrie bovengronds ontsnapte voor een rustig gesprekje hier, waarom ook niet? Zijn volk had nooit veel garen gesponnen bij die herrie daarboven.

Joe keek naar de dikke stapel buitenlandse bankbiljetten die hij in zijn hand hield. Hij had het geld willekeurig opgepakt van de keurige stapels bankbiljetten langs de muren van het gewelf, frisse valse bankbiljetten, overgebleven van Achmeds laatste activiteit met de drukpers, ontelbare hoeveelheden Bulgaarse leva's en Roemeense bani's en Turkse para's, die klaarblijkelijk allemaal ergens iets waard waren.

De Balkan, dacht Joe. Was altijd al een verwarrend concept, zoals Alice zegt, en het geld dat ze er gebruiken is al even verwarrend als de rest. Wat moet iemand uiteindelijk met leva's of bani's? Om nog maar te zwijgen van para's?

Hij bestudeerde het geld, zich ervan bewust dat er op de een of andere manier iets niet klopte.

Munten, dacht hij opeens. In het echte leven op de Balkan werd dit geld uitsluitend uitgegeven in munten, maar hier heeft Achmed er papieren geld van gemaakt. Die oude dichter moest wel een heel sterk gevoel voor persoonlijke realiteit hebben als hij in staat was munten te vervalsen tot bankbiljetten, ook al waren het dan bankbiljetten van de Balkan.

Joe stak het geld in zijn zak en schoof ongemakkelijk heen en weer op de harde parkbank, zijn aandacht getrokken door het grove bord dat boven de ijzeren deur van de crypte hing.

HET PANORAMA IS VERHUISD

Het was een oud, stuntelig beschilderd bord, een stuk blank hout met ongelijke groene blokletters die na jaren aan krachtig zonlicht te zijn blootgesteld waren verschoten. Waar kwam dat bord vandaan en waarom had de oude Menelik het passend geacht dat boven de deur van zijn gepensioneerdenwoning te hangen? Welke herinneringen waren daarmee verbonden voor de grootste archeoloog en ondergrondse graffitideskundige van de negentiende eeuw?

Joe fronste zijn voorhoofd.

Er gaat iets droefgeestigs uit van dat bord, dacht hij. Het heeft ook iets van een code, stel ik me zo voor. Het is vast en zeker niet zomaar een loos stukje sentiment dat in het duister het spoor bijster is geraakt, als je in aanmerking neemt wat deze plek voor zoveel mensen heeft betekend. Dat er dingen cryptisch zijn is in een crypte niet meer dan logisch. Maar evengoed durf ik te wedden dat dat bord een verborgen boodschap bevat. Die zou hier ergens te vinden moeten zijn in oude Meneliks mausoleum van stenen toevalligheden, zoals Achmed het placht te noemen, waarmee hij zijn vader citeerde die zich tegen het einde had ontpopt als een zwaar gebruiker van hasj.

HET PANORAMA IS VERHUISD

Mysterieuze graffiti, dacht Joe, en wat zou de oorsprong daarvan kunnen zijn? Faraonisch? Nilotisch? Een bijbelse tekst aan de wand op de wijze van *mene, mene, tekel, ufarsin*?

Wie zal het zeggen? dacht Joe. Het beste is het aan Stern te vragen als hij komt opdagen. Indien in twijfel over een door zonlicht verschoten bord diep in ene ondergrondse crypte, kan men om de ware betekenis te achterhalen het beste te rade gaan bij een meestercryptograaf, moet een oud gezegde in Caïro hebben geluid.

Joe draaide zich onbehaaglijk om. Uit de hoek waar de kleine drukpers stond leek een geluid op te klinken... een licht geschuur van metaal tegen metaal... een zacht knerpend geluid.

Onmogelijk, dacht hij, terwijl hij de armleuning van zijn parkbank vastklampte. Toch leek een deel van het apparaat in de hoek te bewegen, bijna alsof de handpers aanstalten maakte een rondje te beschrijven.

Mijn God, dacht hij, natuurlijk is dat onmogelijk, en kalmpjes aan, dit is niet het moment om mijn verstand te verliezen. Die antieke schaduwen nemen me in het ootje.

Maar toen sprong hij geschrokken op, niet in staat het te geloven. De kleine handdrukpers was daadwerkelijk aan het draaien. Ineengrijpende onderdelen bewogen systematisch in een soort ondoorgrondelijke orde, op en neer en zijwaarts, achteruit en eromheen en erin. Er klonk een luid gekreun en toen klepperde het apparaat lawaaiig en spoog het een velletje papier uit. Het papier dwarrelde en zweefde omlaag.

Een boodschap uit het verleden, dacht Joe, terwijl hij opsprong om het papier van de grond te grissen... Het was een Grieks bankbiljet, net gedrukt. *Honderd drachmen*. De inkt was nog nat.

Joe keerde zich ter plekke met een ruk om en liet zijn blik in één beweging door de crypte glijden. De dikke ijzeren deur zat nog steeds stevig op slot, de massief stenen deksel lag nog steeds op de sarcofaag en, zoals zo vaak in het leven, leek alles nog precies hetzelfde, terwijl het dat niet was.

HET PANORAMA IS VERHUISD

Joe keek om zich heen en tuurde in alle richtingen. *O help*, schreeuwde hij in stilte, terwijl hij het vreemde bankbiljet in zijn hand omkeerde en ontdekte dat er op de achterkant een andere valuta gedrukt was... Albanees geld. *Tienduizend leks.*

Ha, dacht hij. Inflatie op de Balkan zoals gebruikelijk en daar zit je dan met je klassieke Griekse waarden. Ze zijn naar de Albanezen gegaan net als alles waar we ooit bewondering voor hadden. Niets is gewoon meer waard wat het vroeger waard was en dat staat in deze wereld als een paal boven water...

Joe sprong op en verstijfde. Diep gelach bulderde door de crypte, grote golven donderend geschater. Uit een gat in de muur achter de pers stak een hand die steels steen voor steen uit de muur trok en het gat vergrootte, systematisch de stenen opzij duwde en op de grond opstapelde. Na een ogenblik dook er een spookachtig hoofd op uit de duisternis, een verschijning in de eeuwenoude lompen van een mummie. Zonder voorafgaande waarschuwing schoot het spookachtige hoofd achterover en toonde een stoffig maskerachtig gezicht dat Joe aankeek met in het duister woest fonkelende ogen en met daaronder een derde oog, de loop van een revolver dat op Joe's hoofd was gericht.

Joe's mond viel open. De revolver verdween. De spookachtige figuur kroop naar voren en toen stond daar opeens Stern voor zijn neus, lachend, en het stof van zijn gehavende Arabische mantel kloppend, lachend en lachend en zijn grote donkere hoofd schuddend.

... neem me niet kwalijk, Joe. Het was niet mijn bedoeling je bang te maken.

Joe hupte op en neer.

Wat krijgen we nu, Stern? Niet je bedoeling, zeg je? Nou zeg, is het je gewoonte vals geld te produceren als je in een graftombe inbreekt? Voor het geval je tol moet betalen op de weg naar de eeuwigheid?

... een ongelukje, zei Stern, zijn hoofd in zijn nek werpend en lachend... Ik graaide in het wilde weg en mijn hand raakte toevallig de starthendel van de drukpers.

Toevallig, zeg je? Nou, na zeven jaar in de woestijn kwam ik toevallig even langs om dag te zeggen, dus *dag*, vreemdeling.

Joe schoot ook in de lach en ze spreidden hun armen uit en omhelsden elkaar.

Ze zaten op een parkbank vlak bij de enorme stenen sarcofaag. Stern snoof aan de fles arak die hij in zijn hand had en gaf hem door aan Joe.

Aan jou de eer, je zult wel dorst hebben. Er is een Arabisch gezegde dat luidt: niets maakt een man zo snel dorstig als zeven jaar in de wildernis.

Joe glimlachte, nam de fles aan en keek er bewonderend naar. Toen Stern begon rond te scharrelen in de spleten van Achmeds kleine drukpers en wroette in de nissen en uiteindelijk de fles triomfantelijk omhooghield, had dat Joe niet bijzonder verbaasd. Op de een of andere manier was dat het soort dingen dat je van Stern kon verwachten. Een onwaarschijnlijke handeling op een onwaarschijnlijke plaats.

Joe keek Stern zijdelings aan.

Doet je terugdenken aan een tafereel dat zich al eens eerder heeft afgespeeld, nietwaar? Twee schlemielige zwervers die samen een fles delen op een parkbank?

Stern glimlachte.

Hoe zit het met die wonderbaarlijke dorst van jou?

Juist. Die heeft me in zijn greep.

Joe dronk. Hij wendde zijn hoofd af en hoestte.

Mijn god, dat is koppig spul, Stern. Maar het helpt een drukpers helderder te denken, beweer je?

Stern lachte.

Achmed was verzot op zijn oude drukpers en hij beweerde altijd dat arak het beste oplosmiddel was om vals geldzetsel mee wit te wassen.

En daar twijfel ik geen ogenblik aan, zei Joe. Het is een eersteklas oplosmiddel voor allerlei dingen, waarvan de hersenpan er een is en het bestaan van de Balkan een andere. Maar ben jij deze keer niet de listige? Dat sluipt hier maar via een geheime doorgang naar binnen, als een regelrechte grafschenner op rooftocht.

Stern nam een slok uit de fles. Hij stak een sigaret op en een kring van rook zweefde omhoog boven de sarcofaag.

Ik was bang dat de vooringang in de gaten werd gehouden. Het leek me verstandiger de achterdeur te nemen.

Dat is inderdaad listig. Is die geheime gang er altijd geweest? Vanaf de tijd dat de tombe is gebouwd, bedoel ik?

Nee, Menelik heeft die later laten graven bij wijze van nooduitgang. Maar ik denk niet dat hij of iemand anders er ooit gebruik van heeft gemaakt.

Juist, stof en nog eens stof en het verleden zelf. De kwestie is gewoon dat ik niet wist dat er enigerlei uitgang was, en dat beangstigde me.

Stern bewoog en verplaatste zijn gewicht van zijn ene been op het andere.

Maar is er niet altijd een andere uitgang, Joe, als je hard genoeg zoekt?

Joe floot zachtjes. Hij deed alsof hij een grimas trok.

Typisch iets voor jou, Stern, daar gaan we weer. Jij *bent* listig, weet je dat? Zo lang als ik me kan herinneren heb jij altijd dingen gezegd die voor meer dan één uitleg vatbaar zijn. Dat komt niet omdat jij echt ambigu bent, het is meer een kwestie van op jouw stille, steelse manier verschillende mogelijkheden aftasten. Dat en de gewoonte meer dan één ster te volgen daarboven in de onpeilbare diepte. Ik veronderstel dat dat een gewoonte is die je in de zaken waarmee je je bezighoudt hebt opgedaan.

Sterns stoffige gezichtsuitdrukking verzachtte.

En welke zaken zijn dat dan wel, Joe?

Precies, zo is het, dat bedoel ik nou net. Welke zaken te midden van de vele en hoe moet iemand weten waarop wordt gedoeld?

Joe lachte vrolijk, in weerwil van de omstandigheden meer ontspannen dan hij in weken was geweest. Ze dronken en praatten over het verleden, gaven de fles over en weer aan elkaar en haalden herinneringen op aan de jaren dat zij in Jeruzalem met elkaar omgingen. Ze hadden elkaar brieven geschreven, maar onvermijdelijk was er tussen hen beiden veel ongezegd gebleven. Van Sterns kant, omdat zoveel van zijn beslommeringen niet aan het papier konden worden toevertrouwd, en van Joe's kant, omdat veel van zijn ervaringen in Arizona niet van het soort waren dat zich gemakkelijk liet beschrijven. Het gesprek had nog veel langer door kunnen gaan en Stern leek onwillig er een einde aan te maken, maar er was zoveel dat Joe wilde weten dat hij uiteindelijk hun gesprek onderbrak door op te staan en weer te gaan zitten. Hij nam een slok uit de fles.

Stern? Kun je misschien een van die smerige Arabische sigaretten die jij bij je draagt missen?

Stern reikte hem het pakje aan. Joe stak op en hoestte.

Erbarmelijk, zoals altijd. Het trekt je longen pardoes uit je lijf. Het waren altijd al de beroerdste.

Stern keek naar hem. Joe keek naar de littekens op Sterns duim en wendde zijn blik af.

Wat is er? vroeg Stern.

Ik zat te denken aan gisteravond in Hotel Babylon, en vanmorgen in Cohens Optiek. Ik neem aan dat jij daar alles van weet.

Stern verplaatste zijn gewicht. Hij sprak langzaam, met tussenpozen en er ging een rust uit van zijn manier van doen die Joe zorgen baarde.

Achmed bedoel je...? Ja, daar weet ik van, en ik weet ook van David...

Stern bewoog opnieuw, een log gebaar.

Ik wilde Anna zien, zei hij bedaard, maar ik wist dat ik dat niet kon. David was zo'n schitterend jongmens, zo helemaal als zijn vader vroeger was. Hij deed me altijd terugdenken aan zijn vader. En Achmed, tja, wij kenden elkaar al heel lang. Achmed was een van de eersten die ik in Caïro ontmoette, samen met Belle en Alice en Davids vader. Ze waren oorspronkelijk allemaal bevriend met Menelik...

Stern staarde nadenkend en somber naar de sarcofaag voor hem. Joe wachtte tot hij zijn verhaal zou vervolgen, maar dat deed hij niet.

Stilte, dacht Joe. Doodse fluisteringen als hij afglijdt. Liever een brul van verontwaardiging dan dat, alles beter dan een oorverdovende stilte. Hij is mij veel en veel te beheerst en te kalm en dat bevalt me maar niets. Stilte is hier vanavond de vijand.

Achmed en David waren het werk van Bletchley, neem ik aan, zei Joe.

Stern knikte.

En wat nu? vroeg Joe.

Stern bewoog, aarzelde. Hij keek Joe een lang moment aan en toen hij uiteindelijk sprak klonk zijn stem zakelijk.

Nu? Tja, laat eens kijken. Hoeveel weet je?

Het grootste deel, denk ik. In ieder geval over *Enigma*.

Ja, dat is nu het meeste. In ieder geval het voornaamste.

Dus?

Dus zal Bletchley doen wat voor hem juist is om te doen. Hij bestrijdt per slot van rekening het kwaad, de nazi-waanzin in de menselijke ziel.

En dus?

En dus ben ik de volgende, zei Stern.

Joe keek hem aan. Te kalm, dacht hij. Veel te kalm.

En dat is alles? Daar is de kous mee af?

Stern haalde zijn schouders op.

Ja, ik denk van wel. Helaas botsen zelfs goede doelen met elkaar. Goed en kwaad zijn gewoon niet zo eenvoudig als we zouden willen dat ze waren. We doen ons uiterste best om te doen alsof het anders is, maar dat lukt nooit helemaal.

Stern glimlachte opnieuw, een eigenaardige glimlach die Joe zich herinnerde.

Maar zeg eens, Joe, waarom heb je je laten overhalen je hierin te mengen? Ik heb je zo vaak benijd daar in Arizona. Het leek zo'n heerlijk leven, precies iets wat een man tegenwoordig het beste kan doen, totaal niet wat ik de afgelopen jaren heb gedaan. En zelfs nadat je hier bent gekomen, had je je alsnog kunnen terugtrekken, Bletchley het een ander kunnen geven en vervolgens... Eigenlijk denk ik dat Bletchley dat verwachtte. Waarom heb je dat niet gedaan, Joe? Je moet hebben aangevoeld welke kant het opging.

Min of meer, vermoed ik.

Nou?

Ach, ik heb me gewoon niet teruggetrokken.

Maar waarom niet?

Ik weet het eigenlijk niet. Hoe kun je op zo'n vraag ooit een waarachtig antwoord geven? Omdat ik er tot en met de ontknoping bij wilde zijn. Omdat me dat juist leek.

Ik ben bang dat ik daar niet vreemd van opkijk, zei Stern. Vanaf het moment dat ik je vlak bij Mauds huis op straat zag, was ik al bang dat je dat zou doen.

Waarom bang?

Dat ligt nogal voor de hand, vind je niet?

Het zal wel. Maar wist je dan dat ik in Caïro was? Voordat je me die avond op straat zag?

Nee, ik had geen flauw idee, het was een hele schok. Maar vanaf het moment dat ik je zag wist ik waarom je hier was en wie dat had georganiseerd en wat de stand van zaken moest zijn. Ik heb altijd al rekening gehouden met de mogelijkheid dat uiteindelijk iemand achter een paar feiten zou komen aangaande die reis naar Polen van mij en daar eens nader naar zou kijken, zoals Bletchley heeft gedaan, en dan zoiets als dit op touw zou zetten. Ik had niet gedacht dat ze zover zouden gaan dat ze jou zouden opzoeken, maar ach, als je erover nadenkt snijdt het hout, nietwaar?

Ik denk van wel, Stern, tenminste niet minder hout dan wat dan ook. En vervolgens de eerste keer dat we tegenover elkaar stonden, jij vermomd als bedelaar, in die lompen in het stof zittend en je hand op houdend, en ik die medelijden met je had en je geld gaf. En jij, schaamteloze schurk, nam het geld nog aan ook.

Stern lachte.

Ik had honger. Ik heb gewoon niet veel van mijn waardigheid meer over.

Daar is niets van waar, maar we zullen het laten passeren, net zoals ik jou toen passeerde. Maar waarom heb je daarna geen contact met me opgenomen?

Dat heb ik overwogen maar ik hoopte dat jij genoeg zou ontdekken om Bletchley enigszins tevreden te stellen, en dan ermee zou kappen voor je er tot over je oren in zat. Ik verwachtte niet dat het zou gebeuren, maar de kans was altijd aanwezig.

Joe greep naar de fles.

Wat maakt dat dan nu van ons, Stern? Gewoon een stel stumpers die samen een laatste glas drinken op een ondergrondse parkbank? Die gewoon de boel nog eens overdenken en proberen er greep op te krijgen voordat we naar boven gaan en worden overreden door een vrachtauto of van een dak af tuimelen?

Stern spreidde zijn vingers en keek in zijn handen.

Wie weet. Waarschijnlijk. Dat is het risico als je tussen de mensen woont, nietwaar? In de woestijn kun je zonder voedsel of zonder water komen te zitten maar eenvoudig is dat eigenlijk niet. Je hebt daar maar heel weinig nodig en het duurt langer voor je daar doodgaat. De mensen en de beschaving versnellen de dingen.

Stern glimlachte.

Maar ik zou nog steeds niet willen zeggen dat dit onze laatste borrel is.

Nee? Nou, ik ben blij dat te horen, het concept sluitingstijd heeft me nooit aangestaan. En hoeveel zorgeloze uren zouden we nog tot onze beschikking hebben?

Ach, ik weet het niet, zei Stern. Als we hier beneden blijven zouden we het waarschijnlijk nog wel een dag of twee uithouden.

Maar hoe zouden we dat kunnen? Is dit niet de aangewezen plek voor Bletchley om ons te zoeken als we nergens anders opduiken?

Dat zit er dik in, dus denk ik dat we nog maar een paar uur hebben. Maar we hebben nog een beetje tijd, dus we kunnen ons net zo goed ontspannen.

Tja, het klinkt misschien vreemd, Stern, maar de kwestie is dat ik ontspannen *ben*. Ik heb gisternacht geen oog dichtgedaan maar ik voel me alsof ik geslapen heb als een roos.

Ben je de hele nacht opgebleven met Belle en Alice?

Bijna de hele nacht, maar hoe wist je dat ik daar was? Jij hebt me toch ook niet gevolgd, is het wel?

Nee, maar ik heb vrienden in de stad die een oogje voor me in het zeil houden... bedelaars... collega-bedelaars. Dat is een beroep dat volop gelegenheid tot observeren biedt.

Joe knikte... Sterns geheime leger, dacht hij. Sommigen beschikken over tanks, sommigen over Monniken, hij beschikt over bedelaars. Dan hangt alles uiteindelijk af van het straatje dat je kiest om in te gaan zitten.

Bedelaars, hè? zei Joe. En weet je wat mij is overkomen toen ik vanochtend van de woonboot terugkeerde?

Stern lachte.

Een betreurenswaardig incident. Je veroorzaakte bijna een rel met je geschreeuw over Rommels ontbijt.

Dat kwam er ook nog bij, zei Joe, maar dat was niet het voornaamste. Wat er gebeurde is dat ik een van Bletchleys jonge Monniken die me schaduwde voor schut heb gezet. Ik verloor mijn zelfbeheersing en heb hem zonder enige reden vernederd. Ik schaamde me dood.

Stern keek hem aan.

Nou, daar zou ik maar niet meer aan denken, Joe. Gedane zaken nemen geen keer.

Dat weet ik, en er is nog iets wat ik je wilde zeggen. Die brief die jij me hebt geschreven over de dood van Zwarterik. Dat was een prachtige brief, Stern, en die zal ik nooit vergeten.

Ach, ik zal Zwarterik nooit vergeten. Net als heel wat andere mensen die hem hebben gekend.

Joe knikte.

Hij was inderdaad een hele kerel, zei Joe, en een bijzonder mens. Maar weet je, toen ik daar was heb ik me een beetje in zijn dood verdiept en Bletchley gaf me de indruk dat jij, met een missie als voorwendsel, een speciale reis hebt gemaakt naar Kreta met als enig doel erachter te komen wat Zwarterik was overkomen. Is daar iets van waar?

Stern ging slecht op zijn gemak verzitten.

Het is mogelijk.

Het is mogelijk, ja. Het is mogelijk, natuurlijk. Maar is het waar of niet? Ik geloof niet dat ik daar een antwoord op heb gehoord.

Ik heb die reis gemaakt, zei Stern.

Aha. En natuurlijk was dat maar een kleinigheid. Maar wat is de rol van Bletchley in dit alles?

Ik mag hem graag. Hij is een fatsoenlijk mens.

Vertrouw je hem?

Wat zijn werk betreft, ja.

En zijn werk dat zijn wij, nu?

Bij wijze van antwoord stak Stern zijn hand uit en raakte Joe's arm aan.

En meer stilte, dacht Joe, steeds meer van die schimmige gestalte die maar niet tevoorschijn wil komen. Maar hij moet toch ergens beginnen.

Nou, zelfs als dat zo is, zei Joe, dan is er nog steeds één ding dat me vanavond in deze knusse crypte zorgen baart. Dat bord boven de deur. Ik weet dat het ergens naar verwijst, maar waarnaar? En waar komt het vandaan?

Stern draaide zich om en liet zijn blik door de crypte dwalen. Na een ogenblik begon hij op dromerige toon te spreken.

Het Panorama was vroeger een restaurant, zei hij. Het lag vlak aan de rivier, een goedkope tent, hoofdzakelijk een pleisterplaats voor dragomans buiten dienst. Een smerig openluchtrestaurant met latwerken en klimop en bloembedden en een vijver waarin eenden rondzwommen en een kooi met krijsende pauwen, en koppige donkerrode wijn in karaffen en enorme schalen met gekruid lamsvlees. Een eeuw geleden namen drie jonge mannen de gewoonte aan daar lange zondagmiddagen door te brengen, te eten en te drinken en te praten en nog eens te praten en het beviel hun zo goed dat ze later in hun leven daar, als ze daartoe de gelegenheid hadden, altijd terugkeerden.

Aha, zei Joe, dat is dus waar het Panorama naar verwijst. Ik heb wel degelijk van dat restaurant gehoord, maar ik heb de naam ervan nooit gekend. En die drie jonge mannen in kwestie waren dan zeker jouw vader, die ooit Strongbow werd genoemd, en Menelik en de toenmalige Cohen, degene die later bekendstond als Gekke Cohen, voordat zij allemaal aan hun reizen begonnen. En voor zover ik heb begrepen bleven ze gedurende een periode van meer dan veertig jaar terugkeren naar dat restaurant, en dat was het legendarische veertig jaar durende gesprek aan de oever van de Nijl waar Achmed het wel eens over had. En waarvan ik overigens jaren geleden hoorde spreken.

Ja, mijmerde Stern, af en aan duurde het wel veertig jaar, tot het moment dat mijn vader een Arabische heiligman werd en naar de woestijn verdween. Maar toen, tegen het einde van zijn lange leven, besloot hij dat hij Menelik – Cohen was toen al dood – nog één keer wilde zien en hij reisde van Jemen naar Caïro en hij en Menelik keerden op een zondagmiddag, niet lang voor de Eerste Wereldoorlog uitbrak, terug naar hetzelfde restaurant.

En troffen ze daar toen dat bord aan?

Ja, zei Stern. Dat bord en een braakliggend stuk grond.

Joe floot zachtjes.

Maar hoe hebben ze het dan gevierd? Zijn ze op zoek gegaan naar het restaurant?

Stern schudde zijn hoofd, zijn stem klonk van verre.

Nee, dat deden ze niet, ze gingen nergens naartoe. Ze waren inmiddels te oud om te drinken en te oud om zich bijzonder voor eten te interesseren en ze kenden elkaar zo goed dat het zelfs weinig zin had om nog met elkaar te praten. Dus gingen ze op dat braakliggende terrein met hun rug tegen dat bord zitten en genoten die middag van het uitzicht. Nu en dan gniffelde een van hen even als hij zich iets bepaalds herinnerde, eerst de een, dan de ander, en zo ging die middag voorbij. En toen de zon onder begon te gaan, stonden ze op en verlieten die plek, Menelik om terug te keren naar zijn sarcofaag, mijn vader om terug te keren naar zijn tent in Jemen. En voor hen betekende dat het einde van de negentiende eeuw.

Joe floot heel zachtjes.

Zo zit dat dus, zei hij. En na veertig jaar schunnige praatjes aan de Nijl, hangt het bord dat verhaalt van lang vervlogen tijden diep onder de grond en uit het zicht. En het is verbazingwekkend als je je bedenkt hoe zo'n immensiteit van wervelende ogenblikken kan wonen in een legende die zich zo kort laat vertellen als deze. En of het Panaroma is verhuisd... en of het dat nog steeds doet.

❦

Plotseling veranderde Sterns manier van doen. Een sombere stemming nam bezit van hem, een of andere gewelddadige herinnering uit voorbije jaren. Hij strompelde log overeind en begon door de crypte te ijsberen, geen acht slaand op Joe en alles om hem heen, zijn ogen koortsachtig in het duister turend, zijn gedachten gefixeerd op een ver landschap.

Joe observeerde hem gefascineerd. Het is vreemd, dacht hij, hoezeer Stern op een bedelaar kan lijken als hij dat wil, hoe gemakkelijk het voor hem is om de allerarmste van de armen of wat dan ook te worden... En het was ook beangstigend, want Joe had Sterns plotselinge transformaties altijd heel verontrustend gevonden.

Joe zat stil te kijken en te wachten, terwijl Stern zich rusteloos door de schemering verplaatste... Een tot op het bot uitgemergeld gezicht, zo mager dat er geen gram vlees meer vanaf kon. Knoestige smalle handen en met littekens overdekte voeten en een verschoten, door talloze afranselingen op steen tot op de draad versleten mantel, verweerd door een meedogenloze zon totdat hij zacht en bleek was als het zand van de woestijn. Maar voor Joe was Stern meer dan een verbluffende verschijning. De man was altijd gedreven door een honger die grenzeloos was, een hevige en meedogenloze honger die nooit kon worden gestild.

Maar nu, hier, was Stern een bedelaar in een crypte. En hij *is* die bedelaar, dacht Joe. Bij Stern is nooit sprake van een vermomming. Als hij daar rondstrompelt is hij daadwerkelijk die beklagenswaardige arme drommel die niets bezit.

Maar Joe wist ook dat Stern vele mannen op vele plaatsen was, een waarlijk grootse en veranderlijke geest die zo diep in de krochten van de menselijke ziel was doorgedrongen dat elk geluid dat hij daar lang geleden hoorde niet meer dan een echo van zijn eigen hartenklop was geworden. Een vreemde en misleidende aanwezigheid die vele levens had beïnvloed en toch waren er zo weinig waar Joe iets van afwist. Jaren geleden was er in Jeruzalem een enkeling geweest, en zo ook in Smyrna, en nu in Caïro waren er weer een paar anderen, vrienden van Stern wier levens altijd betrokken waren bij zijn omzwervingen, sommigen zelfs hun gehele leven.

En Maud.

Niemand had gedurende deze laatste jaren dichter bij Stern gestaan dan zij, en toch was het nog niet eens vierentwintig uur geleden geweest dat Stern met haar aan tafel had gezeten en haar had verteld over de bloedbaden in Smyrna twintig jaar tevoren, toen Stern een mes had opgepakt en het hoofd van een klein meisje achterover had getrokken en snel die ene, gruwelijke wond had toegebracht die zijn hele leven had doorsneden, een verschrikkelijke daad van barmhartigheid, maar tevens slechts één van de tienduizenden in Sterns turbulente leven met zijn grillige wendingen... die paar mensen in Caïro en Jeruzalem en Smyrna, de enigen van wie Joe afwist. Hoeveel anderen waren er geweest op andere plaatsen? Hoeveel mensen waren op bescheiden wijze door zijn toewijding en liefde geholpen? Hoeveel levens in de loop der jaren getekend... hoeveel harten door Stern geraakt?

Een vreemde en rusteloze ziel, dacht Joe, terwijl hij toekeek hoe Stern in het schemerige halfduister van de grafkelder liep te ijsberen. Misschien zelfs een ziel die talmde op de door stormen geteisterde drempel van de heiligheid.

Want zoals de dichter zich afvroeg, was die drempel niet altijd verschrikkelijk geweest...? Zelfs door zonde bezocht?

❦

Plotseling draaide Stern zich met een ruk om.

Ik moet hier weg. Ik houd het hier niet langer uit.

Joe stond op.

Best. Waar gaan we heen?

Stern dacht een ogenblik na.

Er is een plek waar ik lang geleden, toen ik een student was, heen ging. Het is een Arabische kroeg, ik ben daar nog wel een enkele keer terug geweest. Het is klein en afgelegen en even veilig als waar dan ook. Eigenlijk is het niet ver van Hotel Babylon, en dat komt goed uit. Bletchley zal daar niet naar ons zoeken, zo dicht bij huis.

Best. Ze hebben daar toevallig toch geen gebarsten spiegel achter de toonbank, is het wel?

Jawel, hebben niet alle kroegen dat? Hoe zouden wij onze aandacht anders kunnen richten op die mysterieuze vreemdeling die ons leven betreedt zodra we ergens in ons eentje zitten te piekeren?

Dat is waar. En heb je toevallig Liffy wel eens meegenomen naar die kroeg?

Dat zou kunnen. Hoezo?

Omdat het dezelfde tent is waar ik vanochtend met hem was.

Stern bleef stilstaan. Hij staarde Joe aan en glimlachte.

Dat is merkwaardig.

Inderdaad, dat is het zeker, zei Joe, eveneens glimlachend. Nu dan, is het tijd om het mausoleum van de oude Menelik op een heldere nacht in Caïro in 1942 te verlaten? Is de tijd rijp, zoals wij plachten te zeggen?

Ja. Een ogenblikje nog.

Tuurlijk, zei Joe, ik loop nog even naar Achmeds miraculeuze drukpers om die aan een laatste inspectie te onderwerpen. Wie weet? Als jij en ik hier eenmaal weg zijn zal misschien niemand die magische machine ooit nog zien. Misschien blijft deze crypte wel voor eeuwig op slot en betekent dat het einde van de Griekse drachmen en de Albanese leks en de realiteit van de Balkan in het algemeen, wie zal het zeggen. Vreemd geld in ieder geval, Achmeds privépotje...

Joe bleef doorpraten terwijl hij wegliep, hij praatte en schraapte met zijn zolen over de grond, schuifelde, maakte lawaai. Uit zijn ooghoeken zag hij Stern snel de andere kant op bewegen, zijn gezicht opzij, Joe niet zo zeer ontwijkend als om het Joe gemakkelijker te maken hem te ontwijken. Joe bleef voor de drukpers stilstaan en begon een hendel rond te draaien, rond en rond en rond, een geluid producerend.

Hij keek over zijn schouder. Stern zat op zijn hurken voor een tafeltje bij de deur, naast een kaars, diep voorovergebogen en ingespannen bezig met iets in zijn handen. Een klein zwart koffertje stond open voor hem.

God sta hem bij, dacht Joe... *Morfine om zijn bloed tot rust te brengen, o God.*

Joe kneep zijn ogen stijf dicht en bleef de hendel van de drukpers maar ronddraaien, systematisch kabaal makend en valse bankbiljetten ophoestend, meer en meer van dat belachelijke geld over de vloer uitspugend.

HET PANORAMA IS VERHUISD

O, heb genade, fluisterde Joe geluidloos. Hij heeft zo vreselijk zijn best gedaan en hij heeft gegeven en gegeven maar nu is hij op en heeft hij niets meer te geven. En laat, als de tijd gekomen is, 's nachts een wervelwind neerdalen in de woestijn en laat de gezegende stilte van de dageraad zich uitstrekken over het zand waar hij heeft gelopen. En laat voordien een ogenblik van vrede over hem komen, al is het maar één enkel ogenblik van vrede, voordat de wind hem in het duister een einde toe blaast... *een einde* aan alles wat hij was en wilde...

Het was dezelfde armetierige Arabische kroeg waar Joe die ochtend met Liffy naartoe was gegaan. Een smalle kale plek, waar arbeiders in ijzig stilzwijgen somber rokend en drinkend in het tweeduister tegen de muur onderuit geleund zaten en alleen maar knikten naar hun nutteloosheid in de uren die verstreken.

Ze gingen samen aan de toog zitten, tegenover de gebarsten korrelige spiegel aan de muur. Nu moet ik het meteen goed doen, dacht Joe. Er moeten tegenover elkaar liggende punten op het kompas worden bereikt en er is maar heel weinig tijd om dat te doen, dus hoe moest hij Stern op de rails zetten? Op de een of andere manier moeten we verdomme gewoon door die *stilte* van hem heen zien te breken. Hij moet gewoon weten en geloven in wat hij heeft gedaan, maar hoe help ik hem op weg naar waar hij voor deze allerlaatste keer moet gaan?

De spiegel, dacht Joe, terugdenkend aan Liffy's bezoek van die ochtend. De spiegel zal het hem moeten vertellen... *de spiegel.* Horen, zien en zwijgen over wat?

Joe lachte en spreidde zijn armen uit, de kamer met dat gebaar aanduidend.

Dit is dus jouw geheime wereld, Stern? Dit is waar je de kleine uurtjes van je jeugd hebt weggedroomd? Nou, het is me wel een somber oord en beslist een plek om te dromen. Er is vast geen andere richting die je hier op dit late uur wilt inslaan, naar een steeg zo smerig als deze, in een van ratten vergeven achterbuurt ergens anders in Caïro.

En nu we het toch over somberheid hebben, er is iets wat me sinds mijn aankomst in Caïro steeds meer bedrukt. Het heeft te maken met die kleine glimpen die we van mensen te zien krijgen, en het feit dat iedereen in het leven in zekere zin een spion lijkt te zijn. Met hun eigen persoonlijke verraad en hun eigen persoonlijke loyaliteiten waar wij niets vanaf weten, en hun eigen geheime code overgeschreven van een persoonlijke blocnote voor eenmalig gebruik, waarvan wij allebei weten dat die onkraakbaar is. En met hun status in deze wereld die erg lijkt op de mijne, *op doorreis,* zoals het zo aardig op dat fraaie document vermeld staat.

Achmed, bijvoorbeeld. Als je naar hem keek, zag je alleen maar een

melancholieke man die eindeloos patience speelde en zat te knikkebol-
len boven kranten die belachelijk achterhaald waren, zoals alle kranten
dat zijn. Maar als hij het geheime paneel opende naar zijn clandestiene
hol, verborgen achter de muur in de armoedige gang die in Hotel Babylon doorgaat voor een lobby, met alle schatten die hij in de loop der
jaren in die kleine kast van hem had opgeslagen... nou ja, een hele wereld van ervaringen die opeens pal voor je ogen tot leven kwam.

Ik bof dat ik een glimp heb mogen opvangen van die persoonlijke
wereld, vervolgde Joe, maar ik had het voor hetzelfde geld allemaal kunnen missen, zoals vast en zeker een heleboel mensen is overkomen. En
in hun ogen zal Achmed nooit meer zijn dan hij leek te zijn, een zwijgzame man zonder bijzondere gevoelens, een soort uit de kluiten gewassen bewegingloze zonderling die niet de moeite van het kennen waard
was.

Zelfs de werktuigen van de clandestiene handen ontbreken er niet,
vervolgde Joe, gegoten in hun eigen unieke vormen zoals het hoort. Een
oude gedeukte trombone, bijvoorbeeld, die diende als de onwaarschijnlijke sleutel tot Achmeds geheime code, omdat die de tonen leverde van de wijsjes die anderen waren vergeten, maar hij niet. Of een
oude kartonnen koffer, leeg op een aantal velletjes papier met een paar
gedichten erop na, de zwarte tas van Achmeds persoonlijke ontsnap-
pings- en ontduikingsoperatie over de jaren, waarvan de leegheid zelve
uitpuilt van de volumineuze geheime herinneringen die alleen Achmed
kon ontcijferen.

Dus valt me op dat er geen doorsnee mensen in de menigte voorkomen, zei Joe, en dat er in het spel van het leven eigenlijk geen onschul-
digen zijn. We lijken allemaal dubbel- en tripelspionnen met onbekende bronnen en onvermoede verbindingslijnen, die hier wat rapporteren
en die daar wat rapporteren, terwijl wij onze geheime netwerken van gevoel en gedrag, onze eigen kleine complexe netwerken van het leven,
proberen te beheren...

Achmed? Een bewegingloze zwijgzame man zonder bijzondere gevoelens? *Achmed?* Die welbespraakte en zachtmoedige poëet? Die verlegen weifelende dichter van grootse verloren dromen en sierlijke hopeloze zaken? Een man die zijn mythische verloren stad van de ziel zo
heldhaftig verdedigde?

Nee, Achmed was geheel niet wat hij leek te zijn. En maken we in
zekere zin niet allemaal gebruik van dekmantels, Stern? Maken we niet
allemaal gebruik van onze eigen geheime codes? En beschermen we niet
allemaal de geheime bronnen van onze kracht en houden die geschei-

den van elkaar omdat ze ons zo dierbaar zijn, terwijl we ondertussen heimelijk de kleine clandestiene operaties van onze levens voorbereiden, onze vermetele strooptochten naar de groenteman verderop in de straat? En is verraad niet, zoals Achmed ook heeft opgemerkt, nog altijd de pijnlijkste wond van alle, en zelfverraad de vreselijkste variant die er bestaat? Zo verwoestend voor ons dat zij in onze harten altijd onbevattelijk blijft? De enige zonde die we onszelf nooit kunnen vergeven, en daarom de enige zonde die we van niemand ooit kunnen accepteren?

Tja, het valt me op dat die spionachtige manier om dingen te doen op de een of andere manier voor ons allen geldt, zei Joe, en een deel daarvan stamt uit angst, dat weet ik, de angst dat anderen zouden kunnen ontdekken wie wij werkelijk zijn. Maar niet alles is angst, niet in het algemeen, en in ons geval helemaal niets. Dus wat is het andere deel ervan, Stern, het deel dat geen groentemannenspionage is? Het deel dat ons voorbij de voor de hand liggende overeenkomsten tussen mensen voert en ons dichter brengt bij die figuur over wie je het eerder had. Die mysterieuze vreemdeling die zich openbaart in de spiegel achter de toog en zojuist is neergeplooft om ons aan te gapen terwijl wij in ons eentje zitten te tobben. Wie *is* die vreemdeling en waarom is het zo lastig om uiteindelijk *iemand* te kennen? Zelfs onszelf.

Stern bewoog en nam een slok van zijn drankje. Hij glimlachte.

Antwoorden, Joe? Moet ik mijn dekmantel als groenteman prijsgeven om antwoorden te vinden? Tja, ik veronderstel dat het andere deel moet komen van juist die spiegel achter de toog, van de beelden en de stemmen daar. Als je in die spiegel voor ons kijkt, dan zie je mij en dan zie je jezelf. Maar omdat dit een plek is die ik vroeger heb gekend, zie ik, als ik in de spiegel kijk, onvermijdelijk een heleboel mensen.

Nu komen we ergens, dacht Joe. En langzaam, kalmpjes aan nu, terwijl we de eerste fluistering in de stilte horen...

Daar twijfel ik geen moment aan, Stern. Dus vertel eens, zie jij, te midden van al die mensen in de spiegel tegenover je, de eerste vrouw die je ooit hebt bemind? Is zij er nog?

Stern sloeg zijn ogen neer.

Ja, fluisterde hij.

En daar heb je het, dacht Joe, en nu luistert hij naar de echo's en spitst hij zijn oren om hun aanvang te horen, nu alles op zijn einde lijkt te lopen. Langzaamaan dus, uit de diepte van de stilte...

Kun je haar zien, Stern? Hoe heette ze, als ik vragen mag?

Stern staarde nog steeds naar de toog.

Eleni, fluisterde hij.

Ach, dat is een prachtige naam, Stern. Een naam uit vervlogen tijden die altijd schoonheid heeft betekend voor iedereen en vooral voor Homerus, die in gedachten vanwege haar duizend schepen van stapel heeft laten lopen. En waar ben je verliefd op haar geworden, en wie mag zij zijn geweest?

Verlegen schoof Stern heen en weer, met zijn ogen strak gericht op de toog.

Het was in Smyrna. Ze maakte deel uit van een van de meest vooraanstaande Griekse families daar, toen het nog een Griekse stad was. We zijn getrouwd geweest. Dat was voordat wij elkaar ontmoetten.

Joe was stomverbaasd. Hij had nooit geweten dat Stern getrouwd was geweest.

Wat is er gebeurd?

Het was toen ik voor de eerste keer terugkeerde van een studiereis door Europa, fluisterde Stern, toen ik er net op uittrok en het een en ander begon te leren over revolutionaire arbeid. We werden verliefd op elkaar en we trouwden en een poosje was het heerlijk. Maar een huwelijk leek niet te stroken met mijn leven, tenminste voor twee mensen zo jong als wij waren. We kregen woorden en zij heeft me verlaten en is teruggekomen, en toen is ze uiteindelijk voorgoed weggegaan.

Waar is ze nu?

Dood. Ze is al jaren dood.

Ze moet heel jong zijn geweest.

Dat was ze, fluisterde Stern. Veel te jong.

Wanneer was dat?

Stern wendde zich ongemakkelijk om en keek Joe aan.

Ik weet het niet zeker, daar ben ik nooit achter gekomen. Voetsporen in de lucht die ik niet kon zien? Het geluid van volmaakt zonlicht? Gelach en blijdschap en de eeuwige tragedie van de Egeïsche Zee?

Met een ruk wendde Stern zich af van Joe en keek doordringend naar het duistere binnenste van de spiegel. Hij stak zijn hand op en strekte zijn arm naar voren, alsof hij naar iets graaide daar.

Het schijnt dat niet iedereen het haalt, fluisterde hij. Het schijnt dat niet iedereen kan...

Hij was in Athene geweest toen hij eindelijk hoorde dat voor Eleni het einde in zicht was. Ze had hem tijdens de Eerste Wereldoorlog in de steek ge-

laten. Ze had hem en Smyrna verlaten en was in Italië gaan wonen. Ze haatte de oorlog en ze haatte het doden van mensen en ze had geleerd Sterns werk te haten, ook al was hem dat geleerd door Sivi, haar oom, die Stern als jonge student, teruggekeerd uit Europa, onder zijn hoede had genomen en hem als eerste voor juist dat werk had opgeleid.

Jaren later ontmoette Stern in Athene bij toeval een man die Eleni recentelijk had gezien, een kennis die hen beiden voor de oorlog in Smyrna had gekend.

Ik vrees dat het voor haar helemaal voorbij is, zei de man. Het drinken wordt alleen maar erger en ze is eigenlijk niet meer aanspreekbaar. Maar zo kan het niet doorgaan. Ze maakt zichzelf kapot.

Ze spraken nog een poosje met elkaar en toen nam Stern afscheid van de man en liep terug naar het kleine hotel waar hij verbleef als hij in Athene was. Krap een jaar tevoren was hij verslingerd geraakt aan de morfine, hoewel hij dat zichzelf nog niet toegaf, hoewel hij nog steeds deed alsof hij de grauwheid achter het venster bij dageraad, de komst van een nieuwe dag, in zijn eentje tegemoet kon treden.

Maar die nacht gaf hij het zichzelf toe, toen hij op was in dat kleine hotel in Athene, en aan Eleni dacht. Die nacht gaf hij zichzelf een heleboel dingen toe toen hij aan haar dacht, omdat hij niet anders kon.

Een soort gebed. Dat stond hem voor ogen.

Hij wilde zich herinneren hoe mooi Eleni was geweest toen ze elkaar voor het eerst in Sivi's idyllische villa aan zee hadden ontmoet. En hij wilde zich de lange liefdesnachten herinneren die zij die eerste lente en zomer en herfst en winter hadden gekend. De intimiteit en de tederheid, de opwinding, alles.

Een soort gebed om naar haar toe te sturen om de mooie tijden opnieuw tot leven te wekken, door ze zich te herinneren. Dus misschien zou Eleni zich in ieder geval die ene nacht de mooie tijden herinneren, want het was een verrukkelijke liefde die zij hadden gekend.

En dus had Stern zich alles weer voor de geest gehaald en was hij teruggevoerd naar het prille begin van hun liefde, terug naar die voorjaarsdag in Smyrna vóór de Eerste Wereldoorlog was uitgebroken...

Een schitterende middag. Zij waren allebei jong en lachten en voelden de liefde voor elkaar opbloeien en dwaalden door de verlaten straatjes bij de haven en kwamen bij een cafeetje, dat op dat uur van de siësta leeg was. En ze gingen zitten aan een tafeltje in de schaduw van een smal oud gebouw en lachten in de stilte van dat pleintje, met een briesje uit zee en de warme kleuren van door zonlicht beschenen stenen tegen de blauwe hemel.

Een plotselinge plof. Eleni en Stern draaiden zich met een glimlach op hun gezichten om.

Twee katten waren, al parende, op het dak van het gebouw boven hen uitgegleden en gevallen, gevallen en op nauwelijks drie meter afstand op de keien gesmakt. Een van de katten bewoog zich niet. De andere kat probeerde zich op zijn voorpoten op te richten, zijn achterlijf verpletterd door de plotselinge val vanuit het zonlicht in de schaduw, zachtjes piepend en proberend zijn kopje op te tillen en ineenzijgend, proberend het leven op te snuiven terwijl zijn oogjes dichtvielen. De ene kat dood en de andere stervende.

Stern stond wankelend op en strompelde weg met een wee gevoel in zijn maag en een wee gevoel in zijn hart en volkomen verbijsterd op het overschaduwde pleintje. Eleni rende achter hem aan en pakte hem bij zijn arm en hield hem stevig omklemd en drukte zich tegen hem aan terwijl hij verloren langs de sprankelende zee sjokte...

Ja, Stern had het zich allemaal herinnerd en niets weggelaten in de duisternis van het kleine kale hotel in Athene. En eens had hij zich zelfs ingebeeld dat hij zijn hand uitstak en Eleni in de stilte aanraakte, en ze had hem aangekeken zoals ze dat vroeger deed en ze waren weer jong en verliefd en de wereld was voor hen gemaakt, en zo zou het altijd blijven en ze zouden al die heerlijke dingen doen die ze hadden gekend aan de Egeïsche kust, met wijn en liefde en zachte fluisteringen in de schaduwen, en kleine boten in de haven...

Een soort gebed dus, uren achtereen in die lange nacht in Athene. En hij hoopte dat zijn fluisteringen Eleni hadden bereikt en haar op een bescheiden wijze hadden geholpen toen de duisternis zich om haar sloot en het einde naderde. Niets liet hij weg uit zijn gebed, alle lichte en donkere ogenblikken van liefde, de intense vreugde en het bodemloze verdriet...

Het was niet veel, maar hij hoopte dat het een beetje had geholpen, want korte tijd later was Eleni uitgegleden en het spoor bijster geraakt en was het einde voor haar gekomen.

※

Joe schudde zijn hoofd, verbaasd over deze onthulling uit Sterns verleden.

Op de een of andere manier is het moeilijk te bevatten, zei hij ten slotte. Ik heb me jou gewoon nooit voorgesteld als getrouwd man. Zoals jij overal kwam en ging en jezelf voortdurend onttrok aan een vertrouwde omgeving, altijd op reis... ik weet het niet.

Stern graaide op stuntelige wijze naar zijn glas, terwijl zijn andere hand heen en weer bewoog over de toog.

Nou ja, het was een lange tijd geleden en wat je samen had raak je nooit kwijt, maar je gaat door zo goed als je kunt, als je dat kunt. Dat schijnt niet iedereen te kunnen, en het is geen kwestie van moed of verdienste die dat bepaalt, of dat een persoon meer of minder waardevol is. Ik weet niet wat dat soort dingen bepaalt. De mensen komen met allerlei antwoorden op de proppen, maar ik heb er nog nooit een gehoord dat voor mij geldt. Eleni was een beeldschoon wezentje, dat is alles. Ze had de wereld zoveel te geven en ze was niet zwakker dan de rest van ons, dus waarom is haar dat overkomen?

Ja, zei Joe, het is altijd hetzelfde. *Waarom?*

En wat stelt dat gevoel trouwens voor? vroeg Stern. Het geloof dat het allemaal een doel heeft, of zou moeten hebben?

Stern bewoog zijn hand over de toog, heen en weer schuivend.

Ik heb mensen die dat hadden altijd benijd, maar ik ben zelf nooit in staat geweest de dingen zo scherp te zien. Het kwam allemaal chaotisch op me over, en alleen achteraf bekeken valt er iets van een doel of een structuur in het leven te bespeuren. Natuurlijk kan dat betekenen dat ik gewoon nooit in staat was het te doorgronden. Of het zou kunnen betekenen dat dat doel en die structuur er niet zijn, en dat het enkel onze behoefte daaraan is, als dromende wezens, dat we een soort samenhang in het leven ontdekken als we erop terugkijken.

Stern haalde zijn schouders op.

Als we terugkijken, zei hij, weten we altijd dat er bepaalde momenten waren die onze levens bepaalden, en bepaalde dingen die onvermijdelijk voor ons werden, uiteindelijk... Maar wanneer werd dat zo? Wanneer begon het, vraag ik me af...

Stern haalde de versleten morsesleutel tevoorschijn die hij altijd bij zich droeg en hield die in zijn hand en schatte het gewicht. Joe glimlachte.

Een stukje uit het verleden dat nog steeds met je meereist?

Wat bedoel je?

De morsesleutel. Ik zie dat je die bij je draagt.

Stern keek naar de gladde strook metaal die glom na jaren tussen zijn vingers te zijn gewreven, gladgepolijst door het vet van zijn huid. Zijn ogen stonden nadenkend, dromerig.

Ik was me niet bewust dat ik die tevoorschijn had gehaald. Ik ben de laatste tijd nogal verstrooid, of misschien is ontspannen een beter woord. Daar heb ik sinds de oorlog is uitgebroken weinig kans toe gehad.

Joe knikte. Zowel een goed als een slecht voorteken, dacht hij. Goed, omdat het betekent dat hij achteroverleunt om de dingen eens rustig te bekijken. Slecht, omdat hij het gevoel heeft dat het er allemaal niets meer toe doet.

Stern bestudeerde de sleutel alsof hij naar iets luisterde en stopte hem toen weer weg.

Er bestaan geen onbezielde dingen, mompelde Stern. Alles rondom ons fluistert voortdurend, de kwestie is alleen dat we geen tijd hebben om te luisteren. In de woestijn is het anders. In de woestijn heb je wel de tijd en daar luister je lang en aandachtig, omdat je leven ervan afhangt.

Joe keek naar hem.

Waarom deze gedachten, Stern?

Stern fronste zijn voorhoofd en schoof ongemakkelijk heen en weer op zijn kruk.

Ik weet het niet goed. Ik veronderstel dat ik aan thuis dacht, de idee van een thuis, wat het betekent voor alle mensen die het hunne in de oorlog hebben verloren en er nooit meer een zullen hebben... Ik heb mijn leven gekozen en ik wist wat ik deed, maar toch is het zo dat je er nooit aan went om thuisloos te zijn. Je kunt eraan wennen weg van huis te zijn, ongeacht wat voor jou dat thuis ook mag wezen, daar is geen kunst aan. Je kunt dat zelfs voor eeuwig doen, als dat nodig mocht blijken. Maar er is een verschil tussen dat en helemaal geen thuis hebben.

Tja, ik begrijp wat je bedoelt, Stern, maar ik had nooit gedacht dat jij jezelf hier als een vreemdeling zou beschouwen. Niet als je overal waar je komt kunt doorgaan voor een autochtoon. En bovendien als een autochtoon van elke afkomst of stand.

Joe glimlachte.

Per slot van rekening ben je niet altijd de in lompen gehulde bedelaar geweest die je vannacht bent. Als ik me goed herinner waren sommige van je incarnaties zeer imposant.

Als jij het zegt.

Nu dan?

Het is wat je zojuist zei. Ik kan mezelf voordoen als autochtoon. Maar dat ook zíjn, het gevoel hebben dat je ergens thuishoort, is iets anders.

Dat is waar, en dat brengt ons terug bij een vreemdeling in de bazaars en woestijnen, eenzaamheid te midden van het geschreeuw en de stilte. Waar gaat dit allemaal over, Stern? Waarom deze gedachten vannacht en welk onbezield voorwerp had je precies in gedachten?

Stern fronste zijn voorhoofd en verschoof.

Een tapijt. Ik dacht aan een tapijt.

Joe keek hem aan.

Een tapijt, zeg je. Zoiets eenvoudigs.

Ja. Tapijten doen me altijd terugdenken aan iemands thuis, omdat ik ze daar altijd heb gezien, in iemands thuis. Het grootste deel van mijn leven heb ik doorgebracht in ruimtes als dit, kale kamers met kale vloeren en bijna geen meubels, geen plaatsen waar wordt geleefd. Het is maar een kleinigheid, een van die talloze details waaraan we bijna nooit denken. Een van die nietige tastbare bijzonderheden die ons merkwaardig genoeg uiteindelijk definiëren.

Die oude verschoten rode wollen muts van jou, Joe, dat is een tastbaar detail. Die muts die je vroeger in Jeruzalem droeg, toen je alleen woonde in dat rare kleine kamertje op een dak in het Armeense Kwartier. Heb je die nog steeds?

Ja.

Hier bij je, in Caïro?

Ja.

En draag je die nog wel eens?

Ach, vroeger wel, toen ik nog mijn gemak nam in Hotel Babylon en met de hulp van Liffy's miraculeuze gave van gezichten en gave van talen de wereld bezag. Of als ik 's avonds laat met Achmed op de binnenplaats achter het hotel in onze piepkleine oase zat en met hem luisterde naar de sterren.

Waarom droeg je die, Joe?

Uit gewoonte, denk ik. Omdat die me aan dingen herinnerde, denk ik. Omdat ik het prettig vond om haar op te hebben.

En ook wel eens onprettig?

O ja. De incarnaties komen en gaan en het is niet altijd gemakkelijk om je te herinneren waar al die andere mensen in je lijf zijn gebleven, en wat ze hebben gedaan en wat er toentertijd zo belangrijk leek. Natuurlijk *was* er wel iets belangrijk, eigenlijk wel alles op zijn eigen manier, maar is dat wat je bedoelt met tastbare details? Dat mijn rode wollen muts een manier is om mezelf te herinneren aan een kind op de vlucht door de heuvels van Zuid-Ierland, en een geobsedeerde jongeman die een marathonpotje poker speelt in Jeruzalem en de medicijnman van de Hopi-indianen en een Armeense spion die bekendstaat als Gulbenkian in het door oorlog geteisterde Caïro, dat al die rare types op de een of andere duistere manier met elkaar verbonden zijn? Dat die bovendien allemaal zijn voortgesproten uit een jongen die zijn kinderjaren ronddobberend in een vissersboot doorbracht op de getijden van de Aran Eilanden? Getijden en meer, in weerwil van alles? In weerwil zelfs van tegenwinden en eigenaardige zonnevlekken van de tijd? Dat al die jongens en mannen en begrippen die ik zojuist heb opgesomd, in weerwil van de jaren, nog steeds iets gemeenschappelijk hebben? Mij namelijk, omdat ze mij *zijn*? Bedoel je dat?

Stern lachte.

Jij kunt het fraai zeggen, Joe. Maar ja, iets dergelijks.

Tuurlijk, dacht Joe, iets dergelijks, maar wat precies? Aan welk tapijt denk je, en waarom? Heel Europa is het tapijt waar het op stond kwijtgeraakt, maar jij hebt één bepaald tapijt in gedachten...

Nou, goed dan, zei Joe. In dat opzicht is niets onbezield en bestaat er in het leven niet zoiets als eenvoudig meubilair. Een oude wollen muts of een glimmende morsesleutel, die hebben inderdaad hun veranderlijke verhalen in zich besloten liggen. Maar het was een kale vloer waarover je het had, een tapijt en een kale vloer en thuisloosheid. En ik zou zeggen dat iemand die in de woestijn is opgegroeid, zoals jij dat bent, in een tent gemaakt van geitenhuiden, niet waarlijk geïnteresseerd zou zijn in vloeren, kaal of anderszins. Dus hoe kwam je daar vannacht op, en waar bevond die kale vloer zich precies? Je moet hem goed en meer dan eens hebben bestudeerd. Waar was het, Stern?

In Smyrna.

Dan moet het iets te maken hebben met Eleni, dacht Joe. Of met haar oom, Sivi, die je die baan heeft verschaft.

Waar in Smyrna, Stern?

Stern verschoof.

In Sivi's villa, zei hij, in de slaapkamer waarvan ik altijd gebruikmaakte als ik bij hem logeerde. Een langwerpige kamer met een hoog plafond en grote openslaande deuren en een klein balkon dat uitkeek over de haven. Op zeker moment, nadat Eleni me had verlaten, zat ik vaak 's ochtends vroeg, als de haven tot leven kwam, op dat balkon, en dat deed ik 's avonds laat weer, nadat alles gesloten was en er alleen nog zo nu en dan iemand langs de waterkant wandelde. Ik hield van de rust, van de stilte, van het jonge licht in de ochtend en het oude licht van de sterren. Havens hebben me altijd gefascineerd met hun schepen uit verre landen op weg naar wie weet hoe ver. Elke reis onder de zon was voorstelbaar, elke bestemming in de wereld een mogelijkheid.

Stern glimlachte.

Dat is de oude Griek in me, zei hij, die fascinatie met wat achter de horizon ligt. Of wat daar zou kunnen liggen, als je ernaar op zoek durft te gaan.

Ook al Grieks, Stern? Zijn je Engelse en Arabische en Jemenitisch-Joodse afkomst nog niet voldoende voor je? Wil je de Griekse er ook nog bij hebben?

Ja, waarom niet, zei Stern. Trouwens, iedereen in dit deel van de wereld heeft iets van de oude Grieken in zich. De Grieken waren per slot van rekening degenen die overal heen gingen, die het gewoon niet konden laten om te proberen overal te komen. Het licht en de zee, maar bovenal dat verbluffende licht dat je doet denken dat je eindeloos ver kunt zien. Het lokte ze steeds verder en verder en niet alleen maar over de oppervlakte van de aarde. Waar zij belang in stelden was wat er voorbij de dingen was, achter de dingen, onder de dingen. De ziel was hun zee en aan de reis kwam nooit een einde. De terugkeer naar Ithaka was niet meer dan een excuus voor de Odyssee, de reis zelf, daar ging het om. Dat moest Homerus, met zijn blinde ogen, wel zien.

Homerus, Stern? Van hem wordt beweerd dat hij in Smyrna is geboren. En hoe zit het met dat balkonnetje in Sivi's villa, waar je laat in de avond en vroeg in de ochtend zat te luisteren naar Homerus' zeegezicht en in je verbeelding de wacht hield?

Stern fronste zijn voorhoofd.

Een vredig plekje op het eerste gezicht, zei hij, maar ik had toen geen vrede met mezelf. Eleni had me voor de laatste keer verlaten en daar was ik nog helemaal niet aan gewend, vooral aan de terugkeer naar Smyrna zonder dat ze bij me was. Voor mij *was* Eleni Smyrna, en de hele opwinding die daar heerste en de schitterende levensstijl van de mensen daar, vóór de bloedbaden, was in mijn gedachten onlosmakelijk met Eleni verbonden. Als ik weg was, op reis, viel het nog wel mee. Maar zodra ik terugkeerde naar Smyrna om Sivi te bezoeken, kon ik alleen maar denken aan haar en aan alle plekjes waar we samen waren geweest. Elk hoekje bevatte een herinnering en waar ik ook keek, het wachtte me daar op... een bepaald gevoel, een gewaarwording die haar terugvoerde naar mij.

Ik kon het niet bedwingen, zei Stern. Het was een stemming die ik niet van me kon afschudden. Haar verlies stond me in Smyrna altijd voor ogen, het trok aan me en liet me nooit ongemoeid. Als ik daar was wilde ik maar één ding en dat was me verstoppen. Sivi probeerde te helpen maar dat kon hij eigenlijk niet. De dagen joegen me angst aan, voor-al het zonlicht op heldere dagen... Homerus' zonlicht. De nachten wa-ren in zekere zin draaglijker, zoals ze dat altijd zijn, minder wrang en minder hardvochtig, maar het was ook 's nachts dat de gevaarlijkste mo-menten zich voordeden. De waarlijk zwarte ogenblikken wanneer niets er nog iets toe deed en het volkomen redelijk leek om er gewoon maar een einde aan te maken... er gewoon een punt achter te zetten. Alles op-geven...

Stern deed er het zwijgen toe. Hij raakte de gerafelde mouw van zijn mantel aan, boog zich voorover en staarde ingespannen in de schimmi-ge spiegel.

Het einde van december. Een van de laatste nachten van dat zwarte jaar waarin Eleni hem voor de laatste keer had verlaten.

Stern was net teruggekeerd in Smyrna om de vakantie bij Sivi door te brengen, tot en met Driekoningen. Sivi zorgde er wel voor dat er voor ie-dere avond iets op het programma stond, zodat Stern niet alleen in zijn ka-mertje hoefde te zitten tobben. Maar die avond hadden vrienden Stern op een dineetje uitgenodigd, waardoor Sivi zich vrij achtte om naar de schouw-burg te gaan.

Stern redde het slechts enkele uren in het huis van zijn vrienden vóór de moed hem in de schoenen zonk. Hij hing een smoes bij ze op en keerde vroeg in de avond terug naar Sivi's huis, om op het balkonnetje te zitten en uit te kijken over de haven.

Hij was merkwaardig kalm die avond en terwijl hij daar naar de licht-jes op het water keek en naar de geluiden van de zee luisterde, kwam hij op heel natuurlijke wijze tot zijn besluit. Er was niets dramatisch aan. Inte-gendeel, het leek heel redelijk en alledaags. Er was een nieuw jaar in aan-tocht en het had geen zin om dat af te wachten. Geen enkele.

Dus ging hij naar binnen, goot een flesje pillen leeg in zijn hand en slik-te die een voor een door, zonder water, zoals hij altijd pillen innam. Toen schonk hij zichzelf wat whisky in en ging op de rand van het bed zitten om van zijn drankje te genieten en daarbij een sigaret op te steken.

Zelfmoord? Een wanhoopsdaad uit ondraaglijke wanhoop?

Nee, helemaal niet. Zo dacht hij er toen helemaal niet over. Hij was be-daard en zijn gevoelens waren alledaags, zijn stemming redelijk. Een bor-rel en een sigaret voordat hij zich te slapen legde, hetzelfde als honderden andere nachten. Precies hetzelfde, alleen zou hij deze keer niet wakker worden.

Hij ging op de rand van het bed zitten en staarde door de openslaande deuren uit over de haven, niet echt bedroefd, eigenlijk eerder opgelucht dan iets anders. Gerustgesteld, in vrede. De zachte lichtjes dobberden op het water en de zwoele nacht omhulde hem, een sereen geroezemoes van fluisteringen dat opsteeg van de cafés onder de duisternis, anoniem en ver weg, net als de wereld zelf.

Het is zo eenvoudig, dacht hij, terwijl hij nipte en rookte. Grote beslissingen zijn altijd zo gemakkelijk, in tegenstelling tot de kleine dingen. En de dood is troostrijk en de dood is vrede, alleen het leven is geen...

Stern herinnerde zich daarna niets, totdat hij de volgende morgen wakker werd. Sivi was na zijn terugkeer uit het theater even langs zijn kamer gelopen en had Stern gekleed en bewusteloos op de rand van zijn bed zittend aangetroffen. Sivi had onmiddellijk geraden wat er was gebeurd en had gezorgd dat Stern braakte en had zijn huishoudster geroepen, en samen hadden ze Stern onder een koude douche gezet en hadden meer dan een uur met hem door zijn kamer heen en weer gebanjerd, tot het gevaar was geweken, en pas toen lieten ze Stern liggen om te slapen.

De huishoudster had het de volgende ochtend, toen hij haar aan de tand voelde, aan Stern verteld. Wat Sivi aangaat, hij had nooit meer iets gezegd over het voorval en er nooit op enigerlei wijze op gezinspeeld. In plaats daarvan was hij de volgende dag zijn gebruikelijke gemoedelijke zelf en lachte hij en grapte hij en probeerde hij Stern een hart onder de riem te steken zoals hij altijd deed, alsof er gedurende de nacht niets was gebeurd.

Maar steeds als Stern terugkeerde naar Smyrna en zijn logeerkamer in Sivi's villa, had hij de punt van het nieuwe tapijt naast het bed opgepakt en naar de vlek op de houten vloerplanken gekeken, een onuitwisbare vlek, veroorzaakt door zijn braaksel, door het leven dat op een nacht uit hem was gevloeid opdat hij zou blijven leven.

Ik was gewend de deur te sluiten en ernaar te gaan zitten staren, zei Stern, en te proberen een soort patroon te ontdekken in die landkaart van mijn leven op de vloerplanken. Maar hoe hard ik ook keek, het bleef een vorm zonder vorm, schaduwen die zich in zichzelf keerden, een werveling van donkere tinten waar je van alles in kon zien, net als in wolken aan de hemel. Dus probeerde ik er iets in te zien, maar dat lukte me nooit. Ik heb er nooit ook maar iets in kunnen ontdekken.

Aanvankelijk vond ik die vlek zo stuitend lelijk dat ik het verschrikkelijk vond om samen ermee in de kamer te zijn. Zij beschaamde me en beangstigde me en ik was me altijd bewust van haar aanwezigheid onder het tapijt, en ik vermeed altijd zorgvuldig er bovenop te gaan staan. Maar na een tijdje dacht ik er niet meer aan en stond ik er daadwerkelijk op, zonder mij daarvan bewust te zijn... In zekere zin maakte dat het beter, maar het bedroefde mij ook omdat het betekende dat ik met de vlek had leren leven. De psyche had gedaan wat zij moest doen om ervoor te zorgen dat ik kon overleven. Vergeten. Wat zij altijd moet doen als iets verschrikkelijks een dagelijkse metgezel in onze levens wordt... Maar er was nog een andere reden voor mijn verdriet. Steeds wanneer ik op die vlek stond moest ik terugdenken aan mijn jeugd en hoe ver ik weg was geraakt van een stoffige kleine heuvelhelling in Jemen. Bij een bed in een kamer die niet van mij was, bij een paar openslaande deuren die uitzicht boden op een haven... Maar waarom deze haven en waarom deze kamer...? Dat placht ik mijzelf af te vragen en daaruit vloeide een hele zwik vragen voort. Waar is dit? Waar ben je? En de antwoorden waren ontluisterend... Ik was overal. Ik stond op een kaart die ikzelf was, mijn leven, en die had me niets te vertellen. Het was dus niet één bepaalde plaats, het was gewoon overal...

Stern schoof een stukje achteruit. Hij betastte de kraag van zijn haveloze mantel en wendde zich af van de spiegel, onttrok zich aan zijn eigenaardige fascinatie.

Wat die zelfmoordpoging betreft, zei hij, de eerste, die zette mij over heel wat dingen aan het denken. Wat ik werkelijk had gedaan en wat het betekende, en wat ik over mezelf te weten was gekomen en over de menselijke factor en misschien meer dan wat ook, wat ik van Sivi had geleerd. Er was zoveel wijsheid in de oude man dat ik me vaak heb afgevraagd of hij zich daar wel bewust van was. Of hij deed wat hij deed uit intuïtie, of dat hij wist dat de manier waarop hij zich na die nacht gedroeg de enige was die het mij mogelijk maakte door te gaan... Sivi deed *alsof*. Gedroeg zich alsof er niets was gebeurd... Hoe kon hij hebben geweten dat hij zo moest handelen als hij niet zelf ooit in diezelfde positie had verkeerd?

Maar dat is een heel ander onderwerp, zei Stern, en het leidt naar de bloedbaden en Sivi die krankzinnig werd tijdens de bloedbaden. Zulke diepzinnige wijsheid is zo subtiel dat zij vaak niet bij machte is de wreedheid van het bestaan, de angsten die binnen in ons woekeren, te overleven. En in Sivi's geval kon ze dat niet. En hij werd krankzinnig...

Uiteraard vond die nacht op het balkon heel lang geleden plaats, toen ik net een man begon te worden. En daarop en op wat daarop volgde terugkijkend, realiseerde ik me hoezeer wij ons best doen om niet te groeien. Hoe wanhopig we blijven proberen de zekerheden van onze kinderjaren in ons hart te sluiten en dapper trachten de wereld met die meelijwekkende wapenrusting tegemoet te treden. Ik *weet*, zeggen we, misschien kan ik het niet verklaren maar ik weet wat ik bedoel.

En toch, zolang we het niet kunnen verklaren, is er geen sprake van begrip. In plaats daarvan zijn er starre dode dromen, de zandkastelen van onze kinderjaren waaraan we een of twee torentjes toevoegen en later nog een borstwering, voordat wij sterven en dezelfde dromerige vorm met dezelfde innerlijk vage en onbevattelijke structuur aan onze kinderen doorgeven.

Stern fronste zijn voorhoofd. Hij staarde naar de toog en zijn stem was gespannen, gedempt.

Waarom begrijpen wij niet hoe destructief het is om je aan dingen vast te klampen? Waarom begrijpen we niet dat zelfs revolutionairen dat doen en dat vaak niemand reactionairder is dan een revolutionair? Een man die, vaak onschuldig, hunkert naar orde, en daarom geweld en moord en gruwelijke repressie rechtvaardigt in zijn hunkering naar de nagestreefde symmetrie en de nagestreefde schoonheid van een zandkasteel in de geest van een kind?

Voorstellingen, zei Stern... dingen die we ons verbeelden. Die massa's ongrijpbare wonderen en afschuwelijke monsterlijkheden ontstaan uit onze onpeilbare verbeelding. Geloof in alles en in niets is de vloek van ons tijdsgewricht. Deugdzaam, arrogant spelen wij in onze gedachten met het vuur van vrome kluizenaars die niets van de wereld hebben gezien en weigeren te kijken en weigeren te luisteren naar de echo van wat zich aan ons voordoet. Onze arrogantie is zo omvangrijk en zo meelijwekkend, dat we zelfs pretenderen ons eigen verleden overboord te kunnen gooien en *iets* van onszelf te kunnen maken, alleen maar door dat te zeggen.

Maar zo is het niet en dat kunnen we niet omdat we zoveel minder weten dan we denken over de vrijheid en de verantwoordelijkheid van de mens, en over zijn schuld. En toch blijven wij in onze hoogmoed *doen alsof*, en gaan wij uit van verschrikkelijke vooronderstellingen die honderdduizenden slachtoffers, zelfs miljoenen slachtoffers, eisen. De slachtoffers die ons tijdsgewricht lijkt te verlangen, en wat erger is, lijkt nodig te hebben.

Waarom? Waarom is onze schuld vandaag zo groot dat we menselijke offers moeten brengen op zo'n monsterlijke schaal? Waaraan offeren wij? Waarom voelen we deze wrede schuld zo onverbiddelijk dat wij een Hitler of een Stalin in het leven roepen om onze slachtpartijen voor ons uit te voeren? Is vrijheid in de twintigste eeuw werkelijk zo beangstigend dat we concentratiekampen en hele politieke systemen nodig hebben die niets zijn dan gevangenissen? Die gigantische onmenselijke vernietigingsmachines waar mensen vrijwillig naartoe trekken, die ze vrijwillig omhelzen en waarvoor ze vrijwillig hun leven geven en die ze de toekomst noemen? Zijn wij werkelijk zo bang voor de vrijheid dat we van de wereld één immense strafkolonie moeten maken? Zijn wij werkelijk zo wanhopig dat we de orde van het dierenrijk heroveren... onze verloren onschuld en onwetendheid?

Revolutie, zei Stern. We kunnen niet eens begrijpen wat dat woord inhoudt, noch wat het betekent of wat het oproept. We doen alsof het totale omwenteling betekent, maar het is veel meer dan dat, zo oneindig veel gecompliceerder, en ja, ook zo veel eenvoudiger. Het is niet alleen de totale omwenteling van nacht naar dag, zoals onze aarde wentelt rond een onbeduidende ster. Het is ook onze kleine ster die wentelt om haar eigen as en dat geldt eveneens voor alle miljarden sterren en melkwegstelsels en het universum zelf. Veranderingen tuimelen om elkaar heen en er is niets dan omwenteling. Elke beweging is omwenteling en dat geldt ook voor de tijd, en hoewel die wetten ongelofelijk ingewikkeld zijn en ons boven de pet gaan, is hun resultaat eenvoudig. Voor ons, heel eenvoudig.

Wij bereiken een nieuwe dageraad en zien die slechts in duisternis overgaan, of om preciezer te zijn, *om* die in duisternis te zien overgaan. En we leven in duisternis om het licht te kennen... Voor heel even. De tijd is een wenteling van tegengestelden, zonder dat wij ooit een begin of een einde zullen waarnemen.

Revolutie? Toewijding? Geloof in de mensheid en in goden die sterven, goden die falen?

Onschuld is de oorsprong van onze zonde, zei Stern, en zowel onze hoop als onze gesel. Uit die onschuld spruit alles voort wat slecht is en alles wat goed is en het is ons lot daarmee te leven. Want de God die is en alle goden die er ooit zijn geweest en ooit zullen zijn zitten in ons, kijken met onze ogen en horen met onze harten en spreken met onze tongen... *De onze*. Ik weet het. Toegewijder dan ik was er niemand...

Stern zweeg. De spieren in zijn gezicht verstrakten en zijn ogen schoten rusteloos heen en weer.

Hij is behoorlijk van de kook, dacht Joe, we graven nu steeds dieper. En overal in zijn hoofd gingen sirenes loeien, explodeerde vuurwerk en ratelde geweervuur. Zo ziet een man eruit die te lang onder vuur heeft gelegen. Oorlogsneurose zou een arts het kunnen noemen. Van de ziel, zou Liffy kunnen zeggen.

Joe legde zijn hand op Sterns arm.

Weet je, zei hij, toen ik het zo net over Achmed en David had, verbaasde het me dat je daar zo snel aan voorbijging. Maar ik moet mezelf er steeds weer aan herinneren dat jij en ik de afgelopen jaren heel andere levens hebben geleid en dat jij daar met je neus op hebt gezeten. Ik had het toen heel rustig en ik hoef jou niet te vertellen hoe moeilijk dat het maakt om met geweld om te gaan. In gevoelskwesties hebben wij de neiging de zorgen van iedereen als de onze op te vatten, dat weet ik, zo proberen wij mensen aan te passen aan ons niveau. Het lijkt in de menselijke aard te liggen om mensen terug te brengen tot één standaardmodel zodat we ze kunnen begrijpen, wat natuurlijk geruststellend zou zijn. Dus moet ik mijzelf steeds weer herinneren aan de zinderend hete, vinnig koude woestijn waarin ik heb geleefd, met zijn dood en zijn sterven en zijn eigen kloteregels. En ik weet dat het erg is geweest, maar wat was het ergste voor jou?

De geluiden die mensen maken, fluisterde Stern. De geluiden die ze maken als ze daar aan flarden gereten liggen te sterven. Dat is iets waar je nooit aan went, en als je het eenmaal hebt gehoord, gaat het nooit meer weg.

Tja, daar kan ik me iets bij voorstellen, zei Joe. In ieder geval in dat niemandsland waar jij je hele leven hebt doorgebracht. Maar weet je, de meeste mensen hebben dat nooit gehoord. De meeste mensen horen gekreun en gejammer en spijtbetuigingen aan het eind, dingen waarover je iets kunt opmerken. Niet dat dierlijke geluid uit je binnenste dat daar maar blijft, erger dan de dood en dat nooit iets met woorden te maken heeft... Maar herinner je je dat gezegde nog over abstracties die onze pseudoniemen zijn? De neiging die wij hebben om onze persoonlijke drijfveren als de universele drijfveren voor te stellen. Wat de reden was dat Marx, om maar iemand te noemen, met toch al een slechte stoelgang vanwege al dat zitten en denken, ertoe neigde een toekomstige explosie binnen de onderste regionen en klassen als een wetenschappelijke noodzakelijkheid te beschouwen? De historische beweging van onderdrukte darmen objectief gedetermineerd door het geknor van de dialectische kakstoel enzovoort? Herinner je je nog iets van dat gezegde? Stern hield een ogenblik op met bewegen. Hij keek Joe aan en wendde zijn blik af.

Het klinkt bekend, mompelde hij.

Echt waar? Tja, dat leek me al goed mogelijk, want jij was degene die het heeft gezegd.

Was ik dat?

Ja. Op een avond in Jeruzalem zaten we nog laat op met een glas lampenolie. En dat was die nacht een miserabel drankje, net als nu. Het werd ook wel Arabische cognac genoemd en ik zal nooit weten hoe die twee namen samen zijn gekomen om de pijn in de donkere uren te verzachten. Over tegengestelden gesproken. *Arabische* cognac? Arabische *cognac*? Alleen het horen daarvan veroorzaakt al een omwenteling in je hoofd, een echte omwenteling, het soort waarover jij het had, om nog maar te zwijgen van de voortdurende beroering in de maagstreek. Maar ja, jij hebt dat ooit eens gezegd. En Achmed heeft het je recentelijk nagezegd. Als ik me goed herinner, citeerde je uit de memoires van je vader.

O.

Stern schoof rusteloos heen en weer. Hij maakte een gebaar naar de eigenaar van de kroeg, die langs de toog op hen toe gleed om hun glazen vol te schenken. Joe legde glimlachend een hand op Sterns arm.

Maar zo gemakkelijk kom je niet van me af, Stern, toch? Ik bedoel dat gevoel dat je hebt dat je hebt gefaald. Het is niet meer dan logisch dat ik daar een beetje over inzit, Marx en de oorlog buiten beschouwing gelaten. Dus vertel me eens. Heb jij toen je jong was ooit overwogen om ergens in een woestijn een kluizenaar te worden, zoals je vader uiteindelijk heeft gedaan? Iets in die orde? Dat zou vast en zeker gemakkelijker zijn geweest dan de omgang met mensen.

Stern keek verbaasd. Ik heb tenminste zijn aandacht weer gewekt, dacht Joe.

Nee, zei Stern. Nooit.

Waarom niet, vraag ik me af.

Stern staarde naar het plasje water op de toog. En er gaat meer in hem om dan alleen wat hij zich herinnert, dacht Joe. Het is niet louter sirenes, bommen en vuurwerk.

Niet voldoende schuld, zei Stern. Dat was niet de reden van mijn vader om te doen wat hij deed, maar het zou de mijne moeten zijn geweest. Per slot van rekening zocht hij de woestijn op. Ik ben er geboren.

Juist. Daar kan ik me iets bij voorstellen. Waar we het over hebben is dus berouw, neem ik aan, nietwaar? De dingen zijn niet zo goed gegaan als je had gehoopt.

Stern huiverde hevig.

Zo goed? Wat bedoel je in hemelsnaam, Joe?

Juist. De dingen zijn eigenlijk volkomen in het honderd gelopen. Erger kon het niet. En toch is wat je de laatste paar jaar hebt gedaan honderd keer meer dan wat de meesten in een heel mensenleven bewerkstelligen. Natuurlijk is ook waar dat niet veel mensen daar ooit iets vanaf zullen weten. Bletchley en Belle en Alice en ikzelf, en Maud en Liffy gedeeltelijk en nog een paar anderen van wie ik me niet bewust ben. Niet veel, in ieder geval, een handjevol op zijn hoogst, en bovendien kunnen zij er nooit iets tegenover iemand over loslaten behalve tegenover zichzelf. Misschien fluisteren ze in zichzelf, als ze alleen zijn en bedroefd en terugblikken. En zit je dat zelfs niet een klein beetje dwars? Als dat zo was zou het heel natuurlijk zijn.

Stern bewoog zijn vinger door het plasje water op de toog en trok een kringetje.

Ja, zei hij. Ik geloof van wel.

Ach, natuurlijk, Stern, waarom niet. Iedereen zou graag willen dat het bekend werd als hij iets wezenlijks achterliet, iets meer dan alleen het stof van goud en onroerend goed, iets tastbaars voor het hart. Toch zou een andere man vol trots zijn borst doen zwellen als hij had gedaan wat jij hebt gedaan, maar jij ziet jezelf niet eens als iemand die ook maar iets heeft bereikt.

Joe legde zijn hand op Sterns arm.

Vertel eens, waarom al dat gepraat over Sivi vanavond? Het is lang geleden, tien jaar sinds hij stierf, twintig sinds hij krankzinnig werd. Zo op het oog lijken die gebeurtenissen nogal ver in het verleden om vanavond zo'n belangrijke plek in je gedachten in te nemen. Of zijn we bezig terug te kijken op de ware oorsprong van jouw Poolse avontuur...? Zo placht Achmed het te noemen, weet je, en hij doelde niet alleen op de feitelijke reis naar Polen. Voor hem leek jouw Poolse avontuur aanzienlijk meer te behelzen. Misschien kwam dat omdat Achmed altijd een langetermijnvisie op de dingen had, waardoor hij wist dat, hoewel de oorlog in Polen lijkt te zijn uitgebroken, het ware begin veel dieper in de tijd begraven moest liggen... Maar afijn, Sivi dus. Wat maakt dat hij steeds weer in je gedachten opduikt? Of hebben we het eigenlijk over Smyrna?

Stern bewoog zijn vinger door het plasje water, trok kringetjes, zijn rusteloze ogen geen moment stil.

Somber en met een gevoel van nutteloosheid, dat zeker, dacht Joe, precies zoals Maudie zei. Maar hem dat vertellen zal niet helpen. Het heeft geen enkele zin om een hongerig man te vertellen dat hij geen honger heeft, wat heeft hij daar nou aan? Het vuurwerk en de sirenes mogen in zijn hoek van de woestijn voor een beetje rust hebben gezorgd, maar hij verwacht nog steeds het volgende spervuur en hij is hondsmoe, dat is zo duidelijk als wat.

Stern?

Ja. Sivi, zei je. Daar dacht ik aan.

En?

Ik denk dat het komt omdat ik bij hem ben begonnen en het meeste van hem heb geleerd. En die periode in Smyrna beheerst ook een belangrijk deel van mijn geest, Eleni en Sivi en de heerlijke tijd die we hadden vóór de bloedbaden, voordat die hele manier van leven voorgoed verdween. En de Egeïsche Zee moet er ook iets mee te maken hebben, dat mysterieuze licht dat altijd heeft gemaakt dat mannen verder wilden. En wonen aan de zee in Smyrna, en alleen de zee zelf, het dichtst dat we ooit komen bij het geluid van de oneindigheid. En ik was toen jong, dus was alles belangrijk, en ik was verliefd...

Ja.

Dus al die dingen samen maakten elke gewaarwording intens. Alles leek op de een of andere manier helderder en zekerder, maar het is dat gevoel van intensiteit dat ik me het duidelijkst herinner. Ik ervoer elk ogenblik tot in zijn vezels, zelfs de kleinste dingen, zoals we dat altijd zouden moeten doen en zo zelden doen. Alles *zinderend* van leven, Joe.

Ja.

Maar toen begonnen de veranderingen te komen en pasten de delen niet meer in elkaar en vormden zij geen geheel meer... Eleni en ik die uit elkaar groeiden en dat verschrikkelijke leed in elkanders ogen zagen en heel goed beseften wat ons door de vingers glipte, maar machteloos daar iets tegen te doen, omdat het verleden van iemand anders voor altijd buiten ons bereik is, onaangeroerd door onze beste bedoelingen.

Hulpeloos. Wij beiden, ook al was de verwoesting van de droom on-draaglijk... Daar kwam dus een einde aan en toen kwam de duisternis over Smyrna, de bloedbaden, en Sivi werd krankzinnig en alles kwam voor mij tot een einde, en er zat niets anders op dan door te gaan.

Ja, zei Joe. En nu is Smyrna de wereld en zijn bloedbaden aan de or-de van de dag en raken hele levenswijzen zoek in het duister. Maar dat duister is jou niet vreemd, Stern. Jij kent dat duister al heel lang.

Stern staarde neer op de toog, eindelijk bewegingloos, eindelijk tot rust gekomen in het tweeduister van die kale ruimte. Zijn we er? dacht Joe, terwijl hij Stern observeerde. Hij wachtte en er ging een langgerekt ogenblik voorbij alvorens Stern zijn ogen weer opsloeg.

Dat is waar, fluisterde Stern. En soms kan ik erop terugkijken met een zekere mate van kalmte en het grootste deel ervan tegenover mezelf rechtvaardigen. Het leven komt per slot van rekening altijd ongeveer op hetzelfde neer. Drieduizend jaar geleden hebben de Grieken aan de kust bij Smyrna het allemaal doorgemaakt, hebben ze getierd en geweend en zijn toen toch uitgevaren, sommigen tenminste, degenen die vanwege de verschrikkingen zich niet zelf de ogen hadden uitgestoken of zich in kooien hadden opgesloten. Dit is dus talloze malen in het verleden ge-beurd en ontelbare anderen hebben hier gezeten zoals ik nu, zoals jij en ik, en ik heb geprobeerd te zien met Homerus' ogen en jij hebt gepro-beerd me te helpen zien, en dat weet ik allemaal, Joe, dat weet ik. De kwestie is gewoon dat ik soms...

Toen draaide Stern zich langzaam om en keek Joe aan en nog nooit had Joe ogen gezien die zo uitgeput waren.

... de kwestie is gewoon dat ik het evenwicht niet meer voel, het *even-wicht*, Joe. Het is allemaal te donker en te hard en er lijkt nergens een reden voor te zijn en ik kan mezelf gewoon niet langer wijsmaken dat die er wel is. Ik kan niet meer *doen alsof*, Joe, begrijp je dat? En ik kijk achterom en ik zie niets wat ook maar iets betekent...

Te dichtbij, dacht Joe, we komen te dichtbij. Hij moet een stapje te-rug doen anders stort hij pal hier voor mijn neus in.

Ja, ik weet het, zei Joe. Ik kan het in je voelen, en we weten allebei dat je daarbuiten al te lang met deze eeuw hebt geleefd. Het is per slot van rekening niet wat de meeste mensen doen. De meeste mensen bren-gen hun leven door in andere eeuwen en scharrelen terug door het ver-leden, terwijl wij rechtop op meubels van gisteren zitten, de dienstre-geling van gisteren doornemen en met gedachten van gisteren spelen. Dieren zijn behoudend, zoals je zegt, en wij geven er, als we maar even de kans krijgen, altijd weer de voorkeur aan de dingen te doen zoals we ze vorige keer deden. En ik weet wat jij bedoelt als je opmerkt hoe gevaarlijk dat is geworden en de paradox van het geweld dat voortspruit uit onschuld, uit die deerniswekkende zekerheden waaraan wij ons vastklampen, de zandkastelen van het ras.

Joe?

Ja, ik weet het, en ik ken die bedroevende paradox waardoor profeten putten uit de jeugd van het ras en herinneringen omvormen tot visioenen van de toekomst en de lieflijke totale orden van een verbeelde Hof van Eden voorstellen. En wij lijken de gewoonte te hebben opgevat te veel in onze hoofden rond te wroeten, niet te luisteren naar de echo's van buiten en met ideeën te spelen alsof het speelgoed is. Probeer dat eens en probeer dat andere eens, en als wit niet werkt, probeer dan zwart, en als God de klus niet klaart, probeer dan Hitler en Stalin.

Joe?

Woorden, Stern. Het zijn maar woorden, de blokkendoos van een kind, slechts namen voor misplaatste herinneringen omdat we zo wanhopig willen geloven dat ergens iemand de touwtjes in handen heeft... of misschien heeft... of zou kunnen nemen. Woorden zijn onze schimmen in de twintigste eeuw, alsof je iets een plaats geeft door het een naam te geven. Alsof je daarmee zegt dat iets het heeft geregeld. Alsof herhaalde toverspreuken ons vrijmaken. Alsof we niet meer met menselijke wezens te maken hebben... Want dat is het werkelijke probleem, nietwaar, Stern? Met ideeën is altijd gemakkelijker om te gaan dan met mensen, want ideeën zijn woorden en kunnen worden geteld en gedefinieerd en naar believen bewerkt en voorzien van kleuren en onderstrepingen en gecategoriseerd en veilig in laden opgeborgen. En dus houden we ons bezig met ideeën en doen we alsof we ons bezighouden met iets werkelijks, en is Lenin een mummie zoals alle farao's, en zal Hitler een mummie zijn voor de duizend jaren van zijn *Dritte Reich* als hij dat klaarspeelt, allebei met hun eigen Grote Piramide van schedels, opdat we ons hen beter kunnen herinneren, en intussen worden er maar mensen afgeslacht... *Afgeslacht*, o wat een verrassing, op weg naar het zandkasteel.

Maar Joe?

Juist. Ik heb zelf nog een borrel nodig en hier komt onze man met de lampenolie, zoals vanouds. En menselijke wezens zijn donker en hard en zo is dat, en dat is tevens de ware code en de enige die ertoe doet. En omdat menselijke wezens zijn wat ze zijn, kiezen wij de gemakkelijkste weg en spelen met die finesses die we ideeën noemen, bouwstenen dus uiteindelijk toch, de grondbeginselen van onze piramiden en ook geschikt om onze bloedeigen Toren van Babel op te richten. Heldere en eenvoudige lijnen die logisch en op ordelijke wijze omhoogbewegen, zeggen we, volgens de wetten van de rede...

Rede, Stern? Logica? Raak een menselijke ziel op een willekeurige plek die telt en je weet hoe redelijk het antwoord is dat je krijgt. Een gil krijg je, een schreeuw van wanhoop en hoop. Maar we doen alsof het anders is en we doen alsof we ideeën boven op elkaar kunnen stapelen totdat we een luisterrijke kathedraal hebben om in te knielen of een ontzagwekkend warenhuis om in te juichen. Zandkastelen, zoals je zegt. Of misschien, zoals vandaag, alleen die gigantische vernietigingsmachines des doods, onmiskenbaar. En al die tijd worden mensen afgeslacht in het belang van... In het belang van *wat*, Stern? Van *wat*, mijn God? *In hemelsnaam?*

Joe, ik...

Nee, wacht, Stern. Ik heb een lange weg afgelegd om vanavond in deze kale ruimte te zitten en de geuren op te snuiven van deze achterbuurt en wat lampenolie achterover te slaan met de vriend die ik het langste ken op deze wereld. Een lange weg in tijd en ruimte, dus je kunt niet van me verwachten dat ik je er zo gemakkelijk mee laat wegkomen, toch? Of, om het anders te zeggen, ik ben hier nu en ik besta echt en je hebt met mij te maken. Met *mij*, Stern.

Joe knikte, hij glimlachte. Hij hield Sterns arm vast en langzamerhand verscheen er ook een glimlach op Sterns lippen.

Nu heb ik hem, dacht Joe. Hij kan zichzelf het einde nu op geen enkele wijze meer ontzeggen. Hij niet. Daarvoor weet hij te veel.

Tja, zei Joe, achteroverleunend. En hier zitten we dan en wat een plek om naartoe te komen als de ziel een opkikkertje nodig heeft. Ik bedoel, opwekkend is het niet echt, vind je wel, waar we ons bevinden op dit duistere uur in een duistere oorlog? Wij die samen, niet ver van de Nijl, zitten te lamenteren over de stand van zaken door de eeuwen heen? Alles dat verandert en niets wat meer is wat het was? De oude Egyptenaren hadden hoeveel, om en nabij de dertig dynastieën? En elk daarvan het einde van een tijdsgewricht, het einde van een tijdperk, met zijn eigen portie heren die, net als wij, met de lampenolie zitten te weeklagen over de doden en de stervenden en steeds maar weer piekeren over de permanente omwentelingen van de hemelen? Je gaat je afvragen of de tijd wel iets verandert en of jij en ik hier in de loop der eeuwen niet al gewoon waren binnen te vallen om na te denken over de doelen van al die dynastieën. Eigenlijk ga je je afvragen of deze ruimte of eentje die erop lijkt hier niet al vier- of vijfduizend jaar is, opdat een stel heren als wij binnen kan vallen om niet ver van de rivier de inventaris op kan maken van het laatste eindspel.

Joe keek om zich heen door de kamer. Hij trok een grimas.

En uiteindelijk blijft er niet veel over, hè?

Inventaris, bedoel ik. Het is hier maar een *kale* boel. Met uitzondering van wat zich afspeelt in de spiegel voor ons. Een schimmig scherm is het, met zijn gebarsten randen en zijn korrelige oppervlak, beslist een versleten bioscoop van de geest, met zijn spoelen vol vluchtige gestaltes en zijn projectielamp die zoals altijd behoefte heeft aan meer lampenolie om meer licht te verschaffen. Dus ja, ik denk dat ik nog maar een glaasje neem ook al ben jij er zelf nog niet klaar voor. Maar waarom zit je te glimlachen, Stern? Omdat je *weet* dat we hier al vier- of vijfduizend jaar zitten? En waarom gaat die glimlach zelfs over in een beetje gegiechel? Omdat dat jou een lange tijd lijkt?

Joe ging zijwaarts op zijn kruk zitten, met zijn gezicht naar Stern toe. Hij wees op de spiegel.

En *wat* hebben we nu eigenlijk gezien op die versleten rolprent van het geestelijk oog...? Ach, allereerst begonnen we met een kale vloer, *kaal* als deze ruimte waar wij millennia lang hebben zitten raaskallen over dingen en een landschap en zeegezicht hebben voorbereid voor Homerus. En dat leidde naar een tapijt dat van iemand anders was, in een thuis dat nooit het jouwe was en daar zagen wij een stel openslaande deuren en een klein balkon dat uitkeek over de haven en dat overal zou kunnen zijn, maar dat was het niet. Smyrna, noemen we die plek. En Eleni die ervandoor ging en later zelfmoord pleegde, en de bloedbaden die kwamen en Sivi die gek werd op die plek, en jij die verslingerd raakte aan morfine en alles dat langzaam doodging zoals die tweede kat in dat verhaal, die ene die niet op slag dood was... Ik bedoel, mijn god, Stern, wat is dit sprookje van de eeuw dat je me vanavond vertelt? Morfine en zelfmoord en alcohol en krankzinnigheid, en wanhoop en moord en dood... Wat *is* dit? Wat voor *soort* vertelsel, in godsnaam?

Stern was nu heel kalm. Hij glimlachte zijn eigenaardige glimlach en luisterde naar Joe terwijl hij met een ingespannen uitdrukking op zijn gezicht naar hem keek.

Ik weet het niet goed, zei Stern op zachte toon. Misschien zie jij het duidelijker voor je dan ik, Joe. Het verhaal van een man die wilde geloven? Die probeerde te geloven?

Geloofde, Stern. *Gelooft*. En over dat proberen kun je voortaan beter zwijgen, dat heb je achter je gelaten. Wie stuurde dat gebed naar Eleni, ben je dat vergeten? En wie ontfermde zich in Palestina over een bang

Iers kind op de vlucht en gaf hem zijn eerste levenslessen? En hoe zit het met Belle en Alice, en met Maud en Bernini en met al die anderen van wie ik niets afweet? Waar zouden zij zijn geweest zonder jou? Weet jij niet dat jij voor Bernini de stof bent waarvan dromen zijn gemaakt? Voor hem *ben* jij de dromen, jij bent wat er in deze wereld kan worden gedaan. Vergeet de geheime codes en wat je in de woestijn hebt gedaan, het zogenaamde *Enigma*. Heb je, dat buiten beschouwing gelaten, enig idee wat jij de mensen hebt geschonken, alleen maar door te zijn wie je bent? Herinner je je Sivi's eerste woorden op die verschrikkelijke nacht in Smyrna? Toen *hij* wartaal uitsloeg? Weet je het nog?

Nee.

Zoek Stern, zei hij. *Haal Stern.* Dat zei Sivi toen hij die nacht gek werd en nooit meer zou genezen. Daar klampte hij zich aan vast op zijn weg omlaag. Aan *jou*, Stern, en *weet* je dat nou nog niet? Weet je dan niet dat het voor heel veel mensen altijd zo is geweest?

Stern staarde naar de toog. Hij fronste zijn voorhoofd en bewoog zijn vinger door het water, trok kringetjes en vocht tegen zijn vermoeidheid, worstelde met zichzelf. Joe kon het zien...

En ergens buiten in het duister begon langzaam enige commotie op te klinken... Geschreeuw en gevloek en dronkemansgelach, de triomfantelijke kreten van mannen die ontsnapten aan de dood, de een of andere juichende bezopen vechtpartij die zich in de nacht ontwikkelde.

Mannen keerden zich nerveus om voor een vluchtige blik op het armetierige gordijn dat voor de ingang van de kroeg hing, het enige wat de schemerige ruimte scheidde van de steeg buiten. De eigenaar van de kroeg stopte met waar hij mee bezig was en keek slecht op zijn gemak naar het gordijn. Zelfs Joe draaide zich om om te zien wat er gebeurde, maar Stern nam niet de moeite om te kijken. Stern bleef naar de toog staren en met zijn vingers kringetjes beschrijven in het water.

Wat gebeurt er daarbuiten allemaal? vroeg Joe, geërgerd over de onderbreking.

Niets, fluisterde Stern. Waarschijnlijk een stel soldaten terug van het front, blij dat ze nog leven...

Nou? zei Joe. Je weet toch wel hoeveel je hebt gedaan, hè? Je hebt toch niet echt het gevoel dat het uiteindelijk toch allemaal boter aan de galg gesmeerd is, hè?

Soms lijkt het daarop, fluisterde Stern, ondanks wat jij zegt. Andere mensen en hoe die zich voelen... ach, je weet dat andere mensen nooit onze levens voor ons kunnen rechtvaardigen. Dat moeten we zelf doen.

Dat weet ik, zei Joe. Dat heb jij me lang geleden geleerd. En wat betreft die somberheid soms, dat donkere en harde aspect van ons dat altijd in ons binnenste ligt te wachten tot wij het daarbuiten een naam en een domein geven, nou ja, die kan ik, nu met die oorlog overal om ons heen, totaal niet ontkennen. En ik ben het ook met je eens dat we spraken over grootse vreedzame naties die zouden moeten bestaan maar dat niet doen, in dit deel van de wereld of waar dan ook. Maar dat is politiek, Stern, en bovendien van het tijdelijke soort, en politiek is nooit meer geweest dan een dekmantel voor systemen die helemaal geen systemen zijn en ook nooit kunnen zijn, want het spul waarvan ze zijn gemaakt, dat zijn *wij*. Geen abstractie, maar *wij*, en wij kunnen niet worden gereduceerd tot systemen, niet met woorden, codes, dekmantels of anderszins... Als er één deel is van jouw denkraam dat ik nooit zal begrijpen, dan is dat eigenlijk hoe jij ooit die dekmantel abusievelijk hebt kunnen aanzien voor realiteit. Jij, die je leven lang daarmee te maken hebt gehad en weet van codes en dekmantels en vermommingen, en wat werkelijk is en wat niet...

Het gejoel en geschreeuw en geschuifel buiten werd luider en kwam dichterbij. Meer mannen in de kroeg hielden het gordijn in de gaten dat de kamer van de nacht scheidde. Joe keerde zich weer om om nog eens te kijken, zag niets en keerde zich weer terug naar Stern. Zijn stem klonk dringend, vastberaden.

Een plek op de kaart, Stern, een land in zekere zin? Is dat wat je echt wilde? Grenswachten en visa en douanebeambten in uniform? Is dat werkelijk waar jij van droomde? Jij, die je hele leven alle soorten grenzen kriskras hebt overschreden en hebt aangetoond dat ze fictief zijn, arbitrair en betekenisloos? Andere mensen kunnen door de realiteit in de war worden gebracht, Stern, maar jij weet *beter*. Hoe heb je jezelf ooit kunnen wijsmaken dat onroerend goed ergens iets mee te maken heeft? Is dat waar die oude Grieken naar op zoek gingen? Plaatsnamen? Is dat de reden dat ze scheep gingen? De ziel was hun zee, dat heb jij gezegd, en jouw hele leven getuigt ervan dat wat belangrijk is in de mensen zit. Niet de codenamen of de dekmantels of de uniformen, niet de kleuren op een landkaart of de woorden in paspoorten of de tegenstrijdige namen van God... Kijk nu eens naar jezelf in die lompen, Stern. *Tonen* die niet dat je niet hebt gefaald? *Bewijzen* die niet dat het land dat jij zocht in de harten van de mensen ligt? En is dat niet wat jouw geliefde Jeruzalem is en altijd is geweest, een droom van vrede voor alle mensen? Raak een menselijke ziel aan en wat je hoort is wanhoop en hoop, en hoewel dit onroerend goed de wereld voor ons mag betekenen, het is nog steeds een stofje dat ergens in een hoekje van een onmetelijk universum is zoekgeraakt. Dus hoogmoed buiten beschouwing gelaten, blijven er slechts twee zekerheden over, en hoop is wat jij de mensen altijd hebt gegeven. Altijd, Stern...

Meer geschreeuw en gelach en gedempte kreten buiten die dichterbij kwamen. Dronken vloeken en het geluid van brekend glas, een raam dat ergens in het duister van de steeg werd ingekinkeld. Stern zat nu zijdelings op zijn kruk en keek naar Joe en het gordijn voorbij Joe's schouder, Joe draaide zich weer om, wierp een blik op de ingang en keerde weer terug om Stern aan te kijken.

Verdomme, die herrie.

Het is niets, Joe, het is gewoon de nacht. Mannen die vieren dat ze leven...

Ik weet het, ik weet het. Waar het dus om gaat is dat zelfs goede doelen elkaar bestrijden, zoals jij vaak hebt gezegd. Net zoals liefde zich tegen zichzelf kan keren, zelfs liefde. Maar *voel* je het dan niet, Stern? Weet je werkelijk niet wat onder en achter alles ligt wat jij hebt gedaan? Wie je *werkelijk* bent?

Bij wijze van antwoord glimlachte Stern zijn eigenaardige glimlach. Zijn blik had iets sereens, een grote, duurzame kracht.

Wat een vreemde en paradoxale man, dacht Joe. Even mysterieus en hunkerend als het leven zelf.

En terwijl Joe zat te kijken naar deze ongrijpbare man wiens geheim hij zo lang had gezocht, moest hij terugdenken aan het moment waarop hij Stern aan het begin van de straat waarin Maud woonde was gepasseerd zonder hem te herkennen, Stern die aan het einde van de dag in zijn lompen zat en waakte over wie hij liefhad, een eenzame bedelaar die thuisloos en stateloos en toch de hoogste prijs voor alle grote legers was... naamloos ten slotte. Een man alleen in het stof in de schemering die zijn grenzeloze koninkrijk overziet, een bedelaar van het leven die nergens vandaan kwam en ooit zou terugkeren naar waarvandaan hij gekomen was.

Joe pakte Sterns arm. Er stonden tranen in zijn ogen.

Ach, dat is goed, Stern. Jij weet het, ik zie het. Het is dus een heldere nacht voor ons geweest om de dingen te zien en jij hebt het gedaan, Stern, en ik weet dat je het hebt gedaan.

Stern knikte vriendelijk. Hij glimlachte zijn vreemde glimlach.

Misschien heb ik dat, Joe. En het is waar dat wij onze hemelen en hellen ontwerpen en vormen in onze harten, waarbij we niets buitenissigs of buitensporigs sparen, geen herinnering te driest, geen vermomming te extreem, alle vergezichten in die onmetelijke droom die alleen wij hebben vormgegeven, uit liefde...

Gekrijs. Geschreeuw. Geschuifel en gegil van mannen in het donker.

Joe.

Een glimlach op Sterns gezicht en Sterns vuist die Joe velde.

Geschreeuw. Gelach. *Klote bruinjoekels.*

Joe die verbijsterd tegen de grond sloeg en zich nog niet realiseerde dat Stern had uitgehaald en hem met volle kracht tegen de borst had gestompt, de lucht uit zijn longen had geramd en Joe achterwaarts, onderweg stoelen en glazen om smijtend in een hoek tegen de muur had gesmakt. Joe met zijn rug naar de ingang, die niet had gezien dat het versleten gordijn opzij werd getrokken en de handgranaat uit het duister naar binnen werd gesmeten, waarbij niemand bewoog behalve Stern. Omdat niemand wist wat het was, behalve Stern.

Hel en verblindend licht toen in de spiegel achter de toog. Met een brul werd Joe de hoek in gesmeten en kletterden glas en vuil omlaag en schreeuwden mannen toen ze voorbijrenden om te ontsnappen. Joe, die in de rook opkrabbelde en keek naar de plek waar Stern een paar seconden tevoren had gezeten, voordat de handgranaat in zijn borst explodeerde.

En nog fellere kreten in de steeg en geschreeuw overal en rennende voetstappen, de kale ruimte die leegliep en de anonieme soldaten die de handgranaat hadden gegooid en zich in het duister uit de voeten maakten, mensen die renden en gilden en een gesuis dat nagonsde in Joe's hoofd. Te midden van die kreten van afschuw, één kreet hoger dan de andere die angstaanjagend door de heldere nacht zweefde, steeds opnieuw opklonk en in het duister werd doorgegeven.

Er is een bedelaar gedood, een bedelaar...

De kreet galmde door de stegen en doorsneed de stilte van de nacht, klonk op in portieken en donkere trappenhuizen en kleine kamers in de achterbuurt, waar mensen bijeengedoken zaten en luisterden naar de plotselinge schreeuw des doods.

Een bedelaar... een bedelaar...

Joe stond in de hoek in de rook, in de mist en staarde naar de plaats waar Stern had gezeten. Stern nu opgegaan in het geraas van brekend glas en verblindend licht en de echo van verdwijnende voetstappen. Joe glimlachend en in zichzelf mompelend.

Uiteindelijk wist hij het. Het stond in zijn ogen te lezen.

De kreet buiten al zover dat het een echo leek. En stof en chaos en Joe, happend naar adem, een plotselinge stilte in de wereld toen het geraas in zijn oren al het andere overstemde, Joe die glimlachte, de ijle kreet nu ver wegstervend in het duister, het moment voorbij in de nacht.

Een bedelaar... een bedelaar...

Deel vier

19 Een gouden belletje en een granaatappel

Tobruk was gevallen. De pantserdivisies van Rommels Afrikakorps waren nauwelijks meer dan vijfenzeventig kilometer van Alexandrië verwijderd. Het verslagen Britse leger had zich ingegraven om te proberen bij El Alamein stand te houden, maar als dat laatste verzet tekortschoot zouden de Duitsers Egypte onder de voet lopen en het Suezkanaal en misschien wel het gehele Midden-Oosten veroveren.

Bijna alle Britse troepen hadden Alexandrië verlaten. De straten van Caïro waren bezaaid met voertuigen die vanuit de woestijn de stad in trokken. Burgers met geld en goede papieren vertrokken naar Khartoem en Kenia, Zuid-Afrika en Palestina. Lange rijen vrachtwagens namen de wijk in de richting van Palestina.

De Britse vloot had de veilige haven van Haifa opgezocht. Militair en burgerpersoneel werd geëvacueerd. Enorme horden Europese vluchtelingen stonden in rijen te wachten om uitreispapieren aan te vragen en naar Palestina te ontsnappen.

❦

Belle en Alice waren niet verbaasd Joe te zien, maar het verbaasde hen wel dat hij zo snel weer terug was op hun woonboot. Joe bewoog en sprak snel, zijn woorden verward, terwijl hij door de zonnekamer van de woonboot strompelde en tegen rotanmeubelen aanbotste. Zelfs zijn stem leek niet helemaal de zijne.

Belle was degene die zich dat later herinnerde. Het was bijna alsof hij bezeten was, zei ze later.

Zowel Belle als Alice probeerde hem uit te horen maar uit zijn antwoorden viel weinig zinnigs op te maken, en het was sowieso onmogelijk om zijn aandacht vast te houden. Joe wendde zich voortdurend af en schudde zijn hoofd, waarbij zijn stem verzwakte tot een fluistering. Zo nu en dan ving een van de vrouwen een paar woorden op.

Gevaar... ontsnapping...

Ze waren geschrokken van de veranderingen die hij in die korte tijd had ondergaan. Schuifelend en onverzorgd, broodmager door slaapgebrek, leek hij elk ogenblik te kunnen instorten. Zijn magere schouders hingen, zijn vormeloze kleren bungelden slap om zijn lijf. Zijn handen spreidde en sloot hij voortdurend als hij dingen oppakte en ergens anders weer neerzette, voorwerpen aanraakte, alles aanraakte, op niets wees en binnensmonds mompelde.

Ontsnappen... de exodus...

Het was net alsof de gebeurtenissen hem eindelijk de baas waren geworden en hij ineen was gekrompen, zich in een geheel eigen wereld had teruggetrokken. Voor het eerst drong het tot beide zusters door hoe klein hij was.

Maar Joe, wat is met Stern gebeurd? vroeg Belle. Wat is er met Stern gebeurd?

Verdwenen... iedereen gaat weg...

Hij liep snel van haar weg naar de hoek, bleef daar stilstaan en keek neer op het klavecimbel en de piepkleine fagot die op het gepolijste hout lag. Er kwam een verwilderde uitdrukking op zijn gezicht en hij deinsde achteruit, zijn blik abrupt strak gericht op het portret van Cleopatra. Hij liep ernaartoe, ging pal voor haar neus staan en bestudeerde het portret.

Het Panorama is verhuisd...

Wat zei je? vroeg Alice.

Maar Joe was alweer in beweging gekomen en haastte zich weg, trok zich terug aan de andere kant van de kamer. Hij stootte tegen het meubilair aan en liep een porseleinen beeldje omver, dat aan gruzelementen viel, en bleef eensklaps weer stilstaan voor het portret van Catherina de Grote. Hij schudde zijn hoofd, zijn mond voortdurend in beweging, bijtend en kauwend, zijn tong likkend langs zijn lippen.

Maar wat is er met Stern gebeurd? herhaalde Belle.

Weg en weg, zelfs hij... en overdag
een zuil van rook, 's nachts een zuil van vuur.

Joe draaide zich om, zijn gezicht bleek en gekweld, verward. Er ging een siddering door de gespannen spieren van zijn nek. Zijn hand greep naar zijn keel en hij snikte en hapte naar adem.

Joe?

Hij graaide wanhopig om zich heen naar steun, herstelde zich en denderde tegen de rugleuning van een stoel aan. Hij tolde rond en gooide nog een porseleinen beeldje op de grond aan stukken.

Joe, riep Belle uit. *Houd op,* in hemelsnaam. Ga zitten, rust een ogenblik uit.

Maar hij kon niet ophouden, hij kon niet rusten. Hij klauwde in de lucht en keek woest om zich heen, herkende niets in de kamer, in zichzelf mompelend.

Een losgeld van zielen... een crypte en
een spiegel. Ik en Gij...

Zijn mond viel open, zijn hoofd gleed opzij. Hij staarde voor zich uit, terwijl de beelden door zijn getergde geest tuimelden en de kamer verduisterden... Gewonde dieren in de woestijn en vlammen die tot hoog in de hemel lekten, sporen van verwoesting en verwrongen lijken, opengereten tanks en achtergelaten kanonnen, sirenes en echo's en schreeuwende mannen die blind in het zand lagen... En elders, meer oostwaarts, eindeloze rijen vrachtwagens die de Sinaï in kringelden, halsoverkop de woestenij in vluchtten over de antieke paden die altijd naar Palestina en het beloofde land van Kanaän hadden geleid.

Joe stak zijn hand op alsof hij predikte tegen een onzichtbare congregatie. Hij fluisterde.

Hun levens zijn bitter geweest van
harde slavernij...

Wier levens? vroeg Belle.

Joe wankelde, viel neer op een knie, en trok zichzelf met een uiterste krachtsinspanning weer overeind.

Ze gaan weg...

Wie gaan er weg? vroeg Alice. Waar gaan ze naartoe?

Naar het land van hun bedevaart...
een goed en wijd land, vloeiende van
melk en honig...

Hij slaakte een kreet, draaide rond en strompelde tegen de grote openslaande deuren aan die toegang boden tot de kleine veranda aan de rivier. Alice stond geschrokken op, maar Belle schudde haar hoofd en hield haar tegen. Joe stond in de deuropening en keek naar de Nijl beneden hem.

En al het water in de rivier
veranderde in bloed... en er
was bloed overal in het
land Egypte...

Alice probeerde een beroep op hem te doen.
Joe? Rust nu toch even uit. Ga zitten en rust uit, alsjeblieft?
Maar hij liep alweer weg van de veranda. Hij bleef midden in de kamer staan en stak opnieuw zijn hand op alsof hij een onzichtbare congregatie toesprak, zijn geobsedeerde ogen strak in de verte starend.

Zie je ze niet? Kun je ze niet
zien...? Het zijn prachtige sieraden,
het zijn edelstenen...

Belle keek naar Joe's ogen, haar gezicht vervuld van verdriet.
Wat voor sieraden, Joe? Waar heb je het over?
Kijk naar zijn ogen, fluisterde Alice, geschrokken.
Welke sieraden? herhaalde Belle op luide toon.
Joe mompelde, zijn hand geheven, zijn stem aanzwellend.

Kostbare stenen, vattingen van stenen... Een sardius en een topaas en een
karbonkel, een smaragd en een saffier en een diamant, een ligure en een
agaat en een amethist, een beril, een onyx en een jaspis... Deze edelste-
nen, mooi en oud. En de stenen zullen zijn bij de kinderen van Israël,
twaalf, afgaande op hun namen. Elk zal zijn met zijn naam, overeen-
komstig de twaalf stammen...

Joe liet zijn hand zakken en wendde zich met glinsterende ogen af. In wanhoop schudde Belle haar hoofd. Alice stond op het punt om in tranen uit te barsten. Belle maakte een gebaar en Alice stond onmiddellijk op, vluchtte naar haar zuster en omklemde haar.

Ik ben bang, fluisterde Alice. Hij ziet er afschuwelijk uit en hoe hij met zijn handen wappert en zijn mond voortdurend beweegt beangstigt me. Wat is er met hem aan de hand?

Hij is ziek, fluisterde Belle. Hij is zichzelf niet.

Maar zijn ogen, Belle, zoals ze glinsteren en zoals ze staren, dat jaagt me vrees aan. Wat ziet hij? Wat denkt hij dat hij ziet? Waarom zijn zijn ogen zo vreemd? Tegen wie spreekt hij?

Misschien heeft hij een hersenschudding, fluisterde Belle. Misschien heeft hij een klap op zijn hoofd gehad of is hij in de buurt van een explosie geweest.

Zouden we geen dokter moeten laten komen, Belle?

Dadelijk. We kunnen hem nu niet alleen laten.

Belle probeerde haar zuster te troosten, maar ze was net zo verontrust door Joe's vreemde verschijning en zijn nog vreemdere gedrag. Hier moest veel meer spelen dan louter lichamelijke uitputting, dat wist ze. Het waren zijn schokkerige bewegingen die haar zorgen baarden, de krampen die hem om de paar ogenblikken leken te bevangen en hem deden rondtollen en zijn onsamenhangende gedachten steeds weer een nieuwe kant op stuurden. En daarenboven waren daar zijn ogen, zoals Alice had gezegd. Er lag een heel onnatuurlijke glans in Joe's ogen, een koortsachtige gloed die veel te fel was en alles waarop zijn blik viel leek te verslinden.

Opeens hief Belle haar hoofd op. Wat is dat? fluisterde ze.

Het was het geluid van een auto die vlakbij stopte. Misschien wel voor de woonboot. Op de weg langs de rivier.

Belle verstijfde.

Het heeft geen zin. Er is geen tijd om te proberen hem te verbergen en hij zou trouwens toch niet met ons meegaan.

Joe dwaalde tussen de witte rotan vormen, het spookachtige meubilair dat de kamer vulde met sprietige schaduwen van andere levens en andere tijdsgewrichten. Opnieuw ging zijn hand omhoog en hij fluisterde.

Want ik ken hun smarten. Daarom ben ik
neergedaald om hen uit de macht
der Egyptenaren te redden en uit
dit land te voeren...

Het portier van een auto sloeg dicht. Degene die op de weg tegenover de woonboot stond, leek zo veel mogelijk lawaai te maken, hoewel Joe's geschonden geest te ver weg was om het te horen. Hij bleef weer stilstaan, draaide opnieuw rond, maar bewoog zich nu langzamer. Hij keek uit over de rivier, en deed een stap in die richting.

Zie, Ik zend een engel vóór uw aangezicht,
om u te bewaren op de weg en om u
te brengen naar de plaats, die Ik
heb bereid...

De voordeur van de woonboot klapte open. Een andere deur sloeg dicht en een snijdende stem blafte een onduidelijk bevel. Voetstappen klonken in de gang, gehaaste voetstappen die luider werden. Alice drukte haar gezicht tegen Belles schouder. Belle keek strak naar Joe.

Hij glimlachte nu, glimlachte voor de eerste keer, dwalend tussen de spookachtige rotan gedaanten en in zichzelf prevelend. En de spastische bewegingen leken voor even verdwenen, de krampen leken te zijn geweken. Opnieuw bewoog hij, nu kalm, nu elegant, in de richting van de openslaande deuren, als de Joe die zij zich herinnerden, bedaard aangetrokken door de rand van het water.

Hij glimlachte toen hij over de rivier uitkeek, zijn stem krachtig, de woorden uitgesproken alsof hij sprak tot iemand van wie hij hield.

Een gouden belletje en een granaatappel,
rondom op de zomen van het opperkleed...

Hij slaakte een kreet van blijdschap, zijn hand geheven naar de rivier... toen gebeurde alles heel snel. De deur naar de kamer knalde open en mannen schreeuwden en drongen naar binnen. Joe keerde zich om bij de verandadeuren en keek om, glimlachend, een mysterieuze vreugde op zijn gezicht.

De eerste schoten reten zijn zij open, drongen door zijn jasje en deden hem rondtollen, zodat hij met zijn gezicht naar de kamer stond toen de volgende kogel hem raakte, voordat een machinegeweer ratelde en in zijn middel explodeerde, overal een einde aan maakte en hem bijna doormidden sneed, waarna zijn kleine, schriele lichaam ineenstortte en hem door de deuren naar de rand van de rivier deed vliegen... een verwrongen hoopje oude kleren op het houten plankier van de kleine veranda, één hand hangend in het water.

De mannen lieten er geen gras over groeien. Ze stopten het lijk in een canvaszak en binnen enkele ogenblikken was er niemand meer in de frisse zonnekamer dan de twee piepkleine, stokoude vrouwen, opnieuw alleen met de kwellende rotan gedaanten van de herinnering.

Little Alice snikkend in de stilte... Big Belle standvastig naar het gebroken glas en de stille rivier starend, naar het gigantische lege uitzicht waar Joe had gestaan... nu desolaat en voorbijgaand.

20 Een gave van gezichten, een gave van tongen

Vroeg in de avond, de dag nadat Stern was gedood.

De majoor stond achter zijn bureau in de Derde Kring van de Irrigatiewerken, het hoofdkwartier van de eenheid van de inlichtingendienst die de Waterjongens werd genoemd. Hij was zojuist teruggekeerd van een vergadering op het kantoor van de kolonel, waar ze samen hadden gesproken over de gegevens die die middag in een achterbuurt van Caïro door een van hun betere plaatselijke agenten, codenaam Jameson, een Egyptische zwarthandelaar met gelige tanden en een slechte lever, waren verzameld.

Uit gesprekken met de Arabische eigenaar van de kroeg waar Stern was gedood, was Jameson erin geslaagd een verbazingwekkende hoeveelheid informatie te vergaren over het gedrag van Stern en zijn ongeïdentificeerde metgezel, voorafgaande aan de ontploffing van de handgranaat rond middernacht. Deze informatie had er op haar beurt toe geleid dat de kolonel een aantal intrigerende veronderstellingen aangaande de zaak had geopperd. En daar de kolonel Stern persoonlijk had gekend en in het verleden met hem had samengewerkt, was het niet meer dan logisch dat zijn vragen een bepaald stramien volgden.

Waarom had het Klooster een operatie tegen Stern op touw gezet?

Wat was de aard van die operatie geweest?

Bletchley had de agent die tegen Stern was ingezet de Purperen Zeven-status verleend, de geheimste van alle categorieën. Waarom die noodzaak voor deze uitzonderlijke geheimhouding? Wat maakte de zaak zo belangrijk dat zij een Purperen Zeven had vereist?

Bovendien was de agent in kwestie door Bletchley van buiten aangetrokken, hoewel een Purperen Zeven-kwalificatie toch zo geheim was dat die bijna nooit aan iemand van buiten werd toegekend. Waarom was dat in dit geval wel gebeurd? Hoe was Bletchley erin geslaagd Londen ervan te overtuigen dat het noodzakelijk was?

Was het waar dat, zoals de kolonel vermoedde, deze Purperen Zeven-agent iemand moest zijn die Stern in het verleden goed had gekend? En bovendien, dat hij ook iemand moest zijn die nauwe contacten onderhield met een employé van de Waterjongens die langdurig met Stern bevriend was geweest, de Amerikaanse vrouw Maud?

En ten slotte en de meest intrigerende vraag van alle: welke gebeurtenissen in het verleden lagen ten grondslag aan de onwaarschijnlijke banden die tussen die drie mensen hadden bestaan?

Want onwaarschijnlijk leken die banden zeker.

Maud. Een Amerikaanse die vóór de oorlog in Griekenland en Turkije had gewoond. Een sympathieke hardwerkende vrouw, vertrouwenwekkend en heel alledaags, naar het zich liet aanzien, een vertaalster in de Derde Kring van de Irrigatiewerken.

Stern. Een tovenaar met talen en Levantijnse tradities. Een briljante spion die zijn onmetelijke kennis van het Midden-Oosten had gebruikt om onverdacht te komen en te gaan. Een eenzelvige man die zijn rol als bescheiden wapensmokkelaar op ingenieuze wijze had gebruikt om zijn spionageactiviteiten te verhullen, die er dankzij deze verachtelijke dekmantel in was geslaagd zijn gehele leven op cruciale momenten onopgemerkt te blijven.

En ten slotte, de mysterieuze Purperen Zeven. Een doorgewinterde spion van buitenaf, identiteit onbekend, achtergronden en eerdere betrokkenheid onbekend. Klaarblijkelijk een Europeaan, maar door de kolonel *de Armeniër* genoemd, omdat op de vervalste papieren van zijn Purperen Zeven-dekmantel een Armeense naam en een Armeense afkomst vermeld stonden.

Als de majoor erover nadacht, was het voor hem niet moeilijk om te begrijpen waarom de vragen van de kolonel in de vorm waren gesteld waarin ze waren gesteld. De kolonel had het grootste deel van zijn leven in het Midden-Oosten doorgebracht en ondanks zijn gebruikelijke militaire manier van doen was hij een erudiete deskundige op het gebied van de regio, die wel geïntrigeerd moest zijn door de tegenstrijdigheden in Sterns obscure verleden.

Bovendien was er in Sterns geval geen sprake van louter feiten en onverbloemde gegevens. Uit de wijze waarop de kolonel en de anderen over Stern spraken, bleek duidelijk dat Stern het soort man was dat onveranderlijk een grote invloed uitoefende op iedereen die hem kende. Bijna een hypnotisch effect, leek het, alsof het bij het ontsluieren van de waarheid omtrent Stern mogelijk was een veel grotere waarheid te ontdekken. Bijna alsof er een geheime betekenis verborgen lag in Sterns levenslange reis op zoek naar zijn esoterische doelen.

Voor de majoor was het slechts een vage notie, maar hij wist dat dat kwam omdat hij Stern nooit had ontmoet en nooit aan zijn invloed was blootgesteld. Uit de manier waarop de kolonel over Stern sprak, zelfs uit bepaalde verwijzingen in de dossiers, bleek duidelijk het aura dat Stern had omgeven, die merkwaardige mengeling van vreemdheid en herkenning die men in zijn aanwezigheid had gevoeld, een gevoel van verwondering en vertrouwdheid en ook van waarachtige angst.

Een eeuwenoude tragedie dus, dat leven van Stern. Een verhaal over idealisme en rampspoed aan de oevers van de Egeïsche Zee dat in zijn diepten van duisternis en licht altijd onoplosbaar zou blijven, een voorbeschikt spel van mysterie en leed in de stenige woestijn waar bepaalde mannen altijd hadden rondgedoold. In zijn verlangens en rampzalige mislukkingen een verhaal over de aard der dingen, waarvan de ritmiek ontleend was aan de milde branding van oude zeeën en de wrede getijden van oude woestijnen. En toch een verhaal zo eenvoudig dat de armste bedelaars het kenden en al duizenden jaren hadden gekend... waarvan de krachtige kringloop altijd heimelijk in hun hart werd gevoeld, in de loop der eeuwen altijd heimelijk van hart tot hart werd doorgegeven.

Hoewel de majoor waardering had voor de oprechte fascinatie die de kolonel koesterde voor Sterns raadselachtige leven en dood, werd zijn eigen verbeelding meer geprikkeld door de ongeïdentificeerde persoon in deze zaak. De man die erbij was gehaald om de waarheid omtrent Stern te achterhalen, de ongrijpbare Purperen Zeven-agent die bekendstond als *de Armeniër*.

Evenmin was het moeilijk voor de majoor zijn eigen fascinatie voor deze andere persoon te begrijpen. Want de Purperen Zeven-identiteit van de man was slechts één keer eerder gebruikt, en dat was door de professionele spion die in de jaren dertig die identiteit zelf in het leven had geroepen en met veel succes in Palestina en Ethiopië had gebruikt, dezelfde man die de held van de jongensjaren van de majoor was geweest tijdens de Eerste Wereldoorlog, Columbkille O'Sullivan of *Onze Zwarterik van Champagne*, de legendarische kleine sergeant die in 1914 een kogel recht door het hart had overleefd en was gehonoreerd met het Victoria Kruis, wat een onbestaanbaar wapenfeit was.

Zijn hele leven had de majoor zich verwonderd over *Onze Zwarterik.* Wat voor soort man zou hij zijn geweest en hoe zou ooit iemand nog in zijn voetsporen kunnen treden? Waarom zou iemand dat zelfs durven te denken?

En toch had Bletchley nu juist dat gedaan. Bletchley had zich in allerlei bochten gewrongen om de Purperen Zeven-identiteit van *Onze Zwarterik* te geven aan deze onbekende agent die Stern maanden- of jarenlang had gezocht en ten slotte zelfs bij Stern was geweest op het moment dat hij stierf.

Dus was de cirkel rond en was de majoor weer terug bij het raadsel aangaande de onbekende Armeniër, vaag omschreven als een kleine donkere man met een diep doorgroefd gelaat en waakzame ogen, die een gerafeld kraagloos hemd droeg en een oud donker pak dat te groot voor hem was, dat eruitzag alsof het tweedehands was en eigenlijk al nooit voor hem was bedoeld. Klaarblijkelijk een handelaar in Koptische kunstvoorwerpen. Een onbekende man *op doorreis,* zoals *Onze Zwarterik* ooit was geweest.

De majoor hield zijn bureau schoon. Toen hij terugkeerde uit het kantoor van de kolonel die avond, was het enige wat erop lag zijn tropenhelm, die de majoor optilde om te zien of daaronder nog boodschappen voor hem waren achtergelaten. Er lag er één, een briefje, waarop stond dat er een paar telefoontjes waren binnengekomen via zijn privé-toestel, toen hij bij de kolonel was. De bel ging steeds drie keer over, stond op het briefje, en werd stipt ieder kwartier op elk kwart van het uur herhaald. Daar het zijn privétoestel was had niemand de telefoon opgenomen.

De majoor keek op zijn horloge en voelde een plotselinge opwelling van opwinding. Hij begon ongeduldig wachtend achter zijn bureau te ijsberen en het volgende telefoontje kwam precies op het kwartier. De majoor nam de hoorn van de haak en zei hallo, en meer zei hij niet. Hij luisterde naar de stem die tegen hem sprak. Toen het gesprek ten einde was haastte hij zich terug naar het kantoor van de kolonel, waar de kolonel bezig was zijn dossiers achter slot en grendel te leggen en aanstalten maakte om naar huis te gaan. De kolonel keek verbaasd op.

Ei ei, wat krijgen we nu? Ik dacht dat jij al naar huis was.

Ik heb zojuist een telefoontje gekregen, flapte de majoor eruit. Een buitengewoon merkwaardige kwestie.

O? Waar ging het over?

De majoor legde uit dat er een aantal telefoontjes via zijn privétoestel was binnengekomen en dat hij het laatste telefoontje had opgenomen. De codewoorden die de beller gebruikte verwezen naar Liffy, waaronder ook het woord *duif,* wat Liffy's methode was om een spoedgesprek aan te vragen, iets wat hij nooit eerder had gedaan.

Maar niet op een van de plaatsen waar we gewoonlijk afspreken, voegde de majoor eraan toe. Hij wil die spoedvergadering bij de Sfinx.

De kolonel keek opnieuw glimlachend op.

Wat zeg je nu? Liffy bij de Sfinx?

Maar ik geloof niet dat hij het was, zei de majoor. Ik denk dat het iemand anders was.

Kon je het niet opmaken uit de stem?

Nee, eigenlijk niet, Liffy verandert zijn stem altijd als hij me opbelt. Het is een spel dat hij speelt.

Nou, als wie klonk hij deze keer?

De stem had een Iers accent.

Fluitje van een cent voor Liffy, zei de kolonel.

Maar ik ben er heel zeker van dat hij het niet was. Er is geen denkbare reden waarom Liffy een spoedbijeenkomst noodzakelijk zou vinden. Zozeer is hij er niet bij betrokken.

Misschien is hij alleen maar eenzaam en wil hij dat jij zijn hand vasthoudt, zei de kolonel. Dat komt voor.

De majoor fronste zijn voorhoofd, een uitdrukking van misprijzen die hij van de kolonel had overgenomen.

Om twee uur 's nachts tegenover de Sfinx? Vannacht? En pas nu opgebeld om het te organiseren? Normaal gesproken verwacht hij niet eens me zo laat op de avond nog op kantoor aan te treffen. Dat weet hij.

De kolonel bleef doorgaan met het rangschikken en opbergen van zijn papieren in zijn archiefkast.

Denk je soms dat hij de laatste tijd nogal drinkt?

Nee, Liffy laat zich op dat punt nooit gaan.

Nou ja, wie kent verder die codes nog?

Niemand. Alleen wij tweeën.

Dan moet hij een uitzondering hebben gemaakt en zich een stuk in zijn kraag hebben gedronken, zei de kolonel. Denkt je waarschijnlijk een poets te bakken door de Sfinx te noemen. Als ik jou was zou ik morgen contact met hem opnemen en hem de wind van voren geven. Zoiets geeft geen pas in een tijd als deze.

De majoor zei niets, wachtte af. Hij begreep de redenen voor de af-kerige reactie van de kolonel op het telefoontje, maar hij was nog steeds vastbesloten de zaak op de een of andere manier tot klaarheid te bren-gen. Intussen borg de kolonel zijn laatste dossiermap in de archiefkast en sloot die af. Hij controleerde de archiefladen en liep stram op zijn kunstbeen naar de deur. Daar aangekomen aarzelde hij en sprak op ach-teloze toon.

Hoe gaat het de laatste tijd tussen jou en Liffy?

We kunnen het best met elkaar vinden, antwoordde de majoor. Ik denk dat als hij iemand wilde helpen, en met iemand van hier in con-tact zou willen brengen, dat hij dan aan mij zou denken.

Aha.

De ontplofte handgranaat in de kroeg, kolonel. U zei dat die, als de Monniken erachter zaten, waarschijnlijk zowel voor de Armeniër als voor Stern bedoeld was.

Ja, ik meen dat ik zoiets heb geopperd.

Maar de Armeniër is de dans ontsprongen, zei de majoor. Hij is niet gedood, hij is ontsnapt.

Ja, daar heeft het alle schijn van. Maar de Sfinx, zeg je? Dat lijkt me een uiterst buitenissige plaats voor een afspraak met Liffy.

De kolonel glimlachte inwendig.

Tenzij Liffy eindelijk heeft besloten tot het uiterste te gaan en zich voor *die ene* persoon uit te geven, dacht hij.

Ja, inderdaad, mompelde hij. Maar als je naar zo'n bijeenkomst gaat, hoe kunnen eventuele mannen die je versterking bieden dan met je mee komen zonder te worden gezien?

Geen ondersteuning, zei de majoor. Daar was de beller heel stellig in.

O, was hij dat, hè? Dat vind ik nogal hoogmoedig klinken.

Of voorzichtig misschien, of wellicht kon het niet anders. Hij sug-gereerde dat het de Monniken waren om wie hij zich zorgen maakte.

De kolonel keek geschrokken.

Bedoel je te zeggen dat hij de Monniken met name noemde door de telefoon?

Nee, niet met zoveel woorden. Hij maakte een zinspeling op Sint-Antonius als de stichter van het kloosterwezen, hoewel hij die ook niet plompverloren noemde, en hij zei iets over vijftienhonderd jaar in de woestijn als bedreigend voor iemands gezondheid. Of voor zijn geeste-lijke evenwicht, zoals hij het noemde.

Toen moest de kolonel onwillekeurig glimlachen.

Erudiete knaap, zo lijkt het, en gepokt en gemazeld in het maken van toespelingen. Zwarterik was daar ook een kei in.

Hij zei ook dat hij over een kwartier weer zou opbellen, voegde de majoor eraan toe terwijl hij op zijn horloge keek.

De glimlach van de kolonel verflauwde.

Waarom in hemelsnaam?

Om te horen of ik kom of niet. Hij zei dat hij zich, gezien de aard van wedijverende bureaucratieën, zoals hij het, opnieuw niet met zoveel woorden, noemde, kon voorstellen dat ik het even moest kortsluiten voordat ik kon toezeggen te komen.

Dat is niet zomaar hoogmoed, mopperde de kolonel, dat is een balorig gevoel voor humor. Hoe kan hij hebben geweten dat ik hier was?

Hij zei dat hij daarvan uitging. Hij zei dat de oude man, zoals hij het formuleerde, in hachelijke tijden geneigd was over te werken.

Beslist een balorig gevoel voor humor, mopperde de kolonel. Hij schijnt in zijn eigen bedekte termen heel wat te hebben gezegd.

Hij sprak snel.

Ja, dat moet wel. Zeg eens, maak jij 's nachts wel eens in je eentje een ommetje door de woestijn? Om je gedachten te ordenen en dingen op een rijtje te zetten?

Dat heb ik wel eens gedaan, antwoordde de majoor.

Zelfs naar de piramiden, enkel om de grootsheid van die plaats in je op te nemen?

Dat heb ik wel eens gedaan.

Nou, dan zou ik tegenwoordig maar goed bewapend gaan als ik jou was, zei de kolonel. En verder kan ik alleen maar zeggen dat Bletchleys zaken helemaal alleen Bletchley iets aangaan, en als ik me daarin zou mengen zou hij me binnen vierentwintig uur een kopje kleiner hebben gemaakt, en terecht.

Ik begrijp het, zei de majoor.

Het was al erg genoeg dat ik Jameson erop uit heb gestuurd om navraag te doen naar een moord waarbij een Purperen Zeven betrokken was. Maar meer doen is uitgesloten. Ik kan er geen toestemming voor geven en dat doe ik ook niet. Bovendien, als ik er iets van zou af weten, zou ik er onmiddellijk een stokje voor moeten steken.

Ik begrijp het, zei de majoor.

Het spijt me dus dat ik je vanavond ben misgelopen, vervolgde de kolonel, na ons eerdere gesprek over Jamesons bevindingen. Ik ga er nu vandoor om wat uit te rusten want ik heb de laatste tijd slecht geslapen. Ik val in slaap maar dan word ik om drie uur 's nachts door een of ander probleem gewekt en kan ik niet meer in slaap komen. Ik dood de tijd zo goed en zo kwaad als ik kan maar het zou toch veel plezieriger zijn om dan een potje thee met iemand te delen als die toevallig nog iets zakelijks af te handelen zou hebben en toevallig daarna nog even langs zou wippen.

De kolonel liet, met zijn hand op de deurkruk, zijn blik door het kantoor dwalen.

Ik vond het fijn dat we vanavond nog even wat herinneringen hebben kunnen ophalen aan Zwarterik, voegde hij eraan toe, maar we moeten in gedachten houden dat Purperen Zevens geen alledaagse types zijn... Bepaald niet. Zij hebben die benoeming niet voor niets.

En voorbij de razende chaos van de stad was een angstaanjagende nacht vol heldere sterren en vreemd flets maanlicht dat de loop van de Nijl bescheen. In de rommelige woonboot van de Zusters, in die lichte, luchtige zonnekamer die ooit had gesprankeld van vrolijkheid en gelach en nu stond volgepropt met lege meubels, in die vriendelijke vertrouwde ruimte waar vervaagde stemmen en kleine gave melodieën zich in het delicate halflicht met elkaar vermengden, daar in die stilte zaten Big Belle en Little Alice uit te staren over de Nijl, naar hun eigen rusteloze stromen herinneringen. De nacht was te helder voor kaarsen dus zaten zij met enkel de maan en de sterren als hun leidraad, en af en toe bewoog een van hen en zei iets.

Little Alice streek over haar haar.

Er komt geen einde aan, mompelde ze. Ze blijven gewoon maar hetzelfde doen en beweren dat er een doel mee wordt gediend. Ik herinner me dat oom George als er iets misging placht te zeggen dat het er niet toe deed omdat de zomer in aantocht was. Hij was zo verzot op de zomer. Maar toen hij een einde aan zijn leven maakte was het helemaal geen zomer, het was hartje winter.

En *koud*, zei Alice. Zo'n koude nieuwjaarsdag toen ze hem vonden, alle mensen uit het dorp samengedromd rond de vijver. Toen leek het tenminste een fikse menigte, al die mensen daar met sombere gezichten, zelfs niet schuifelend met hun voeten zoals ze in de kerk deden. Dat herinner ik me.

En ze deden demonstratief hun best om voor onze neus te staan en ons achteraan te houden zodat wij het niet zouden zien. *Arme schatten,* fluisterden ze, *arme kleine schatten*. Maar ik keek toch even om toen ze ons wegleidden en ik ving een glimp van hem op, maar een heel vluchtige glimp toen ze hem op de grond legden, voor ze hem toedekten.

Ach, toen wist ik niet goed wat het te betekenen had. Al dat gefluister en die armen om ons heen die ons met zachte drang wegduwden, en de ernstige starende gezichten en moeder die tranen met tuiten huilde en dapper probeerde te zijn, en probeerde haar tranen te bedwingen toen ze ons dicht tegen zich aandrukte.

Het was allemaal zo verwarrend en ook ik begon te huilen, niet om oom George, want dat begreep ik nog niet, maar om moeder, omdat ze zoveel pijn leek te lijden en om de manier waarop alle anderen zich gedroegen en fluisterden *eerst hun vader en nu dit*, en naar ons keken met zulke droevige gezichten dat ik ook voor hen wilde huilen.

Nee, ik begreep er helemaal niets van, zelfs niet van de begrafenis en de woorden die werden gesproken onder de loden hemel op het kerkhof. Ik geloof niet eens dat ik heb gehoord wat er werd gezegd, maar ik zie nog steeds die hemel en de heuvel achter het kerkhof, ertegenaan, alsof het gisteren was.

En nu herinner ik me iets wat daarna gebeurde. Het was inmiddels warmer dus het moet tegen het einde van de lente zijn geweest, niet lang voordat we voorgoed vertrokken. Ik was achter het huis aan het spelen en ging de schuur binnen waarin oom George had gewoond, waar moeder ons na zijn dood verboden had te komen, om ons te beschermen zodat we niet meer aan hem zouden denken.

Ik was niet echt iets van plan. Ik probeerde gewoon zonder na te denken de deur en die ging open, dus stapte ik naar binnen. En de zon viel door het raam naar binnen en de lucht was warm en stoffig en bedompt en er hingen overal spinnenwebben en de kamer leek zo klein en leeg.

De meeste van zijn spullen waren weggehaald, maar de kleine doffe spiegel hing nog steeds bij het raam en de haken waaraan hij gewoon was zijn kleren op te hangen zaten nog in de muur, en zijn peddel, die hij altijd gebruikte als hij ging vissen, lag nog op de daksparren, waar hij hem altijd bewaarde. Die dingen waren er dus nog, maar het was net alsof ze de kamer alleen maar kleiner en leger maakten dan ooit... Zo ontzettend leeg, zo verschrikkelijk leeg, dat heb ik nooit vergeten. Het stemde me bedroefd omdat het eruitzag alsof daar nooit iemand had gewoond.

Little Alice sloeg haar ogen neer. Ze streek door haar haar. Belle? Waarom denk je dat oom George het heeft gedaan? Hij had een plaats in de wereld en de mensen mochten hem graag en hij had zijn baan en dingen om te doen in zijn vrije tijd. Moeder hield beslist van hem en hij leek het altijd leuk te vinden om ons om zich heen te hebben. Hij maakte altijd grapjes met ons en liet zien hoe je dingen moest doen, hoe je kleine dingen moest maken.

Ik veronderstel dat je zou kunnen zeggen dat het niet een leven vol verrassingen was, goede dan wel slechte, en er zouden geen grootse daden in worden verricht, dat weet ik. Maar het was een fatsoenlijk leven en hij was een fatsoenlijk man, en er leek geen enkele reden om het op die manier te beëindigen en zich, helemaal alleen op een koude nacht daar bij die vijver, in het donker te verdrinken.

Dat soort dingen heb ik eenvoudigweg nooit begrepen. De zomer zou weer zijn aangebroken, hij was degene die daar altijd op wees. En zeggen dat hij zwak was snijdt geen hout, want ik ben zwak, niemand is ooit zo zwak geweest als ik. En ik ben ook dwaas, en dat was oom George nooit.

Ik begrijp het gewoon niet, Belle, ik heb het nooit begrepen. Waarom heeft hij het gedaan?

Belle keek haar zuster aan. Ze schudde haar hoofd.

Ik weet het niet, Alice, ik weet het echt niet. Maar waarom doet überhaupt iemand wat hij doet? Waarom deed Stern het? Waarom Joe? Waarom zijn er op dit moment al die tienduizenden mannen in de woestijn aan het doen wat ze aan het doen zijn? Waarom doen zij dezelfde dingen die op dezelfde plaatsen honderd jaar geleden en duizend jaar geleden en vijfduizend jaar geleden werden gedaan? Wie koopt er wat voor? Welke veranderingen brengt het teweeg? Wat heeft het voor zin? Hoe kan...

Belle zweeg. Ze draaide zich met een ruk om in haar stoel om door de versplinterde openslaande deuren naar de smalle veranda aan het water te kijken.

Wat is er, Belle? Wat hoorde je?

Niets. Ik verbeeldde het me.

De stem van Alice was afgezwakt tot een fluistering.

Alsjeblieft, Belle, je weet dat ik niet goed hoor. Wat was het?

Het klonk als een soort geschraap. Er moet een stuk drijfhout zijn blijven steken.

Belle greep de armleuningen van haar stoel en begon zich, met een verbeten uitdrukking op haar gezicht, overeind te trekken.

Waag het niet om op te staan, fluisterde Alice. *Waag* het niet om naar die deuren toe te lopen. Daar is het gebeurd.

Ik moet zien wat dat geluid veroorzaakt.

Waag het niet, fluisterde Alice. Ik ga wel.

Maar ze bewoog niet. Ze zat op het puntje van haar stoel en keek naar de geopende, versplinterde deuren, haar handen stijf ineengeklemd. Het geluid klonk luider en Alice kon het nu ook horen, hout dat tegen hout bonkte.

Alices adem stokte in haar keel. In het maanlicht was een gestalte opgedoken, de dreigende krijtwitte schim van een man rees op uit de rivier en hurkte neer op de kleine veranda, het afgrijselijke gezicht als een masker, de gehele bleke gestalte even ijl als een geest die oprijst uit het graf. Alice drukte haar hand tegen haar mond en gilde geluidloos. Belle verstijfde maar ze wendde haar blik niet af.

Halt, beval Belle. *Blijf* staan daar. Ik *weiger* in spoken te geloven.

Op het witte gepaneerde gezicht verscheen een glimlach.

En ik eveneens, zei een zachte Ierse stem, geen moment en niet in het minst. Natuurlijk laat dat onverlet dat ik op avonden als deze zo nu en dan wel eens een oude kobold in het maanlicht heb horen rondscharrelen, terwijl hij zijn grappen en raadseltjes en zijn flarden van versjes mompelde zoals dat soort gewend is te doen. Maar dat is niet meer dan natuurlijk, en kobolden zijn trouwens geen spoken, ze zijn net als de rest van ons, maar dan meer.

De verschijning grijnsde en hupte van de ene voet op de andere, en knikte bemoedigend, maar Belle bleef hem opstandig aankijken.

Scheer je weg, beval ze. *Scheer je weg,* o schaduw, en keer terug naar vanwaar je gekomen bent.

O, dat zal niet gaan, zei de spookachtige figuur. In deze wereld is van terugkeren geen sprake, zoals we allemaal weten.

Plotseling vond Alice haar stem terug.

Had hij het niet over een kobold, Belle? Wat is dat?

Een soort geest, antwoordde Belle. Een van die rare wezentjes waar de Ieren in geloven.

O, piepte Alice, zo eentje...? Een raar wezentje, voegde ze er timide aan toe, terwijl ze tussen haar vingers door gluurde.

En ik hoef jullie niet te vertellen, vervolgde het spook, dat het me spijt dat ik zo naar binnen kom klimmen en pardoes oprijs uit de rivier en van die dingen. Maar het maanlicht was vannacht goed en bij uitzondering stroomde de Nijl eens mijn kant op, dus heb ik een bootje geleend en hier ben ik dan, direct uit de crypte.

De crypte, piepte Alice. Een raar wezentje of niet, hij is zojuist uit de dood opgestaan en heeft zijn lijkwade nog aan.

De gestalte deed nog een stap en bleef stilstaan. Hij keek neer op

Alice die ineengedoken in haar stoel zat.

Zeg eens, wat heb ik voor vreselijks gedaan? Waarom kijk je me zo aan?

Jij bent *dood*, fluisterde Alice vol afgrijzen.

De glimlach van het spook verflauwde.

Dood, zeg je? Ik?

Er kwam een verwarde uitdrukking op het gepaneerde maskerachtige gezicht toen het spook daar stond met zijn armen ongemakkelijk langs zijn lijf bungelend, zijn stoffige jasje te groot voor hem, zijn stoffige flodderige broek rond zijn middel bijeengebonden.

Daar weet ik niets van, zei hij op bedaarde toon. Ik zou het kunnen zijn maar ik ben het niet... volgens mij niet tenminste. Maar herken je me dan helemaal niet? Ik ben het, Joe.

Belles gezicht verstarde. Ze sprak op kalme toon en zonder een spoor van aarzeling.

Joe is dood. Als jij Joe bent, dan ben je dood. We hebben het met onze eigen ogen zien gebeuren, precies daar waar je nu staat.

Ik? Hier...? Ik begrijp het niet.

Precies daar, daar, precies op die plek, we zagen het met onze eigen ogen.

Ze kwamen vlak na jou hier en stormden naar binnen en ze schoten je neer. Het was binnen enkele ogenblikken gebeurd. Toen hebben ze je lijk weggedragen.

Hij fronste zijn wenkbrauwen en veegde de laag stof van zijn gezicht, vergat waar hij mee bezig was en hield zijn hand midden in de lucht stil. Hij keerde zich om en keek naar het verbrijzelde glas van de openstaande deuren en zag ze toen pas voor het eerst. Hij keek de kamer weer in.

Toen bewoog hij heel traag, als in een droom. In hem borrelde een oprechte emotie op die maakte dat zijn gezichtsuitdrukking snel veranderde. Hij voelde aan zijn korte stoffige baard.

Zij? Wie zijn *zij*?

Degenen die achter je aan kwamen, het moeten Bletchleys mannen zijn geweest. Binnen enkele ogenblikken was het voorbij.

Een soort ongecontroleerde wanhoop leek hem te bevangen. Ze zagen dat hij het probeerde tegen te gaan, maar hij was begonnen te beven. Hij duwde steeds opnieuw met zijn hand in de lucht, een meelijwekkend gebaar.

De man die jullie voor mij aanzagen, hoe zag hij eruit?

Alice gluurde niet langer tussen haar vingers door. Ze zat gespannen voorover op haar stoel, haar gezicht vervuld van verwondering.

Joe? mompelde ze... *Joe*, ben jij het? Ben je werkelijk teruggekomen? Hij leek precies op jou, fluisterde Belle, haar hoofd schuddend. Hij leek precies op jou en hij praatte op dezelfde manier en hij was hetzelfde gekleed en hij bewoog zich op dezelfde manier. Het is merkwaardig. Het enige verschil was dat hij zo verward was dat hij in een andere wereld leek te verkeren.

Joe verloor de greep op zichzelf, dat konden ze zien. Hij was begonnen heen en weer te slingeren en zijn handen openden en sloten zich, grijpend naar niets. Hij leek te zinken, zijn schrale lijf leek het onder hem te begeven. Hij fluisterde wanhopig.

Maar wat zei hij voor ze hem neerschoten? Wat heeft hij *gezegd*, om Gods wil?

Hij had het erover dat iedereen wegging, antwoordde Belle. En hij had het over de Nijl die in bloed veranderde en van degenen die naar het land van hun bedevaart gingen...

Belle sloeg haar ogen neer.

En hij benoemde de juwelen en noemde ze kostbaar, fluisterde ze, en hij noemde ze mooi, twaalf juwelen in totaal noemde hij. En hij zei dat het de namen waren van de kinderen van Israël, twaalf, overeenkomstig hun getal. Elk zal zijn met zijn naam, zei hij, overeenkomstig de twaalf stammen...

O, vergeef ons, fluisterde Belle. Nu is het allemaal helder maar toentertijd dachten we dat hij wartaal uitsloeg en op de een of andere manier gekwetst was en niet wist wat hij zei.

Joe zeeg ineen alsof hij door een vuistslag was geveld. Hij ging door zijn knieën en hief smekend zijn handen op.

En wat zei hij nog meer? Wat nog meer*, om Gods wil?*

Hij zei dat hun levens bitter zijn geweest van slavernij en dat hij hun smarten kende. En hij had het over een losgeld van zielen en hij zei dat een engel was gezonden om u te bewaren op de weg en om u te brengen naar een goed en wijd land, vloeiende van melk en honing... En ten slotte sprak hij van een gouden belletje en een granaatappel. Rondom op de zomen van het opperkleed, zei hij, een gouden belletje en een granaatappel rondom...

Belle staarde naar haar schoot, Alice was half opgestaan van haar stoel, de tranen biggelden over haar wangen.

Ik had die woorden moeten herkennen, fluisterde Belle, maar het gebeurde allemaal zo snel en het was zo vreemd zoals hij zich gedroeg, we begrepen het niet. Hij leek een bezeten man, maar hij sprak teksten uit het boek Exodus, hè?

O God, schreeuwde Joe, *waarom heeft hij het gedaan? O God...*
Joe sloeg zijn handen voor zijn gezicht. Alice knielde nu naast hem, haar armen om hem heen. Belle sloeg haar ogen op.

Maar wie was hij? We waren er zo zeker van dat hij jou was. Wie was hij?

Een vriend, fluisterde Joe, de woorden uitspuwend. Een man die tot zijn volk spreekt... een droom, een prachtige droom, een gouden bel. Een man met de gave van gezichten en de gave van tongen, die kwam en ging als ieder ander... de wandelende Jood in ieder van ons. Liffy heette hij...

Maar waarom is hij zo hierheen gekomen, Joe? Waarom heeft hij het gedaan? Om jou te redden?

O nee, mij niet, veel meer dan dat. Zoveel meer...

Toen stortte Joe volledig in en zat snikkend op de grond, terwijl Alice hem in haar armen hield en hem heen en weer wiegde en de stoffige littekens op zijn gezicht streelde die door zijn tranen werden getrokken.

Na een tijdje, toen Joe zich enigszins had weten te herstellen, zaten ze met z'n drieën, te midden van de bleke rotan vormen van dat bouwvallige buitenhuis dat op dat nachtelijke uur aangemeerd lag in de grote rivier, met gedempte stemmen te praten in het schimmige maanlicht.

Zo goed en zo kwaad als het ging vertelde Joe wat hem was overkomen. Dat hij in de armetierige Arabische kroeg zat toen de handgranaat om middernacht door het sjofele gordijn naar binnen gezeild kwam en Stern onmiddellijk doodde. Dat Joe verdoofd door de explosie in verbijstering door de smerige stegen had gedwaald, ergens was gestopt om Maud op te bellen en uiteindelijk, terug aan de oever van de Nijl in het smoezelige gemeenteplantsoen waar de geheime, ondergrondse crypte van de oude Menelik zich bevond, tot zichzelf was gekomen.

Dat hij opnieuw de trap was afgedaald, zich toegang had verschaft tot de crypte en zich had uitgestrekt op een van de harde parkbankjes uit een ander tijdsgewricht. Dat hij zich duizelig en uitgeput had gevoeld en in een diepe slaap was verzonken die zich had uitgestrekt tot in een onzichtbaar ochtendgloren en tot diep in de onzichtbare dag die volgde op Sterns dood, een vluchteling voor het licht, die onrustig sliep tot aan de vooravond van de tweede nacht.

Dat hij uiteindelijk, zijn lichaam verkrampt en pijnlijk, was ontwaakt op het parkbankje, waarbij het verre gehuil van Sterns dood en een gedempte kreet uit de duisternis nog nagonsde door zijn geest... *een bedelaar... een bedelaar...* Dat Joe ontzet over de duisternis van zijn plotseling vreemde omgeving, en er geen enkel moment van overtuigd dat hij zelfs nog leefde, bovenal wilde ontsnappen uit de mistroostige crypte.

Dat hij vervolgens opmerkte dat Liffy's kleine gehavende uitgave van Buber opengeslagen op een van de parkbankjes lag, iets wat hij zich niet herinnerde van de keer dat hij en Stern de crypte verlieten. Dat hij een klein stapeltje keurig opgevouwen kleren bij de deur had zien liggen, met daarnaast een oude schminkdoos die Liffy vaak bij zich had gehad.

Dat Joe zich toen realiseerde dat Liffy de voorgaande avond naar het gemeenteplantsoen moest zijn gekomen en hem en Stern had gevolgd naar de armetierige Arabische kroeg waar hij rond middernacht getuige was geweest van de explosie en vervolgens Joe weer terug naar de crypte had gevolgd, naar binnen was geslopen toen Joe sliep en die hele gevaarlijke nacht over hem had gewaakt, totdat bovengronds de dag was aangebroken en het tijd was voor Liffy om zich in zijn laatste kostuum te hullen voor zijn laatste rol, terwijl Joe had doorgeslapen.

En wat was Liffy's laatste kostuum geweest? Welke transformatie had Liffy ten slotte voor zichzelf gekozen?

Dat was Joe een raadsel geweest toen hij, uren nadat Liffy was vertrokken, in de crypte ontwaakte. Joe had alleen maar willen ontsnappen en zich een veilig heenkomen willen zoeken via de nooduitgang die Stern hem had laten zien, een lage, smalle tunnel vol met stof uit het verleden. Joe was krijtwit uit de geheime gang tevoorschijn gekomen en had ontdekt dat het opnieuw avond was, hij was in het wilde weg door het park gevlucht in de blijdschap dat hij aan de dood was ontsnapt, een spookachtige verschijning die op de zachte bries van die heldere nacht in Caïro langs de rivier had gezweefd.

Hij had een aantal malen heimelijk getelefoneerd met de majoor, een man die Liffy had gekend, en een bootje gestolen en was met de stroom mee naar de woonboot gepeddeld, waar hij uit de golven was opgerezen en had moeten constateren dat Liffy daar vóór hem was geweest, zich voor Joe had uitgegeven, zodat de anonieme Monniken uit de woestijn zouden denken dat hun taak erop zat en Joe nog een kans zou hebben om te ontsnappen, nog een kans om te overleven...

Liffy.

Joe kon zijn naam nog steeds niet noemen zonder ineen te storten.

Op de een of andere manier was het anders dan met Stern, omdat alles wat met Stern te maken had in zekere zin voorspelbaar was geweest. Stern zelf had altijd de indruk gewekt te weten wat zijn lot zou zijn, en het was onmogelijk in zijn omgeving te zijn zonder dat vroeger of later te voelen. Joe had het lang geleden al gevoeld, toen hij Stern voor het eerst in Jeruzalem had ontmoet, net als anderen voor en na hem.

Maar Liffy...? *Liffy?*

Joe wendde zich af, te zeer doortrokken van pijn om stil te blijven staan bij die enorme veelheid aan gezichten en stemmen die ooit in Liffy's jammerlijke magie en gelach, die nu voor de wereld verloren waren gegaan, tevoorschijn waren getoverd. Het was te veel voor Joe, dus sprak hij een tijdje over andere dingen, en toen stond hij op.

Tja, dan stap ik maar eens op, zei hij. Er zijn dingen die ik moet proberen te doen en hoe het ook mag lopen, ik vrees dat we elkaar niet zullen weerzien.

Little Alice keek hem met genegenheid aan, en Big Belles droevige ogen waren strakker op hem gericht dan ooit. Ze keken toe hoe hij nog éénmaal op de kleine veranda ging staan en uitstaarde over de rivier. Toen kwam hij terug de kamer in om hen onder ogen te zien.

En waar ga je hiervandaan naartoe? vroeg Belle.

Joe probeerde te glimlachen.

Ik heb een afspraak met een man bij de Sfinx, zei hij. Ik heb geen antwoorden voor hem, maar misschien weet ik eindelijk welke vragen ik moet stellen.

En ditmaal glimlachte hij echt. Zuinig, maar het lukte hem.

Ik moet jullie zeggen dat ik nooit heb geweten hoe ik afscheid moest nemen, zei hij. Ik ben er gewoon nooit aan gewend geraakt om mensen te verlaten, ook al heb ik in mijn leven weinig anders gedaan. Mensen weten zich op de een of andere manier in onze harten te nestelen en daar te blijven, en we koesteren hen en willen ze niet laten gaan en wat nog erger is, we kunnen ze nooit laten gaan.

Lang geleden heb ik wel eens geprobeerd anders te leven, maar het is nooit echt gelukt. Ik deed dan alsof iets over en voorbij kon zijn, een plaats of een persoon, en ik verder kon gaan zonder dat er een haan naar zou kraaien. Maar ik kwam er snel genoeg achter dat dat alleen maar een verdraaiing van woorden aan de oppervlakte der dingen was, louter kinderlijk doen alsof, en het was pijn die me dat leerde, zeg ik tot mijn spijt. Natuurlijk vervolgen wij wel onze weg, maar we vergeten niet en zouden ook niet moeten vergeten en niets belangrijks wordt ooit achtergelaten en niemand van wie wij ooit hebben gehouden verdwijnt uit onze levens. Zij leven voort op andere manieren, dat is alles, in onze woorden en in onze gebaren, veranderen ons en veranderen met ons en spreken zelfs tegen ons op stille momenten. Soms herkend, doorgaans niet, maar altijd deel van ons, verweven in de structuur van onze levens.

En wat daarbuiten is, waar ik nu heen ga, ach, als je het van één kant bekijkt heeft het als wereld eigenlijk weinig om het lijf, nietwaar? We verliezen en verliezen en dat is alles wat we hebben gedaan sinds de dag dat we werden geboren. We verliezen hen die ons op deze wereld hebben gezet en we verliezen de plaats waar dat was, de enige veilige plaats die we ooit hebben gekend en dan gaan we maar door en verliezen andere plaatsen en andere mensen en de illusies en dromen die ermee gepaard gaan, we verliezen hen die we liefhebben en als we geluk hebben vinden we anderen, ook al weten we dat we die na verloop van tijd ook zullen verliezen. Alles draait om verlies.

En dat is zeker één manier om ernaar te kijken, en het is helemaal waar en er is op zichzelf geen speld tussen te krijgen. Maar dan is er ook nog een andere kant aan het leven, die momenten die een zekere grandeur in zich dragen, die spreken van liefde zo mooi dat het je de adem beneemt. Zeldzame ogenblikken die oplichten in de duisternis, zeldzame juweeltjes in de nacht, sieraden van de ziel prachtig en oud...

Joe knikte en glimlachte. Hij boog zich omlaag en omhelsde Belle en vervolgens Alice en kuste hen beiden. Bij de deur bleef hij stilstaan.

Ik heb heerlijke momenten hier met jullie samen beleefd. Ik heb ze gekend en ik zal ze altijd kennen en ik zal me deze kamer op de een of andere manier altijd herinneren. Zoals het laatst die avond was toen ik hier kwam, één tijdloze nacht als al die andere aan de Nijl, en ik zat in het kaarslicht uit te kijken over de rivier en te luisteren naar jullie prachtige muziek. Een nacht die voor mij anders was dan alle andere, op de Nijl in de schaduwen aan het einde van de duisternis, luisterend naar jullie prachtige muziek. Van *jullie*, en nu van mij...

Toen was hij plotsklaps verdwenen en de twee piepkleine vrouwen waren alleen in het maanlicht van hun etherische zonnekamer, opnieuw alleen met hun herinneringen... Big Belle die stijf rechtop zat en recht voor zich uit naar de rivier staarde. Little Alice die haar haar bevoelde en zachtjes een deuntje tegen de nacht neuriede.

21 Purperen Zeven Maneschijn

Na het middernachtelijk uur in de sereniteit van de stille woestijn. De piramiden statige silhouetten tegen de sterren.

En ver weg in het maanlicht een pluimpje zand dat licht boven de top van een duin wervelde en zachtjes oprees in het kielzog van een verre ruiter die plotseling uit de bleke stenige uitlopers van de nacht tevoorschijn was komen draven en zwoegend door de woestenij omlaag snelde in een onbesuisde aanval op de gigantische ineengehurkte gestalte die tussen de piramiden de wacht hield, de kalme en bevallige Sfinx.

... deze mysterieuze eenzame aanval in het maanlicht werd nauwkeurig gadegeslagen door een onverwachte uitkijkpost. Vanuit een zwart gat in het rechteroog van de Sfinx...

Het paard en de berijder verdwenen even uit het zicht en kwamen toen in vliegende vaart aanzetten over een laatste heuvelrug om vervolgens in woeste galop het laatste lastige stuk woestijn te overbruggen, waarbij het hoefgetrappel van het dier luider klonk naarmate de aanval naderbij kwam en de drieste gestalte die het paard bereed nu duidelijk zichtbaar werd.

De bleke ruiter droeg een tropenhelm, een safari-jasje en een rijbroek. Zijn gezicht ging verborgen achter een glanzend witte zijden sjaal die hij om zijn hoofd had gebonden en die wapperde in de wind. Zijn ogen waren gemaskeerd door een stofbril die de schitteringen van de maan opving en effen weerkaatste in ondoorzichtige witte schijven. Vlak voor de Sfinx steigerde het paard toen de ruiter zijn galop onderbrak en dan een kant op zwenkte en snel een rondje reed om de enorme stenen gestalte die zo bedaard in het maanlicht rustte.

Niets. De majoor had niemand ontdekt die langs de flanken van het geweldige stenen beest op de loer lag. Niemand die zich klein maakte in de spleten van het achterste van de oudheid. De majoor was er heel zeker van dat hij alleen was.

Hij kwam nogmaals tot stilstand aan de voorzijde van de Sfinx, steeg af en haalde zijn karabijn uit zijn foedraal aan de zijkant van het zadel. Hij controleerde ook zijn langeafstandsscherpschuttersgeweer dat over een schouder hing, de twee automatische pistolen die hij om zijn heupen had gegord, het kleine automatische vuurwapen in een zak van zijn rijbroek en het zelfs nog kleinere automatische vuurwapen in de andere zak en het minuscule zakpistooltje aan de zijkant onder zijn jasje.

Ten slotte tastte hij naar het jachtmes om zijn middel, de twee kleinere steekmessen die op zijn rug geplakt waren en de vier werpmessen die hij rond zijn schenen had gebonden. Rinkelend aan de koppel van de majoor hing een ris extra munitiemagazijnen, een zestal voor elk van zijn automatische pistolen en een heel dozijn voor zijn karabijn.

Naast de ruime voorraad glimmend koperen kogels die uit de patroongordels staken die de majoor kruislings over zijn borst droeg, dodelijke .50 kaliber lichtspoorkogels zo lang als een mannenhand en volkomen onbruikbaar zonder een groot watergekoeld machinegeweer om ze af te vuren. Maar hoewel deze totaal nutteloze kogels niet meer waren dan een soort opschepperig vertoon van symbolische beschermende vuurkracht in het maanlicht, waren ze ontegenzeggelijk imposant en ontzagwekkend, al was het maar vanwege hun omvang.

Toegerust. Gewapend. Paraat.

Geweren, pistolen, messen, lichtspoormunitie, dolken.

Automatische sluittoestellen en soepele sledebewegingen en goed geoliede trekkerbeugels. Kraaloogachtige korrelvizieren en solide veiligheidspallen en glijdende loopschroeven en de lichtste aanraking van een gespannen trekker benodigd om een haan te ontketenen en een schot af te vuren.

Toegerust.

En ten slotte had de majoor, bij wijze van reservevuurkracht, ook nog een monsterlijk negenschots Tsjechisch handvuurwapen meegebracht, een enorm pistool dat volgens huurmoordenaars op de Balkan ooit was uitgeroepen tot het ultieme universele vuurwapen van de toekomst. Dit grove Tsjechische meesterwerk zat opgeborgen in een zadeltas op de vurige Arabische merrie van de majoor, voor het geval de majoor onverhoopt van zijn andere wapens beroofd zou zijn. Voor het geval hij plotseling tegen alle verwachtingen in van de Sfinx op zijn merrie zou moeten springen en op vermetele wijze, wild om zich heen knallend op de zich verschuilende schimmen in het maanlicht als hij over de duinen raasde, zou moeten vluchten.

Gewapend.

De gemaskerde majoor glimlachte grimmig achter de vloeiende zijden plooien van zijn witte sjaal, achter de bleekwitte schijven van zijn
stofbril.

Paraat.

Zo voorbereid als een gemaskerde man maar kon zijn op een gevaarlijke nachtelijke ontmoeting met een Purperen Zeven-vluchteling in de
schaduw van de ondoorgrondelijke Sfinx.

De majoor zette zijn tropenhelm schuin en klemde zijn rottinkje steviger onder zijn linkeroksel, die onverklaarbaar nat was in de koele nacht.
Toen stapte hij op het onbewogen stenen gelaat van het gigantische beest
af en plantte zijn voeten stevig op hun plaats, net onder de grote stenen
neus, die zwaar verbogen was en grotendeels ontbrak ten gevolge van
het feit dat hij, bijna anderhalve eeuw eerder, als oefenschietschijf was
gebruikt door Napoleons artillerie.

Terwijl hij daar tussen de grote stenen klauwen stond, met zijn karabijn in de aanslag, losjes gericht op de immense uitgestrektheid van kale woestijngrond voor zich, met het nobele hoofd van het mythische stenen wezen hoog achter hem oprijzend, had de majoor heel even het
gevoel dat hij zelf de dappere Britse leeuw was, het zinnebeeld van het
Imperium zelf, eenzaam in het bleke maanlicht, de onmetelijkheid van
het onbekende tegemoet tredend.

En al die tijd werd de majoor, zonder zich daarvan bewust te zijn,
zorgvuldig van boven in de gaten gehouden... Vanuit het zwartste aller
zwarte gaten uit de antieke oudheid – het mysterieuze rechteroog van
de Sfinx...

De majoor keek op zijn horloge. Twee uur in de ochtend en nog steeds
geen spoor van de Purperen Zeven.

De Armeniër is te laat, dacht hij, terwijl hij zijn vingers over zijn karabijn liet glijden. Te laat. Niet eens op tijd. En nou niet bepaald de manier voor een Purperen Zeven om zijn reputatie als gevaarlijk of zelfs gewiekst agent hoog te houden. Maar hoe gevaarlijk zou één agent op de
vlucht hier in deze verlatenheid kunnen zijn? Hier in het heldere maanlicht, waar de majoor een vrij schootsveld voor zich had en een solide
massa mythisch stenen beest achter zich? Eigenlijk dacht de majoor dat
hij, met het arsenaal dat hij bij zich droeg en vanuit zijn superieure strategische positie onder de neus van de Sfinx, wel een kleine stam plun-

derende Bedoeïnen kon weerstaan. En de majoor zag zichzelf dat moeiteloos nog doen ook.

Het telescopische vizier op zijn scherpschuttersgeweer op de verre duinen richten om de krijsende sjeiks van hun knol te schieten zodra ze in het zicht galoppeerden... Snel zijn vizier laten zakken en de vendeldrager en zijn moordlustige lijfwachten neerknallen... Zijn nu nutteloze scherpschutterswapen terzijde werpen terwijl de horden blijven komen... Zijn snelvuurgeweer grijpen en hele horden krijsende stamleden neerhalen terwijl die de Sfinx omsingelden, vanuit de heup vuren en onversaagd magazijnen vervangen totdat het verhitte wapen blokkeerde ten gevolge van de aanhoudende explosies... Ten slotte worden teruggedreven tegen de keel van de Sfinx door het overweldigende aantal vijanden. Hurken onder de grote kin met een automatisch pistool in elke hand, een mes tussen zijn tanden, onverschrokken schieten op de schaduwen die langs het achterste van het mythische beest kwamen aansluipen, onbekommerd in knallend op deze scheten uit de ingewanden van de oudheid. Als de automatische vuurwapens blokkeren zal hij, de majoor, in zijn laatste heldhaftige stelling voor het heil van het imperium en de Britse leeuw dolken werpen...

Gerinkel.

De munitiemagazijnen die rond het middel van de majoor bungelden tikten zachtjes tegen elkaar. Stom van die Armeniër, dacht hij, om zo'n open terrein als dit uit te kiezen voor hun rendez-vous. De Armeniër moet hebben gedacht dat het voorkwam dat hij zou worden verrast, maar het was zo klaar als een klontje dat hij geen rekening had gehouden met de mogelijkheid dat de majoor op een snelle Arabische merrie uit de woestijn zou komen aanstormen. En nu moest de Armeniër zich daar ergens achter een duin verschuilen en hulpeloos toezien hoe de majoor zijn strategische positie in de schoot van de Sfinx had ingenomen. Toch was de majoor niet weinig teleurgesteld over de stilte van alle kanten. Dit zou per slot van rekening zijn eerste ontmoeting zijn met de Purperen Zeven die de opvolger was van *Onze Zwarterik,* en op de een of andere manier had hij een romantischer treffen, een dramatischer confrontatie verwacht. Vooral met het oog op de ongebruikelijke ambiance.

Maar het was niet de eerste keer dat de majoor sinds zijn komst naar het Midden-Oosten teleurgesteld was, en dat allemaal omdat hij, vroeg in zijn leven, diep in de ban was geraakt van die buitengewone ontdekkingsreizigers die in de negentiende eeuw door de regio hadden gezworven... Burton en Doughty, Szondi en Burckhardt en bovenal de

weergaloze Strongbow. De verbluffende voorbeelden van die romantische avonturiers waren altijd het ideaal van de majoor geweest. Sinds
zijn prille jeugd was hij geobsedeerd door hun onbedwingbare visioenen in de vreemde zonovergoten uithoeken van verre woestijnen. Dus
wellicht was het niet verbazingwekkend dat het hedendaagse leven in de
bazaars en woestijnen van het Midden-Oosten voor de majoor nooit zo
romantisch was geweest als hij altijd had gedroomd dat het zou zijn.
Gerinkel.
En dus leek dat alweer zo te zijn in het geval van deze onbekende
Purperen Zeven. De dromen van de majoor bleken weer eens niet uit
te komen en het leven was nooit zo opwindend geweest als het was geweest voor andere mannen in andere tijden. Zelfs niet hier, in de schoot
van de Sfinx, onder een volle maan, tijdens een riskante ontmoeting in
oorlogstijd met een anonieme geheim agent.
Gerinkel.
Weemoedig zuchtte de majoor achter zijn branieachtige witte zijden
masker, achter zijn drieste stofbril. Onder zijn verweerde tropenhelm
die schelmachtig schuin stond, tot de tanden toe gewapend als in de
beste tradities van een woestijnrover. Hij zuchtte en luisterde hoe zijn
zware munitiemagazijnen heel zachtjes in de stilte tegen elkaar tikten,
vrolijk klingelend als de blije geluidjes van de geitenbellen die in de
nacht de oren van de een of andere analfabete geitenhoeder bereikten.
Hij zuchtte en keek op zijn horloge en staarde verlangend naar de maan.
Een geitenhoeder. Zachte briesjes. Een maanzieke situatie... Maar hoe
kon iemand het lange tijd volhouden een mysterieuze gemaskerde man
in het maanlicht te zijn, als een Armeniër niet eens op tijd kon zijn?
De majoor zuchtte, vreselijk teleurgesteld over alles. In het geheel niet
te spreken over zijn eerste ontmoeting met een man die het legendarische predikaat droeg dat het meest geheime was dat de Geheime Dienst
te bieden had. Hij zuchtte en kreunde.
Waar *was* die Purperen Zeven in godsnaam?

De eerste waarschuwing dat er iets niet in de haak was, kwam van de
Arabische merrie van de majoor. Het dier hield plotsklaps op met rondscharrelen in het zand en hief haar hoofd op. Was het een geluid dat te
veraf was voor het menselijk oor? Een geur die van verre door de heldere nachtelijke lucht werd aangevoerd?

De majoor tuurde om zich heen, maar zag niets. Hij greep zijn karabijn, tuurde ingespannen in het rond, en opeens klonk boven hem een bulderende, onheilspellende, holle onmenselijke stem die galmend op leek te rijzen uit de ingewanden van de aarde.

Wie weet welk kwaad zich schuilhoudt
in de harten van de mensen?

De majoor maakte een luchtsprongetje. Hij draaide zich onder het grote stenen gelaat een, twee, drie keer om, zijn geladen karabijn in de aanslag. Maar er was niets nieuws te zien, hoe hard hij ook keek.
De piramiden in het maanlicht.
Het serene gelaat van de Sfinx dat hoog boven hem uit torende.
En verder niets dan de sterren en de verlaten woestijn, een volle maan en in de verte rimpelend zand.
Opnieuw bulderde de onaardse stem en weergalmde even, denderend van overal en nergens, hol en diep en sinister door de nacht.

Wie weet het? De Sfinx weet het...

De akelige stem ontaardde in gekraak, een stortvloed van spottend gelach waar geen einde aan leek te komen. Om onmiddellijk te worden gevolgd door een heldere menselijke stem, een zachte Ierse stem die zich op vriendelijke toon in het maanlicht liet horen.

Voorzichtig met die karabijn, majoor.
Voorzichtig aan, alstublieft.

De majoor stond als aan de grond genageld, met stomheid geslagen in het maanlicht. Hij luisterde naar zijn eigen ademhaling en het geruststellende gerinkel van geitenbellen en er leken enkele minuten voorbij te gaan voor hij lichte dravende voetstappen naast de Sfinx achter zich hoorde, vanuit de richting van het achterste van het mythische beest. En toen kwam er een vreemde figuur op een holletje langs de zijkant van de Sfinx en begon over de enorme stenen klauwen van het beest te klauteren... een kleine man in een oud slobberpak.
De majoor staarde hem aan. De kleine man klom behendig boven op de stenen klauw en bleef daar staan met zijn handen omhoog. Hij glimlachte. Hij haalde diep adem en knikte vriendelijk.
Mooie nacht, majoor. Heerlijke lucht hier buiten.

De majoor herstelde zich meteen van zijn schok en kwam naar voren, zijn karabijn gericht op de maagstreek van de man.

Beweeg je niet, schreeuwde hij.

Geen vinger, luidde het antwoord.

Geen haar, schreeuwde de majoor.

Ook dat niet, uiteraard.

Handen omhoog.

Gelijk hebt u. Op onze bescheiden manier proberen we allemaal naar de sterren te reiken.

De man knikte glimlachend en de majoor moest plotseling blozen achter zijn masker. In zijn opwinding had hij staan schreeuwen. Hij bleef een ogenblik stilstaan om zich te vermannen.

Gerinkel.

De kleine man in het slobberpak keek verbaasd. Zijn er hier geiten in de buurt? vroeg hij.

Nee, antwoordde de majoor, er nu weer in slagend een normale toon aan te slaan.

Merkwaardig, ik dacht dat ik geiten hoorde, zei de man. Hoorde u het gerinkel van geitenbellen niet? Ik vraag me af waar de geitenhoeder is.

Dat zijn mijn munitiemagazijnen, zei de majoor.

O.

Wie ben jij? schreeuwde de majoor. *Geen uitvluchten. Vertel op.*

O. Nou ja, de naam is Gulbenkian. Gulbenkian, neem ik aan. Dat stond de laatste keer dat ik ernaar keek tenminste op mijn papieren. Die beweren tevens dat ik van beroep een handelaar in Koptische kunstvoorwerpen ben, wat best eens waar zou kunnen zijn. En wat mijn status in dit oorlogsgebied betreft, die staat geboekstaafd als *op doorreis,* maar ik vermoed dat ons dat weinig zegt, want dat is de status van de meesten van ons op deze aardbol. Ik kom alleen even langs en ga straks weer verder, weet u. Het zijn overigens wel eersteklas vervalsingen, die papieren van mij. Zo goed dat je zou zeggen dat Achmed ze heeft vervaardigd. U kent toch dat oude gezegde hier in Caïro? *Zeg in geval van twijfel dat je door Achmed bent gezonden?*

Beweeg je niet.

Okidoki.

De majoor deed opnieuw een poging zijn stem onder controle te krijgen,

Rustig aan, beval hij, doe precies wat ik zeg. Laat je linkerhand zakken tot bij de kraag van je jasje, langzaam, en trek je jasje uit. Langzaam, laat het nu vallen.

Plof, zei de man, waarom niet. Het is nooit veel soeps geweest.
En nu je schoenen. Niet vooroverbuigen. Schop ze uit.
Mij best. Ik doe eigenlijk al jaren niet anders.
Nu, alleen je linkerhand. Doe je riem af.
Ach ja, zei de man. Het leven is afzien, alleen de dood is dat niet. In leven zijn is je riem afdoen en uitzien naar narigheid, zoals dat oude Griekse spreekwoord zegt. Had u dat spreekwoord al eens eerder gehoord, majoor?
Dezelfde hand, langzaam. Maak je gulp open.
Ach ja, langzamer dan langzaam om de spanning op te voeren. En als ik me niet vergis was dat precies waar dat oude Griekse spreekwoord op doelde. Maar ik weet niet zo zeker of het betrekking had op een kille nacht in de woestijn. Meer iets voor een zwoele zomeravond op een verlaten strand, wellicht.
Laat hem zakken. Trap hem opzij weg.
Goed, een zacht trapje dan, de algehele kilheid doet mijn verwachting afnemen.
Linkerhand, langzaam. Knoop je overhemd open.
Ik ben al bezig, majoor, maar ook hier begint het koud te worden.
Langzaam. Doe precies wat ik zeg.
De man glimlachte, knikte.
Ja, en denkt u dat dat een oud faraonisch gezegde zou kunnen zijn geweest? *Doe precies wat ik zeg,* bedoel ik. Het klinkt als een soort doorlopende order van bovenaf gericht tot de troepen beneden die de piramiden bouwden. Wat denkt u?
Alleen de linkerhand. Trek je overhemd uit. Laat het vallen. Til nu langzaam één been op.
O hemeltje.
Trek je sok uit. Nu de andere. Alleen de linkerhand.
Juist. En ik vermoed dat u allang had aangenomen dat ik rechtshandig ben, waaruit maar weer blijkt dat het maar goed is dat ik Zwarterik niet ben.
De majoor keek hem strak aan.
Wat is dat? Wie?
U weet wel, de man die deze Armeense identiteit vóór mij had. De oorspronkelijke Gulbenkian uit de geheime anonimiteit, ooit ook bekend als *Onze Zwarterik van Champagne.* Zolang als ik me kan heugen gebruikte Zwarterik zijn linkerhand als hij over de rand van de boot piste.
Wat?

Ja. Zwarterik was linkshandig, met andere woorden, dus gebruikte hij altijd zijn linkerhand als het tijd was om iets duisters te doen, om iets snels en onverwachts te doen.

Wat? Beweeg je niet.

Juist. Ik wilde alleen maar zeggen dat Zwarteriks linkerhand zijn schiethand en zijn werphand was, evenals zijn pishand, begrijpt u, dus het zou geen goed idee zijn geweest om hem zich daarmee te laten uitkleden. Zwarterik kon heel snel zijn wapen trekken. Maar uiteraard is dit louter van historisch belang en maakt het vanavond niet uit, want ik ben Zwarterik niet en ik gebruik beide handen om dingen mee te doen. Ik ben ambidexter geboren, ik weet niet waarom.

Beweeg je niet.

Juist.

Eén hand, doet er niet toe welke, langzaam. Trek je ondergoed uit en ga weg bij je kleren. Die kant op, naar het uiteinde van de klauw.

Juist. Om voor de zoveelste keer door het leven te worden toegetakeld, waarschijnlijk.

Joe glimlachte en liep naar het einde van de klauw waar hij naakt en bibberend bleef staan. De majoor hield zijn karabijn op Joe gericht terwijl hij naast het stapeltje kleren knielde en die betastte. Behalve Joe's papieren en een handjevol Egyptische munten, vond hij alleen een dikke stapel bankbiljetten in diverse valuta, in coupures die hij nog nooit eerder had gezien. De majoor deed verbluft een stap achteruit.

Waar zijn je wapens?

Draag ik niet.

Wat?

Juist. Ik houd me al heel lang niet meer bezig met verminken en moorden. Soms is het onvermijdelijk, maar persoonlijk heb ik er liever geen deel aan. Om persoonlijke redenen.

De majoor leek van zijn stuk gebracht.

Geen wapens?

Niets behalve wat tussen de oren zit en denkt u dat ik me nu weer zou kunnen aankleden? Het is gewoon ijskoud zo.

De majoor knikte. Hij hield zijn karabijn op Joe gericht terwijl die zijn kleren aantrok en wierp tegelijkertijd steelse blikken op de stapel bankbiljetten die hij uit Joe's zak had opgevist. Toen kwam er een verwilderde uitdrukking op het gezicht van de majoor, dat werd bedekt door zijn witte zijden masker. Het geld was slechts aan één kant bedrukt.

Ik houd wat geld bij de hand omdat je nooit weet wanneer je misschien een snel uitstapje moet maken als je op doorreis bent, zei Joe, de majoor vanuit zijn ooghoeken in de gaten houdend. Het is natuurlijk waar dat die Bulgaarse leva's en Roemeense bani's dit jaar niet veel waard kunnen zijn en de para's hebben waarschijnlijk ook betere dagen gekend. Geen ervan is meer waard dan de helft van wat hij vroeger waard was, dat is wellicht de reden dat ze zo gedrukt zijn. Voor de helft, bedoel ik, slechts aan één kant... alles gaat alsmaar achteruit, is u dat wel eens opgevallen?

De majoor vergat zichzelf en knikte. Joe trok zijn schoenen aan.

Maar het juweeltje in die stapel, zei Joe, is dat biljet aan de onderkant. Ziet u dat? Honderd Griekse drachmen aan de ene kant en tienduizend Albanese leks aan de andere. Of is het juist andersom? De Balkan heb ik altijd een verwarrend concept gevonden, ik heb er nooit goed wijs uit kunnen worden. Begrijpt u wat ik bedoel?

Opnieuw knikte de majoor zwijgend en bevestigend. Hij had moeite zich te herinneren waarvoor hij hier eigenlijk was gekomen, zo verbijsterend vond hij Joe's gedrag. Hier klopt niets van, dacht de majoor. De dingen gaan helemaal niet zoals ze geacht worden te gaan.

Gerinkel.

Joe glimlachte en trok zijn jasje aan, terwijl de majoor snel een bevel probeerde te verzinnen dat hij zou kunnen geven. Deed er niet toe welk.

Ga daar zitten, zei hij. Benen uit elkaar, alsjeblieft.

Dat klinkt redelijk in het maanlicht, majoor. Ik stond net zelf te bedenken dat we eigenlijk een beetje moesten ontspannen. Per slot van rekening *is* de Sfinx een raadsel en zitten wij midden in de schoot van dat raadsel, nietwaar?

De majoor knikte zonder erbij na te denken. Hij trok verstrooid zijn witte zijden masker omlaag en veegde zijn mond af. Joe vroeg om een sigaret en de majoor overhandigde hem een pakje.

Wilt u zelf niet gaan zitten? vroeg Joe op vriendelijke toon, terwijl hij een lucifer afstreek.

De majoor knikte verward en ging op een paar meter afstand van Joe op de klauw van de Sfinx zitten. Hij zette zijn tropenhelm af en veegde zijn voorhoofd af. Toen realiseerde hij zich dat hij niet erg goed kon zien en nam zijn stofbril af.

Dit is een onmogelijke situatie, mompelde hij.

Joe keek over het puntje van zijn brandende sigaret en glimlachte.

Tut tut, majoor, *tut tut en kom kom.* Onmogelijk, zegt u? U kunt maar beter oppassen met zulke woorden in de maneschijn hier, waar de geheimen van de farao zich overal om ons heen bevinden. Enkele ogenblikken geleden heeft u zich misschien zelfs afgevraagd waar ik was toen u voor het eerst kwam aanrijden en de Sfinx het woord tegen u leek te richten. Vroeg u zich dat inderdaad soms af?

De majoor keek hem gefascineerd aan. Hij knikte.

Natuurlijk en waarom niet, zei Joe, en ik was binnen in de Sfinx, dat is alles. Het verhaal is te lang om er nu op in te gaan, maar het heeft te maken met tunnels uit het verleden en uitkijkposten waar niemand van afweet en gaten in het universum die zo mysterieus zijn dat ze zwart lijken en andere levens die de onze beïnvloeden ook al zijn die andere levens naar het schijnt voorbij en ondergronds en vergeten, verloren zelfs. Maar dat lijkt alleen maar zo. Ze zijn er wel degelijk.

Joe keek omhoog naar de hemel.

Hé, wat krijgen we nou? Over welke maneschijn had ik het? Het schijnt dat onze zachtmoedige witte godin zojuist haar tournee voor deze nacht heeft beëindigd en is ondergegaan, waardoor de zwarte gaten minder zwart lijken maar wij tot de dageraad in meer duisternis achterblijven.

Wat zeg je? vroeg de majoor.

Geen maan meer, zei Joe. En om daar even op door te gaan, wij hadden het over verschijningen en wat er verborgen is en de schijnbare verschillen daartussen en Stern had een bepaalde manier om zulke fenomenen te benoemen. Hij had hem geleend van het Orakel van Delphi en hij luidde ongeveer als volgt: *Aangeroepen of niet aangeroepen, de goden zijn er.* Binnen in ons, wordt daarmee bedoeld. Zichzelf alle namen gevend die wij kunnen bedenken, waarvan wij er sommigen herkennen wanneer de luchtspiegelingen zich bij zonsopgang manifesteren zoals ze een enkele keer doen. Of midden in de nacht wanneer alles zwart is en we voor de verandering de dingen ook eens helder zien. Soms, voor heel even tenminste.

Joe glimlachte en keek op naar het hoofd van de Sfinx.

Misschien zit ik nu maar wat te raaskallen, majoor, maar dat is alleen maar omdat de gedachte aan Stern mijn geest altijd doet afdwalen en me pardoes wegvoert over de duinen des tijds. Een brokje persoonlijke duizeligheid, meer is het niet. Dat is toch begrijpelijk?

De majoor knikte, hoewel hij allang niet meer goed wist wat hij eigenlijk beaamde, daar zijn gedachten in totale verwarring over elkaar tuimelden.

Juist, zei Joe. En het is merkwaardig hoe dingen terugkeren en samenkomen. Maar ik zit nu met een ander probleem en daar wil ik het graag met u over hebben en dat is eenvoudigweg het volgende.

Joe pauzeerde even en draaide zijn hoofd opzij om te hoesten. Terwijl de majoor wachtte tot Joe verder zou gaan, legde hij verstrooid het zware scherpschuttersgeweer dat hij op zijn rug had meegetorst terzijde. Toen legde hij de zware patroongordels af die op zijn schouders drukten. Hij deed ook zijn patroongordel los met zijn zware last aan munitie en legde die op de steen om de druk op zijn nieren weg te nemen.

Joe kuchte nogmaals, zijn hoofd nog steeds opzij houdend. Verslagen bleef de majoor doorgaan met het tevoorschijn halen van wapens en die neer te leggen, zichzelf daarmee ontlastend. De automatische pistolen kwamen tevoorschijn, de grote en de kleine, en de verschillende messen en dolken. Toen de majoor eindelijk van al zijn wapens was verlost rekte hij zich apathisch, loom en behaaglijk uit. Joe wierp een blik op het kleine arsenaal en schraapte zijn keel.

Juist. Zoals ik dus al zei, mijn probleem is eenvoudigweg het volgende. Bletchley heeft een soortement algemene order uitgevaardigd om mij te laten doden en daar zie ik de noodzaak niet van in, maar om die order te laten intrekken moet ik met Bletchley spreken en dat kan ik zelf niet regelen. Ik kan hem niet zomaar opbellen en om een babbeltje vragen, want de situatie is zodanig dat ik hem telefonisch waarschijnlijk niet zou bereiken en hij zeker niet zou komen opdagen. De jongens die onder zijn bevel staan zouden dat echter wel. Die vermaledijde Monniken. Begrijpt u waar ik heen wil?

De majoor knikte.

Daarom zou ik het bijzonder op prijs stellen, zei Joe, als u voor mij een ontmoeting met Bletchley zou willen regelen. U weet vast en zeker ook wel dat ik tegenwoordig niet met vliegende vaandel en slaande trom Egypte zal verlaten, dat zou ik niet kunnen, zelfs als ik het zou willen. Bletchley is vannacht mijn ster en ik moet mij door hem laten leiden. Ik heb zijn toestemming nodig om mijn *op doorreis*-status te handhaven, en ik denk dat ik die kan krijgen als ik met hem zou kunnen praten. Dus wat denkt u ervan? Zou u het voor de nacht om is met uw kolonel kunnen bespreken? De huidige stand van zaken in aanmerking genomen heb ik weinig tijd. Eigenlijk ben ik officieel dood en dat is geen veelbelovende omstandigheid om lang in te verkeren. Het geeft me uiteraard een onbehaaglijk gevoel.

Eindelijk had de majoor zijn tong teruggevonden.

Wat bedoel je met *officieel* dood?

Ik bedoel volgens de Monniken, zei Joe. Overeenkomstig de officiële monastieke werkelijkheid. Dus u zou wel namens mij met uw kolonel willen spreken?

En als ik dat zou doen? vroeg de majoor. Welke argumenten moet ik hem geven om ons ter wille te zijn? Bletchleys operaties behoren Bletchley toe. De kolonel kan zich daar niet zomaar in mengen.

Dat is zo klaar als een klontje, zei Joe, maar zoals ik het bekijk is het niet zozeer een kwestie van argumentatie maar veeleer een belangenkwestie, en die belangen zijn Zwarterik in de eerste plaats, Stern in de tweede en ik in de derde plaats. Uw kolonel moet, evenals Bletchley, een grote waardering hebben gehad voor Stern, want dat had iedereen die de man heeft gekend. En wat Zwarterik betreft, tja, ik twijfel er niet aan dat ze allebei van Zwarterik hebben gehouden, al was het dan ook altijd een mysterieuze verschijning. En Zwarterik was mijn broer, en dat zeg ik maar even om mezelf ook een plaatsje in deze configuratie te verschaffen.

Wat? Was Zwarterik je broer?

Ja, dat was hij zeker. Aanvankelijk waren we met een heleboel en Zwarterik was de een na laatste en ik ben de laatste. Maar dat terzijde. Waar het hier om gaat zijn Zwarterik en Stern en mijzelf pas op de laatste plaats.

De majoor schudde volkomen verbijsterd zijn hoofd.

Hier is geen touw meer aan vast te knopen, mompelde hij.

Joe glimlachte.

Vindt u van niet?

Nee. Ik heb het grootste deel van de tijd geen flauw idee waarover je het hebt.

Joe's glimlach verbreedde zich.

Echt niet?

Nee. Het Orakel van Delphi en de Sfinx en de maneschijn, en Zwarterik en Stern en jij? Waar slaat dat allemaal op? Ik kan het maar niet bevatten.

Joe lachte.

O, is dat alles. Nou, daar zou ik maar niet te veel over inzitten. Er lijken in het leven zoveel dingen te zijn die ons bevattingsvermogen te boven gaan. Wat we onszelf dienen af te vragen, is: heeft die onontwarbare kwestie een zekere klank?

Een klank?

Ja. Zoals met een bel voornamelijk, maar ook met een cirkel. Soms lijken we er niet dichter bij te kunnen komen dan dat.

Ik ben het spoor bijster, mompelde de majoor.

Joe lachte.

Beschouw alles dan maar als een voorlopige tijdelijke regeling, een aantal omstandigheden die voortdurend veranderen, en alleen maar verwarrend zijn omdat ze alleen voor *dat* moment gelden. Zoals u en ik, bijvoorbeeld, met onze *op doorreis*-status in een universum dat ook op doorreis is. Of, bijvoorbeeld, een ontmoeting met Bletchley. Dat is ook maar een tijdelijke zaak. Hij zou altijd van mening kunnen veranderen of van meet af aan weigeren.

En als hij nu eens zou weigeren? vroeg de majoor. Wat zou je dan doen? Joe haalde zijn schouders op. Hij keek naar zijn handen.

Ik zou het niet weten, hoor. Liffy had het wel eens over 's nachts in een verlaten treinstation zitten, hongerig en moe en nooit zeker wanneer er weer eens een trein zou binnenlopen. Je wist nooit wanneer die ging, als hij ging.

Liffy?

Joe opende zijn handen en keek ernaar.

Over hem kunnen we het beter niet hebben. Sommige dingen zijn gewoon te pijnlijk en te overweldigend om in één keer te vatten, en Liffy's dood is daar een van.

De majoor wist niet hoe hij het had.

Liffy? *Dood?*

Ja, God zij met hem.

Maar dat is verschrikkelijk. Hoe is dat gebeurd?

Hij werd neergeschoten en aan de bajonet geregen en opgeblazen en vergast en gestoken en geslagen en uitgehongerd en levend begraven en tot as verbrand, en de as werd uitgestrooid over de wateren van de Nijl.

Wat?

Dood, daar is alles mee gezegd.

Maar wie heeft hem gedood?

De oorlog? Hitler? Een of ander leger? Ik zou het niet weten.

Maar waarom?

Op het eerste gezicht een kwestie van persoonsverwisseling. Maar dat zegt ons weinig want er worden in het leven altijd zoveel personen verwisseld. Waarom dan, uiteindelijk? Simpelweg omdat hij was wat hij was.

Ik begrijp het niet. Wat was hij dan?

Een klank zo helder als een gouden bel, fluisterde Joe. Een klank als van een krachtige stormwind. Wel degelijk *aanwezig* maar onmogelijk te bevatten.

Wat?

Ja, dat was hij. En waarlijk, majoor, uw vraag is er een die hier in de schoot van de Sfinx behoort te worden gesteld, want het antwoord erop is precies hetzelfde als het antwoord dat drieduizend jaar geleden het raadsel van de Sfinx oploste. Weet u nog hoe dat raadsel ging? Wat loopt op vier voeten in de ochtend, op twee in de middag en op drie in de avond? En het antwoord was een mens, eerst kruipend als een baby, dan fier rechtop in de kracht van zijn leven en dan oud met een stok. *Een mens* is dus het antwoord op het oude raadsel, zowel nu als toen en tot in alle eeuwigheid. Een menselijk wezen, is het antwoord, niet meer of minder, en daarom werd Liffy gedood. Omdat hij menselijk was, omdat hij goed was, zo eenvoudig en zo ingewikkeld is het.

Joe staarde omlaag naar het verpulverende gesteente aan zijn voeten.

Majoor? Ik heb uw hulp nodig. Wilt u mij helpen?

Als ik kan.

Mooi. Ik bel u om twaalf uur 's middags op. U zult niet vrijuit in de telefoon kunnen spreken, maar als u in het gesprek het woord *Sfinx* laat vallen, dan zal ik daaruit begrijpen dat er werkelijk een bijeenkomst met Bletchley geregeld is. En als u dat woord, ongeacht wat u verder zegt, niet gebruikt, dan neem ik aan dat er geen bijeenkomst zal zijn en dat er voorbereidingen worden getroffen om mij te doden... Afgesproken? Tussen ons beiden gezegd en gezwegen?

Ja.

Toen sprak Joe over veel dingen, maar vooral over Stern en zichzelf en Liffy. Ten slotte stond hij op en stak zijn hand uit.

Hoe dan ook, majoor, wat de uitkomst ook moge zijn, ik waardeer het dat u hierheen bent gekomen en ik ben blij dat we de kans hebben gehad te luisteren naar het Orakel van Delphi in de maneschijn en konden horen wat de Sfinx te zeggen had, en onze geheugens konden opfrissen door terug te denken aan Zwarterik en Stern en Liffy. Dingen hebben de neiging te worden doorgegeven, vindt u niet? Zelfs ondanks tegenwind en zonnevlekken. Nu dan...

Joe liet zich op de grond zakken en was al snel in de duisternis verdwenen, de majoor van zijn wapens ontdaan en in gedachten verzonken achterlatend.

... Liffy die zich op de woonboot uitgaf voor Joe en zijn redenen om dat te doen... Joe's mysterieuze connecties met Stern en anderen in de loop der jaren... Liffy's gevoelens voor Stern en...

Maar wat heeft het allemaal te *betekenen?* vroeg de majoor zich af, terwijl hij opkeek naar het kalme en gehavende gelaat van de Sfinx.

Er brandde een licht aan de achterzijde van de bungalow van de kolonel. De majoor ging het hek binnen en liep over het pad naar de keukendeur, waar hij zachtjes aanklopte. Binnen hoorde hij iemand neuriën. De deur werd geopend.

Goedemorgen, Harry.

Goedemorgen, kolonel.

Kopje thee?

Graag.

Hij nam plaats aan de kleine keukentafel, zijn hoofd schuin houdend onder een overhangende plank, terwijl de kolonel aan de andere kant van de kamer bij het fornuis druk in de weer was. Ongelijke, onbeschilderde kasten vervaardigd van hout van transportkisten stonden langs de volle muren van het smalle keukentje, resultaten van de kolonels voorliefde voor timmerkunst in zijn vrije uurtjes. Elke plank in de volgestouwde keuken hing scheef en de kastdeurtjes stonden allemaal op een kier omdat ze niet goed dicht konden. De onbeschilderde keuken lag bezaaid met het gebruikelijke assortiment wetenschappelijke boeken van de kolonel over vroeg-Islamitische kalligrafie, middeleeuwse Joodse mystiek, de Bahaisekte, Perzische miniaturen, Jeruzalem ten tijde van de Tweede Tempel en archeologische vondsten in Midden-Anatolië. Naast de boeken was er ook nog een plekje gevonden voor een schaal met muffins en de majoor pakte er eentje.

Harder dan de klauw van de Sfinx, dacht hij. De kolonel die vrolijk in de hoek voortploeterde, onderbrak zijn geneurie om iets over zijn schouder te roepen.

Stukje kaas bij de muffin, Harry?

Nee, dank u, kolonel.

De kolonel kwam aankuieren en kopjes en schoteltjes kletterden op tafel. Hij schuifelde weer weg en de majoor had net tijd genoeg om de vleugel van een vlieg uit zijn kopje te plukken voordat de kolonel, nog steeds vrolijk in zichzelf neuriënd terugkwam met de theepot in zijn hand en een soort berendansje deed toen hij langzaam op zijn kunstbeen door de smalle ruimte schuifelde.

Een stap voorwaarts en een zijwaartse schijnbeweging, twee stappen achterwaarts en een zijwaartse schijnbeweging. Een schijnbeweging en een schuifel en een en twee, zo draaide de kolonel rond om een soort achterwaartse beweging te bewerkstelligen en de tafel zo ongeveer zijwaarts te benaderen. Een stap vooruit en twee stappen terug.

Het bolsjewiekenloopje van de kolonel werd het genoemd, naar Lenins beroemde beschrijving van de achterwaartse benadering van de his-

torische noodzakelijkheid in een wereld die zich totaal niet om noodzakelijkheid, historisch of anderszins, leek te bekommeren, en er de voorkeur aan gaf met de kont naar voren naderbij te komen, zoals de kolonel zei, zowel uit bescherming als ook om het verleden in het oog te
kunnen houden. Een dans waaraan de kolonel zich uitsluitend vóór het
ontbijt bezondigde en heel af en toe ook laat in de nacht, als hij te veel
cognac had gedronken.

In zijn hand had de kolonel een brok harde, witte, rottende, vettige
en kruimelende substantie. Een vage glimlach speelde om zijn mond
toen hij een stuk daarvan in zijn mond propte en waggelend op zijn
kunstbeen naast de tafel bleef staan en omlaag naar zijn hand keek.

Kaas, mompelde hij, nadenkend kauwend. Besef je wel dat we er allemaal ooit zo moeten hebben uitgezien, terug in de tijd toen de pro-
teïnemoleculen aan dit verdwaalde stuk materie dat wij de aarde noemen begonnen? Dat zet je aan het denken, nietwaar? Zei je dat je ook
een stukje wilde, Harry?

Ik dacht het niet.

Nee? Tja, feit is dat het ontbijt altijd mijn beste maaltijd is geweest.
Alle oude troep uit de kast smaakt verrukkelijk en de eerste pijp smaakt
verrukkelijk en dan kan ik de hele wereld aan. Maar een halfuurtje later begin ik te knarsen en te hijgen en heb ik het gevoel dat ik vier-
honderd kilo weeg en dan heb ik het weer gehad voor de dag. Van kaas
tot kaas. En of dat je aan het denken zet.

De kolonel was er nog niet aan toegekomen zich aan te kleden. Hij
droeg een enorme flodderige onderbroek die tot op zijn knieën hing en
één kaki sok om zijn echte voet, met een groot gat bij zijn teen. Zijn
onderhemd was op zoveel plaatsen versteld dat zijn bovenlichaam eruitzag als een zooi beroerd genezen wonden. Een verschoten oude zeilpet
prijkte schuin op zijn hoofd en hoewel zijn lichaam toch grotendeels
bedekt was, maakte hij een naaktere indruk dan willekeurig welke ongeschonden man ooit zou kunnen.

Schijnbewegingen en geschuifel, een en twee. Tevreden neuriënd ging
de kolonel aan de tafel zitten.

Lekker weertje buiten, Harry?

Helder, koud, geen wind.

Heerlijk, ja. Het beste moment van de dag, eigenlijk. De mensen hebben nog niet de tijd gehad om er een zooitje van te maken, de lucht
geurt zoet en alles smaakt verrukkelijk. Later is het alles slechts één muf-
fe pijp. Jij wilt dus geen kaas?

Op het ogenblik niet, dank u.

Nee? Nou ja, de thee is bijna klaar. Je bent er vroeg op uit getrokken voor een ommetje door de woestijn, hè?

De majoor knikte en wachtte af. De kolonel manoeuvreerde zijn kunstbeen in een comfortabelere positie en schonk de thee in. Nadat ze er suiker in hadden gedaan en hadden geroerd en een slokje hadden genomen, begon de kolonel de schaal met muffins op de tafel te bestuderen. Hij kneep er in een.

Hm. Ik dacht dat ik ze nog deze week had gekocht, maar het moet vorige week zijn geweest.

De kolonel staarde naar een van de boeken die opengeslagen op tafel lagen en keek toen op.

Nu dan. Heb jij de Sfinx geraadpleegd?

Hij is de broer van Zwarterik, flapte de majoor eruit.

Wat?

Zwarteriks broer, herhaalde de majoor. De jongere broer van *Onze Zwarterik.*

De ogen van de kolonel begonnen te glinsteren.

Is dat waar?

Ja.

Hoe heet hij?

Joe, Joe O'Sullivan Beare. Hij gebruikt nog steeds de volledige familienaam. Van de Aran Eilanden via een dozijn jaren in Palestina en recentelijker een reis door Amerika als de sjamaan van een indianenstam in het Zuid-Westen. Hij schijnt iedereen te kennen van zijn tijd in Palestina. Stern en Maud en allerlei soorten mensen met wie Stern jaren geleden heeft samengewerkt. Van de meesten had ik nog nooit gehoord maar dat heeft u waarschijnlijk wel.

De ogen van de kolonel schitterden.

Tjonge jonge jonge, en daar duikt opeens meer dan een hoofdstuk of twee uit het verleden onverwacht op... Zwarteriks broer, wie had dat gedacht. Hoe is hij?

Gevat, praat soms snel, lijkt zich op een eigenaardige manier uit te drukken. Het is moeilijk in woorden te vatten.

De kolonel straalde.

Alsof de boel een beetje uit zijn evenwicht was, wellicht? Alsof je in een klein bootje op zee zit en de lucht en het land en het water allemaal in beweging zijn? Omhoog, omlaag, heen en weer, nooit helemaal stil?

De majoor knikte enthousiast.

Zo is het precies. Alsof niets ooit in staat was een veilig plekje voor zichzelf te vinden.

De kolonel lachte.

Dat is onze Zwarterik, ten voeten uit. Zijn broer moet precies hetzelfde zijn.

En er is ook iets vreemds met de manier waarop hij de tijd beschouwt, vervolgde de majoor. Het lijkt alsof het voor hem allemaal één pot nat is, zonder een duidelijk verleden, heden of toekomst, gewoon één grote zee waar wij op ronddobberen. De doden, bijvoorbeeld. Niemand schijnt in zijn ogen echt dood te zijn. Maar het is niet zo dat ze nog ergens daarbuiten zijn, of ergens anders heen zijn, het zit heel anders. Het is veel concreter en schijnt iets te maken te hebben met dat ze ergens binnen in ons zijn, deel van ons uitmaken, niet dood in die zin. Levend omdat wij ze hebben gekend en ze daarom onderdeel van ons uitmaken.

Hm. Dat gevoel had je bij Zwarterik soms, maar niet zo sterk als bij zijn broer, klaarblijkelijk.

De kolonel glimlachte.

Je kon het nogal goed met hem vinden, hè?

Ik geloof van wel.

Ja, nou ja, dat is niet verbazingwekkend. Zwarterik was een uitermate innemende man. Hij had iets buitengewoons over zich, een andere dimensie. En als zijn broer dat ook is maar dan nog meer, en iemand hem voor het eerst ontmoet bij de Sfinx, zoals jou is overkomen, onder een volle maan...

De kolonel brak zijn zin af en neuriede vrolijk in zichzelf.

Zwarteriks broer, mompelde hij. Hoe verbazingwekkend.

Hij keek omlaag naar het verkruimelende stuk kaas in zijn hand.

Ja, curieus. Wat wil hij?

Een onderhoud met Bletchley.

Is dat alles?

Ja, dat is alles. Hij zegt dat Bletchley een algemeen bevel heeft uitgevaardigd om hem te doden, dus kan hij niet zelf zo'n onderhoud regelen.

Bletchley? Een algemeen bevel om de broer van Zwarterik te doden?

Ja, en Liffy is al dood. Doodgeschoten omdat hij abusievelijk voor Joe werd aangezien.

De kolonel was geschokt.

Wat?

Ja.

Maar dat *deugt* niet. Dat deugt allerminst.

Dat doet het zeker niet. En Achmed is ook dood. De receptionist van Hotel Babylon.

Achmed? Maar hij was een alleraardigste kerel, volstrekt ongevaarlijk. Wat gebeurt er hier allemaal?

En een jonge man die Cohen heet, zei de majoor, David Cohen. Van de Caïro Cohens? Cohens Optiek?

Ja. Hij was klaarblijkelijk een zionistische spion en een goede vriend van Stern.

Nou ja, natuurlijk was hij een vriend van Stern, dat waren alle Cohens. Dat voert terug tot de tijd van Sterns vader. Maar wat *gebeurt* er hier in godsnaam allemaal? Is Bletchley gek geworden? Hoe konden zijn mannen Liffy nu aanzien voor Joe?

Het schijnt dat Liffy zich voor Joe uitgaf. Opzettelijk.

Waarom?

Om Joe de tijd te geven zich te herstellen na de ontploffing van de handgranaat en de dood van Stern. Om Joe de tijd en de kans te geven het vege lijf te redden.

De kolonel fronste zijn voorhoofd.

Waarom heeft Liffy dat gedaan?

Omdat Joe Stern zo goed kende en Liffy het gevoel had dat Sterns leven... hoe zal ik het zeggen? Op de een of andere manier van groot belang was. Belangrijker in Liffy's ogen, dan al het andere. Zelfs belangrijker dan zijn eigen leven.

Is dat waar?

Ja.

En Achmed en de jonge Cohen? Waarom werden zij gedood?

Omdat zij met Joe over iets hadden gesproken, of tenminste omdat het Klooster dacht dat ze dat hadden gedaan.

De kolonel fronste zijn voorhoofd dieper en trok aan zijn pijp, zijn mond wild bewegend. De majoor had geen flauw idee welke verbanden met het verleden hij legde en hij wist dat het geen enkele zin had ernaar te vragen. Ten slotte kwam de kolonel een stukje omhoog en plantte beide ellebogen op de tafel.

Dus Liffy heeft zich opgeofferd om Joe te redden, bedoel je dat?

Ja.

Maar waarom? Wat heeft dat met Stern te maken? Ik begrijp niet wat jij me probeert duidelijk te maken.

Ach, het staat mij ook nog niet al te duidelijk voor ogen. Maar het schijnt dat boven en voorbij wat het ook mag wezen wat Joe probeerde uit te vinden over Stern, dat boven en voorbij dat alles Liffy het gevoel had dat Stern, Sterns leven... Tja, het is moeilijk te omschrijven zonder mystiek te klinken.

Plotseling was de toon van de kolonel kortaf, ongeduldig.

Doet er niet toe hoe het klinkt, Harry. Zeg het gewoon.

Tja, het schijnt dat Sterns leven een bijzondere betekenis had. In zijn merkwaardige verleden en zijn ontberingen en zijn nederlagen, in de ambiguïteiten en paradoxen die de man kenmerkten. Dat gewoon alles, alles wat met Stern te maken had, tot een ander soort leven leidt. Iets meer dan...

De majoor staarde in zijn theekopje.

... Het is bijna alsof in hun ogen, in de ogen van Joe en Liffy en de andere mensen over wie Joe heeft gesproken... bijna alsof Sterns leven een soort sprookje is van al onze illusies en mislukkingen. Zoals hij leefde en zich inzette, zoals hij mislukte en stierf. Idealen die tot rampen leidden en toch in zichzelf... Ach, ik weet het ook niet.

In de stilte tikte een klok. De kolonel stak zijn hand uit en raakte de arm van de majoor aan, een vriendelijk gebaar.

Wees nooit bevreesd voor hoe iets klinkt, Harry. Heel wat in die boeken van mij zou mystiek genoemd kunnen worden of kan het zelfs ooit zijn geweest. Het is gewoon een ander woord dat wij gebruiken voor dingen die *wij* niet begrijpen. Voor iemand anders zijn die dingen misschien doodnormaal, even gewoontjes als de meeste gewone dingen dat voor ons zijn. De mensen hebben verschillende werkelijkheden, zoals Stern placht te zeggen, en veel daarvan gelden gelijktijdig voor ons allemaal, en het feit dat de ene waar is, wil niet zeggen dat een van de andere minder waar zou zijn... Wat Stern aangaat, die had een grote invloed op iedereen die hem kende. Je voelde intuïtief een grote genegenheid voor hem, zelfs liefde, daar kon je niets aan doen. Toch was er gelijktijdig ook sprake van een ondefinieerbare angst als je bij hem was, een angst die voort leek te spruiten uit de aanwezigheid van emoties die zo door en door tegenstrijdig waren dat ze nooit met elkaar konden worden verenigd. Soms verwijzend naar de eeuwige tegenstrijdigheden in de mens, de mengelmoes van het goddelijke en het profane, heiligheid doortrokken van onze duistere aard en dat alles verdrongen, *verdrongen*... want zo'n man was Stern...

De kolonel knikte. Hij leunde achterover en ging weer verder met zijn pijp.

Wat wilde je nog meer zeggen, Harry?

Ach, dat is eigenlijk alles. Liffy vond dat Joe moest voortleven als getuige van Sterns leven. Zoals Liffy het zelf tegen Joe verwoordde, opdat ten minste één man het zou weten, ongeacht wat de oorlog zal brengen...

Een getuige, mompelde de kolonel. Ja, ik begrijp het. En op het moment dat Liffy dat zei, besefte Joe niet wat Liffy daarmee bedoelde? Wat Liffy voornemens was te doen?

Nee, in het geheel niet. Hij kan Liffy's naam nauwelijks uitspreken zonder in te storten. Hij raakt volkomen over zijn toeren en ik weet zeker dat dat niets voor hem is. Het is duidelijk dat hij over een grote zelfbeheersing beschikt.

Ja, ja, ik begrijp het, zei de kolonel. Het is een verschrikkelijke last voor Joe om te dragen en dat weet hij heel goed, hij weet dat het altijd zo zal blijven. Maar wat is dit allemaal vreemd... Stern, Joe, Liffy... Dat zij alle drie uit verschillende uithoeken van de wereld komen om hier, vlak voor onze neuzen hun einde te vinden. Ja...

De klok tikte. In de stilte werd een lucifer afgestreken. De majoor rook de geur van pijptabak en keek op van zijn theekopje.

Tja, wat vindt u ervan?

De kolonel pafte.

Ik denk dat ik het helemaal van begin af aan wil horen, alles wat er vannacht bij de Sfinx is voorgevallen. Zodat ik weet waar ik aan toe ben als ik met Bletchley spreek. Maar eerlijk gezegd heb ik ook mijn eigen redenen.

De grauwheid van het ochtendgloren had de ramen bereikt tegen de tijd dat de majoor zijn verslag had voltooid. Beide mannen maakten een uitgeputte indruk zoals zij daar tegenover elkaar aan de keukentafel zaten, maar eigenlijk voelden ze zich in het geheel niet vermoeid. Plotseling sloeg de kolonel met zijn vuist op tafel.

Whatley, riep hij uit, doelend op de officier die hoofd operaties van het Klooster en na Bletchley de hoogste in rang was.

Whatley, herhaalde hij kwaad. Hij zit erachter, daar ben ik van overtuigd. Bletchley moet de zaak aan hem hebben overgedragen en zich met andere zaken hebben beziggehouden, en Whatley heeft zijn gangsters erop uitgestuurd om mensen van daken af te kukelen en voor vrachtwagens te duwen en woonboten overhoop te schieten. Die *vervloekte* Whatley. Die *vermaledijde* kleine lamstraal. Bletchley heeft altijd de meeste tijd in het veld doorgebracht om, bijna dwangmatig nauwgezet, te proberen zijn agenten te kennen, en wat flikt Whatley daar in het Klooster als hij de verantwoordelijkheid krijgt? Wat *flikt* hij, vraag ik je?

De majoor sloeg zijn ogen neer. Hij had anderen met walging over

Whatley horen spreken, maar de kolonel nooit. Normaliter was de kolonel veel te behoedzaam om zich openlijk uit te spreken over een collega hoofdofficier.

Verkleedpartijen, siste de kolonel. Dat is Whatleys duivelse spel. Laat hem één minuutje daar in de woestijn alleen en hij trekt een pij en een monnikskap aan en bindt een oud stuk touw om zijn middel en doet alsof hij een militante monnik is uit de middeleeuwen, of erger, de een of andere vierde-eeuwse abt die strijd levert over dogmatische disputen in de begintijd van het Christendom. Hij doet alsof hij zich een weg samenzweert tussen de fijne kneepjes van de Ariaanse controverse of soortgelijke flauwekul. Hij heeft zelfs een kaart aan de muur hangen die aangeeft welke delen van Europa en Noord-Afrika aan de zijde van de engelen, zijn kant, staan, en welke aan de zijde van Arius en de duivel. Lucifer en de aartsketters in één kamp, de ware verdedigers van het geloof in het andere.

Arianisme en de Arische ketterij heden ten dage? God en Zijn Zoon zijn van dezelfde substantie? Zijn niet van dezelfde substantie? Wat een onzin. Als je ver genoeg teruggaat zijn we allemaal van dezelfde substantie, gewoon een hoop kaas. En hoe is Whatley oorspronkelijk op deze hoogdravende misvattingen gekomen? Eenvoudigweg omdat Ariaans bijna hetzelfde klinkt als Arisch? Ik dacht dat alleen schizofrenen en dichters werden gekweld door klankovereenkomstige fantasieën?

Malicieuze onzin, mompelde de kolonel, de hele zooi. Whatley met zijn wierook en zijn wierookvaten en zijn kaarsen en zijn orgel dat Bachs Mis in B Mineur uitbraakt, en acolieten en doodsbange bekeerlingen die op hun tenen heen en weer snellen en assistenten die zich uitgeven voor monniken in spe. Permanente bevelen van gezichtloze bisschoppen en verzetjes uitgedeeld in de vorm van nachtpasjes naar de vleespotten van Caïro, personeelsvertrekken vermomd als sombere kapellen en orders om te doden uit de woestijn. Werkelijke orders om te doden vanuit het hart van de woestenij, doodleuk beschreven als excommunicatie met uiterste consequenties.

Uiterste *wat?* Waanzin lijkt er meer op, de kwaadaardige waanzin van verkleedpartijen. Wat bezielt mensen toch dat ze dat in oorlogstijd of wanneer dan ook doen? Hadden ze er toen ze klein waren niet genoeg van gekregen, van dat pronken en sluipen en rondspringen in kostuums? Doen alsof is verschrikkelijk. Oorlog is niet de verkleeddroom van een jongetje die is uitgekomen. Oorlog is niet bedoeld om volwassen mannen de kans te bieden weer kleine jongens te zijn die er een dolle boel van maken op de kleuterschool.

De kolonel keek woest briesend op.

Of dat zou het tenminste niet moeten zijn. Whatley en zijn soort kunnen *doodvallen*. Hij kan de pestpokken krijgen met zijn perkamenten kaarten en zijn speeltjes en kostuums en zijn wierook en orgelmuziek. Zijn monniken in spe die met kaarsen in en uit trippelen. Ja, Monseigneur. Nee, Monseigneur. Aan mijn reet, Monseigneur. De waarheid is dat die vent altijd in de vierde eeuw of wanneer dan ook had willen leven en dat is precies wat hij doet. Zwelgen in de onderworpenheid en de vroomheid en het obscurantisme van de middeleeuwen, zo rechtschapen als hij maar zijn kan, terwijl hij devoot vast in een of ander smerig hol onder het Klooster dat, naar hij voorwendt, ooit de cel van Sint-Antonius is geweest, waar hij zich vreugdevol laat geselen voordat hij weer een deugdzaam bevel tot excommunicatie uitvaardigt, *moord* uit naam van de Vader en de Zoon en de Heilige Geest.

Vroomheid en macht, mompelde de kolonel. Zelfingenomen moord en dat weerzinwekkende geselen waarmee het gepaard gaat. Alle macht aan de kleuterschool, in onze tijd. Alle macht aan het walgelijke jongetje dat duizelig aan zijn wijsvinger ruikt en giechelend met zijn speeltjes in de weer is.

Het gezicht van de kolonel werd zelfs nog woester.

En de andere kant is onzegbaar erger. Wij juichen dat soort dingen in ieder geval niet officieel toe en maken er geen instituten van door onhebbelijkheden als standaardorders uit te delen, zoals de nazi's zwarte uniformen en zwarte laarzen en doodshoofdinsignes uitdelen. Zelfs Whatley is niets vergeleken met dat nazi-tuig met hun onstilbare behoefte aan zwart. Ze blijven maar achterwaarts verlangen naar het verleden totdat ze even zovele roedels dieren zijn geworden die in het half-duister van de oertijd ronddarren. Als je bloed ruikt hap je ernaar. Genoeg bloedbaden en het beest in je kent misschien rust voor enkele ogenblikken, met de hulp van ene Bach of Mozart uiteraard. Genoeg slachtingen en je hebt de illusie van onsterfelijkheid omdat iedereen om je heen stervende is.

Een beschaafd volkje, die Duitsers. Enkele van de mooiste muziekwerken in de geschiedenis van de soort dienden om het beest in de westerse cultuur te temmen, een beest waar de Duitsers toevallig een heleboel van afweten.

Verdomde Duitsers, verdomde Whatley, *verdomme*. Niets is zo eenvoudig als het vroeger was, of misschien is het juist het tegenovergestelde. Misschien is alles even eenvoudig als het vroeger was, helaas voor ons... Maar het verdomde probleem is dat Whatley een goede stafofficier is als hij geen spelletjes speelt, en daarom kon Bletchley hem waarschijnlijk niet lozen, zelfs als hij dat had gewild. Whatley is heel toegewijd en grondig en ijverig, waarin hij niet verschilt van de Duitsers...

De kolonel wachtte even.

Ik vraag me af waarom die trekjes tegenwoordig altijd aan de Duitsers doen denken? *Grondig... toegewijd...* die trekjes schijnen in onze eeuw op de een of andere manier gevaarlijk te zijn geworden. Alsof er geen plaats meer is voor het wankele menselijke element. De huidige maatschappij lijkt robots te willen. Stap voor stap, een twee drie... Whatley zal je zelfs vertellen dat hij in wezen geen erg agressief mens is. Hoogstens prestatiegericht...

De kolonel wachtte opnieuw.

De waarheid is dat hij een goede sportman was voor hij zijn rechterarm verloor...

Een plotselinge verandering maakte zich meester van de kolonel. Zijn borst daalde en hij kreunde, en hij maakte een naaktere indruk dan ooit in zijn verstelde onderhemd en met zijn verschoten zeilpet op. Hij reikte omlaag om zijn kunstbeen te verplaatsen en er kwam een uitdrukking van gelatenheid op zijn gezicht.

Verdomme, mompelde hij, ik heb er genoeg van. Ik heb mij tijdens mijn ochtenduitspattinkje eventjes opstandig en op alles voorbereid mogen tonen. Van nu af aan neem ik de zaken zoals ze komen en zal er zo goed mogelijk mee afrekenen. Het ontbijt is voorbij.

De kolonel keek op zijn horloge.

Tijd om me op te frissen. Zodra ik op kantoor ben zal ik Bletchley opbellen. Ik kan me niet voorstellen dat een ontmoeting met Joe enig probleem zal zijn. Per slot van rekening was Bletchley een grote fan van Zwarterik, en het moet Bletchley zijn geweest die als eerste Joe's naam in Sterns dossier tegenkwam en besloot hem uit Amerika te laten overkomen. En het kan evenmin toeval zijn dat hij Joe Zwarteriks oude dekmantel gaf en het concept van een Purperen Zeven Armeniër nieuw leven inblies. Bletchley moet hebben geweten wat hij deed en ik kan me niet voorstellen dat hij het Joe nu erg moeilijk zal maken. Misschien moet hij een aantal dingen met hem bijleggen, maar dat heeft vast en zeker niets te maken met de manier waarop Whatley de zaken heeft aangepakt.

De kolonel begon zijn pijp schoon te maken.

O, tussen haakjes, Harry. Ik neem aan dat je je slechte oor deze kant op had staan toen ik zojuist het een en ander losliet over Whatley en zo. Collega-officier en van die dingen.

Geen woord van verstaan, kolonel.

Ja. Nu ja...

De majoor was klaar om weg te gaan maar hij aarzelde. Hij had de indruk dat de kolonel nog niet helemaal was uitgesproken.

Verder nog iets, kolonel?

De kolonel frunnikte aan zijn pijp.

Nee, eigenlijk niet. Ik vroeg me alleen af...

De kolonel keek naar de pijp in zijn handen en legde haar met een resoluut gebaar op de tafel. De uitdrukking op zijn gezicht was een eigenaardige mengeling van berouw en melancholie, iets wat de majoor vreemd voorkwam. In zijn vormeloze ondergoed en met zijn oude zeilpet op, maakte de kolonel plotseling een troosteloze indruk.

Stilte, mompelde de kolonel... Waarom moet er altijd zoveel stilte in onze levens zijn?

Hij keek op naar de majoor.

Heb ik je ooit verteld dat ik op een haar na het commando over het Klooster had gekregen? Dat was natuurlijk een prachtbaan geweest, maar...

De majoor schudde zijn hoofd en wachtte. Hij realiseerde zich dat iets aan de zaak Stern een oprechte emotie teweeg had gebracht bij de kolonel.

Maar ik kreeg hem niet, mompelde de kolonel. Het gebeurde een paar jaar geleden. Ik had er de achtergrond voor, daar werd niet aan getwijfeld, en als toegevoegde kwalificatie had ik zelfs dit nieuwe kunstbeen...

De kolonel poogde te glimlachen maar zijn gezichtsuitdrukking bleef droevig.

Maar uiteindelijk kreeg ik hem niet. Men vond mij niet *vastberaden* genoeg, wat dat ook betekenen mag. Een beleefde manier om meedogenloos te zeggen, vermoed ik. Dus besloten ze Bletchley te kiezen, ook al was dat niet zijn specialiteit en ze gaven hem Whatley als plaatsvervanger omdat Whatley zo nauwgezet is en ik kreeg in plaats daarvan de Waterjongens. Meer iets voor jou, zeiden ze. Grotendeels traditionele operaties en veel meer personeel en zoveel assistentie als je maar wilt... Niet dat Bletchley de baan niet verdiende, die verdiende hij wel. Hij is goed en niemand zal ontkennen dat hij plichtsgetrouw is, en misschien hadden ze wel gelijk over mij als het gaat om het werk dat door het Klooster wordt gedaan. Maar evengoed...

De stem van de kolonel stierf weg. Hij keek naar het tafelblad en schudde zijn hoofd.

Hoe dan ook, Bletchley kreeg het Klooster en sindsdien zag hij Stern veel vaker dan ik. En wie hij ook veel vaker zag was Zwarterik, voor wie hij een bijzondere sympathie leek te hebben opgevat, en dus...

De hand van de kolonel gleed langzaam in de richting van het stuk kaas dat op de tafel lag. Hij pakte er een klein hompje van en speelde ermee, waarbij de kruimels tussen zijn vingers door vielen.

Enigma, dacht hij opeens, een beeld dat hem uit het niets te binnen schoot. Dat zit achter dit alles. Op de een of andere manier is Stern achter de *Enigma* gekomen... Natuurlijk, dat was zijn Poolse avontuur. En Bletchley kwam erachter dat Stern ervan afwist en hij diepte Joe's naam op uit Sterns dossiers, Zwarteriks broer, natuurlijk, en hij haalde Joe hierheen en gaf hem de oude identiteit van Zwarterik en... Maar hoe had Bletchley de waarheid omtrent Stern ontdekt? Er is hier niemand die...

Tenzij Stern het aan iemand had verteld, dacht de kolonel... en die iemand zijn mond had voorbijgepraat tegen Bletchley.

De kolonel staarde naar de tafel. Als het zo was gegaan en Joe de waarheid kende, dan was het uitgesloten dat Bletchley hem nu kon laten gaan. Joe mocht Caïro nooit verlaten, geen sprake van. Bletchley had geen enkele keuze in dezen. Hij zou in een ontmoeting toestemmen en zou hem dan moeten... Ach, misschien hadden ze toch wel gelijk toen ze hem die baan gaven, dacht de kolonel. Misschien is hij er beter voor toegerust dan ik, vastberadener of wat dan ook. Zwarteriks broer maar liefst...

De majoor stond nog bij de keukentafel. De kolonel keek naar hem op en glimlachte treurig. Hij haalde zijn schouders op.

Mijn gedachten dwaalden even af, zei hij, het heeft niets met deze zaak te maken. Hoe dan ook, ik zal Bletchley opbellen zodra ik op kantoor ben en hem de situatie uit de doeken doen. Ik weet zeker dat hij in een bijeenkomst zal toestemmen.

De majoor knikte geestdriftig.

Uitstekend, kolonel.

Ach, nou ja...

De kolonel kreunde en stond moeizaam op van tafel. Heel even stond hij daar te wankelen op zijn kunstbeen, probeerde hij zijn evenwicht te hervinden en keek hij neer op zijn boeken.

Tja, dat is voorlopig alles, Harry, het wordt zoetjesaan tijd dat we aan de slag gaan. En ik vind het vervelend om te zeggen, maar ik heb nu al het gevoel dat ik een ton weeg. Op de een of andere manier lijken de goede dingen des levens altijd al voorbij voordat we goed en wel beseffen dat ze er waren...

De majoor zat achter zijn bureau toen zijn privételefoon precies om twaalf uur ging. Hij nam op en zei hallo.

Met een dolende minstreel, majoor. Nog enig nieuws aangaande een ontmoeting met de plaatselijke farao voor de zon ondergaat?

De majoor noemde Joe een tijdstip en een plaats.

Na zonsondergang, zegt u? Nou, dat vind ik best. Sinds ik in Caïro ben heb ik het merendeel van mijn zaken 's nachts afgehandeld. Misschien is dat die zaken wel eigen, nietwaar?

De majoor lachte, verontschuldigde zich voor het feit dat de locatie voor de ontmoeting niet zo theatraal was als de Sfinx dat de avond tevoren was geweest.

Nee, nou ja, we kunnen niet altijd van zulke adembenemende vergezichten van de nachtelijke hemel genieten, toch, majoor? Het leven gaat nu eenmaal zijn gangetje en de Sfinx is gewoon een te groot concept voor ons om iedere avond te bezoeken. Te groot en meer, te moeilijk te begrijpen ook. Een onnaspeurlijke notie, per slot van rekening, zoals het leven en een heleboel andere dingen. Tot de afgesproken tijd op de afgesproken plaats dan...

De verbinding werd verbroken. De majoor hing de hoorn op de haak en keek naar de kolonel die hem vanuit een hoek aan de andere kant van de kamer observeerde. De kolonel knikte en stond op.

Dat is dan dat, zei de kolonel. We hebben gedaan wat we konden en nu is het verder aan Bletchley.

De kolonel trekkebeende terug naar zijn kantoor.

Schaamteloos, dacht hij, van Harry om pal voor mijn neus zijn privécode te gebruiken. *De Sfinx*, ja hoor. Het is gemakkelijk genoeg te begrijpen dat hij Joe bijzonder graag mocht, maar al met al is charme nou niet direct waar je het in oorlogstijd van moet hebben. Daarmee val je op...

Toen kreeg de kolonel plotseling een visioen van vóór de oorlog, tijdens de Arabische opstand in Palestina. Een beeld van Zwarterik die 's nachts aankomt bij een Joodse buitenpost vlak bij de Libanese grens, boven Galilea, die door kolonisten werd bemand. Zwarterik kwam daar aan in een van zijn vermommingen om de kolonisten te trainen en eenheden te vormen die later bekend zouden worden als de Speciale Nachtbrigades van de Palmach.

Een taxi met gedoofde koplampen, de achterlichten aan de voorzijde van de auto om de vijand in verwarring te brengen. En Zwarteriks twee jonge toekomstige assistenten Dayan en Allon, die de mysterieuze taxi benaderen en zien hoe een kleine magere gestalte uit de auto springt met twee geweren en een bijbel en een trommel, een Engels-Hebreeuws woordenboek en twintig liter New England rum.

Flair, dacht de kolonel, er is geen ander woord voor. Zwarterik had flair...

Hij glimlachte bij de herinnering, dacht toen aan Joe en de glimlach verdween toen hij terugdacht aan een gezegde dat Stern ooit graag debiteerde.

Het Panorama is verhuisd.

Voorbij, dacht hij. Wat een schande. Voor Joe is het allemaal voorbij en Liffy is voor niets gestorven, maar in het geval van Stern is er geen andere mogelijkheid. Met het geheim van de *Enigma* als grondslag is er geen andere oplossing mogelijk. Geen enkele. Bletchley kan alleen maar doen wat gedaan moet worden. De zaak afronden en het dossier sluiten met die verschrikkelijke woorden, *Geen overlevende getuigen.* Maar toch...

De kolonel sloot zijn deur en leunde ertegenaan, terugdenkend aan het vreemde verslag van een stem die bij volle maan bulderend vanuit de Sfinx had opgeklonken.

*...Wie weet welk kwaad zich schuilhoudt
in de harten van de mensen?*

De Sfinx natuurlijk, dacht de kolonel. De Sfinx ten slotte, maar wie van hen allen was uiteindelijk de Sfinx? Of is iedereen dat, uiteindelijk...?

22 Bernini's tas

Ze zaten op het smalle overschaduwde balkon dat aansloot op Mauds zitkamer, aan de kant van het gebouw die niet werd belaagd door de felle ondergaande zon, terwijl een belofte van tweeduister zich aandiende in de hoeken van de steeg onder hen.

... en toen de majoor me liet weten dat de ontmoeting met Bletchley werkelijk door zou gaan, zei Joe, deed ik vijf minuten lang onwillekeurig een klein rondedansje. Ik heb geprobeerd je hier op te bellen maar er werd niet opgenomen, dus ben ik teruggegaan naar het gemeenteplantsoen waar de crypte van de oude Menelik zich bevindt, en ik vond een beschut plekje aan de rivier waar je kon zitten en dat heb ik dus gedaan. Ik heb daar gewoon gezeten en naar de wervelingen in de stroom gekeken en mijn gedachten de vrije loop gelaten.

Joe's haar was nat van de douche die hij juist tevoren had genomen. Om zijn linkeroor zat een nieuw verband.

Maar het was niet zomaar een plekje aan de Nijl, vervolgde hij. Het was precies dezelfde plek waar Strongbow en de oude Menelik aan het einde van hun leven ooit samen zwijgend een middag hadden doorgebracht, vlak voor de Eerste Wereldoorlog, de plaats waar ooit een goedkoop openluchtrestaurant was geweest met prachtige latwerken en klimop en hangende bloemen, waar een vijver was waarin eenden dobberden en een kooi met krijsende pauwen, precies dezelfde plek waar Strongbow en de oude Menelik en Gekke Cohen zo lang geleden, toen zij nog een leven voor zich hadden, op zondagmiddagen bijeenkwamen om te dromen en te drinken. Een plaats voor gesprekken die veertig jaar duurden of meer, dezelfde plek waar jaren later midden in de leegte, in die totaal verlaten ruimte, een beroemd bord had gestaan... HET PANORAMA IS VERHUISD. En ik denk dat ik begon na te denken over dat bord en zijn werelden binnen werelden, en voordat ik wist wat er gebeurde had het geruis van de rivier me in slaap gezongen.

Ik heb de laatste tijd weinig slaap gehad, voegde hij eraan toe, ook al ben ik dan officieel dood... Een geval van een rusteloze dood, zou je het denk ik moeten noemen.

Maud glimlachte.

Was het echt de plek waar dat bord vroeger stond?

O, nou en of het die plek was. Stern heeft me die aangewezen toen we die nacht de crypte verlieten. Ik dommelde dus in zonder dat het mijn bedoeling was, en tegen de tijd dat ik ontwaakte was het laat in de middag, dus ben ik rechtstreeks hierheen gekomen.

De kolonel vertelde me dat er thuis wellicht een bezoeker op me wachtte. O Joe, ik was zo opgewonden. Ik wist zeker dat het betekende dat het voor jou allemaal goed zou komen.

En was dat alles wat hij zei?

Ja, maar het was voldoende. Ik wist wat het betekende.

Nou, dat doet me genoegen, maar het was toch een cryptische uitspraak van hem en dat is het probleem met dit soort zaken. Niemand zegt meer dan hij zeggen moet en zo mis je een hoop. Ik wilde het alleen maar uitschreeuwen omdat ik weer leefde.

Maud lachte.

Zal ik iets te eten voor je klaarmaken? vroeg ze. Je moet uitgehongerd zijn.

Dat moet ik zijn, maar zo voelt het niet. Maar een drankje zou er wel in gaan.

Oké, neem dat dan. Zal ik het voor je inschenken?

Nee, doe geen moeite, ik red me wel. Waar bewaar je die?

In de keuken. In het kastje boven de bezemkast.

Ik ben al weg, zei Joe en hij verdween naar binnen.

Maud hoorde de deur van de kast openslaan. Hij zette soms uit in de hitte en bleef klem zitten en dan knalde hij tegen de muur tenzij je erop verdacht was. Ze hoorde Joe in zichzelf mompelen. Glazen tinkelden en toen klonk het geluid van ijs dat brak boven een ijsschaaltje.

Ik vergat je te waarschuwen voor de kastdeur, zei ze toen hij terugkwam.

Joe glimlachte.

Het maakt inderdaad een hoop kabaal als zo'n kluns als ik eraan komt. Dat bewijst maar weer eens dat ik niet in de wieg ben gelegd voor dit soort werk. Zodra ik me een beetje op mijn gemak voel begin ik huis te houden alsof er geen vuiltje aan de lucht is.

Hij nam een flinke slok uit zijn glas en ging op het lage muurtje van het balkon zitten. Maud zat over haar breiwerk gebogen. Ze sprak zonder op te kijken.

Zo te zien drink je aardig wat.

Dat klopt, ja.

Helpt het?

Ja, ik ben bang van wel.

Nou dan is het goed, lijkt me.

Nee, dat is het niet, Maudie, het is beslist een soort zwakheid, maar het maakte de dingen gemakkelijker. De wereld lijkt zo vaak zo'n duister en onmenselijk oord dat alles wat de fluisteringen in me dempt zijn nut lijkt te hebben, zelfs al weet je dat de stilte een valse is.

Zou je ermee kunnen stoppen, denk je?

Als het echt zou moeten. Mensen schijnen tot alles in staat als er echt niets anders opzit. Zelfs tot wat ze op dit moment in de woestijn aan het doen zijn.

Maud boog haar hoofd, omdat haar plotseling een gevoel van ongemak bekroop. Ze deed haar best om haar bezorgdheid voor hem verborgen te houden, maar niettemin voelde hij het.

Weet je heel zeker dat Bletchley je zal laten vertrekken?

Niet zeker, nee, maar het lijkt waarschijnlijk. Als het anders was, zou hij het niet zo aanpakken, lijkt me, en mij de middag vrijaf geven en tegen jouw kolonel zeggen dat hij jou ook de middag vrijaf moet geven.

Maar je zegt dat hij je weer laat schaduwen.

Gewoon voor de gezelligheid, Maud. Ik veronderstel dat Bletchley niet wil dat mij tussen nu en vannacht iets overkomt. Bovendien heb ik hem zelf die gelegenheid gegeven door terug te gaan naar de crypte van de oude Menelik, waarvan ik wist dat die in de gaten werd gehouden. Dat had ik niet hoeven doen.

Waarom deed je het dan?

Zodat hij zou weten waar ik me vandaag bevond en dat hij zich nergens zorgen om hoefde te maken.

Maar waarom ben je niet gewoon uit het zicht gebleven tot vanavond?

Ach, in de eerste plaats zou ik dan niet in de gelegenheid zijn geweest om jou te zien. En trouwens, zo te zien was de tijd rijp om enige zaken aan het licht te brengen. Te oordelen naar de wijze waarop de majoor gisternacht sprak over Stern en Zwarterik, over Zwarterik in het bijzonder, leek het gewoon onwaarschijnlijk dat Bletchley al die moeite had gedaan die het moet hebben gekost om me hier te krijgen, om me uiteindelijk te liquideren.

Maar doet de mening van de majoor ertoe? Maakt het wezenlijk iets uit dat hij toevallig zo'n hoge pet op heeft van Zwarteriks nagedachtenis? Misschien denkt Bletchley daar wel heel anders over. Over alles.

Het zou kunnen, maar ik betwijfel het.

Maar hoe kun je dat zeker weten?

Dat kan ik niet.

Nou, het bevalt me maar niets, Joe. Het beangstigt me. Bletchley heeft de reputatie zeer standvastig te zijn.

En dat hoort hij ook te zijn, met zo'n baan.

Maar men beweert dat hij zich door niets laat tegenhouden als hij ergens zijn zinnen op heeft gezet.

Ik weet het, dat heeft hij mij wel eens verteld. Hij zei dat hij tot alles in staat zou zijn om de Duitsers te verslaan. *Tot alles*, en dat meende hij.

Maar zou dat niet kunnen betekenen dat je nog steeds in gevaar verkeert?

Ik denk het niet. Bletchley heeft me altijd benaderd op een bepaalde manier, waarvoor ik respect kan opbrengen, en bovendien komt er ooit een moment dat je toch iemand zult moeten vertrouwen. Je probeert het zo goed mogelijk en zo lang mogelijk in je eentje te redden, maar uiteindelijk moet je met de billen bloot en zeggen: Kijk, meer is er niet. Dit is alles waartoe ik in staat ben en daar blijft het bij. Uiteindelijk breekt dat moment ooit aan en dat weet ik en dat weet Bletchley en zo eenvoudig is het uiteindelijk.

Het klinkt anders niet eenvoudig, zei Maud op gedempte toon. Niets eraan klinkt eenvoudig in mijn oren.

Joe keek vol tederheid naar haar toen ze zich weer over haar breiwerk boog. Het was de tweede of de derde keer dat ze erover was begonnen... Zou het goed komen? Zou hij Caïro kunnen verlaten? Waarom zou Bletchley hem na alles wat er was gebeurd laten gaan?

En natuurlijk begreep Joe haar bezorgdheid. Hij wist dat zij de opluchting die hij voelde niet kon delen, want zij had niet ervaren wat hij had doorgemaakt sinds zijn aankomst in Caïro. Voor hem kwam ergens een einde aan en dat had iets onontkoombaars en bracht een onvermijdelijke kalmte met zich mee. Maar voor Maud gold dat niet. Stern was dood en dat was onherroepelijk, maar de andere facetten van haar leven waren nog dezelfde. Het was allemaal net zo onbestendig voor haar als het een dag of een jaar geleden was, en hun zoon Bernini was nog steeds in Amerika en er was niets veranderd, en er was niets onherroepelijk, er was geen slot. Het zag er nu naar uit dat Joe in staat zou zijn te ontkomen en dat was geweldig, een zegen, maar verder was voor haar nog alles hetzelfde.

Behalve dat de Engelsen bij El Alamein wellicht geen stand wisten te houden, wat zou betekenen dat ze haar spullen moest pakken en naar Palestina moest gaan en het plekje dat ze voor zichzelf had ingericht zou moeten verlaten... opnieuw verhuizen, opnieuw terugkeren naar Palestina na al die jaren. Per slot van rekening was ze daar maar eens in haar leven geweest en dat was lang geleden, toen ze Joe voor het eerst had ontmoet in de kelder van de Heilige Grafkerk. Nu alweer zo lang geleden, toen haar dromen nog pril waren...

Haar handen kwamen tot rust in haar schoot, haar hoofd boog naar voren. Opeens voelde ze zich volkomen uitgeput. Weer verhuizen? Kon nooit iets voor een poosje blijven zoals het was...? Maar toen stond Joe plotseling achter haar en voelde ze zijn handen op haar schouders, en zelfs nu, in weerwil van de jaren...

Joe? Er is één ding waar je je tenminste geen zorgen om hoeft te maken. De gevoelens van de majoor zijn wel degelijk precies zo sterk als jij ze inschat. Ik heb hem over Zwarterik en al dat andere horen praten... nou ja, weet je, de majoor, Harry en ik, wij zijn... nogal dik met elkaar.

Zijn jullie dat echt? Maar dat is *goed*, Maudie, ik ben blij dat te horen. Het maakt het zoveel beter als er iemand is om het mee te delen... En ik mocht hem ook graag, voor zover dat iets zegt.

Hij is niet zoals hij soms lijkt te zijn, zei ze. Hij heeft andere kanten. De kwestie is gewoon dat hij jong is en soms de dingen romantiseert en... nou ja, hij is nog jong.

Joe glimlachte hartelijk.

En dat is een goed ding voor een man om te zijn. Als ik me goed herinner ben ik dat ook ooit eens geweest.

Hij knikte, glimlachte maar werd toen weer ernstig.

Dus je moet je geen zorgen maken, lieveling. Het komt allemaal goed, ik weet het... En waar zat je zojuist over te piekeren, vraag ik me af. Behalve over dit goede nieuws over Harry?

O, ik dacht aan Jeruzalem. Een vriend daar heeft me geschreven om te vragen of hij mij op de een of andere manier behulpzaam kan zijn. Hij weet niet wat ik hier doe, wat ik werkelijk uitspook, maar hij zei dat hij altijd een plekje in Jeruzalem voor me zou kunnen vinden als ik dat nodig mocht hebben.

Aha, maar dat is uit de kunst, Maudie. Jij hebt een paar goede vrienden die aan je denken.

Ik ben een bofkont.

Dat ben je zeker, maar dat is geen toeval, dat weet je. De mensen doen zulke dingen omdat ze weten hoeveel je altijd om hen hebt gegeven, want jij hebt de tijd genomen hun dat te laten zien en dat betekent veel voor hen. Dat geeft hun steun. Voor hen ben jij een rots in de branding, iets vasts en zekers in alle chaos en verwarring.

Ze fronste haar voorhoofd.

Een rots in de branding? Zo voel ik me helemaal niet. Ik heb niet het gevoel dat er in mijn leven iets vaststaat. Het is één aaneenschakeling van hartverscheurende ervaringen en geen daarvan heb ik erg goed verwerkt.

O ja, dat heb je wel, Maudie, beter dan de meesten van ons ooit zouden kunnen. Je hebt je ingespannen om de mensen te begrijpen en dat is te zien. Kijk maar eens naar dat tafeltje naast de deur. Er liggen brieven op van over de gehele wereld, mensen met wie je in de loop der jaren op de een of andere plaats bevriend bent geraakt, mensen die aan jou denken en contact met je willen onderhouden, omdat hun dat goed doet.

De mensen zijn zo vreselijk ontworteld in oorlogstijd, zei ze. Ze zijn uit elkaar gedreven en bang en ze moeten verschrikkelijke dingen zien te overleven.

Ja, dat zijn ze en ja, dat moeten ze, maar in zekere zin geldt dat niet alleen voor oorlogstijd. In zekere zin is dat altijd het geval en jij bent op jouw ingetogen manier lange tijd een steun en toeverlaat geweest. Stern had het daar een keer over in een brief die hij naar Arizona had gestuurd. *Al die mensen die vanuit hun uithoekjes van de wereld aan Maud schrijven,* zei hij. *Zouden die het ooit half zo goed redden zonder haar?*

Nou het was aardig van hem om dat te zeggen maar natuurlijk konden zij het redden, en net zo gemakkelijk.

Nee, lang niet zo gemakkelijk, en volgens mij weet je dat best. Jij doet iets bijzonders voor hen, Maudie. Jij houdt de herinneringen aan hele stukken van hun leven in ere, en door dat te doen houd je ook hen in ere. Je geeft hun vertrouwen en hoop, de goede dingen. Daarvoor wenden ze zich tot jou en jij geeft het hun en dat betekent heel wat. Het is pas echt ontzettend als mensen geen vertrouwen meer hebben om door te gaan, als het er niet meer toe lijkt te doen of ze overleven of niet, omdat toch niets wat zij doen de moeite loont en het niemand iets kan schelen. En dan kan het kleinste ding het grootste verschil maken. *Ik ben Maud een brief verschuldigd, ze moet een brief van me verwachten. Ze heeft in geen maanden iets van me vernomen.* Als je je op een bepaalde plek bevindt en alles lijkt zwart en hopeloos, kan zelfs een gedachte zo klein als die iets zijn om je aan vast te klampen. Zelfs het verschil tussen leven en dood.

Trots, Maudie. Als we die hebben dan is het niet meer dan de lucht die we ademen en de zon boven onze hoofden. Maar als we die niet hebben, God sta ons bij. Al geef je die maar aan één persoon dan is het al iets prachtigs, want wat is het per slot van rekening anders dan de handoplegging, *het* gebaar van medemenselijkheid. Wat gedaan kan worden wanneer we leren aan meer dan alleen aan onszelf te denken. En jij doet dat, Maudie, en de mensen weten het en voelen het diep in hun binnenste.

Wat kun jij toch dooremmeren, zei ze.

Joe lachte.

En dat is ook waar, praten is altijd mijn zwak geweest. Lange gedachten staan maar wat lijdzaam stil als pelgrims buiten een oase, leunend op hun staven en rusteloos wachtend om door spreken tot leven te worden gewekt. *Praten*, het goud van de arme. Het water van de dorstige.

Ze keek naar hem op, haar gezicht plotseling ernstig.

Vertel me dit dan eens, Joe? Waarom komen die brieven altijd van zo ver weg? Waarom komen ze altijd uit een of ander afgelegen oord?

Tja, omdat jouw leven nu eenmaal zo is geweest, denk ik. Omdat je zo hard naar je eigen plekje hebt gezocht, en dat heeft geleid tot verhuizing en omzwerving.

Te veel, mompelde ze. Te veel, lijkt het. Soms vraag ik me af of ik ooit een plek voor mezelf zal vinden en toch is het niet zo bijzonder wat ik verlang, niets ongebruikelijks... Nou ja, misschien komt het er nog eens van.

Natuurlijk komt dat goed, Maudie. Na de oorlog. Geen twijfel aan dat je dat vindt, geen twijfel aan.

Ze schoof haar stoel naar achteren.

Ja, fluisterde ze. Na de oorlog...

Joe voelde haar onbehaaglijkheid. Hij zat weer op het lage muurtje van het balkon en keek uit over de gebouwtjes en de boomtoppen en de was die te drogen hing, niet ver van zijn pleintje met zijn buurtrestaurant en zijn buurtcafé en zijn alledaagse mensen met hun alledaagse zorgen, dat plekje zo ver weg van de oorlog waar hij nog niet zo lang geleden Stern in het stof had zien zitten. In lompen toen, een bedelaar, een ernstige stille man die in het stof zat, aan het einde van de dag.

In de steeg beneden, een stukje verderop, speelden een paar kinderen. Ze hadden tekeningen gemaakt in de harde zongebakken aarde van de steeg, cirkels en vierkanten, en ze volgden een aantal ingewikkelde regels om op één been van de ene naar de andere afbeelding te springen. Toen een van de kinderen het einde had gehaald, moest hij opnieuw van voren af aan beginnen. Ze schreeuwden en lachten onder het spel, maar ze leken er ook erg in op te gaan.

Ik hoop niet dat het een soort oorlogsspel is, zei Joe.

Watte?

Wat de kinderen daarbeneden spelen.

Maud leunde naar voren en keek over de rand van het balkon. Ze glimlachte.

Herken je dat niet? Het is Grieks hinkelen.

Meen je dat nou? En hoe hebben ze dat geleerd, vraag ik me af?

Maud lachte.

Ik zou het niet weten. Misschien heeft een Griekse oude vrijster het aan ze geleerd.

Eerder een jongere vrouw, als je dat gespring en gehuppel ziet. Maar ken je hen dan goed?

Ja, ik ken de familie. De meesten zijn van dezelfde familie. De stoep daarbeneden waar de kat in de deuropening naar hun keuken ligt te slapen. Ligt hij er?

De kat? Ja, waarachtig, hij slaapt als een roos. Hoe heet hij?

Homerus. Dat is zijn plekje vóór het avondeten. De grootvader van de familie heeft ooit in Turkije gewoond en daar praat hij graag over, en de kinderen zijn geboeid door beschrijvingen van willekeurig welke vreemde stad. Ik ben bang dat ik meer tijd heb doorgebracht aan hun keukentafel dan ik zou moeten, ze hebben me zo goed als geadopteerd. Soms glipt de vrouw des huizes 's middags als ik thuis ben even hier naar binnen om een sigaretje te roken. Dan kijkt ze naar mijn kleine memento's en stelt zich allerlei grootse dingen voor, zonder te vermoeden hoe haveloos mijn leven is geweest. Maar korte tijd later moet ze er alweer vandoor vanwege al die dingen die ze moet doen... al die mensen die op haar wachten en haar nodig hebben.

Maud staarde voor zich uit.

Soms als ik 's avonds hun keuken verlaat, kies ik een grote omweg en slenter ik door de stegen en luister ik naar de geluiden van de nacht, mensen die op gedempte toon met elkaar spreken en zich klaarmaken om naar bed te gaan. De zachtgele gloed achter de kleine ramen ziet er altijd zo uitnodigend uit. Ik weet dat de mensen binnen misschien niet tevreden zijn met wat ze hebben, maar dat gevoel heb ik nooit als ik langsloop.

Ze zweeg een ogenblik.

Ik ben bij Anna op bezoek geweest, zei ze. Het is heel moeilijk voor haar omdat zij en David heel dicht bij elkaar stonden, enkel zij tweeën zoveel jaar achtereen. En dat Stern bijna gelijktijdig is gegaan maakt alles nog erger. Maar ze is een sterke vrouw en ik weet zeker dat ze het wel te boven komt. We hebben gepraat over een paar dingen die belangrijk zouden kunnen zijn.

Maud wachtte.

Ik mag hier eigenlijk niet over praten, Anna mocht er eigenlijk ook niet over praten... Het schijnt dat Bletchley heel behulpzaam is en heel veel voor haar doet, papieren en geld enzovoort. Ik keek daar nogal van op toen ze me dat vertelde. Het strookt totaal niet met de reputatie die hij heeft.

Nee, dat kan ik me voorstellen, zei Joe, maar ik ben zeker blij dat te horen. Ken je haar al lang?

Nee. Ik heb ze een maand of drie, vier geleden een keer ontmoet toen ik met Stern samen was. Toentertijd leek het een toevallige ontmoeting, maar later besefte ik dat het dat niet was. Stern had dat natuurlijk zo geregeld, zonder hun of mij daar iets over te zeggen. Anna en ik zijn daarachter gekomen.

Ja.

En ik zal ook zeker ingaan op jouw suggestie om Belle en Alice te bezoeken. Ik heb hun al een briefje geschreven om uit te leggen wie ik ben en te vragen of ik op een avond een keertje langs zou mogen komen. Als ze tijd hebben. Als ik dan nog hier ben.

Dat was heel attent van je, Maudie. Ze hebben de afgelopen jaren weinig bezoek gehad en ik weet zeker dat ze het op prijs zullen stellen. Ze mogen je vast graag, en het zou veel voor hen betekenen omdat jij Stern zo goed hebt gekend.

Mooi, zei ze, en ze bestudeerde haar breiwerk.

Het zit 'm in de stiltes, dacht hij. Als je iemand heel goed kent, dan spreekt ze tegen je in de stiltes en tuimelen de gevoelens er gewoon uit.

Maar er was nog steeds één verschijning die zachtjes in al hun gedachten doorzong, een man over wie ze, voordat ze uit elkaar gingen, niet konden zwijgen. En dus vertelde Joe haar, toen de duisternis viel, over zijn laatste avond met Stern.

... en ik realiseerde me, besloot hij, dat wij er op geen enkele manier ooit achter zullen komen of de vrede die ik zag in Sterns ogen daar uiteindelijk was omdat hij eindelijk in vrede met zichzelf *was*, of simpelweg omdat hij de handgranaat... de dood... zag aankomen. Maar we weten wel wat het laatste woord was dat hij zei voordat hij mijn naam noemde en me sloeg en mijn leven redde.

Maud zat bewegingloos.
Ja, fluisterde ze. *Liefde...*

♦

Joe mompelde iets over zijn glas. Hij liep naar binnen en achter Maud ging een licht aan. Ze hoorde hem in de keuken rondscharrelen en toen ging het licht weer uit en was hij weer terug, zijn hand rustend op haar schouder, en daarna liep hij van haar weg en ging weer op het lage muurtje van het balkon zitten.

Stern heeft eens iets voor me gereciteerd, zei ze, dat ben ik nooit vergeten. Het was een oude Chinese beschrijving van karavanen in de Gobiwoestijn, nota bene. Die was hij tegengekomen in een of ander obscuur boek dat hij las, en ik veronderstel dat de beschrijving me bij is gebleven omdat de beelden zo plastisch zijn. Hij zei dat het ongeveer tweeduizend jaar geleden was geschreven. Hoe dan ook, het ging ongeveer als volgt.

Een gebied met plotse zandstormen en angstwekkende visioenen. Rivieren die in één nacht verdwijnen, historische monumenten die door de wind worden meegevoerd, de zon die rond het middaguur ondergaat. Een tijdloos niet bestaand land bedoeld om de geest met zijn luchtspiegelingen te kwellen.

Maar het allergevaarlijkste dat dient te worden genoemd zijn de karavanen die elk moment aan de horizon kunnen verschijnen en daar enkele minuten, dagen of jaren onzeker blijven rondzwalken. Dan zijn ze weer dichtbij, dan weer veraf, en dan zijn ze weer even stellig verdwenen. De kameeldrijvers zijn gereserveerd en zwijgzaam, niet van elkaar te onderscheiden, mannen van een of ander ver ras. Maar de mannen die zij dienen, de leiders van de karavanen zijn waarlijk vreeswekkend. Ze dragen vreemde kostuums, hun ogen glinsteren, ze komen uit alle uithoeken van de wereld. Deze mannen, kortom, zijn de geheim agenten die de autoriteiten altijd zoveel angst hebben aangejaagd. Zij vertegenwoordigen de prinsen en despoten van een duizendtal bandeloze regio's.

Of is het wellicht dat zij in het geheel niemand vertegenwoordigen? Is dat de reden dat hun gelaatsuitdrukkingen ons doen beven? In elk geval weten wij alleen dat dit hun ontmoetingsplaats is, het ongemarkeerde trefpunt waar zij met elkaar in contact komen en weer uiteengaan en hun eigen weg vervolgen.

Aangaande waarheen zij gaan of waarom, kunnen wij niets met zeker-

heid zeggen. Er zijn geen sporen in zo'n kale woestenij. De zandstormen woeden, de zon gaat onder, rivieren verdwijnen en hun kamelen verdwalen in de duisternis. Daarom moet het zo zijn dat de wegen van zulke mannen onvindbaar, hun missies onkenbaar en hun uiteindelijke bestemmingen even onzichtbaar zijn als de wind.

Als de Zoon der Hemelen met rechtschapenheid wil blijven regeren, dan moeten wij onze grenzen met alle macht tegen zulke mannen verdedigen.

Maud wendde zich tot Joe.

Aldus een oude Chinese beschrijving van de Gobiwoestijn... het onbekende... tweeduizend jaar geleden geschreven.

Ze glimlachte bedroefd.

Maar zo is het genoeg over het verleden. Laten we het niet meer over Stern hebben. Het leven is altijd een gave van gezichten, een gave van tongen, en ik bedoel niet alleen die van anderen. Ik bedoel van onszelf... Al die gezichten die ons in de loop van een mensenleven zijn gegeven... en al die tongen waarin we leren spreken.

🌾

Het is eigenaardig dat je juist die woorden gebruikt om het leven te beschrijven, zei Joe. Ik heb ze gisternacht zelf nog gebruikt toen ik het over Liffy had. Wat een merkwaardig toeval.

Maud keek bedachtzaam en zocht terug in haar geheugen. Plotseling glimlachte ze.

Het is een toeval, maar ik weet niet hoe merkwaardig het is. Wij waren samen toen we die woorden voor de eerste maal hoorden.

Echt?

Maud straalde, zo blij was ze dat ze het zich herinnerde. Ze lachte.

Ja. Het was in Jeruzalem, maar we hebben nooit geweten wie ze uitsprak. We waren net teruggekeerd uit de Sinaï en het was onze eerste avond in Jeruzalem en we maakten een ommetje door de Oude Stad. En het was druk en lawaaiig en zo verwarrend, overdonderend zelfs, na de woestijn. Toen was er opeens een heleboel beroering voor ons en konden wij niet doorlopen. Herinner je je het niet?

Joe glimlachte.

Ja, ik herinner het me.

Het had iets te maken met een ezel, zei Maud. Een ezel had zijn last afgeworpen of iemand geschopt of stond gewoon tegen de zon te balken en verdomde het om nog een stap te verzetten, iets dergelijks, en meteen was iedereen aan het duwen en schreeuwen en met zijn armen aan het zwaaien en in al hun verschillende talen aan het gillen, vogels van alle pluimage, zoals dat gaat in de Oude Stad. Al die rondsjouwende mensenmassa's die eruitzien alsof ze duizend of tweeduizend of drieduizend jaar geleden leefden, allemaal schreeuwend en met hun armen zwaaiend en gillend alsof de wereld verging. Herinner je je het?

Joe knikte glimlachend.

Ja.

En toen gebeurde het, zei Maud. Het was niet meer dan een stem achter ons, gewoon een stem uit de menigte, maar er sprak een verlangen en een eerbied uit die woorden die boven alles uit klonken en naar ons toe werden gedragen, deels gebed, deels smart, deels hoop. En op de een of andere manier *helder*, zo helder en klaar... *O Jeruzalem, O gave van gezichten, o gave van tongen...* Herinner je je het?

Ach ja. Gelach en geschreeuw en een ezel die naar de hemel balkt en de chaos van het leven overal om ons heen en te midden van die chaos een heldere stem die *wij* konden verstaan, en wij die van dat alles genoten. Het was inderdaad een van die prachtige ogenblikken, een van die zeldzame dierbare momenten die het allemaal de moeite waard maken en die nooit zouden moeten worden vergeten, die steeds weer zouden moeten worden doorgegeven... die altijd *moeten* worden doorgegeven.

Dus weet je wat ik ooit op een dag van plan ben te doen, Maudie? Ooit op een dag ga ik alles hierover aan Bernini vertellen, alles, tot in de kleinste details. Over Liffy met zijn miraculeuze vermommingen en over Achmed met zijn geheime kast, en over mij met hen in de Hangende Tuinen van Babylon. En verder terug, over Strongbow met zijn vergrootglas om door de eeuwen heen te kunnen kijken en over de oude Menelik met zijn ondergrondse muziekavondjes en over Gekke Cohen met zijn seriedromen in zeventallen, en hoe ze met z'n drieën de beest uithingen in een oase die het Panorama heette. En later, over hoe halfgekke Cohen en Achmed *père* op de Nijl met de Zusters champagne dronken uit kopjes zuiver maanlicht, en weer later, hoe Big Belle en Little Alice op hun fagot en hun klavecimbel speelden in een tijdloze schimmige maankamer terwijl ze op de rivier de wacht hielden. En over David en Anna die zich een weg naar Jeruzalem droomden onder een bewegingloze klok in de stoffige achterkamer van Cohens Optiek. En voor hen, over een andere Cohen en een andere Achmed en Stern die de verbazingwekkende paden des levens bewandelden, drie koningen uit de oude Oriënt, de een met zijn hobo, en de ander met zijn gedeukte trombone en bovenal Stern, *die ene...* alleen met zijn viool in het oog van de Sfinx in de laatste duisternis voor de dageraad, vervuld van al onze verhalen over tragedie en verlangen.

Krachtige muziek, Maudie, het geheel circulair en onbeschreven en kalmpjes contradictoir, oneindigheid suggererend, en de verhalen zelf niet ongerijmder dan ware dingen altijd zijn. Dus waarom geen grote verzameling daarvan voor die oude witte canvas-tas die Bernini daar in New York altijd bij zich lijkt te dragen? Een beetje van dit en een beetje van dat, altijd zorgvuldig weggestopt in dat vormloze witte oude canvas geval, als een boodschappentas des levens. Maar misschien in zekere zin ook Bernini's koninkrijk, tenminste zo lijkt hij hem te beschouwen. Er zit eigenlijk niets in, alleen zijn schatten, zoals hij ze noemt... Dus ja, het doet me deugt me voor te stellen hoe hij ooit daar in de Nieuwe Wereld rondzwerft met zijn nalatenschap aan verhalen van vroeger, krachtige muziek om altijd met zich mee te dragen, nu hij net aan zijn reis begint.

Per slot van rekening dingen die hij direct kan begrijpen. Grappen en raadsels en flarden van versjes die een jonge jongen ter harte kan nemen en zich eigen kan maken.

Joe lachte in de duisternis.

Ja, Maudie, dat lijkt me wel wat... Dat klinkt niet gek, *Bernini's tas.* Een geluid dat niet kan worden misverstaan...

❧

Ze spraken over andere dingen, terwijl de tijd voortschreed en zachtjes wegglipte in de nacht. Ze spraken en deden er het zwijgen toe en ten slotte stond Joe op en volgde zij hem naar binnen, waar ze neerkeken op haar aandenkens.

Zul je goed op jezelf passen, Joe? Jij bent me heel dierbaar.

Dat weet ik, dat gevoel is wederzijds, Maudie. Dat is altijd zo geweest. Dus pas jij ook maar goed op jezelf en ooit breekt er een andere tijd aan, ooit, na de oorlog. Ik weet het zeker, Maudie...

Hij pakte haar schelp op, de schelp die ze had meegenomen uit de oase aan de Golf van Akaba, waar zij heen waren gegaan toen zij jong waren, lang geleden aan het begin van hun liefde. Hij hield de schelp tegen zijn oor en luisterde, met gesloten ogen, luisterde en luisterde en legde hem toen weer terug. En hij nam haar in zijn armen en kuste haar en keek in haar ogen, en was verdwenen.

Maud stond een poosje naar de deur te kijken, alsof die misschien weer open zou gaan. Toen slenterde ze terug naar het balkon en ging in het donker zitten met de schelp in haar hand, en keek naar de lichtjes in de nacht en dacht aan veel dingen, een wereld van gezichten en stemmen die voor haar onder de sterren oprezen. En zo nu en dan drukte ze de schelp tegen haar oor en luisterde, net als Joe had gedaan, en hoorde nogmaals het zachte vertrouwde geruis van de zee, het zachte gemurmel van golven die eeuwig en altijd de versleten stranden van de herinnering overspoelden... braken en de stranden gladstreken... de oevers blootlegden.

Getijden die weerklonken in de branding van de alles genezende zee. Zoals Stern ooit zei, hoe dichter we de geluiden van oneindigheid naderen... Nu weerklinkend in het piepkleine universum in haar hand, die zachte getijden die oude golven van alles wat was en zou zijn...

Bernini's tas, dacht ze veel later, de schelp nog steeds in haar hand wiegend, nog steeds koesterend in het schimmige wit van zijn herinneringen tegen de nacht.

Ja, Joe heeft gelijk, dacht ze. Bernini *zou* het geweldig vinden als Joe maar ooit de kans zou krijgen om die werelden die hij had leren kennen aan hem door te geven. Grappen en raadsels en flarden van versjes... krachtige muziek aan de oevers en verhalen die oneindigheid suggereerden... O ja, Bernini zou elke fluistering ervan heerlijk vinden, elke laatste fluistering van een begin dat er nooit was, tot een einde dat er nooit zal zijn. Als Joe nou maar ooit die kans zou krijgen. *Als dat nou maar zou lukken...*

Want natuurlijk had de kolonel die middag meer gezegd dan zij aan Joe had verteld. De kolonel had haar in zijn kantoor ontboden toen ze naar huis wilde gaan en hij had de deur gesloten en haar handen in de zijne genomen en ze stevig omklemd, iets wat hij nooit eerder had gedaan. En toen hij op zachte toon het weinige dat hij te zeggen had had gezegd, en haar zo goed als hij kon had geholpen, had ze de droefenis in zijn stem gehoord en had ze begrepen wat hij haar over Joe vertelde, en over Bletchley en wat er nu zou gebeuren.

... misschien, Maud, moeten we vanavond terugdenken aan iets wat Liffy

placht te zeggen. Hij placht te zeggen dat er voortdurend wonderen plaats-
vinden, de kwestie is alleen dat wij onze ogen niet opslaan om ernaar te kij-
ken. Nou ja, jij en ik weten dat het gemakkelijk praten is en dat de wer-
kelijkheid dat nooit is, maar Liffy wist dat ook en hij wist het net zo goed
als ieder ander, maar toch bleef hij zijn best doen en naar wonderen zoe-
ken. Hij probeerde altijd meer te zien en meer te voelen en dus gebeurden
er voor hem voortdurend wonderen. Echt waar...

In de duisternis van haar balkon verdrong Maud plotseling haar tranen
en hield ze de schelp omhoog naar de sterren en ze fluisterde.

Hij is van jou. Hij is een deel van jou en dat is Bernini ook, en dat
is Joe ook. En o, wat zou ik het heerlijk vinden als...

23 Nijlecho's

Een verlaten straathoek met een enkele straatlantaarn die een smalle kring zwak licht wierp. Een klok in de verte die het hele uur aankondigde.

Er gingen vijf minuten voorbij.

Een krakkemikkig ouderwetse bestelwagen kwam rammelend uit het duister aanrijden, zo oud dat hij best in de Eerste Wereldoorlog als ziekenwagen dienst kon hebben gedaan, zo vervallen dat hij ooit continudienst kon hebben gedaan in de doorgroefde achterafstraten van groot-Caïro, met zijn bel rattenvangerachtig klingelend, terwijl zijn grote lompe eigenaar wanhopig versgebakken vis en friet aanbood tegen een bescheiden prijsje waarover gepraat kon worden.

De kleine bestelwagen kwam sputterend uit de nacht, zijn beige flanken onlangs overgeschilderd om elk spoor van die felgroene letters die ooit de komst van de legendarische Achmedmobiel hadden aangekondigd uit te wissen. De bestelwagen kwam zuchtend en steunend tot stilstand in de schaduw om de hoek, vlak bij een verduisterde galerij die zich langs een heel blok winkels uitstrekte. Een kleine man, niet meer dan een schaduw van zichzelf, kwam met een duik de galerij uit en ging snel naast de bestuurder in de bestelwagen zitten.

Bletchley knikte, maar hield beide handen aan het stuur.

Goedenavond, zei hij.

Goedenavond, zei Joe.

Plotseling werd er een lucifer afgestreken die het interieur van de stuurcabine verlichtte, Joe stak een sigaret op.

Achterin zit niemand, mompelde Bletchley, nog steeds voor zich uit starend.

Dat zie ik, zei Joe, maar ik deed het meer ten behoeve van je politiemannetjes die je links en rechts in de straat hebt opgesteld. Wie denken ze in jezusnaam dat ik ben? De een of andere desperado uit Tombstone die eropuit is het Suezkanaal te kapen? Ik heb nog nooit zulke uitgebreide voorzorgsmaatregelen gezien.

Dit zijn hachelijke tijden, mompelde Bletchley.

Dat hoef je mij niet te vertellen, en daarom heb ik die lucifer afgestreken. Zodat je cavalerie kon zien dat ik ongewapend ben en geen zwaard boven je hoofd houd, de hemel sta ons bij. Het zwaard van gerechtigheid, noemen ze dat geloof ik in Tombstone.

Bletchley snoof luid en gooide zijn hoofd in zijn nek, waarbij hij een balkend geluid uitstiet... Bletchleys lach, bracht Joe zichzelf in herinnering, Bletchleys helse lach.

Hoe noemen jullie dat, Joe? Kloosterhumor?

Joe keek hem aan.

Ach, dat heb ik nooit eerder gedaan maar dit is misschien het moment om te beginnen. Eigenlijk had ik dat moeten bedenken toen Liffy nog leefde, *ho ho ho*... Galgenhumor, zeg je, Liffy? Nee, ik doelde op iets veel zwarter dan dat, zo zwart dat het de zuivere kern van zwartheid is. *Klooster*humor, bedoel ik, Liffy. het meest meedogenloze soort...

Dus wat denk jij, Bletchley? Zou dat het goed doen in de Christelijke gewesten of zouden brave Christenen als de Duitsers er liever niet van horen? Zouden zij het liever negeren en doen alsof het niet bestaat behalve als een afwijking, van jou en van mij, bedoel ik? Maar misschien kunnen we hun nog wel een paar lachjes ontlokken als we er een variéténummmertje bij zouden opvoeren? Een serie grappen en grollen die we zouden kunnen verzinnen in de wachtkamers van verlaten treinstations waar wij onze levens slijten tot diep in de nacht? Of misschien in een concentratiekamp...? *Liffymoppen*, zouden we ze kunnen noemen. Ja? Nee? Al met al te zwart voor brave Christenen? Of alleen wanneer de nazi's de Joden afslachten, misschien? Of misschien alleen als jij en ik Joden zijn?

Bletchley was opeens kwaad.

Je moet weten dat niets is gegaan zoals ik het me had voorgesteld.

Nee? Nou, ik ben bijzonder blij dat te horen, Bletchley. Ik moet er niet aan denken dat ook maar iets hiervan zo was bedoeld. Want als dat zo zou zijn, dan zou dat alleen maar kunnen betekenen dat God zich de afgelopen tien- of twintigduizend jaar in een ander deel van het universum moet hebben opgehouden, wat alleen maar zou kunnen betekenen dat Hij niet al zijn tijd doorbrengt met tobben over de grootse veranderingen in het menselijk reilen en zeilen op onze kleine planeet, in tegenstelling tot de rest van ons.

Daar hebben we het later nog wel over, zei Bletchley vertoornd.

Hij schakelde en de bestelwagen schoot naar voren.

Ze parkeerden langs de Nijl in het maanlicht, vlak bij een kleine pier die uitstak in de rivier. Het leek een opslagwijk. Een buurt met verlaten straten en vierkante vensterloze gebouwen die allemaal in het duister waren gehuld. Bletchley schakelde de motor uit en begon de huid rond zijn opbollende zwarte ooglapje te betten, waarbij hij zijn zakdoek meerdere malen opnieuw anders opvouwde.

Een ogenblikje, mompelde hij, met afgewend gelaat. Joe keek naar hem. Hij schudde zijn hoofd.

Het moet een hels karwei zijn om te rijden met maar één oog.

Dat is het ook.

Maar hoe flik je het hem überhaupt? Bletchley keek hem even aan en wendde zijn hoofd toen weer af.

Zoals ieder ander die met een makke moet leven. Niet al te best en zo goed als ik kan. Je blijft gewoon proberen iets zinnigs te ontdekken in het tweedimensionale plaatje dat je wordt voorgeschoteld. En dat te vlak en nooit genoeg is, vooral als het gaat om mensen die plotseling voor je neus opdoemen. Je kunt een straat met de gebouwen daarin in je geheugen prenten, maar met mensen gaat dat niet. Daarvoor zijn ze te talrijk. En trouwens, ze veranderen voortdurend van omvang en vorm.

Bletchley was klaar met het schoonmaken van zijn oogkas en stopte zijn zakdoek weg. Hij keek naar Joe en ontweek zijn blik.

Laten we even uitstappen.

Bletchley klom uit de bestelwagen en liep een paar meter over het zanderige grind. Hij bleef, wachtend op Joe, stilstaan en staarde uit over de Nijl. Joe zag dat Bletchley het portier heel stilletjes achter zich had gesloten. Eenmaal uit de auto, slenterden ze allebei heel ontspannen naar de rivieroever. Ze liepen naar het einde van de pier, waar ze stil bleven staan en in het water staarden. Joe duwde met zijn voet een kiezelsteentje over de rand.

Jij maakt nauwelijks geluid als je een portier sluit. Waarom is dat?

Bletchley bewoog zich.

Wat? O, macht der gewoonte, veronderstel ik.

Joe knikte. Hij keek achterom naar de donkere gebouwen en de verlaten straten en floot zachtjes.

Wat is dat? vroeg Bletchley.

Ik fluit gewoon in het donker, zei Joe. Dit lijkt me een uitermate geschikte plek om iemand te liquideren, maar daarvoor heb je me na-

tuurlijk niet hier mee naartoe genomen, tenminste dat lijkt me niet...
Ben je van plan hier nog een poosje te blijven? Ik zou graag gaan zitten.
Ik ben bekaf.

Natuurlijk.

Joe zuchtte vermoeid en ging op het uiteinde van de pier zitten met
zijn benen bungelend over de rand. Bletchley ging naast hem zitten en
haalde een flacon uit zijn zak. Hij dronk, slikte en veegde met zijn hand
zijn mondhoek af. Hij hield Joe de flacon voor.

Cognac.

Dank je.

Joe nam een slok, hoestte en nam een grotere slok.

Niet zomaar cognac maar voor de verandering ook nog eens van de
beste kwaliteit. Niet dat ik me wil beklagen over de Arabische variant,
begrijp me goed. In een zandstorm is elke oase welkom, zoals wij bedoeïenen zeggen. Maar het echte spul heeft niet de gewoonte bij het
omlaaggaan dwars door je keel te snijden. Het is zacht, net als een on-
gebaand pad door de woestijn. Of als een feloek die op een nacht op de
Nijl voor de wind gaat. Een geruststellende beweging per slot van rekening. Zie je die daar?

Hij dronk nogmaals en gaf de flacon terug aan Bletchley, die hem op
het versleten plankier tussen hen in zette.

En het is nog een heldere nacht ook, zei Joe. Achmed vond het amusant dat ik altijd iets opmerkte over het weer. Het is hier altijd hetzelfde, placht hij te zeggen.

Bletchley staarde recht voor zich uit. Abrupt streek hij met zijn hand
over de zijkant van zijn gezicht alsof hij iets wegveegde.

Ik zal je eerst de belangrijke details geven, zei hij.

Joe knikte en liet toen opeens zijn schouders hangen.

Voel je je wel goed? vroeg Bletchley.

Ja, hoor. Uitgeput, dat is alles. Maar honds- en hondsmoe.

Bletchley keek nogmaals vluchtig naar hem, een nerveus gebaar. Hij
sprak met gedempte stem.

Vanavond vertrek je per vliegtuig naar Engeland. Daar blijf je niet.
Daar word je op een ander vliegtuig gezet naar Canada en als je in Canada aankomt dan verdwijn je. Maar er is een voorwaarde.

Dat kon haast niet anders, zei Joe. Als die er niet was, zouden we in
een betere wereld leven. Hoe luidt die voorwaarde?

Bletchley staarde recht voor zich uit. Jij bent dood, zei hij met zachte stem. A.O. Gulbenkian is dood, wat betekent dat de agent die die
dekmantel gebruikte dood is.

Joe tastte naar een sigaret.

Voor eeuwig, voegde Bletchley eraan toe, en officieus. Voor zover het de Waterjongens en het Klooster betreft, voor zover het Londen betreft, voor zover het iedereen betreft.

Joe's handen beefden. Hij greep zijn knieën en keek naar het water onder hem.

Hoe ben ik omgekomen, zei je?

Bij een brand. Er is een brand geweest.

O.

Bletchley stak zijn hand in zijn jasje en haalde diverse opgevouwen vellen papier tevoorschijn. Hij overhandigde ze aan Joe, die vooroverboog om ze te bestuderen. Met het schijnsel van de maan en de weerspiegelingen op het water was er net genoeg licht om de getypte tekst te onderscheiden.

Boven aan het eerste vel papier stond een gedrukt briefhoofd, de naam en het adres van een persagentschap in Caïro. Het getypte exemplaar had de vorm van een persbericht dat bestemd was om onmiddellijk te worden gepubliceerd.

In het Koptische Kwartier van het Oude Caïro was een brand uitgebroken die een klein vervallen hotel, Hotel Babylon, had vernietigd. De brand werd geacht te zijn begonnen op het kleine binnenplaatsje achter het hotel, waar de receptionist, aldus de buren, recentelijk de gewoonte had opgevat 's avonds laat bij een klein kampvuur te bivakkeren, samen met de enige gast die de afgelopen weken in het hotel had overnacht.

Het pleintje was bezaaid geweest met oude kranten en ander brandbaar afval. Er werd aangenomen dat een vonkje tussen het afval terecht was gekomen en daar had liggen smeulen tot nadat de receptionist en zijn gast zich in het hotel te bed hadden begeven, waarna vlak voor zonsopgang een vuurtje was ontstaan dat het in verval verkerende bouwsel had aangestoken, snel om zich heen had gegrepen en het hotel volkomen in de as had gelegd.

Gelukkig waren er geen andere gebouwen beschadigd, aangezien er alarm was geslagen door een alerte buurvrouw, een gepensioneerde buikdanseres die al meer dan dertig jaar verderop in de straat woonde en elke ochtend voor zonsopgang opstond om op zoek te gaan naar verse kippetjes die ze braadde en in de buurt verkocht om in haar onderhoud te voorzien.

In het vuur waren twee mannen omgekomen, de receptionist en zijn enige gast, van beiden was het stoffelijk overschot aangetroffen.

De receptionist, reeds lange tijd in dienst van het hotel en een scherpzinnig waarnemer van het maatschappelijke leven in Caïro, had bekendgestaan als Achmed de Poëet, in zijn straatje dat zelf weer gemeenzaam de Rue Clapsius werd genoemd, niet meer dan een duister steegje dat nergens heen leidde. Maar hoewel het nergens heen leidde, was het toch de plaats waar naar men beweerde een flink deel van het negentiende-eeuwse Caïro een ongeneeslijke dosis nostalgie had opgesnoven tijdens de lange lome siësta-uren van het recente verleden. De verfijnde sociale neus van de receptionist was het gevolg van zorgvuldige, jarenlange bestuderingen van het wereldje van Caïro, vooral op zaterdagavonden die, zo wist men, Achmed had besteed aan ongestoorde meditaties op het dak van Hotel Babylon. Daar in de duisternis had hij de stad bestudeerd door zijn kijker, geholpen door melancholieke vlagen muziek die hij ontlokte aan een oude gedeukte trombone.

Verder wist men nog te vertellen dat Achmed de Poëet, Achmed *fils*, een vurig en loyaal aanhanger was van het idealistische, negentiende-eeuwse politieke streven van Achmed *père, de Beweging*, een losjes opgezette organisatie uit de Oude Wereld die onverschrokken elke oppositie weerstrevend sociale vooruitgang propageerde van het toen en daar globaal in de richting van het hier en nu.

En hoewel Achmed *fils* tientallen jaren in afzondering had geleefd en zijn privacy had behouden boven patience-sessies en opera-infusen, had hij ooit een verbluffende reputatie gehad als een ongebreidelde charismatische figuur in de society van Caïro, zowel bij zijn beroepsmatige werkzaamheden als binnenhuisarchitect en zijn minder voorspelbare rol als allround *boulevardier* en dandy.

Vooral herinnerde men zich de dichter omdat hij als de machtige slagroeier en aanvoerder van een roeiteam van dragomans uit Caïro vóór de Eerste Wereldoorlog met groot succes een boot van de Britse marine had verslagen, de enige keer dat zo'n verbazingwekkend huzarenstukje werd uitgehaald door een geheel Egyptische bemanning, in wat toentertijd bekendstond als de Jaarlijkse Slag om de Vleespotten van de Nijl.

Daarenboven was Achmed de Poëet ooit beroemd geweest omdat hij rond de eeuwwisseling de racedriewieler in Caïro had geïntroduceerd.

Helaas was het Achmed de Poëets voorliefde voor het doorlezen van de verslagen over zijn opmerkelijke heldendaden in het verleden, in de vorm van oude krantenartikelen, die er waarschijnlijk toe had geleid dat het hotel zo snel vlam had gevat. Er werd melding gemaakt van een grote kast vlak achter de lobby van het hotel, een kleine kamer die van de vloer tot aan het plafond vol had gelegen met stoffige vergeelde kranten, geen enkele minder dan dertig jaar oud. Deze kast had als een geweldige toorts gefunctioneerd toen het vuur haar bereikte, waardoor het hotel onmiddellijk opging in een omhoogwervelende zuil van puur witte rook.

Over het andere slachtoffer, de enige gast in het hotel ten tijde van de brand, was weinig bekend. Dankzij administratieve gegevens die over alle buitenlanders op politiebureaus werden verzameld kon hij worden geïdentificeerd als een handelsreiziger van Armeense komaf, een handelaar in Koptische kunstvoorwerpen die A.O. Gulbenkian heette en een vals gebit had.

Over de handelsreiziger stond verder niets vermeld. Maar wel werd opgemerkt dat een niet nader genoemde groep gemeenschapsgezinde inwoners van Caïro die zichzelf de *Vrienden van Achmed* noemden, een bijdrage had geleverd om te zorgen dat hun ooit zo illustere sociale maatschappelijke voorganger een gepaste begrafenis en een volledige herdenkingsdienst zou krijgen.

De voormalige buikdanseres verderop in de straat trad op als algemeen directeur, coördinatrice en secretaris-penningmeester van deze anonieme ad-hocgroep.

Adressen en data werden vermeld.

Joe zuchtte diep. Een aantal minuten zat hij met de velletjes papier op zijn schoot over de rivier te staren. Ten slotte gaf hij ze terug aan Bletchley en haalde een rol bankbiljetten uit zijn zak. Hij vond het bankbiljet dat hij zocht en overhandigde het aan Bletchley.

Voor de *Vrienden van Achmed*, zei hij.

Bletchley keek naar het bankbiljet – honderd Griekse drachmen. Zonder erbij na te denken draaide hij het om – tienduizend Albanese leks. Hij keek Joe even vluchtig aan.

Ik weet het, zei Joe, het is niet veel, maar meer heb ik op het ogenblik niet. En trouwens, Achmed zou het hebben gewaardeerd. Onder dat onbuigzame uiterlijk van hem ging, als je het geheime paneel in zijn muur van afweermiddelen kon vinden, een zonderling gevoel voor humor schuil.

Opeens huiverde Joe. Zijn stem vervaagde tot een fluistering.

Lag er echt een tweede lijk tussen de puinhopen?

Ja.

Liffy had een vals gebit.

Ja.

En geen begrafenisdienst voor Gulbenkian, neem ik aan.

Daar was hij niet de persoon naar, zei Bletchley. Gulbenkian was hier op doorreis, hij was geen blijvertje. Niemand kende hem.

Nee.

En als niemand hem kende, dan kan er ook niemand zijn om een begrafenis voor hem te regelen.

Nee, mompelde Joe, dat zou maar vreemd lijken, verdacht. Tenslotte was hij alleen maar op doorreis.

Joe wendde zich af van Bletchley en wreef in zijn ogen, waarbij zijn hoofd nog dieper zonk.

Nou ja, als dat alles is waar het Gulbenkians stoffelijk overschot betreft, fluisterde hij, zou jij me dan kunnen vertellen wat er is geworden van een zekere Liffingsford-Ivy die hier in de buurt placht te werken? Een ambulant rekwisiet, noemde hij zichzelf. De plaatselijke illusionist.

Bletchley staarde strak voor zich uit.

Hij is na een missie in de woestijn als vermist opgegeven, zei Bletchley. We hebben heel wat van onze geheim agenten op die manier verloren, het is daar een verschrikkelijke chaos. Hele bataljons verdwijnen gewoon. Voor het gemak noemen we het hier een linie, een front, maar dat is het helemaal niet. Iedereen loopt in het wilde weg door elkaar en alles verandert voortdurend, een eenheid hier, verspreid zwervende soldaten daar, de onze en de hunne, voorwaarts en achterwaarts en god mag weten waarheen. Er bestaan daar zelfs geen partijen meer. Alleen maar dorstige uitgeputte mannen onder de schroeiplekken van hun eigen wapens, die alle kanten die ze maar op kunnen vechten zonder een flauw benul waar ze zich bevinden. Louter mannen die met de moed der wanhoop vechten en nergens komen. Of gewonde en stervende mannen in die vreselijke zon, die liggen waar een granaat of een mijn is ontploft, een van onze granaten of een van de hunne, een van onze bommen of een van de hunne... Het zand dat de hele nacht opwaait en de volgende ochtend alles heeft begraven, behalve de brandende tanks en de verwrongen skeletten van de andere voertuigen. Het bedekt tegen de ochtend zelfs open ogen, maar het enige dat het nooit kan bedekken is de geur, de stank. Radio's staan verlaten te kraken en tegen niemand te praten... *Met Coventry, meld u, alstublieft...* Je kunt verzeild raken op een plek die zo desolaat is dat het net zo goed het einde van de aarde kon zijn en dan klinkt opeens een gierend gejammer op uit de hemel en trilt de grond en daalt de ondraaglijke stilte neer terwijl je wacht, terwijl je telt, *een, twee, drie...* Je rijdt over een heuvelkam en plotseling steken er handen omhoog uit het zand, uit het niets, handen die klauwen en reiken... gewoon handen. Verkrampte handen. De vingers eraf gevallen en gebroken, te zwak, te fragiel en het is verschrikkelijk... Het is in één woord *verschrikkelijk.*

Ik heb hem gekend, fluisterde Joe, voorovergebogen en snikkend, terwijl Bletchley recht vooruit over de rivier staarde.

De feloek in de verte wendde de steven in de wind. Bletchley bewoog zich.

Zal ik de details maar even afmaken?

Ja, zei Joe, misschien is dat maar het beste... ik ben dood. Wat komt er daarna?

Zodra je hier vertrekt zijn er geen reisonderbrekingen meer, zoals ik al zei. Je reist onder een tijdelijke dekmantel die alleen voor die reis voldoet. Wanneer je in Canada bent aangekomen verdwijn je, en dan zul je op eigen houtje een nieuwe identiteit voor jezelf moeten opbouwen. Een nieuw verleden, een nieuwe achtergrond, alles.

Ja.

Ik zou je kunnen helpen maar dat zou niet zo veilig zijn als wanneer je het op eigen houtje doet. En trouwens, ik kan me niet voorstellen dat je dat niet alleen af zou kunnen.

Nee, ik red me wel.

Maar begrijp me goed, Joe, ik bedoel een nieuwe *echte* naam en een nieuw *echt* verleden en een achtergrond die daarbij past. De *echte* Joseph O'Sullivan Beare, geboren op de Aran Eilanden op 15 april 1900, is omgekomen bij een brand in juni 1942.

Joe knikte.

Zo is het gegaan, ja... zo is het gegaan.

Onze stukken zullen dat aantonen, vervolgde Bletchley, en dat zal in het verslag aan Londen staan, en in de rapporten die Londen zal sturen naar Washington en Ottawa. Het dossier Stern is gesloten en voor iedereen die er op enigerlei manier iets mee van doen had is verantwoording afgelegd. De zaak is gesloten en er zijn geen overlevende getuigen.

Ja, dat kan ik me voorstellen.

Dit moet dus een onvoorwaardelijke overeenkomst tussen ons beiden zijn, Joe. Niemand van de ingewijden zal de waarheid kennen behalve ik, en daarom moet ik volledig van je op aan kunnen...

Bletchley wachtte even.

Volkomen, herhaalde hij.

Joe keek hem aan.

Hoe kan ik je dat verzekeren?

Door me dat te zeggen, zei Bletchley. Als je zeker weet dat je het kunt, dan zeg je me dat. Als je je twijfels hebt, dan zeg je me dat.

Joe schudde zijn hoofd.

Nee, nee, geen twijfels. Ik kan het wel en je kunt op me rekenen.

Goed, dan reken ik op je.

Joe knikte. Hij wachtte, maar Bletchley leek te zijn uitgesproken. Laat het nou maar zo, dacht Joe, in jezusnaam, laat het nou maar. Hij gaat zijn boekje ver te buiten en spant zich tot het uiterste in om dit mogelijk te maken, dus laat het verder nou maar en tart hem niet... Maar Joe kon het er niet bij laten zitten. Hij bewoog zijn benen en liet zijn voeten bungelen en staarde naar het water onder zich.

Je zei dat er geen overlevende getuigen zouden zijn... of zijn in de zaak Stern. Maar hoe zit het met de Zusters?

De Zusters hadden niets te maken met de zaak Stern, zei Bletchley. Die twee zijn samen half zo oud als de tijd en ze wonen op de Nijl en misschien *zijn* ze de Nijl, en wat mij betreft hebben ze in decennia met niemand anders gesproken dan met de Sfinx. En voor zover iemand kan nagaan overleven zij jouw kleinkinderen en Sterns kleinkinderen en zijn ze er nog steeds als de Sfinx tot stof vergaat, stel ik me zo voor, maar in de loop der jaren hebben ze zo ongeveer iedereen aan beide kanten van elke oorlog gekend, dus dat verbindt hen niet speciaal met de zaak Stern. Hun belangen zijn niet dezelfde als de mijne, of als de jouwe of als die van Stern.

Ja, fluisterde Joe. Dat begrijp ik.

Joe aarzelde. Verdomme, dacht hij. Waarom kunnen we ons nooit ergens bij neerleggen? Waarom hebben we toch die onstilbare behoefte aan antwoorden?

Opnieuw wiebelde Joe met zijn voeten en keek hij naar het water onder zich.

Je zei dat niemand anders van de ingewijden de waarheid zal weten. Geldt dat ook voor Maud? Ik wist niet goed of je haar als ingewijde beschouwt of niet.

Dat doe ik niet, zei Bletchley. Niet echt, maar daar wilde ik het nog over hebben. Ik ben van plan met Maud een gesprek onder vier ogen te voeren, na jouw vertrek. Ik vind dat zij de waarheid moet weten, dat jij niet dood bent, bedoel ik. Ik geloof niet dat het anders zou werken. Maar zelfs dan mag je na je terugkeer niet proberen met haar of met enig ander die je hier kent contact op te nemen. Het is een kwestie van alles of niets, Joe, en dat blijft zo ongeacht welke identiteit je voor jezelf kiest en ongeacht hoe plausibel het zou zijn voor de man in die nieuwe identiteit om op de een of andere manier contact op te nemen met Maud of met wie dan ook. Er zijn mensen die daarin geïnteresseerd kunnen zijn en ik wil niet dat zij ook maar de minste aanleiding voor die belangstelling hebben. Persoonlijke argwaan en persoonlijke vermoedens zijn één ding, maar een reden voor argwaan is iets geheel anders.

Ja.

Ik denk hierbij aan lieden die tot de ingewijden behoren en toegang hebben tot de dossiers. Lieden die hierbij betrokken zijn geraakt en dat beter niet hadden kunnen raken, of lieden die simpelweg uit eigen motieven nieuwsgierig zouden kunnen zijn. Ik doel hier op de majoor van de Waterjongens, die je hebt ontmoet en aan zijn superieur, de kolonel en ik doel hierbij ook op Whatley. Ze verstaan allemaal hun vak, en goed ook, maar ze kunnen maar beter in staat worden gesteld deze voorvallen te vergeten, zodat ze zich op andere zaken kunnen concentreren.

Ja, dat begrijp ik.

En ik bedoel het niet sentimenteel als ik zeg dat Maud moet weten dat jij in leven bent omdat het anders niet zou werken. Ik vind dat zij het om veiligheidsredenen dient te weten. Want als zij het niet weet, dan denk ik niet dat ik kan beletten dat zij er op de een of andere manier toch probeert achter te komen en dat zou wel eens problemen kunnen veroorzaken. Niet zozeer door het werk dat ze doet, maar vanwege de connecties die ze heeft.

Ja. Ik weet overigens hoe hecht de band tussen haar en de majoor is. Dat heeft ze me verteld.

Ik wilde er niet over beginnen, zei Bletchley. Daar leek geen reden voor te zijn.

Die was er ook niet, van jou uit gezien. Ik zeg het alleen maar om je duidelijk te maken dat ik echt begrijp wat het betekent in termen van beveiliging, en de overeenkomst tussen jou en mij.

Joe aarzelde.

Het is jouw zorg niet, dat weet ik, maar hoe zit het met Bernini in New York?

Bletchley schudde zijn hoofd. Hij keek uit over de rivier en schudde opnieuw zijn hoofd.

Daar heb ik over nagedacht, Joe, en ik weet niet wat ik moet zeggen. Zo vannacht hier, buiten, lijkt New York heel ver weg van de oorlog en Bernini heeft niets met de oorlog te maken en zal er ook nooit in betrokken worden. Dus op het eerste gezicht zou er geen dwingende reden zijn waarom jij en Bernini niet... Maar verdomme, bekijk het eens van de andere kant, Joe. We moeten met alles rekening houden en Harry weet van Bernini, en we weten niet waartoe dat kan leiden, Harry en Maud, bedoel ik, dus ook dat is op het ogenblik gewoon te riskant. Jouw dood en al het andere moeten absoluut gewaarborgd en zeker zijn, zonder een spoor van bewijs van het tegendeel. Per slot van rekening betreft het iets wat voor alles gaat. Voor *al* het andere. Dus misschien ooit, als de oorlog voorbij is... als dat ooit gebeurt...

Bletchley schudde verward, bedroefd zijn hoofd.

Ik zou trouwens niet weten wat je op dit moment tegen Bernini zou kunnen zeggen, hoe je het een en ander aan hem zou kunnen uitleggen. Ik bedoel... nou ja, je moet me niet kwalijk nemen, maar voor zover ik begrijp is hij niet het soort jongen, jongeman, die zoiets kan vatten. Hoe zou hij zelfs maar iets kunnen begrijpen van de Monniken en de Waterjongens in Egypte, of van een mysterieuze woonboot op de Nijl, of van de Sfinx die op een heldere nacht het woord richt tot Harry en wat dat betekent. Neem me niet kwalijk, Joe, ik zie niet in hoe Bernini daar ook maar iets van zou kunnen begrijpen.

Joe glimlachte.

Of hij begrijpt er niets van of hij begrijpt het beter dan wij.

Joe?

Nee, het geeft niet. Ik begrijp het en natuurlijk heb je gelijk, en het zal gaan zoals je zegt. Maud zal hem moeten laten weten dat ik bij een brand ben omgekomen...

Hij zal het alleen niet geloven, dacht Joe. Hij niet, geen moment. Maar dat doet er niet toe. Ooit zullen wij samen nog wel eens de gelegenheid hebben om alles uit te praten. Na de oorlog. Ooit...

Bletchley keek op zijn horloge. Hij pakte de flacon cognac.

We hebben nog een beetje tijd over, zei hij, plotseling verlegen, op een geforceerde toon.

Hij nam een slok uit de flacon en gaf hem door aan Joe.

Ik weet niet, zei hij, ik weet niet of... of je nog over andere dingen wilt praten.

Over wat er is gebeurd, bedoel je?

Ja.

Ach, nu we hier toch zitten. Misschien zijn er wel een paar dingetjes.

Zoals je wilt, Joe. Ik zal je vertellen wat ik kan en wat ik je niet kan vertellen dat houd ik voor me.

Joe raakte Bletchleys arm aan en Bletchley wendde zijn blik af van de rivier om hem aan te kijken.

Er is één ding dat me dwarszat, zei Joe. Het heeft te maken met Stern. Ik vroeg me af of hij op de een of andere manier kan hebben geweten waar die handgranaat zou ontploffen. En wanneer?

Diepe groeven verschenen in Bletchleys voorhoofd en hij glimlachte op een hoogmoedige manier, waarbij zijn goede oog uitpuilde, een verwrongen, zelfgenoegzame uitdrukking.

Verbazing, bracht Joe zichzelf in herinnering. Bletchleys gezicht in geval van verbazing.

Wat bedoel je? vroeg Bletchley. Ik geloof niet dat ik je goed begrijp. Hoe zou Stern dat hebben kunnen geweten?

Iemand zou het hem hebben kunnen verteld, zei Joe.

Wie?

Jij.

Bletchleys ene wenkbrauw schoof omlaag en de rimpels in zijn voorhoofd verdwenen. Zijn uitdrukking werd er een van doortraptheid. Sluw, hardvochtig, berekenend.

Spijt, bracht Joe zichzelf in herinnering, Bletchleys gezicht van droefenis en berouw.

Bletchley had zoveel moeite met antwoorden dat hij bijna begon te stotteren.

... ik?

Ja, jij. Jij bewonderde hem en jij zou dat voor hem kunnen hebben gedaan. Per slot van rekening was hij uitgerangeerd en dat wist hij, en dat wist jij, dus je zou hem een handje kunnen hebben geholpen door hem te vertellen waar en wanneer. Zodat hij er niet over na hoefde te denken en met andere dingen kon doorgaan en zijn zaakjes op zijn eigen manier kon regelen.

Ik begrijp het niet. Welke zaakjes heeft hij ge-ge-ge-regeld?

O, met Maud, om maar wat te noemen. Hij was de avond voordat hij werd gedood bij haar en heeft haar een heleboel dingen verteld die hij nooit eerder had verteld, en het was een soortement recapitulatie en een laatste afscheid, daar liet hij geen misverstand over bestaan. Ze hebben de hele nacht bij de piramiden gezeten en toen, bij zonsopgang, heeft hij een foto van haar gemaakt. Maud kordaat en glimlachend voor hem op zijn laatste dag, met op de achtergrond de Sfinx en de piramiden, een foto die ze altijd bij zich zal dragen, gemaakt door Stern op de laatste dag van zijn leven. Omdat hij dat zei, omdat hij tegen haar heeft gezegd dat dat de laatste zonsopgang was die hij ooit zou aanschouwen. En hij leek het echt te weten. Hij wekte niet de indruk ernaar te raden.

Bletchley sloeg zijn ogen neer en keek naar zijn handen, de normale en de mismaakte met zijn strak gehechte huid.

Dat wist ik niet, Joe. Ik wist niet wat hij Maud heeft verteld. Maar als dat zo is, dan schijnt hij het te hebben geweten. Je hebt gelijk.

En dus?

Bletchley bedekte zijn slechte hand met zijn goede. Hij greep zijn slechte hand en omklemde die stevig.

Je moet sommige dingen begrijpen, Joe. Achmed en Cohen en Liffy, die dingen waren nu eenmaal gebeurd. Het was verkeerd en het had niet mogen gebeuren, maar het is toch gebeurd. Maar de handgranaat in de kroeg... dat *was* puur toeval, dat *was* een ongeluk. Een stel soldaten was op kroegentocht en aan het knokken en een van hen smeet voor de grap, in zijn dronkenschap, een handgranaat naar binnen door een open deur van een armetierige Arabische kroeg die geen van hen ooit eerder had gezien, voor de grap... Nou ja, ik hoef jou niet te vertellen hoe grappig de wereld is, maar niemand heeft er bevel toe gegeven en niemand was ervan op de hoogte. Het Klooster had er niets mee te maken en verder ook niemand anders, afgezien van de soldaat die de handgranaat gooide. Niemand kende het bestaan van die kroeg of wie er binnen waren. Niemand had er ooit van gehoord. Het was allemaal louter toeval.

Bletchley greep zijn slechte hand nog steviger vast alsof hij zijn lelijkheid wilde verbergen.

Ik heb er een onderzoek naar laten instellen en het is me gelukt de soldaten op te sporen. Het waren Australiërs die op Kreta waren geweest toen het eiland werd ingenomen en op de een of andere manier waren zij erin geslaagd zich niet gevangen te laten nemen. Ze hadden zich maandenlang schuilgehouden in de bergen en pas dit voorjaar zijn ze van Kreta ontsnapt door in een roeibootje de Libische Zee over te peddelen. Al met al waren de ontsnapten met z'n vijven en die avond hebben ze het op een zuipen gezet om het nog eenmaal te vieren. Ze waren allemaal elders gedetacheerd en hun eenheid zou de volgende dag naar het front afreizen. En zo is het gegaan en van de vijf zijn er nu twee dood en is er één vermist en dood verondersteld en nog een ander gewond... Hun nieuwe eenheid heeft het zwaar te verduren gehad. Na een paar uur was er weinig meer van over. De man die de handgranaat had geworpen hoort tot de gesneuvelden. Dat is officieel bevestigd. Geen van de vijf was boven de twintig.

Bletchley deed er het zwijgen toe. Hij wiebelde heen en weer, zijn hand omklemmend.

Dat is alles, voegde hij er op fluistertoon aan toe. Dat is alles...

Joe staarde over de rivier.

En zo zit dat dus, zei hij. En wat we Sterns noodlot noemen blijkt niet meer te zijn dan een stel kerels die 's nachts rondzwalkten en voor de lol nog een rondje namen voordat ze zelf aan de beurt waren, en de vrolijkheid was speels maar niet echt. En de hand van het noodlot behoort toe aan een twintigjarig jochie uit Australië, nu dood, dat misschien *Waltzing Matilda* wilde zingen als hij door de zandwoestijnen van het Midden-Oosten marcheerde zoals zijn vader de vorige keer, in de voorgaande oorlog, had gedaan. Veel kans heeft hij niet gehad, dat joch, veel en veel te jong. En gaan ze nu een onderscheiding naar zijn familie thuis opsturen, omdat hij de bergen van Kreta had overleefd en over zee was ontsnapt en bij een plaats ergens in de woestijn die El Alamein heet op zijn twintigste aan flarden werd geschoten? Doen ze dat voor een Australisch jochie die een liedje in gedachten had?

Ik denk het, fluisterde Bletchley, heen en weer wiegend, zijn slechte hand omklemmend.

Vast en zeker, zei Joe. Zijn eenheid heeft het zwaar te verduren gehad en hijzelf ook, en zo gaat dat nu eenmaal. En de geschiedenis heeft de gewoonte nu eenmaal niet op grootse wijze af te rekenen met zijn grootse gebeurtenissen, nietwaar? Stern, die in een morsige tent het loodje legt zonder een samenzwering in zicht, zonder dat de grootmachten of de mindere machten er iets van merken, en welke roem wacht hem? Wat zal maken dat Sterns dood niet wordt vergeten?

Joe duwde een steentje de rivier in.

Niets natuurlijk. Niets wat die smerige tent bereikt dan de gebruikelijke kreten in de nacht, de gebruikelijke nutteloze kreten die uiteindelijk in Sterns oren weergalmen. Alleen een paar kreten en wat dronken geschreeuw en *klote bruinjoekels* en dat was het voor Stern en het is zoals je zegt. Niemand kende die kroeg en niemand had enig idee wie zich daarin bevonden, en niemand vaardigde een bevel uit en niemand wist ergens iets van af. Het hele voorval gewoon een kwestie van de nacht die voorbijgaat... Alleen de nacht, zoals Stern zei.

Ach ja, ik denk dat ik dat ook al had vermoed, dat die handgranaat gewoon toeval was, bedoel ik. Ik wilde alleen maar zeker weten dat ik het bij het rechte eind had. Stern had altijd een voorliefde voor juist dit stukje van de woestijn, en na al die jaren op een bepaalde manier te hebben geleefd... Nou ja, ik denk dat je leert dingen te voorvoelen, dat is alles, en Stern voelde het wanneer, en wat het waar betreft, nou ja, wat kun je meer zeggen over die kroeg dan dat het Sterns favoriete soort tent was? Een armetierige kale kamer met kale muren en een kale vloer en alles gehuld in meer dan halve duisternis, een desolate plek en ongastvrij, verschrikkelijk ongastvrij, maar ook het soort plek dat Stern begreep. Hij was vertrouwd met die kale vloer en die kale muren, hoewel die nooit voor het leven geschikt waren, zoals hij zei... Kaal, dat is het 'm. Kaler dan kaal en een gebarsten korrelige spiegel om het koninkrijk te kunnen overzien en een gerafeld gordijn als de poort van het koninkrijk, een smoezelig, onvriendelijk oord. En buiten kreten en gelach en geschuifel en een handgranaat die uit het niets naar binnen zeilt, de duisternis die Stern eindelijk tegemoetkomt in een gebulder van verblindend licht... *Licht.* Stern verdwenen. Ja...

Joe zuchtte.

Afijn, zo is het dus gegaan. Maar wat als die Australische kerels op weg naar hun dood in de woestijn nu eens niet door juist die steeg waren gestrompeld? En wat als ze lang niet zo dronken en zo baldadig waren geweest en niet voor de lol een handgranaat hadden gegooid naar die klote bruinjoekels? Wat dan? Zou er dan een ander soort ongeluk zijn geweest dat Stern had getroffen voordat de nacht voorbij was?

Bletchley schudde zijn hoofd, zijn ronde oog uitdrukkingsloos, uitpuilend en nietszeggend.

Dat geeft geen pas, Joe, dat geeft in het geheel geen pas. Dat is geen vraag en het verdient geen antwoord en dat weet je heel goed. Er zijn geen *wat-alsen* in deze branche, alleen *wat is* en niets anders. *Wat als* is spelen met dingen en dat doe jij niet, en dat doe ik niet, en dat deed Stern niet... Of vraag je me of ik ooit, ergens, als dat noodzakelijk mocht zijn, opdracht zou hebben gegeven om Stern te liquideren? Tja, het antwoord op die vraag is overal en altijd. En ik zou jou ook laten doden en ook de hand aan mezelf slaan als dat nodig mocht zijn. Ik haat nazi's en ik ben tot *alles* bereid om te zorgen dat ze worden verslagen.

Bletchleys oog puilde enorm uit, was overweldigend in zijn naaktheid.

Hoor je wat ik zeg, Joe? *Tot alles.* Ik geloof in het leven en de nazi's dragen het doodshoofdinsigne en zij *zijn* de dood. Dus speel hier geen spelletjes. Dit is geen spelletje waar we mee bezig zijn.

Joe knikte.

Je hebt gelijk en dat had ik verdiend. Die vraag gaf geen pas. Neem me niet kwalijk... Dus afgezien van die kale grot die voor een kroeg moest doorgaan en een man die Stern heette en een verdwaalde granaat in de nacht, zijn er de laatste dagen wat dingen uit de hand gelopen, neem ik aan? Een kwestie van iemand, zeg Whatley, die zijn rechtschapen weg kiest uit naam van God en het goede? Is dat de reden van die andere moorden?

Er was een ernstig misverstand, zei Bletchley. Er zijn fouten gemaakt maar ik sta aan het hoofd van het Klooster, dus is het mijn verantwoordelijkheid. En van niemand anders.

Dat is maar al te waar, zei Joe. Zo gaat het altijd als je het bevel voert, en Stern kon dat aan en jij kunt dat ook, maar ik kon het nooit. Nou ja, daarover valt niets meer te zeggen, maar zou je me misschien kunnen zeggen wat je *wel* voor ogen stond toen je besloot me hierheen te halen?

Natuurlijk, dat is doodsimpel. Er was wat nieuwe informatie over Stern boven water gekomen en die baarde me zorgen.

Bedoel je met nieuwe informatie bepaalde feiten die te maken hebben met Sterns Poolse avontuur?

Ja.

Kun je me zeggen hoe die informatie boven water is gekomen?

Bletchley keek hem aan.

Nee, dat kan ik niet. En trouwens, Joe, de man die naar Caïro kwam om de waarheid omtrent Stern te achterhalen is omgekomen bij een brand in Hotel Babylon, en zijn belangstelling is met hem gestorven.

Dat is waar ook, zei Joe. Een brand heeft het uiteindelijk beslist... En jou kwam die nieuwe informatie dus ter ore en wat toen?

En die baarde me zorgen, zei Bletchley. Ik wist dat Stern niet in orde was en ik was bang dat hij dingen losliet tegenover degenen die hem na stonden. Ik wist niet wat er zou kunnen gebeuren en ik dacht dat iemand van buiten misschien zou kunnen helpen, iemand die Stern in een andere context had gekend, iemand van vroeger. Dus nam ik zijn dossier door en stuitte op jouw naam.

Bletchley keek omlaag naar de rivier en er kwam een treurige uitdrukking op zijn gezicht.

Als ik je in het begin meer had verteld, was het misschien anders gelopen. Maar dat... nou ja, zo was het niet.

Hoe het was, mompelde Joe. Hoe het was...

Joe kneep zijn ogen half dicht en staarde over de rivier.

Bletchley?

Ja?

Luister naar me. Je moet je geen zelfverwijten maken. Jij bent hier ook middenin gevallen, net als de rest van ons. Net als ik, net als Liffy, als David en Achmed en alle anderen. Jij bent hier niet mee begonnen en met wat je voorgeschoteld kreeg heb je je uiterste best gedaan, dus ontzie jezelf een beetje...

Joe wachtte even.

Hoe dan ook, voegde hij eraan toe, ik weet wie jou van Sterns Poolse avontuur heeft verteld.

Bletchleys hoofd schoot achteruit en hij hief zijn handen op om Joe ertoe te bewegen, zelfs bijna te smeken, ermee op te houden.

Geen namen, fluisterde hij. In jezusnaam, Joe, geen namen. We hebben hier niet over gesproken.

Joe knikte.

Nee, we hebben er niet over gesproken en er zullen geen namen worden genoemd. Ik verwijs alleen naar onbekende personen en naar hun voortdurende klaagzang die half zo oud is als de tijd, een dubbelzinnige voordracht tot de sterren en een lofzang zo anoniem als de nacht. Geen namen dus, maar ik wil dat je weet dat je hier niet alleen bent, want ik weet wie het je heeft verteld en ik weet waarom ze het jou hebben verteld.

Bletchley zat bewegingloos, niet in staat Joe aan te kijken. Opnieuw wachtte Joe even en staarde hij over het water. Hij sprak met heel zachte stem.

Ja, ze hielden van hem, en ze hielden te veel van hem om hem zo ineen te zien storten. Ze konden het gewoon niet verdragen want Stern nam een bijzondere plaats in hun hart in. Je kon het in zijn ogen zien, zeiden ze, en je kon het horen in zijn lach... *Hoop,* zeiden ze. Want hij was een man die bij de rivier stond en grootse dingen zag, en zijn ogen fonkelden bij de pracht van het geschenk, als een hongerige man die naar een copieuze tafel wordt geleid. *Dierbaar,* zeiden ze. *Zo zal het altijd blijven,* zeiden ze.

Maar toen zagen ze hoe hij ineenstortte als de wereld zelf, en hij was hen te dierbaar om zo de vernieling in te laten gaan, veel en veel te mooi, dus namen ze de last van zijn schouders en spraken tot hem... *We zouden alles voor hem willen doen,* zeiden ze tegen mij. *Maar het enige wat*

we voor hem kunnen doen is wenen, en dus doen we dat... voor Stern, on-
ze zoon.

Joe voelde Bletchley naast zich bewegen. Hij sloeg zijn ogen neer en zag dat Bletchley iets uit zijn zak had gehaald, het in zijn goede hand hield en langzaam om en om draaide.

Dat lijkt wel een oude morsesleutel, zei Joe. Verweerd en glad met een zachte glans erop, zoals dingen worden nadat ze heel vaak zijn gehanteerd... Vertel me eens, wat gebeurt er met de crypte van de oude Menelik?

Niets, zei Bletchley. Zij blijft zoals ze is... op slot. Zoals zij is achtergelaten.

Mooi. Dat is tenminste iets.

Langzaam draaide Bletchley de morsesleutel om en om in zijn goede hand.

Ik moet er ook nog bij vermelden, zei hij, dat iemand vóór de brand jouw kamer heeft doorzocht. Er werd niets gevonden dan een paar kleren en jouw kleine valies. In het valies zat een verschoten rode wollen muts en een kaki deken uit de Krimoorlog. Was er nog iets anders?

Nee, dat was het wel, zei Joe. Zij zijn de weg van het vuur gegaan, neem ik aan?

Bletchley knikte. Joe schudde zijn hoofd.

Dat moet *De Derde Wet van Liffy* zijn, zei Joe. Ik denk dat hij geen tijd had om die te vermelden. *Alleen de dingen waarom je geeft gaan in rook op.*

Hij nam nog een slok uit de flacon en ze deden er beiden het zwijgen toe en staarden uit over de rivier.

Waar zat je zonet aan te denken? vroeg Joe.

Aan het front. El Alamein.

Zullen ze standhouden, naar jouw mening?

Ik hoop het. Het zal in ieder geval wel moeten. Het tij moet keren en dat moet nu gebeuren anders verliezen de mensen de hoop.

Ja. En wat doe jij ondertussen met die talisman in je hand, denk je?

Die draag ik een tijdje bij me, zei Bletchley, en ooit op een dag, als het zo uitkomt, geef ik die aan iemand.

Aan wie?

Bletchley keek hem heel even aan en wendde toen zijn blik af.

Wist jij dat er een kind was, Joe?

Wiens kind? Wat bedoel je?

Eleni en Stern. Wist je dat zij een kind hadden?

Joe was stomverbaasd.

Wat? Is dat echt waar?

Ja.

Weet je het zeker?

Ja. Stern heeft me van haar verteld. Ze is nu een jonge vrouw.

Joe floot zachtjes.

Maar dat is gewoon verbazingwekkend. Wie is ze? Waar is ze? O mijn God.

Ze is Grieks, zei Bletchley. Ze is in Smyrna geboren maar opgegroeid op Kreta. Eleni's oom, Sivi, had familie op Kreta. Zijn vader kwam daarvandaan, uit een dorpje in de bergen.

Dat weet ik.

Nou ja, daar is ze opgegroeid toen Eleni het niet meer kon bolwerken. Stern heeft haar daar als kind naartoe gebracht.

Joe floot heel zachtjes.

Dat is gewoon verbijsterend. Wat weet je nog meer over haar?

Heel weinig, dat is eigenlijk alles. Het kwam ongeveer een jaar geleden op een vreemde manier ter sprake. Vlak na de val van Kreta. Stern zei dat hij daar een spion had die bepaalde dingen kon bereiken door zich voor te doen als een collaborateur met de Duitsers. Maar toen hij me haar beschreef vond ik dat ze veel te jong was voor wat hij met haar voor had. Ik vond niet dat we op zo iemand konden vertrouwen in zo'n delicate rol, en toen vertelde Stern dat ze wel degelijk kon worden vertrouwd omdat ze zijn dochter was. Ik was even verbaasd als jij nu bent. Uiteraard draagt ze niet zijn naam. Ze gebruikt de Griekse naam van Sivi's familieleden.

Dat is gewoon verbluffend, zei Joe.

Er schoot hem iets te binnen en hij dacht een ogenblik na.

Wacht eens even. Als ik me goed herinner was het van een spion die zich voordeed als collaborateur dat Stern hoorde hoe Zwarterik op Kreta is gestorven? Die keer dat Stern daar speciaal naartoe reisde, na de dood van Zwarterik?

Ja. Dat was zij.

Joe glimlachte.

Wat was die Stern toch een bedrieger, altijd weer een nieuwe verrassing onderweg. Besef je wel dat ik zelfs niet van het bestaan van Eleni afwist tot in die laatste avond in de kroeg? En nu blijkt dat er een kind is. Absoluut verbijsterend, dat is het. Weet nog iemand anders van haar bestaan af?

Dat betwijfel ik. Ik ben er vrij zeker van dat niemand het weet. Het scheen iets te zijn dat hij heel graag voor zichzelf wilde houden. Hij heeft mij gevraagd het aan niemand te vertellen.

Waarom? Heeft hij dat gezegd?

Niet met zoveel woorden, maar het was duidelijk dat het met zijn werk te maken had. Dat en het feit dat hij haar op geen enkele wijze in gevaar wilde brengen.

Toch had ze Kreta kunnen verlaten voor het werd ingenomen, zei Joe, of waarschijnlijk zelfs daarna. Daar had Stern voor kunnen zorgen. Waarom heeft hij dat niet gedaan?

Ik had de indruk dat zij niet weg wilde.

O.

Joe schudde zijn hoofd.

En ondanks alles wat hij me die laatste avond vertelde, heeft hij daar nooit op gezinspeeld. Waarom, vraag ik me af? *Waarom?*

Om dezelfde reden dat hij het nooit aan iemand anders heeft verteld? Zelfs niet aan Maud?

Ja, dat zal wel. Toch lijkt het vreemd... Maar weet je verder helemaal niets over haar?

Nee, echt niet. Hij wilde er niet veel over loslaten, afgezien van wie ze was en waar ze was.

Joe deed er even het zwijgen toe. Opeens raakte hij Bletchleys arm aan en deed hem opschrikken.

Maar Stern heeft jou ook gevraagd niemand iets over haar te vertellen. Waarom heb je dat toch gedaan?

Bletchley schoof een beetje heen en weer op zijn plaats. Hij leek zich slecht op zijn gemak te voelen.

Omdat jij weggaat. En omdat behalve ik niemand het weet, en omdat daar altijd iets zou kunnen gebeuren, nou ja, vond ik...

Bletchleys stem stierf weg. Hij keek op zijn horloge.

Het begint al laat te worden. We moeten zo op weg naar het vliegveld.

Nog heel even, zei Joe. Volgens mij is er nog iets waarover we het niet hebben gehad.

Dat is niet waar, wat ik je kan vertellen heb ik je verteld. Er zijn bepaalde aangelegenheden...

Dat weet ik, maar ik doelde niet op bepaalde aangelegenheden. Ik bedoel iets tussen jou en mij.

Het is al laat, zei Bletchley. We moeten langzamerhand...

Bletchley maakte aanstalten op te staan, maar Joe legde zijn hand op Bletchleys arm en hield hem tegen.

Alleen nog dit. Wat was de werkelijke reden dat je mijn naam uit Sterns dossier opdiepte?

Dat heb ik je verteld. Dat was omdat jij Stern vroeger goed hebt gekend en omdat je je om hem bekommerde en omdat je over de ervaring en het temperament leek te beschikken die we voor deze missie nodig hadden.

Ja. Ga verder.

Maar dat is alles.

Nee, dat is het niet.

Niet?

Joe schudde, nog steeds glimlachend, zijn hoofd.

Nee, natuurlijk niet. Dat is wat er in de stukken geschreven staat en dat is wat Londen is voorgehouden, maar dat is lang niet alles.

Ik heb je de waarheid verteld, zei Bletchley op uitdagende toon.

Ja, en dat heb je altijd gedaan, en daar ben ik je erkentelijk voor. De kwestie is alleen dat je hier en daar ook dingen hebt weggelaten, stukjes en flarden in de loop van je verhaal. En we weten allebei dat dat de slimste manier is om dingen te verzwijgen voor anderen of voor onszelf. Maar waarom ga je, nu ik toch wegga, niet eens één keer door en zeg je die dingen tegen jezelf? Verberg je ze niet langer? Nu dan. Je hebt Sterns dossier bestudeerd en mij gekozen. Waarom? Wat is de rest van het verhaal?

Plotseling maakte Bletchley zijn arm los uit Joe's greep. Hij leek zowel kwaad als gekwetst toen hij voor zich uit staarde over de rivier, met een wezenloze uitdrukking op zijn gehavende gezicht, zijn oog opengesperd en uitpuilend. Toen hij sprak was zijn stem schor van verbolgenheid.

De rest van het verhaal...? Ik begrijp niet wat je bedoelt.

O jawel, zei Joe op gedempte toon, en wat doet het er nog toe hier en nu tussen ons gezegd en gezwegen? En waarom zou het er überhaupt toe doen? Ik ga weg, nee, ik verdwijn zelfs, ik verdwijn en ik zal nooit meer over deze dingen kunnen spreken... dus hoe zit het? Waarom niet de rest van het verhaal?

Bletchley maakte een verwarde, bijna een angstige indruk. Zijn verbolgenheid was verdwenen en zijn stem was weinig meer dan een fluistering.

Bedoel je... Zwarterik?

Ja, zei Joe... *Zwarterik*. Hem bedoel ik.

♦

Bletchley pakte opnieuw zijn slechte hand en bedekte hem met zijn goede.

Nou ja, ik kende hem. Natuurlijk kende ik hem. Ik had met hem samengewerkt.

Vaak?

Nee, niet echt. Pas sinds het begin van de oorlog, voordat hij werd gedood. En ik kende hem niet zo goed als sommige anderen, de kolonel van de Waterjongens, bijvoorbeeld, Harry's baas. Hij had in de jaren dertig heel vaak met Zwarterik samengewerkt, dus hij kende hem heel goed. Maar toen was ik hier weinig, meestal in India. Dus Zwarterik heb ik niet vaak gezien, hoewel ik wel het een en ander over hem wist, vanwege zijn reputatie.

En bewonderde je hem?

Maar natuurlijk. Iedereen bewonderde hem. Hij was zo'n begaafde man en hij leek altijd alles met zoveel durf te doen.

En meer dan dat, zei Joe zachtjes, je benijdde hem, nietwaar?

Bletchley keek Joe even aan en keek toen weer uit over de rivier, zijn oog rond en uitdrukkingsloos, in verwarring.

Ik denk van wel, zei hij op gedempte toon.

Joe boog zich naar voren.

Omdat hij alles was wat jij nooit zou kunnen zijn, was dat het?

In zekere zin, misschien. Maar ik weet niet wat dit allemaal...

Simpelweg alles, zei Joe. Een held uit de vorige oorlog en een grote, een held die er lichamelijk en geestelijk ongeschonden uit tevoorschijn komt, zonder kapotgereten gezicht en een kreupele hand en misschien nog wel andere verminkte onderdelen. Die als jongeman zo beroemd was dat hij het zich kon veroorloven eenvoudigweg in dienst te treden bij het Britse Kamelenkorps als soldaat Gulbenkian. Die zo zeker was van zichzelf en van wie hij was dat hij zich nooit zorgen hoefde te maken over rangen en standen en functies, of zelfs maar over zijn eigen naam, stel je dat eens voor. Die zelfs een A.O. Gulbenkian op een kamelenrug kon zijn, anoniem naar het zich liet aanzien, en toch beroemd kon zijn wanneer dat zo uitkwam omdat hij als puntje bij paaltje kwam, ongeacht welke naam hij gebruikte of welke vermomming hij aantrok en ongeacht waar hij heen ging, toch altijd *Onze Zwarterik* zou zijn.

Dat is waar. *De* sergeant van het Britse Rijk, *Onze Zwarterik van Champagne,* een levende legende, wat er ook gebeurde. Weet je nog wat ze over hem zeiden toen we nog jong waren? *Onze Zwarterik* was onstuitbaar, overal en altijd. Hij was enig in zijn soort en een uniek mens en zo maken ze ze tegenwoordig niet meer, dat zeiden ze over hem... *Onze Zwarterik?* Hij was de man die de waarschijnlijkheidsleer honderd malen tartte en daarmee wegkwam. Geen man kon ooit doen wat hij had gedaan, maar *Onze Zwarterik* flikte het toch maar... Dat zeiden ze vroeger, toch?

Ja, fluisterde Bletchley... *O ja.*

Nou en of. *O ja,* zeg dat wel, en ik het herinner het me en jij herinnert het je ook. Maar heb je ooit geweten dat Zwarterik heel lang geleden in het begin, toen de vorige oorlog uitbrak, probeerde dienst te nemen bij de mariniers?

Nee, dat heb ik nog nooit gehoord, zei Bletchley. Is dat waar?

Ja, ze wilden hem niet hebben. Onder de maat, dat was Zwarterik, al met al te schriel. Dus probeerde hij het daarna bij de marine, maar daar moesten ze al evenmin iets van hem hebben. Niet alleen was hij onder de maat, maar zijn kennis van het Engels was ook nog tamelijk gebrekkig. *Ja. Nee. Dank u. Wilt u de aardappelen even doorgeven?* Een onvolgroeide jeugd, begrijp je. Hij kon als jongen altijd goed overweg op een vissersboot, maar de koude winden hadden hem onderboord gehouden en die hadden er ook voor gezorgd dat hij geen gram aankwam. Koude winden kunnen dat. Je verliest gewicht om uit de wind te blijven en je lichaam enigszins warm te houden. Daarna klopte Zwarterik dus aan bij de landmacht en die maakte er geen punt van, als een lichaam maar een beetje warm was, dus zij wilden hem wel hebben. Een schriel onvolgroeid kind dat niet goed uit zijn woorden kon komen. Dat was Zwarterik en zo is het voor hem begonnen.

Dat heb ik nooit geweten, zei Bletchley.

Nee, de meeste mensen niet. Een held is nu eenmaal een held en die zien we graag in kommervolle tijden. Dus kwam Zwarterik bij de landmacht door te liegen over zijn leeftijd en door een paar liter water te drinken voor ze hem op de weegschaal zetten, en toen piste hij er weer flink op los en ging naar Frankrijk waar hij deed wat hij deed, en korte tijd later stond hij bekend als *Onze* Zwarterik, van iedereen, de man die de waarschijnlijkheidsleer tartte en daarmee wegkwam. En later deed hij hetzelfde soort dingen hier, op de rug van een kameel, een myste-rieuze Gulbenkian in vermomming die allerlei drieste streken uithaalde in Ethiopië en Palestina en Spanje.

Dat was dus de weg en het pad van Zwarterik, of van *Onze*, en we hebben het er in Jeruzalem wel eens over gehad, toen ik daar nog po-ker speelde, vlak voordat ik wegging. Zwarterik kwam bij me op bezoek en toen hebben we ons gemak genomen en het erover gehad. En het ergste van een *Onze* zijn, zei hij, is dat je moet beantwoorden aan de verwachtingen van de mensen. Je moet steeds meer en meer van jezelf geven, zei hij, totdat...

Niet dat wat hij deed hem niet beviel, dat beviel hem uitstekend. Eigenlijk was hij er verzot op. Maar evengoed... en toch... zoals hij zei. *Maar evengoed. En toch.*

Zeker. Je weet nog wel al die verhalen die ze over *Onze Zwarterik* ver-telden toen we jong waren. Ik heb ze vaak genoeg gehoord en jij moet ze ook hebben gehoord, ongeacht in welk hospitaal je toentertijd lag, toen je je nutteloos voelde met je dromen van een loopbaan in het le-ger even aan flarden geschoten als jijzelf, even verbrijzeld als de linker-kant van je eigen gezicht. En misschien heb je meer dan eens aan Zwarte-rik gedacht toen de daaropvolgende jaren verstreken en je nog steeds werkloos in hospitaalbedden lag te wachten terwijl ze de ene nutteloze operatie na de andere op je uitvoerden en probeerden de rest van die splinters glas en metaal uit je oogkas te verwijderen, en je maar wacht-te en wachtte totdat ze de brug van je neus een beetje hadden gere-construeerd en je hand steeds weer opnieuw braken en het weer op een andere manier probeerden om te zorgen dat je die weer een beetje zou kunnen bewegen.

Jij wachtte maar en je wachtte maar. Je wachtte en je hoopte dat ze er een glazen oog in zouden kunnen zetten. Maar de botten en de spieren waren er niet meer en het glazen oog leek net een gekleurde kraal ergens in de zijkant van je gezicht, dus moest je je tevredenstellen met een oog-lapje waar je omheen moest vegen en wat maakte dat je werd aangegaapt.

En misschien dacht je opnieuw terug aan *Onze Zwarterik* toen er meer jaren verstreken en je besloot hiermee genoegen te nemen, omdat het nog het meeste leek op een baan in het reguliere leger, wat het enige was in het leven dat je altijd had gewild, omdat je uit een geslacht van mi-litairen stamde en je was opgegroeid met de gedachte dat je misschien ooit, ooit zelfs je eigen regiment zou aanvoeren. Misschien zelfs het re-giment waarover je vader het bevel voerde en zijn vader voor hem, want het was een loopbaan en een roeping die in je genen zat en gewoon een natuurlijk onderdeel vormde van vaders en zonen, een natuurlijk element in de orde der dingen... Niets om je over te verbazen. Zo was het nu eenmaal.

Of liever, zo was het bij aanvang geweest, voordat het anders liep. Voordat je als jongeman naar het front ging en een verrekijker voor je oog hield en een kogel de kijker versplinterde en je gezicht versplinterde en alles in je nabijheid versplinterde en alles wat je was en zou zijn, elke droom die je ooit had gehad versplinterde en je achterliet met een gezicht dat kinderen angst aanjaagt en ongeveer iedereen angst aanjaagt, als je het weten wilt.

Het boze oog, Bletchley. Iedereen wordt er heimelijk door afgeschrikt en jij weet waarom dat zo is. Wij kijken naar je en we zien iets wat ons ook kan overkomen, wat wij *zijn*, en dat maakt ons doodsbang. Dus proberen we niet naar je te kijken en proberen we je te negeren omdat we per slot van rekening toch niet zijn zoals jij, natuurlijk niet, we lijken totaal niet op je.

Denk je eens in. Nu, nu er een grote oorlog woedt en iedereen iedereen voor de lol vermoordt... denk daar nu eens even rationeel over na. Kinderen kijken je aan en beginnen te gillen. Kinderen kijken je aan en vluchten weg. Maar zeggen de overigen van ons geen aardige dingen tegen kleine kinderen? Glimlachen wij niet naar hen en glimlachen ze niet terug? Natuurlijk, en wij zijn niet zoals jij, wij zijn niet afzichtelijk. Dat is niet de reden dat de hele mensheid ergens wel iemand vermoordt. Er steekt geen kwaad in ons...

En dus verachten we je een beetje omdat dat het gemakkelijkst is. Omdat jij niet echt menselijk bent, omdat jij niet bent als de overigen. Want wij zijn niet lelijk, en jij bent dat wel, en wij willen niet tegen dat smoel van jou aankijken. Ons eigen gezicht... enigszins aangepast ten gevolge van bepaalde omstandigheden...

Bletchley schoof ongemakkelijk heen en weer op zijn plaats aan het einde van de kleine pier, naast Joe. Hij had zijn slechte hand vastgeklemd in zijn goede en staarde over de rivier, niet goed wetend wat hij aan moest met Joe's plotselinge woordenstroom, zo veeleisend en opdringerig, zo heel anders dan alle kanten van Joe die hij eerder had gezien.

Joe, ik denk dat...

Ik weet het. We moeten ervandoor en ik ben bijna klaar, en dat zal ik helemaal zijn tegen de tijd dat de feloek haar steven weer in de wind keert. Ze vaart stroomopwaarts en staat op het punt de steven te wenden, dus geef haar nog een paar seconden de tijd om van haar huidige koers overstag te gaan.

Joe glimlachte. Hij raakte Bletchleys arm aan.

Ik zeg dit allemaal niet zomaar. Zou je je hoofd willen omdraaien en mij willen aankijken?

Langzaam deed Bletchley wat er van hem werd gevraagd. Langzaam draaide hij zijn hoofd om en keek Joe aan, die glimlachte.

Mooi zo. Het enige wat ik wil zeggen is dit. Jij bent eigenlijk helemaal niet veel anders dan Zwarterik. Eigenlijk verschillen jullie in het geheel niet.

Er verscheen een eigenaardige uitdrukking op Bletchleys gezicht, ongeloof, gevolgd door droefenis en berusting, en toen een verschrikkelijke onzekerheid. Hij stond op het punt iets te zeggen toen Joe zijn arm steviger omklemde.

Wacht, fluisterde Joe. Ik zit hier geen grapjes te verkopen en ik neem de zaak niet luchthartig op en ik zeg niet dat die kijker jaren geleden zijn onzalige werk niet heeft gedaan, want zo is het wel gegaan. Dat weten wij allebei. Maar ik *kende* Zwarterik, dat moet je niet vergeten. Niet alleen *Onze* Zwarterik, maar ook degene die erachter zat. Toen we jong waren werkten we dagenlang samen aan de visnetten en er waren ook lange avonden dat we in bed lagen en praatten over wat er van ons zou worden, terwijl de wind huilde en de regen het dak ranselde alsof het nooit meer zou ophouden, vóórdat hij *Onze* werd en aan iedereen toebehoorde. Enkel hij toen, schriel en ondermaats, zoals het echt was, meer niet. En als ik zie wat er schuilgaat achter dat masker van jou, dan weet ik dat jullie tweeën op wezenlijke punten een heleboel gemeen hebben. De kleine oppervlakkigheden daargelaten.

Ik draag een baard en dus krab ik mezelf wel eens. En jij draagt een ooglapje en dus doe je wat jij soms doet. Maar dat is aan de oppervlakte der dingen en dat is niet belangrijk. Dat jij de *Vrienden van Achmed* hebt opgericht, dat is belangrijk. En wat jij, zoals ik uit Mauds woorden opmaak, in stilte voor Anna doet, dat is belangrijk. En wat Liffy betreft, ach, het is niet eens nodig dat we over hem praten. Zijn stem zal altijd in ons opklinken en zijn treurige glimlach zal er altijd zijn, en het enige wat we met hem moeten doen is luisteren, luisteren, en hem naarmate de tijd verstrijkt een beetje beter leren kennen.

Die dingen zijn dus belangrijk, en misschien is het belangrijkste van alles die versleten oude sleutel die je daar in je hand klemt. Je houdt hem steeds maar vast en draait hem om en om en polijst hem met de olie van je huid. Dat kleine ding dat je ooit van plan bent weg te geven... als dat zo uitkomt.

Bedoeld om berichten in code te versturen. Vroeger tenminste, zo leek het. Bedoeld om geheime boodschappen te tikken in alle codes van het ras. Maar uiteindelijk toch niet zo geheim en evenmin zo moeilijk te begrijpen. Strongbow heeft hem ooit op een van zijn omzwervingen opgeduikeld en meegenomen, en toen had Stern hem een tijd en nu heb jij hem. En hoewel zijn boodschappen ingewikkeld lijken om uit te spreken, zijn ze alle op het eerste gezicht cryptisch, alleen als je er oppervlakkig naar kijkt, want er zit beweging in alles, evenzeer als er beweging zit in een rivier die naar zee stroomt. Dingen die in het hart worden gevoeld en altijd bekend zijn en ik ben blij dat jij die sleutel nu hebt. Ik ben blij dat hij in jouw hand ligt en jij hem bewaart en met je meeneemt... voor een poos. Tot ooit, als het jou zo uitkomt...

Joe knikte naar Bletchley. Hij glimlachte, rekte zich uit en hief zijn handen ten hemel.

Dat is dus alles wat ik wilde zeggen, en nu komt er een einde aan ons samenzijn aan de rivier en een soortement besluit. Die feloek daar is overstag en we kunnen naar het vliegveld vertrekken als het tijd is, nadat er enige zaken zijn opgelost maar de meeste niet. De Nijl doet nog steeds wat zij altijd al deed en die feloek probeert vooruit te komen, net als wij, en er woedt een verschrikkelijke oorlog over de wereld en te veel van degenen die wij liefhebben zijn nu heengegaan, hier niet bij ons waar ze behoren te zijn... Maar in zekere zin toch bij ons. Echo's diep in ons, om daar altijd te blijven... Zoals Zwarterik, die vanavond in jouw hart opdook om mijn leven te redden. Hij heeft nooit geweten dat hij dat nog eens zou doen, nietwaar? Maar hij heeft het gedaan en hij deed het louter door te zijn wie hij was. Omdat wat hij was zich lang geleden in jou nestelde en je gedachten en gevoelens in de loop der jaren vormgaf en niet alleen hij maar ook alle anderen die hier bij ons zijn. Gewoon hier, in de schaduwen in de krachtige stille geluiden van hun zijn... Nijlschaduwen tenslotte, de schaduwen van een tierende wereld. Maar die krachtige stille echo's van de rivier zijn ook in ons, godzijdank, en gaan altijd maar door en zullen nooit stilhouden...

Ze stonden op, Joe glimlachte en raapte een kiezelsteentje op.

Drie weken ben ik in Caïro geweest, zei hij, denk je eens in. Dat bewijst maar weer eens dat tijd slechts de vorm heeft die wij hem geven...

Hij keerde zich om en keilde het steentje over het water en heel even zag hij het glinsteren, een weerspiegeling van de rivier die in het maanlicht werd vrijgelaten.

Geen van beiden zei meer dan een enkel woord op weg naar het vlieg-veld. Bletchley concentreerde zich op het rijden en Joe staarde uit het raampje en probeerde alles in zich op te nemen, zichzelf te vullen met de beelden en de geluiden en de geuren die hij achterliet, de immense uitgestrektheid van de woestijn en de zelfs nog grotere uitgestrektheid van de woestijnhemel.

Op het vliegveld aangekomen leidde Bletchley Joe langs enkele kan-toren en toen stonden ze samen op de startbaan, zij met z'n tweetjes on-der de sterren. Er was een wind opgestoken die krachtig blies. Bletch-ley overhandigde Joe een envelop met een paar paperassen en geld, en Joe stopte ze weg.

Daar staat jouw vliegtuig, zei Bletchley, wijzend.

Hij wendde zich tot Joe, stak zijn arm uit en schudde Joe stijfjes de hand. Toen stond hij met zijn armen onbeholpen langs zijn zij, terwijl de wind zijn vormeloze oude kakipak deed klapperen, zijn oog enorm groot en rond en wachtend.

Joe lachte.

Hé, zo gemakkelijk kom je niet van me af.

Wat?

Wat, vraag je nog? Alleen maar een hand, na alles wat we hier heb-ben meegemaakt?

Joe wierp zijn hoofd in zijn nek en lachte nogmaals. Hij deed een stap naar voren en legde glimlachend zijn hand op Bletchleys schouder, *Begrijp* je het dan niet, man? Begrijp je dan niet dat we in deze we-reld aan dezelfde kant staan? En ik bedoel niet aan de kant van de Brit-ten of van de Geallieerden met hun Whatleys.

Joe boog zich naar voren in de wind, zijn ogen helder glanzend, met donkere schaduwen in de diepe groeven van zijn gelaat.

Luister naar wat ik zeg. Ik bedoel de enige kant die er is. En jij bent lang genoeg in het Middellandse Zeegebied om te weten dat je elkaar moet omhelzen als de belangrijke ogenblikken zijn aangebroken, want uiteindelijk is dat het enige wat ons overblijft, het enige wat we iemand die ons dierbaar is ooit kunnen geven. En bovendien ben jij geen regi-mentscommandant die tegenover zijn troepen op het exercitieterrein staat. Dat ben je nooit geweest en nu ben je niet meer dan een anoniem lid van het bonte groepje dat bekendstaat als de *Vrienden van Achmed*, een getekend en haveloos zooitje ongeregeld dat achter de linies door knokt zonder veel kans op enig succes en zonder een spoor van durf. We zijn alleen maar in transit, op doorreis. Dus spreid je armen en om-hels me, man. Omhels me om me uit de kou te houden als die nachten aanbreken, en dat zullen ze zeker. Het is niet te veel gevraagd en het duurt maar heel even, maar aan de andere kant, of het nu die van je goede of van je slechte hand is, het is alles en meer zullen we nooit echt *kennen.*

Bletchley lachte en ze omhelsden elkaar hartelijk.

Zo, dat is beter, zei Joe. En nu is het tijd en zoals een man die wij beiden kennen op ogenblikken als dit placht te zeggen, *God zegen je.* Hij was altijd een mysterieuze figuur, zozeer zelfs dat ik er uiteindelijk nooit achter ben gekomen of hij nu een Moslim, een Christen of een Jood was.

Merkwaardige kerel, eigenlijk. Groot en log en tamelijk vormloos eigenlijk, maar niettemin merkwaardig geruststellend. En met een vreemde glimlach op zijn gezicht en soms een zekere stunteligheid over zich, voor het laatst in deze contreien gesignaleerd als bedelaar, een waardig en berooid man, die zijn onmetelijk rijk in het holst van de nacht overziet... *Stern.* Ik vraag me af hoe hij ooit aan die naam is gekomen. Want hij was altijd alles behalve streng. Al het andere waarschijnlijk, maar dat niet.

Ja, God zegen nu...

Joe keerde zich om, wuifde en begon over de startbaan te lopen, een tengere gestalte in een kraagloos hemd en armoedige kleren die te groot voor hem leken, zijn hoofd gebogen terwijl hij zich schrap zette in de wind... een kleine man.